LE FRANÇAIS APPRIVOISÉ

4e ÉDITION

LE FRANÇAIS APPRIVOISÉ

4e ÉDITION

Sylvie Clamageran, Université York
Isabelle Clerc, Université Laval
Monique Grenier, Université Laval
Renée-Lise Roy, Université Laval

MODULO

Le français apprivoisé
4e édition

Sylvie Clamageran, Isabelle Clerc, Monique Grenier et Renée-Lise Roy

© 2015, 2011, 2004, 2001 Groupe Modulo Inc.

Conception éditoriale : Bianca Lam
Édition : Suzanne Champagne et Renée Théorêt
Coordination : Sophie Dumoulin
Révision linguistique : Sophie Dumoulin et Marie-Claude Rochon
  (Scribe Atout)
Correction d'épreuves : Marie-Claude Rochon (Scribe Atout)
Conception graphique : Marguerite Gouin
Conception de la couverture : Eykel design

**Catalogage avant publication
de Bibliothèque et Archives nationales du Québec
et Bibliothèque et Archives Canada**

Clamageran, Sylvie

  Le français apprivoisé

  4e édition.

  Comprend des références bibliographiques et un index.

  ISBN 978-2-89732-022-5

  1. Français (Langue) – Grammaire. 2. Français (Langue) – Syntaxe.
3. Français (Langue) – Français écrit. 4. Français (Langue) – Grammaire
– Problèmes et exercices. I. Clerc, Isabelle, 1957-   . II. Grenier,
Monique, 1954-   . III. Roy, Renée Lise, 1953-   . IV. Titre.

PC2112.F693 2015   448.2   C2014-942664-X

MODULO

5800, rue Saint-Denis, bureau 900
Montréal (Québec) H2S 3L5 Canada
Téléphone : 514 273-1066
Télécopieur : 514 276-0324 ou 1 800 814-0324
info.modulo@tc.tc

ISBN 978-2-89732-022-5

Dépôt légal : 1er trimestre 2015
Bibliothèque et Archives nationales du Québec
Bibliothèque et Archives Canada

Imprimé au Canada

2 3 4 5 6 M 21 20 19 18 17

Ce projet est financé en partie par le gouvernement du Canada

Œuvre de la couverture

Artiste : Jacinthe Tétrault
Titre : **Belvédère**
Date : 2011
Médium : Art imprimé
Ayant droit : © 2015 Jacinthe Tétrault
Crédit photographique : JTétrault

Sources iconographiques

Ouvertures de partie et de chapitre : MoinMoin/
Shutterstock.com ; **p. 305 :** Shutterstock.com.

Le matériel complémentaire mis en ligne dans notre
site Web est réservé aux résidants du Canada, et ce,
à des fins d'enseignement uniquement.

L'achat en ligne est réservé aux résidants du Canada.

Que vous soyez aux études ou sur le marché du travail, vous avez sans doute à rédiger des documents variés. Rédiger est un exercice exigeant ; rédiger sans faute, un idéal à atteindre. Le manuel qui vous est proposé ici a la prétention de vous faciliter la tâche, de vous permettre d'apprivoiser le français écrit. De chapitre en chapitre, vous apprendrez à vous servir dés outils d'aide à la rédaction, à analyser les mots, les phrases, à identifier des problèmes d'ordre grammatical, syntaxique, lexical ou textuel et à les résoudre.

Le français apprivoisé vous permet de découvrir une facette de la langue à la fois, en vous donnant des explications et en vous faisant travailler concrètement les notions abordées par de nombreux exercices. Vous pourrez ainsi revoir des notions fondamentales du français et en découvrir de nouvelles, tout en travaillant à votre rythme et selon vos difficultés propres.

À sa 2e édition, *Le français apprivoisé* avait fait le choix de la nouvelle grammaire ; à la 3e édition, celui de la nouvelle orthographe. En plus d'un remaniement de tous les chapitres, la 3e édition avait aussi vu s'ajouter deux nouveaux chapitres : « Les outils d'aide à la rédaction » et « La démarche de rédaction ». La 4e édition poursuit ce travail continu de mise à jour et d'enrichissement. Outre une révision en profondeur de tous les chapitres, un des changements les plus notables est certainement la migration d'une partie des exercices vers la plateforme i+ *Interactif*. Vous pourrez ainsi varier vos modalités d'apprentissage et mieux évaluer votre acquisition des connaissances au fur et à mesure de votre travail grâce aux activités interactives qui vous sont proposées. Vous trouverez également sur cette plateforme les corrigés des exercices du manuel.

Au fil des éditions, *Le français apprivoisé* a suivi l'évolution des ouvrages de référence communément employés au Québec et dans la francophonie canadienne : au *Multidictionnaire de la langue française* et au *Petit Robert de la langue française* se sont ajoutés Antidote, la *Banque de dépannage linguistique* et le *Grand dictionnaire terminologique* de l'Office québécois de la langue française ainsi que le site *Termium Plus* du Bureau de la traduction du Canada. Cette 4e édition voit s'ajouter des renvois au dictionnaire numérique québécois *Usito*, qui est paru en 2014.

Remerciements

Merci aux milliers d'étudiants et d'étudiantes, en classe ou à distance, qui nous ont donné le gout de poursuivre l'aventure du *Français apprivoisé* entamée il y a maintenant près de 25 ans. D'une édition à l'autre, nous visons à répondre le mieux possible à leurs interrogations et à leurs commentaires ; qu'il nous soit permis, à cet effet, de souligner les rétroactions fort utiles d'Alicia Chiasson (Université York).

Merci également à tous les enseignants et enseignantes qui utilisent le manuel dans leurs cours et nous font régulièrement part de leurs commentaires. Nous remercions en particulier Suzanne Bourgault (Cégep de Jonquière), Marie-Élaine Bourgeois (Université York), François Garceau (Cégep régional de Lanaudière), Claude Paradis (Cégep de Sainte-Foy) et Richard Vachon (Université Laval) pour leurs judicieux commentaires lors de la consultation menée en vue de la 4e édition.

Nous remercions aussi chaleureusement Marie-Josée Bourget (Université du Québec en Outaouais, Université Laval, Université d'Ottawa), Mario Désilets (Université de Montréal) et Carlos Séguin (Université de Montréal), qui ont relu le manuel en détail et apporté de précieuses suggestions pour améliorer la présente édition. À ces relectures d'ensemble s'ajoutent celles d'Éric Kavanagh (Université Laval) pour le chapitre « La démarche de rédaction » et de Lionel Tona (Université York) pour le chapitre « Les outils d'aide à la rédaction » : qu'ils soient également remerciés.

Notre reconnaissance va tout spécialement à Chantal Contant, linguiste (Université du Québec à Montréal et HEC Montréal), pour la minutie et la rigueur de sa révision scientifique : ses nombreuses remarques et propositions ont été d'un apport inestimable pour améliorer le manuel et assurer une plus grande cohérence entre les parties.

Enfin, nous remercions toute l'équipe de Modulo qui nous a accompagnées à différents moments du projet, en particulier Suzanne Champagne pour ses encouragements et sa patience, Renée Théorêt, Sophie Dumoulin et Bianca Lam pour leur gestion efficace du projet, ainsi que Jacinthe Lachapelle-Ménard pour la révision scientifique finale du manuel et Marie-Claude Rochon pour la révision linguistique et la correction d'épreuves.

Les auteures

Table des matières

PARTIE 1 Pour commencer

Introduction   Les outils d'aide à la rédaction

0.1 Les dictionnaires usuels 3

0.1.1 *PL/LL, PR* et *Usito* : convergences
et divergences 3

0.1.2 D'une édition à l'autre du *PL* et du *PR* 5

0.1.3 Les avantages du format électronique 6

0.1.4 Le *PR* : mieux le connaitre, mieux l'utiliser 6

0.1.5 *Usito* : le découvrir et l'apprécier 8

0.1.6 Le *Trésor de la langue française* 8

0.1.7 D'autres types de dictionnaires : synonymie,
cooccurrence et terminologie 8

**0.2 Les dictionnaires de difficultés
et les guides de rédaction** 10

0.2.1 Le *Multidictionnaire de la langue française*
(papier et électronique) 10

0.2.2 La *Banque de dépannage linguistique*
de l'OQLF 12

0.2.3 *Termium Plus* et le Portail linguistique
du Canada 13

0.2.4 Le site Amélioration du français
du Centre collégial de développement
de matériel didactique (CCDMD)............... 13

0.3 Le traitement de texte et la correction du texte 14

0.3.1 Le choix de la langue et la correction
automatique 14

0.3.2 Le suivi des modifications 14

0.4 Antidote, un outil à tout faire 15

0.4.1 Le correcteur..................................... 16

0.4.2 Les dictionnaires 18

0.4.3 Les guides linguistiques 19

0.5 Le Robert Correcteur 20

0.6 D'autres correcteurs 20

**0.7 Les outils d'aide à la rédaction et
les rectifications de l'orthographe** 20

0.7.1 L'abc des rectifications 21

0.7.2 La nouvelle orthographe dans les outils
d'aide à la rédaction 22

0.8 Pour conclure 23

PARTIE 2 La grammaire de la phrase

Chapitre 1   La phrase

1.1 La phrase (P) 25

1.1.1 Les constituants de la phrase..................... 25

1.1.2 La représentation d'une phrase.................... 26

1.1.3 La phrase de base 27

1.2 Les types de phrases 27

1.2.1 Le type déclaratif................................ 27

1.2.2 Le type impératif (ou injonctif).................. 28

1.2.3 Le type interrogatif 28

1.2.4 Le type exclamatif (ou interjectif)............... 30

1.3 Les constructions particulières................................ 30

1.4 Les formes de phrases 31

1.4.1 La phrase positive et la phrase négative 31

1.4.2 La phrase neutre et la phrase emphatique 31

1.4.3 La phrase active et la phrase passive................. 32

1.4.4 La phrase personnelle et la phrase
impersonnelle 32

1.5 Les classes de mots 34

1.5.1 Les classes de mots variables 35

1.5.2 Les classes de mots invariables 40

1.6 Les groupes de mots 42

   1.6.1 Le groupe nominal (GN) 44

   1.6.2 Le groupe verbal (GV) 49

   1.6.3 Le groupe adjectival (GAdj) 54

   1.6.4 Le groupe prépositionnel (GPrép) 59

   1.6.5 Le groupe adverbial (GAdv) 63

1.7 Les manipulations syntaxiques 70

Chapitre 2   La liaison des phrases : la phrase complexe

2.1 La coordination 75

2.2 La subordination 76

   2.2.1 La subordonnée relative 76

   2.2.2 La subordonnée complétive 79

   2.2.3 La subordonnée circonstancielle 81

   2.2.4 La subordonnée corrélative 83

2.3 L'insertion 85

   2.3.1 La phrase incise 85

   2.3.2 La phrase incidente 85

Chapitre 3   Les problèmes de syntaxe

3.1 La phrase interrogative 86

   3.1.1 La structure de l'interrogative directe 86

   3.1.2 Les erreurs de construction dans l'interrogative directe 87

   3.1.3 La structure de l'interrogation indirecte 88

   3.1.4 Les erreurs de construction dans l'interrogation indirecte 88

3.2 La phrase négative 89

   3.2.1 La structure de la phrase négative 89

   3.2.2 Les erreurs de construction dans la phrase négative et restrictive 89

3.3 Le pronom relatif 92

   3.3.1 Les rôles du pronom relatif 92

   3.3.2 Le choix du pronom relatif 93

   3.3.3 Les erreurs fréquentes dans l'emploi du pronom relatif 95

3.4 L'emploi de la préposition 97

   3.4.1 Quel est le rôle de la préposition ? 97

   3.4.2 Les erreurs fréquentes dans l'emploi des prépositions 98

3.5 L'anacoluthe 104

   3.5.1 Les compléments de phrase 104

   3.5.2 Les compléments du nom 105

3.6 La coordination 106

   3.6.1 Qu'est-ce que la coordination ? 106

   3.6.2 La répétition des prépositions *à*, *de* et *en* dans la coordination 106

   3.6.3 La coordination de verbes de construction différente 107

   3.6.4 L'incohérence dans la coordination 108

   3.6.5 Des sujets ou des compléments coordonnés de classes différentes 108

3.7 L'ordre des mots 110

   3.7.1 Les compléments directs et indirects 110

   3.7.2 Les compléments de phrase 110

   3.7.3 La séparation indue de groupes de mots 111

   3.7.4 La place des adverbes et des marqueurs de relation 112

3.8 Le pronom démonstratif 113

   3.8.1 Le rôle du pronom démonstratif 113

   3.8.2 *Ceci* et *cela* 113

   3.8.3 *Celui-ci* et *celui-là* 114

   3.8.4 L'abus dans l'emploi du pronom démonstratif 114

   3.8.5 Le pronom démonstratif et son complément 114

3.9 La construction des compléments du verbe 115

   3.9.1 L'omission d'un complément obligatoire 115

   3.9.2 La présence indue d'un CD 116

   3.9.3 Un CI à la place d'un CD 116

   3.9.4 Les erreurs liées à la subordonnée complétive 117

3.10 La comparaison et le superlatif 118

   3.10.1 L'absence ou le choix erroné d'un élément dans la comparaison 118

   3.10.2 L'accord dans le superlatif 119

3.11 Une reprise inutile 119

Chapitre 4   La ponctuation

4.1 La ponctuation à la fin de la phrase graphique 121

    4.1.1 Le point 121

    4.1.2 Le point d'interrogation....................... 122

    4.1.3 Le point d'exclamation 123

    4.1.4 Les points de suspension.................... 123

**4.2 La ponctuation à l'intérieur
de la phrase graphique** 124

    4.2.1 La virgule 124

    4.2.2 Le point-virgule 129

    4.2.3 Le deux-points 129

    4.2.4 Les guillemets 130

    4.2.5 Les parenthèses 131

    4.2.6 Les crochets 132

    4.2.7 Les tirets 132

Chapitre 5   La morphologie

5.1 Le verbe et les conjugaisons 134

    5.1.1 Les personnes 135

    5.1.2 Les modes et les temps 136

    5.1.3 Les verbes réguliers et irréguliers 138

    5.1.4 Les conjugaisons aux différents temps
et aux différents modes................... 140

    5.1.5 La conjugaison à la forme interrogative 159

5.2 Le nom 160

    5.2.1 Le genre du nom 161

    5.2.2 Le pluriel des noms 164

    5.2.3 L'emploi de la majuscule 168

    5.2.4 Les abréviations 169

    5.2.5 Les symboles des unités de mesure 170

5.3 L'adjectif 172

    5.3.1 La formation du féminin des adjectifs 172

    5.3.2 La formation du pluriel des adjectifs........... 173

5.4 Le déterminant 174

    5.4.1 Quelques généralités 174

    5.4.2 Le déterminant contracté.................... 175

    5.4.3 Le déterminant indéfini partitif 175

    5.4.4 Le déterminant numéral 176

5.5 Le pronom 177

Chapitre 6   Les accords

6.1 Les principes généraux 179

    6.1.1 Les classes de mots 179

    6.1.2 Les traits grammaticaux et les marques
grammaticales 179

    6.1.3 Les notions de donneur et
de receveur d'accord 179

    6.1.4 L'importance et l'utilité des accords...... 180

    6.1.5 Les règles d'accord 180

6.2 Les accords dans le GV 181

    6.2.1 L'accord du verbe avec le sujet 181

    6.2.2 L'accord du participe passé 199

    6.2.3 L'accord de l'adjectif attribut du sujet 222

    6.2.4 L'accord de l'adjectif attribut
du complément direct 223

6.3 Les accords dans le GN 223

    6.3.1 L'accord de l'adjectif complément
du nom ou du pronom 224

    6.3.2 L'accord du déterminant 228

6.4 L'accord de *tout*, *même*, *quelque* et *tel* 229

    6.4.1 L'accord de *tout* 229

    6.4.2 L'accord de *même* 232

    6.4.3 L'accord de *quelque*, *quel que*
et *quelque… que* 234

    6.4.4 L'accord de *tel*, *tel que* et *tel quel*........... 236

PARTIE 3   Le lexique

Chapitre 7   L'origine et la formation des mots

7.1 L'évolution du français 240

    7.1.1 Les origines 240

    7.1.2 Le fonds primitif............................... 240

    7.1.3 Les emprunts du passé 241

    7.1.4 Les emprunts contemporains 241

7.2 La formation des mots 242

  7.2.1 La dérivation 243

  7.2.2 La composition 253

  7.2.3 Les autres modes de formation 254

Chapitre 8 L'emploi du mot juste

8.1 La synonymie 257

  8.1.1 Les synonymes et les nuances de sens 257

  8.1.2 Les synonymes et les cooccurrences 260

  8.1.3 Les synonymes et les degrés d'intensité 261

  8.1.4 Les synonymes de sens péjoratif 261

  8.1.5 Les synonymes et les euphémismes 262

  8.1.6 Les synonymes et les registres (ou niveaux) de langue 263

8.2 L'antonymie 264

8.3 Les mots passepartouts 265

8.4 La concision 267

  8.4.1 La suppression de l'adverbe *très* 267

  8.4.2 La suppression des adverbes de manière 268

  8.4.3 La suppression des subordonnées relatives 268

  8.4.4 La suppression des subordonnées complétives 269

  8.4.5 La suppression des périphrases 270

Chapitre 9 Les normes et les usages

9.1 La qualité de la langue et les variations de l'usage **271**

  9.1.1 La variation dans l'espace 272

  9.1.2 La variation temporelle 275

  9.1.3 La variation sociale (ou sociostylistique) 276

Chapitre 10 Les écarts lexicaux

10.1 Les pièges de l'emprunt 279

  10.1.1 Les anglicismes de prononciation 280

  10.1.2 Les anglicismes orthographiques 280

  10.1.3 Les anglicismes lexicaux 281

10.2 Les impropriétés 281

  10.2.1 Les faux-sens 282

  10.2.2 Les anglicismes sémantiques et les calques d'expressions 283

  10.2.3 Les homonymes 284

  10.2.4 Les paronymes 285

  10.2.5 Les pléonasmes et les redondances 287

10.3 L'incompatibilité sémantique (les cooccurrences erronées) 288

10.4 Les barbarismes et les solécismes 290

PARTIE 4 La rédaction

Chapitre 11 La démarche de rédaction

11.1 L'analyse du mandat 295

  11.1.1 Le destinataire (le public cible) 296

  11.1.2 Le but de la communication 296

  11.1.3 Le sujet de la communication (le contenu du document) 297

  11.1.4 La forme du document 297

  11.1.5 L'établissement de l'échéancier 298

11.2 Le choix de l'information 299

  11.2.1 La collecte 299

  11.2.2 La sélection de l'information 300

11.3 La structuration de l'information 301

  11.3.1 Le regroupement de l'information 301

  11.3.2 La hiérarchisation de l'information 303

  11.3.3 L'ordonnancement de l'information 303

11.4 La rédaction 306

  11.4.1 L'introduction 306

  11.4.2 Le développement 308

  11.4.3 La conclusion 308

11.5 La relecture 310

  11.5.1 Évaluer l'information 310

  11.5.2 Évaluer la structure 311

  11.5.3 Évaluer l'écriture 311

  11.5.4 Évaluer la facture visuelle du texte 311

Chapitre 12 La cohérence du texte

12.1 La progression de l'information 312

12.1.1 Les types de progression thématique 313

12.1.2 Les types de reprises de l'information 317

12.1.3 Les erreurs et les maladresses dans
les reprises de l'information 319

12.1.4 Les reprises de l'information
et l'organisation du paragraphe 329

12.2 Les connecteurs 331

12.2.1 La reconnaissance des relations
exprimées par les connecteurs 332

12.2.2 Quelques maladresses et erreurs
courantes 334

12.2.3 La diversité des connecteurs et
les nuances de sens.................................... 341

12.3 La constance et l'absence de contradiction 348

12.3.1 Le manque de constance orthographique 348

12.3.2 Le manque de constance terminologique 349

12.3.3 Les contradictions à l'intérieur du texte 349

12.3.4 Les contradictions par rapport à d'autres
textes et par rapport au monde 349

12.3.5 Le manque de constance ou
de transparence dans la visée,
le point de vue et la modalisation 350

12.3.6 Le manque de parallélisme 351

12.3.7 Le manque de constance dans
le temps des verbes 351

12.4 La mise en pages et la typographie 354

BIBLIOGRAPHIE 357

INDEX 360

PARTIE 1

Pour commencer

Introduction   **Les outils d'aide à la rédaction**

0.1 Les dictionnaires usuels

0.2 Les dictionnaires de difficultés
     et les guides de rédaction

0.3 Le traitement de texte et la correction
     du texte

0.4 Antidote, un outil à tout faire

0.5 Le Robert Correcteur

0.6 D'autres correcteurs

0.7 Les outils d'aide à la rédaction et
     les rectifications de l'orthographe

0.8 Pour conclure

Les outils d'aide à la rédaction

Le charpentier a sa scie, son niveau, ses rabots; le rédacteur, lui, a ses dictionnaires, ses grammaires, ses guides… Comme ceux du charpentier, les outils du rédacteur changent, se modernisent; tous, ou presque, se sont faits numériques.

Dans cette introduction, nous ferons un survol des ouvrages de référence, logiciels et banques de données linguistiques les plus couramment utilisés aujourd'hui pour mieux rédiger, au Québec et dans la francophonie canadienne, en privilégiant les outils électroniques et ceux qui sont les plus multifonctionnels.

Les outils ne remplacent pas le savoir. Autrefois, on rédigeait avec un *Petit Larousse illustré*, un précis de grammaire (pour les constructions syntaxiques ou les accords un peu compliqués) et, peut-être, un petit guide de conjugaison pour la commodité. Aujourd'hui, nous avons des outils technologiques qui nous permettent de mieux écrire, mais qui demandent des savoir-faire pratiques pour bien les utiliser ainsi qu'un niveau de compréhension plus élevé du fonctionnement de la langue.

Au fil du manuel, les exercices vous inviteront à vous servir de différents outils d'aide à la rédaction pour résoudre des difficultés linguistiques et rédactionnelles. C'est cependant au fil de vos travaux, de vos écrits, dans l'utilisation quotidienne de ces outils, que vous apprendrez à tirer pleinement profit de toutes leurs potentialités.

0.1 Les dictionnaires usuels

Un bon dictionnaire est le premier outil du rédacteur ou de la rédactrice. Lequel ou lesquels choisir? Vos grands-parents, s'ils sont francophones, ont sans doute grandi avec le *Petit Larousse illustré* (PL). Aujourd'hui, il y a de bonnes chances que vous ayez chez vous un *Petit Robert* (PR) et qu'au fil de vos cours de français, vous l'ayez déjà utilisé en version numérique. S'est ajouté ces dernières années le dictionnaire *Usito*, conçu par des Québécois, pour les Québécois et les francophones du Canada.

Le *PL* a pour correspondants électroniques le *Dictionnaire de français* et l'*Encyclopédie* de Larousse[1] (les deux en accès libre avec de la publicité). Le *PR* existe en versions papier et numérique (avec maintenant une nouvelle édition chaque année). *Usito*, pour sa part, n'existe qu'en version en ligne, par abonnement.

0.1.1 *PL/LL, PR* et *Usito*: convergences et divergences

Le *PL* se distingue du *PR* en ce qu'il est autant un **dictionnaire encyclopédique** qui nous renseigne sur les référents des mots (« les choses du monde », comme dit le lexicographe Alain Rey) qu'un **dictionnaire de langue** qui nous renseigne sur les sens des mots et leur

---

1. La version en cédérom du *PL* n'est plus produite.

fonctionnement. Le *PR* est avant tout un dictionnaire « pour rédiger » ; le *PL* est davantage un dictionnaire « pour connaitre », d'où les illustrations et la partie sur les noms propres. Le *Larousse en ligne* (*LL*), par sa nature électronique, sépare essentiellement l'information linguistique (définitions, synonymes, expressions, etc.) de l'information encyclopédique entre le *Dictionnaire de français* et l'*Encyclopédie*, laquelle est constamment alimentée. Ces deux composantes ne constituent donc pas un équivalent direct du *PL*, qui est notamment plus à jour concernant l'orthographe rectifiée.

Dictionnaire de langue, le *PR* vise à donner le plus de renseignements possible sur le fonctionnement des mots. Ainsi, les articles comprennent l'origine des mots (étymologie), leur prononciation, leurs sens, les valeurs et emplois particuliers, les contraintes sémantiques (par exemple, les verbes qui n'acceptent que des sujets inanimés, comme *dénoter*, *nécessiter*, ou que des compléments directs renvoyant à des personnes, comme *blâmer*, *désorienter*), les contraintes syntaxiques (construction des compléments) ou morphosyntaxiques (mode dans la subordonnée après tel ou tel verbe, etc.) en s'appuyant sur de nombreux exemples et citations ; par la façon dont ils sont découpés et les nombreuses marques d'usage qu'ils contiennent, les articles du *PR* rendent aussi compte de l'évolution des mots et de leur usage.

Usito est également un dictionnaire de langue. Rédigé au Québec, il fait une large place aux usages québécois (ainsi qu'à d'autres usages propres aux différents pays ou régions francophones, dont l'Acadie). Les sens et emplois québécois ne sont pas des compléments dans l'article, mais des éléments fondamentaux dans la structuration des articles.

Pour bien comprendre les différences, comparez l'article « cinéma » du *LL*, du *PR* et d'*Usito*[2]. Au premier coup d'œil, on peut percevoir la différence : cinq définitions ou emplois pour le *LL* (avec les expressions sous un onglet séparé) ; cinq définitions ou emplois également dans le *PR*, mais avec un découpage différent et tant de renvois, de locutions, d'exemples et de citations que l'article est cinq fois plus long que celui du *LL* ; découpage en cinq aussi dans *Usito*, mais avec beaucoup moins de renvois à d'autres mots et une présentation visuelle moins dense que dans le *PR* (ce qui, pour beaucoup d'utilisateurs, est un atout réel) ; à noter aussi, dans *Usito*, des citations tirées de sources québécoises et un lien vers un article thématique sur le cinéma québécois.

Le tableau 0.1 montre concrètement les différences pour l'un des cinq sens répertoriés (en utilisant cette fois le *PL* plutôt que le *Dictionnaire de français* du *LL*).

Comme on le voit, le *PR* intègre à la définition même une locution synonyme : *le septième art*. Suit toute une série d'exemples (en italique), de renvois (précédés d'une flèche) et de sous-définitions (en caractères romains) qui exposent un grand pan du vocabulaire (et du monde) du cinéma ; le sens dérivé (le cinéma comme industrie) est rattaché en sous-sens. La section comporte aussi trois citations d'auteurs qui permettent à la définition de s'incarner : en quoi, pourquoi le cinéma est-il un art ? Par le biais linguistique, le concept s'anime. Dans *Usito*, la section « 2 Art de réaliser des films » est presque aussi longue que dans le *PR* (donc, à priori, on a une quantité d'information semblable) ; ce qui touche l'industrie est repoussé dans la section 3 ; les deux citations données pour exemplifier sont québécoises.

Si le *PL* est le moins « performant » des trois sur le plan linguistique, il a ses forces. Prenons encore l'article « cinéma ». L'article du *PL* comporte une substantielle section encyclopédique qui retrace le développement du cinéma, d'Edison et Méliès au cinéma 3D, ainsi qu'un encadré illustrant les techniques du cinéma (dans le *LL*, l'article encyclopédique s'allonge et donne un accès direct à tout un réseau d'information).

Selon les besoins, on utilisera donc un dictionnaire ou l'autre. Comme outils linguistiques, le *PR* et *Usito* sont nettement plus puissants que le *PL*. Nous les explorerons davantage par des exercices.

---

2. *Dictionnaire de français* du *LL* : www.larousse.fr/dictionnaires/francais (accès libre). Usito : www.usito.com/dictio.

Dictionnaire	Traitement d'un des sens
PL[1]	**CINÉMA n.m.** (abrév. de *cinématographe*). **1.** Art de composer et de réaliser des films. *(v. encadré page suivante.)* […]
PR[2]	[…] ☞ 2. Art de composer et de réaliser des films (cf. Le septième art). *Faire du cinéma.* → **filmer, tourner; réalisation.** *Adaptation d'un roman pour le cinéma.* ✍ « La peau humaine des choses, le derme de la réalité, voilà avec quoi le cinéma joue d'abord » (Artaud). « Le cinéma substitue à notre regard un monde qui s'accorde à nos désirs » (A. Bazin). *Plateau, studio de cinéma. Décors, trucages de cinéma. Acteur, vedette; réalisateur* (metteur en scène)*, techniciens de cinéma* (caméraman, perchiste, décorateur, maquilleur, électricien, ingénieur du son, monteur, scripte, etc.)*. Amateur de cinéma.* → **cinéphage, cinéphile; cinéclub, cinémathèque, cinéshop.** « Lui, il aime le cinéma. L'histoire qui se déroule sans qu'il ait à y imprimer quoi que ce soit de personnel. Être avec d'autres, dans une salle, tous embarqués dans le même mouvement, le même rythme » (J. Benameur). ▫ *Cinéma professionnel, d'amateur. Cinéma d'auteur. Cinéma français, italien,* etc.*, ensemble des œuvres produites par cet art en France, en Italie,* etc. *Cinéma scientifique. Cinéma de genre*. Cinéma porno. Cinéma d'animation*. Critique, revue de cinéma.* ◆ Industrie du spectacle cinématographique (→ **distribution, production**)*. Être dans le cinéma.* […]
Usito[3]	[…] ② Art de réaliser des films. *Vedettes, producteurs de cinéma.* *Studio de cinéma.* *La magie du cinéma.* *Adapter un roman pour le cinéma.* – (EXPRESSIONS) FAM *Faire du cinéma, faire son cinéma : se faire remarquer par des manières affectées, chercher à en faire accroire.* « *Il se souvient d'une de ses tantes qui, entraînée par le rythme, pouvait glisser dans un état second. Il a longtemps cru qu'elle faisait du cinéma, jusqu'au jour où il s'est aperçu que la musique pouvait lui faire perdre les pédales à lui aussi* » (L'Actualité, 2001). *Se faire du cinéma : se raconter des histoires.* – CINÉMA-VÉRITÉ. Documentaire filmé sur le vif, présentant des personnes réelles dans des situations réelles ou présentées comme telles. ◆ Ensemble d'œuvres produites par cet art. *Cinéma américain, français, québécois.* *Cinéma professionnel, amateur.* *Cinéma de répertoire, d'auteur.* « *le cinéma créa ses idoles qui ouvrirent les portes du rêve à tous les adolescents du monde* » (G.-É. Lapalme, 1969). […]

1. Le *Petit Larousse illustré* 2015 © Larousse 2014.
2. Le *Petit Robert* 2015 (www.lerobert.com) © 2013 Dictionnaires Le Robert.
3. *Usito* (www.usito.com), les Éditions Delisme © 2015.

0.1.2   D'une édition à l'autre du *PL* et du *PR*

Chaque année, les chroniqueurs linguistiques des journaux et périodiques attendent avec plaisir la cuvée des nouveaux mots intégrés dans les nouvelles éditions des dictionnaires commerciaux. L'édition 2015 du *PR* a, par exemple, ajouté *bistronomique, démondialisation, fracturation, microbrasserie* et, comme dans le *PL*, une bonne récolte des anglicismes lexicaux (dont, bien sûr, l'incontournable *selfie*). Dans le *PL* comme dans le *PR*, une multitude de mots et de termes qui reflètent directement l'évolution technologique et sociale: en 2015, on peut *vapoter* des cigarettes électroniques sans *psychoter*.

Au-delà de ces additions à la nomenclature, les nouvelles éditions sont l'occasion de mettre à jour certains articles (dans le traitement encyclopédique autant que linguistique pour le *PL*). Le *PR* vise tout particulièrement à actualiser son traitement des mots en renouvelant les exemples et les citations: les dernières éditions ont ainsi vu apparaitre bon nombre de citations extraites de chansons, de films et d'autres médias auparavant peu mentionnés. D'une édition à l'autre, il cherche aussi à réduire l'ethnocentrisme français par l'ajout d'entrées ou d'emplois de l'ensemble de la francophonie (Belgique, Sénégal, Acadie, Québec, etc.), ainsi que de citations d'auteurs, de personnalités ou de médias non français. D'une version électronique à l'autre peuvent aussi s'améliorer les différentes fonctionnalités. Le *PL*, pour sa part, accorde bien sûr la plus grande importance à la mise à jour encyclopédique. Comme chaque nouvelle édition constitue rarement une refonte sérieuse, il n'est nullement nécessaire d'avoir la dernière édition[3].

0.1.3 Les avantages du format électronique

Les dictionnaires électroniques ont de nombreux avantages par rapport à leur contrepartie papier, notamment :

* la rapidité de consultation (plus besoin de feuilleter en se récitant l'ordre des lettres de l'alphabet) ;
* la possibilité d'appeler directement un article du dictionnaire à partir du texte qu'on est en train d'écrire ;
* la puissance de réorganisation de l'information qu'offre une banque de données informatisée (par exemple, visualisation du plan de l'article uniquement, ce qui facilite la consultation quand l'article est long) ;
* la puissance de recherche pour trouver tout ce qui se rattache à un mot donné sur l'ensemble du dictionnaire (par exemple, toutes les locutions et expressions qui contiennent le mot donné dans tous les articles du dictionnaire).

0.1.4 Le *PR* : mieux le connaitre, mieux l'utiliser

Le *PR* s'étant imposé comme référence quasi universelle pour les études collégiales et universitaires, il convient d'en tirer le maximum. Prenons le temps de bien comprendre l'organisation interne de ses articles.

La structure des articles

Un article de dictionnaire ne se lit pas comme un roman : on y cherche généralement une information particulière. La longueur de certains articles du *PR* pouvant les rendre rébarbatifs, il faut savoir y naviguer. Le premier système de balises, c'est la **structuration matérielle** de l'article, dont on doit apprendre à décoder les diverses mises en relief typographiques. Le second, c'est la **structure abstraite** de l'article. Pourquoi telle définition avant telle autre ? Pourquoi telle définition en sous-point d'une autre ? Pourquoi tel regroupement ?

Les articles du *PR* suivent avant tout un **plan historique** : les différents sens, ou acceptions, d'un mot sont rangés dans l'ordre de leur apparition dans la langue ; à cet ordre historique se combine un ordre logique quand les emplois d'un mot sont à peu près aussi anciens les uns que les autres. Selon un **plan logique**, les différents emplois d'un mot sont classés du sens premier au sens le plus éloigné. La progression des définitions dans l'article « film » illustre bien le plan historicologique :

« **FILM** [film] n.m. [...] ■ **1** Pellicule photographique. [...] ◆ (1896) Plus cour. Pellicule cinématographique ; bande régulièrement perforée. [...] ■ **2** Œuvre cinématographique enregistrée sur film. [...] ◆ par ext. L'art cinématographique. [...] ■ **3** fig. Déroulement (d'évènements). [...] ■ **4** anglic. Pellicule, mince couche d'une matière. [...] ■ **5** Support recouvert d'une émulsion photosensible utilisé en photogravure. [...] »

---

3. Les dernières refontes majeures, notamment du côté orthographique, datent de 2012 pour le *PL* et de 2012-2013 pour le *PR*. Depuis ces refontes majeures, les mises à jour sont annuelles.

Le premier sens à apparaitre est celui de « [p]ellicule photographique », pellicule à partir de laquelle on a créé la pellicule cinématographique, présentée donc en « sous-sens ». Avec la pellicule, on a fait les films, présentés en 2ᵉ sens, avec en sous-sens, l'art auquel les films ont donné naissance : ainsi, le mot *film* peut désigner une œuvre en particulier ou l'art même (exemples du *PR* : « *Histoire du film français. Festival du film policier de Cognac.* »). De ces sens propres aux domaines de la photographie (définition générale du point 1) et du cinéma est dérivé le sens figuré de « [d]éroulement (d'évènements) », comme dans l'expression *revoir le film de sa vie*. Le sens 4 regroupe des emplois métaphoriques divers du mot : une mince couche de quelque chose sur quelque chose (notion qui existait avant qu'on emploie le mot *film* pour la désigner : *un film de poussière, de crasse, de gras*, etc.). Le sens 5 est aussi ancien que le premier, mais logiquement près du sens 4 de « mince couche » (d'un produit photosensible pour la photogravure).

Si l'on n'a pas besoin de toujours décortiquer la structure conceptuelle d'un article pour trouver ou mieux saisir un sens ou un emploi, l'organisation des définitions aide à comprendre l'**extension référentielle** du mot, l'étendue de ce à quoi il renvoie. Plus on consulte le *PR*, plus il devient facile de « deviner » où, dans un long article, se trouvera le sens qu'on cherche.

Un autre mode de classement se combine au plan historique et logique, celui des **comportements grammaticaux**, qu'il est aussi essentiel de comprendre pour trouver ce que l'on cherche. Les divisions en chiffres romains I, II, III, etc. signalent ce type de classement ou encore des regroupements de sens apparentés dans de longs articles. Ainsi, un article portant sur un verbe qui accepte plusieurs constructions se découpera en fonction de celles-ci : pour le verbe *parler*, on trouve dans un premier temps les emplois intransitifs (sans complément) du verbe (*parler, parler fort*, etc.), puis les emplois transitifs indirects (*parler de, parler à, se parler*, etc.) et, finalement, les emplois transitifs directs (*parler une langue, parler politique*, etc.).

Les préfaces, postfaces et annexes du *PR*

Le *PR* comprend de multiples annexes dont les préfaces et postfaces de différentes éditions. La plupart des annexes (que les exercices vous amèneront à consulter) sont directement utilitaires. Mentionnons les suivantes en particulier :

- Table de l'alphabet phonétique international
- Tableau des termes, signes conventionnels et abréviations
- Liste des noms communs et des adjectifs correspondant aux noms propres de personnes et de lieux
- Petit dictionnaire des suffixes du français
- L'accord du participe passé
- Les conjugaisons

Les préfaces et postfaces nous renseignent pour leur part sur l'esprit, la méthode, l'évolution du *PR*. On lira en particulier la préface de 1993, qui expose la conception du dictionnaire de langue et la méthodologie à l'œuvre dans le *Nouveau Petit Robert*, ainsi que la postface de 2009 sur l'intégration partielle de l'orthographe rectifiée dans le *PR*.

Le *PR* électronique

Les ouvrages électroniques nous étant devenus familiers, nous savons, jusqu'à un certain point, comment ils fonctionnent et pouvons découvrir sans trop de peine leurs potentialités. Cela étant, pour en tirer pleinement profit, il est utile de consulter le guide d'utilisation et autres annexes, facilement accessibles par le bouton ou le menu d'aide.

Voyez les exercices du matériel complémentaire pour une exploration de certaines fonctionnalités particulièrement intéressantes du *PR* électronique.

Voyez les exercices du matériel complémentaire pour une comparaison du traitement de quelques mots dans *Usito* et le *PR*.

0.1.5 *Usito* : le découvrir et l'apprécier

Dernier-né des dictionnaires du français produits au Québec, *Usito* s'est implanté dans de nombreux établissements scolaires et universitaires. Bon nombre de bibliothèques y sont abonnées. Comme nous l'avons déjà mentionné, il s'ancre pleinement dans le français d'ici.

0.1.6 Le *Trésor de la langue française*

Produit en France dans les dernières décennies du XXe siècle et disponible en ligne, le ***Trésor de la langue française*** (*TLF*) répertorie et traite le lexique des XIXe et XXe siècles (on n'y trouvera donc pas le verbe *bloguer* !). Les articles sont denses, leur présentation un peu rébarbative, mais l'information est riche, et l'accès, gratuit[4].

0.1.7 D'autres types de dictionnaires : synonymie, cooccurrence et terminologie

À côté des dictionnaires de langue généraux, on trouve des dictionnaires qui ne traitent que d'un aspect de la langue (par exemple, la synonymie, les régionalismes) ou d'un champ du savoir ou des activités humaines (par exemple, la médecine, l'informatique). Dans cette section, il sera question de trois types de dictionnaires particulièrement utiles : les dictionnaires de synonymes, les dictionnaires de cooccurrences, et les dictionnaires ou banques terminologiques. Les dictionnaires de difficultés, qui offrent des conseils de rédaction en plus de traiter de difficultés linguistiques particulières, ont été regroupés avec les guides de rédaction dans la section 0.2. À l'exception des dictionnaires et banques terminologiques, tous ces outils sont repris dans les boites à outils que sont Antidote, dont il sera question à la section 0.4, et son nouveau concurrent, le Robert Correcteur (*voir la section 0.5*). Nous les mentionnerons néanmoins ici, parce qu'ils existent comme outils autonomes.

Les dictionnaires de synonymes

Le mot *synonyme* est un mot bien trompeur, car, d'une part, il n'y a guère de synonymes parfaits (*acteur* et *star* ne portent pas exactement le même sens) et, d'autre part, on appelle souvent synonymes des mots qui entretiennent plutôt un rapport d'analogie : ils appartiennent au même domaine, au même « champ sémantique », mais ils ne renvoient pas à la même réalité. Reprenons l'article « cinéma » du *PR*. Les quatre renvois dans le point 1 (*caméra, bande, film, pellicule*) ne sont pas des synonymes de *cinéma*, mais des mots relevant du domaine du cinéma. Au point 2 de l'article, les deux premiers renvois qui suivent l'expression *amateur de cinéma* (*cinéphage, cinéphile*) sont bien des synonymes, mais ce n'est pas le cas des trois suivants (*cinéclub, cinémathèque, cinéshop*), qui font référence à des lieux que peut fréquenter l'amateur de cinéma. L'amalgame des mots analogues et des synonymes dans les renvois (plus de 20 dans l'article « cinéma » du *PR*) peut inciter davantage à la rêverie qu'à une recherche systématique et structurée des nuances de sens entre synonymes et mots de sens proches. C'est pourquoi les dictionnaires de synonymes ont toujours leur place.

Le ***Grand Druide des synonymes et des antonymes***[5] figure parmi les plus intéressants des dictionnaires de synonymes actuels : 35 000 articles très structurés sont proposés. Dans chacun, les synonymes sont regroupés, comme il se doit, selon les différents sens du mot

---

4. Le *Trésor de la langue française informatisé* (*TLFi*) : http://atilf.atilf.fr/.

5. Il existe aussi une version *Petit Druide des synonymes et des antonymes*.

traité ; ils sont aussi classés selon les domaines d'usage, les registres, ainsi que l'aire d'emploi pour les régionalismes ; les hyperonymes (mots dont le sens englobe celui d'un mot donné) et les hyponymes (mots dont le sens est plus précis que celui d'un mot donné) sont clairement marqués comme tels. Le *Grand Druide* est en fait un extrait des **dictionnaires des synonymes** et **des antonymes** inclus dans le logiciel d'aide à la rédaction **Antidote** : aux caractéristiques du *Grand Druide*, la version électronique ajoute notamment un nombre accru d'hyperonymes et d'hyponymes et la visualisation immédiate de la définition de tout synonyme ou antonyme dans le panneau de droite de la fenêtre. Encore une fois, les outils électroniques déploient une puissance de traitement que ne peuvent atteindre les ouvrages sur support papier.

Même la suite **Microsoft Office**, et donc le logiciel **Word**, comporte un dictionnaire des synonymes qui peut dépanner, particulièrement lorsqu'on a un mot sur le bout de la langue (des doigts !), mais qu'il ne vient pas : par exemple, pour le mot *acteur*, le dictionnaire des synonymes de Word offre *comédien, artiste, tragédien, mime, doublure, figurant, star*, etc.

Un synonyme ne se choisit pas au hasard parmi les mots ayant le même référent. Le chapitre 8, « L'emploi du mot juste », vous en apprendra davantage sur la synonymie et l'analogie.

Les dictionnaires de cooccurrences

Les dictionnaires de cooccurrences, ou de combinaisons de mots, répertorient les associations de mots courantes sans qu'elles soient pour autant des locutions figées. L'usage de combinaisons attendues rend l'écriture naturelle et facilite la lecture : le lecteur n'est pas déconcerté par des associations de mots qui le surprennent et interrompent sa lecture.

Ce genre de dictionnaire est particulièrement utile à ceux qui ne trouvent pas facilement les combinaisons usuelles, que ce soit parce qu'ils lisent peu, que le français n'est pas leur langue maternelle ou pour toute autre raison. Par la richesse des expressions, des exemples et des citations qu'il renferme, le *PR* est déjà un formidable dictionnaire de cooccurrences. Un dictionnaire dédié uniquement aux cooccurrences offre cependant davantage de combinaisons et les regroupe généralement par constructions (associations nom + adjectif, nom + nom, verbe + nom, etc.), ce qui facilite le repérage des combinaisons qu'on veut vérifier et permet d'en découvrir une multitude d'autres.

Mentionnons deux de ces dictionnaires. Le ***Grand Druide des cooccurrences*** reprend le **dictionnaire des cooccurrences** d'Antidote, qui offre un nombre impressionnant de cooccurrences classées selon un découpage très détaillé des constructions (pour un nom, par exemple : sujet, complément du nom, complément de l'adjectif, complément direct, complément autre, etc.). De plus, tous les mots (sauf les prépositions et les conjonctions) y sont traités, autant les adjectifs, les verbes et les adverbes que les noms, qui sont généralement les seuls à être traités dans ce type de dictionnaire. Le corpus dont il est tiré reflète un usage contemporain et très réel des mots plutôt qu'un usage quelque peu idéalisé ; dans sa version électronique intégrée à Antidote, les sources sont constamment actualisées. Aux éditions Le Robert, le *Dictionnaire des combinaisons de mots* propose quelque 160 000 combinaisons de mots et 26 000 exemples soigneusement sélectionnés, reflétant certainement un usage plus conventionnel que le *Grand Druide des cooccurrences* ou le dictionnaire des cooccurrences d'Antidote ; toutes les entrées de ce dictionnaire sont des noms. Comme Antidote, le Robert Correcteur comprend un dictionnaire des combinaisons, contextes d'emploi en moins.

Les dictionnaires ou banques terminologiques

Une terminologie, c'est l'ensemble des termes (mots spécialisés) d'un domaine de savoir ou d'activité ; la terminologie, c'est aussi la science qui étudie, organise les termes. Les dictionnaires généraux comprennent bon nombre de termes appartenant à des domaines spécialisés d'intérêt commun, mais certainement pas tous les termes techniques de tous les domaines. Le *Grand dictionnaire terminologique* (*GDT*) de l'Office québécois de la langue française (OQLF) est une ressource fondamentale pour la terminologie : il comprend plus de trois-millions de termes français et anglais employés dans l'administration, les affaires et différents secteurs d'activité et de savoir au Québec, et on y accède librement sur le site de l'OQLF. Le gouvernement du Canada offre un outil semblable, ***Termium Plus***, qui est maintenant quadrilingue (français, anglais, espagnol et portugais) et comprend près de quatre-millions de termes. Tant le site de l'OQLF que celui de *Termium* sont de véritables portails linguistiques (nous reviendrons sur les autres outils qu'ils proposent dans la section 0.2). D'autres provinces du Canada ont des banques terminologiques, mais celles-ci portent spécifiquement sur les besoins propres de leur administration ; c'est le cas de *ONTERM* en Ontario.

Tout le matériel complémentaire de cette section s'appuie sur les versions électroniques des outils présentés.

0.2 Les dictionnaires de difficultés et les guides de rédaction

Comme les dictionnaires, les guides de rédaction évoluent. Après les manuels de rhétorique et les guides épistolaires des XVIIIe et XIXe siècles, en France et ici, s'imposent, au XXe siècle, les guides du bon usage linguistique, sous l'effet, notamment, de la démocratisation de l'école. « Ne dites pas cela », « n'écrivez pas cela » : les fautes de français sont cataloguées et pourchassées. La fin du XXe siècle puis le XXIe siècle voient les demandes se complexifier en matière de maitrise de l'écrit, outil de travail fondamental pour tant de gens. C'est ainsi que les guides se font plus polyvalents que jamais : encore et toujours, comment accorder ces bougres de participes passés (surtout ceux des verbes pronominaux !), quand employer et ne pas employer tel mot, comment bien ponctuer, mais aussi comment rédiger un CV, un rapport, un essai, comment écrire pour convaincre, comment résumer, comment présenter un tableau, numéroter, mettre en pages, etc. ; bref, comment être le maitre d'œuvre de ses textes de A à Z. Nous vous présentons ici quelques-uns des outils les plus couramment utilisés pour les études, mais aussi dans le cadre du travail.

0.2.1 Le *Multidictionnaire de la langue française* (papier et électronique)

Le *Multi*, comme on l'appelle couramment, est avant tout un dictionnaire de difficultés, tout en comprenant les sens communs des mots courants du français contemporain. Il répond à la plupart des questions qu'on se pose en écrivant et il le fait très bien. En effet, il rend compte des réalités québécoises (et canadiennes) et offre des réponses claires et simples qui font autorité dans bien des milieux rédactionnels : « *C'est le Multi qui le dit* », peut-on argüer. C'est pourquoi il fait partie des ouvrages de référence préférés en matière de difficultés. La 5e édition (2009) existe en format papier et électronique.

Voici les grandes catégories de problèmes que le *Multi* vous permettra de résoudre directement en attirant explicitement votre attention sur la difficulté :

• les questions d'accord (vous trouverez notamment l'accord du participe passé pour chaque verbe pronominal dans l'article du verbe en cause) ;

- les questions d'usage lexical (régionalismes acceptés dans le bon usage, anglicismes et autres fautes lexicales à éviter) ;
- les questions de construction syntaxique (prépositions possibles pour introduire les compléments des verbes, mode verbal après les conjonctions, etc.).

Les difficultés linguistiques générales, les règles, les conseils de rédaction ou de mise en pages sont présentés dans des tableaux : la 5e édition en comporte 134, allant de la grammaire à la correspondance.

Compte tenu de la place accordée au traitement explicite des difficultés, le *Multi* est économe de définitions. La figure 0.1 présente le mot *cinéma* tel qu'il figure dans le *Multi*.

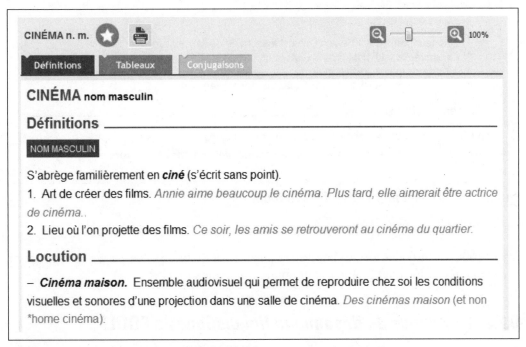

FIGURE 0.1 Le mot *cinéma* dans le *Multi*

L'article comprend deux définitions numérotées (plutôt que cinq dans le *PR*, par exemple) et une locution. Les définitions sont plus courtes que dans le *PR* (« Art de composer et de réaliser des films [cf. Le septième art] » / « Salle de spectacle où l'on projette des films cinématographiques »), mais sans perte d'information. L'article comprend aussi deux commentaires sur l'usage : l'abréviation familière (et son orthographe sans point) et l'anglicisme lexical à éviter. Manifestement, on n'a pas la même richesse d'information que dans le *PR* (une partie du champ sémantique du cinéma, notamment par les quelque 20 renvois et les différentes locutions familières comprenant le mot *cinéma*), et les deux difficultés traitées sont peut-être d'un intérêt limité. Mais, dans la réalité, consulterait-on le *Multi* pour le mot *cinéma* ? Regardons plutôt un mot posant des difficultés, par exemple *alternative* (voir la figure 0.2 à la page suivante).

On voit immédiatement qu'il n'y a qu'un seul sens à *alternative* et que les deux autres emplois sont fautifs même si une majorité de francophones utilise *alternative* dans le sens anglais. Dans le *Multi*, la plupart des articles sont succincts : la forêt ne cache pas l'arbre et l'information s'appréhende facilement. C'est souvent ce qu'on recherche lorsqu'on écrit.

Comme dans tous les outils qui existent en version électronique et en version papier, la mise en pages électronique permet de meilleures mises en relief visuelles, une navigation rapide, des liens directs (aux conjugaisons notamment) et différents modes de consultation : les entrées lexicales mêmes, un répertoire de toutes les locutions traitées dans tous

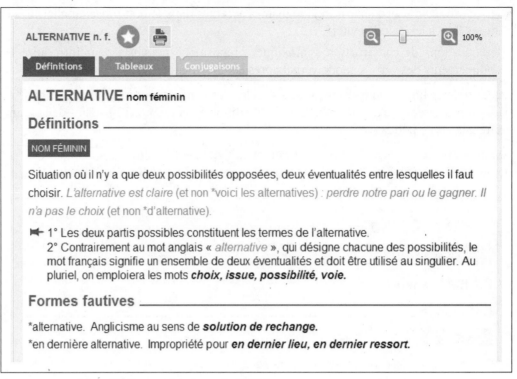

FIGURE 0.2 Le mot *alternative* dans le *Multi*

les articles, un autre des formes fautives et un autre des tableaux : on peut ainsi s'en servir directement comme d'un manuel pour apprendre à mieux écrire.

0.2.2 La *Banque de dépannage linguistique* de l'OQLF

Pour les intimes, c'est la *BDL*. En ligne, gratuite, la *BDL* est un outil incontournable : quelque 2 500 articles répartis dans 11 thèmes (grammaire ; orthographe ; syntaxe ; vocabulaire ; anglicismes ; ponctuation ; prononciation ; typographie ; noms propres ; sigles, abréviations et symboles ; rédaction et communication). Construits comme des fiches, ces articles ne sont pas très longs et les mises en relief sont claires : en vert, ce qui est bon ; en rouge, ce qui ne l'est pas.

La *BDL* lèvera ainsi le doute sur de nombreuses hésitations lexicales, qu'il s'agisse d'anglicismes, de paronymes, d'impropriétés diverses ou d'autres questions lexicales. Dira-t-on, par exemple : *assumer* ou *présumer* qu'une tâche a été accomplie ? avoir une vision *biaisée* ou *subjective* des choses ? *nécessiter* ou *avoir besoin* d'une nouvelle couche de peinture ? On trouvera également réponse à tous les problèmes, ou presque, de morphologie grammaticale (41 articles, par exemple, sur la formation du pluriel des noms) ou d'accord (73 articles sur l'accord du nom ; 40 uniquement sur l'accord du verbe avec le sujet, etc.). La nouvelle orthographe est entièrement couverte : oui, l'accent circonflexe peut disparaître (oups ! *disparaitre*) dans les verbes en *-aître* (oups ! *-aitre*). Dans la section « Rédaction et communication », vous trouverez un traité des principales figures de style, des conseils sur la présentation de graphiques et presque tout ce qu'il faut savoir sur la présentation de citations et de références bibliographiques.

Les autres sections sont tout aussi riches : à vous d'explorer. La recherche se fait soit de façon alphabétique, soit par thème. On peut, par exemple, entrer le mot *ne* dans l'index alphabétique ou dans l'index thématique. L'accès à l'information voulue est ainsi assez rapide.

0.2.3 *Termium Plus* et le Portail linguistique du Canada

Termium Plus, c'est le fruit de toute l'expérience du Bureau de la traduction du Canada. À la fois banque de données terminologiques (*voir « Les dictionnaires ou banques terminologiques » dans la section 0.1.7, à la page 10*) et linguistiques, il comprend de nombreux guides et chroniques sur tous les aspects de la langue et de la rédaction. *Termium Plus* est intégré au Portail linguistique du Canada, qui offre de nombreux outils sur la langue. On peut consulter ces ressources individuellement ou simultanément par l'entremise de l'outil *Le français sans secrets*, qui permet des recherches sur l'ensemble des ressources (guides, jeux, chroniques, recommandations, etc.). Voici les plus utiles en rédaction générale.

Le guide du rédacteur

C'est un outil dont se servent les réviseurs professionnels, mais qu'utilisera avec profit toute personne rédigeant des textes dans le cadre de son travail. L'ouvrage fournit des réponses à toutes les questions sur des détails techniques concernant les abréviations, l'emploi des majuscules, l'écriture des nombres, des noms géographiques ; il comprend également des chapitres sur la féminisation, la langue claire et simple, la ponctuation, etc. Sa consultation est facile, ce qui fait du *Guide du rédacteur* une précieuse ressource complémentaire.

Les *Chroniques de langue*

Ces chroniques, qui regroupent des articles parus dans *L'Actualité langagière* depuis plusieurs décennies, touchent à toutes sortes de questions. Si certaines fiches anciennes ont perdu de leur pertinence, les fiches récentes sont généralement d'un grand intérêt. On peut lire, à titre d'exemple, la chronique « Accroitre son QC (quotient courriel) », qui présente de façon plaisante d'excellents conseils de rédaction de courriels, ou « Communication claire et efficace : favoriser la rétention de l'information », ou encore « Ce n'est pas dans le dictionnaire. Ce n'est donc pas… bon ! » ou « La quête de la bonne préposition dans les ouvrages de référence ».

D'autres composantes de *Termium Plus*

Termium Plus comprend plusieurs autres outils, parmi lesquels :

- les *Clefs du français pratique*, qui traitent de difficultés de grammaire, de syntaxe et d'usage ;
- le *Rouleau des prépositions*, qui répertorie un vaste nombre de constructions prépositionnelles ;
- le *Dictionnaire des cooccurrences* de Jacques Beauchesne, qui ne comporte pas de contextes d'emploi, mais peut s'avérer utile surtout pour ceux qui ne disposent pas d'Antidote ou du *Dictionnaire des combinaisons de mots* de la maison Robert ;
- le *Juridictionnaire*, qui, comme son nom l'indique, traite des difficultés linguistiques liées aux particularités du langage juridique, notamment à l'influence de la *common law* sur le droit public canadien et sur la langue de ce droit.

0.2.4 Le site Amélioration du français du Centre collégial de développement de matériel didactique (CCDMD)

Comme son nom l'indique, le site Amélioration du français propose des ressources diverses pour améliorer son français : fiches de préparation à l'Épreuve uniforme de français du Québec, tests diagnostiques, exercices, interactifs ou non, sur différents points de langue, fiches d'autocorrection (en fait, des fiches de synthèse sur diverses difficultés, par exemple le temps verbal du discours dans un travail scolaire), mais aussi fiches explicatives et modèles sur différents genres de textes qu'on peut être appelé à écrire au niveau collégial et universitaire, particulièrement en sciences humaines. Le site est constamment alimenté.

0.3 Le traitement de texte et la correction du texte

Chaque nouvelle version des logiciels de traitement de texte apporte de nouvelles fonctionnalités. Le plus connu est certainement Word, dont une majorité de gens se servent pour saisir et stocker leurs textes. Mais jusqu'à quel point connait-on ses fonctions de mise en pages, de correction, d'édition et de révision ? Connait-on tous les outils linguistiques que Word recèle ? Nous avons vu à la section 0.1.7 le dictionnaire de synonymes de Word. Nous rappellerons ici quelques fonctionnalités particulièrement utiles pour soutenir la rédaction (sans les chemins d'accès, qui peuvent changer). Explorez les menus de Word, consultez l'aide pour en découvrir davantage.

0.3.1 Le choix de la langue et la correction automatique

Si tout le monde, ou presque, se sert de la vérification orthographique et grammaticale au cours de la frappe (soulignements rouge et vert), plusieurs compléments fort utiles sont peu utilisés.

Le choix de la langue

Lorsqu'on tape du texte, il est important de choisir la langue appropriée pour avoir accès aux bons dictionnaires et pour éviter que la fonction de correction automatique ne souligne tout le texte (comme ce serait le cas si on écrivait en français après avoir sélectionné l'anglais du Canada comme langue du texte). Au Canada, il convient de choisir le français du Canada (si c'est bien ce qu'on veut) et non le français de France : il y a en effet quelques différences, les principales étant l'utilisation d'espaces typographiques avec un plus grand nombre de signes de ponctuation en français de France qu'en français du Canada et l'absence d'accents sur les majuscules dans le français de France selon Word.

La sélection du français (d'ici ou d'ailleurs) donne aussi accès au choix entre orthographe traditionnelle ou orthographe rectifiée (*voir à la section 0.7.2 la façon dont les outils d'aide prennent en charge l'orthographe rectifiée*).

La correction automatique des fautes de frappe répétitives

Si vous avez tendance à faire des fautes de frappe, il vaut la peine d'ajouter dans les corrections automatiques la correction des fautes que vous répétez. Par défaut, la liste contient beaucoup de corrections automatiques concernant le redoublement de la consonne, la majuscule et les signes typographiques spéciaux.

L'ajout de mots et de formes dans le dictionnaire

Il vaut la peine d'ajouter dans le dictionnaire les noms propres (et leurs dérivés) qu'on écrit fréquemment et qui n'y figurent pas déjà. Ainsi, ils ne seront pas relevés par la correction automatique, et on voit plus clairement les vraies fautes soulignées.

0.3.2 Le suivi des modifications

Faire relire ses textes par une autre personne est une bonne pratique rédactionnelle : les meilleurs scripteurs sont les premiers à s'échanger leurs textes. La fonction de suivi des modifications permet de le faire électroniquement en laissant des marques de correction et en ajoutant des commentaires si on le désire.

La fonction de commentaires est utile quand plusieurs personnes travaillent à un même texte, mais également lorsqu'il n'y a qu'un seul scripteur : on peut y mettre des notes personnelles sur ce qu'on est en train d'écrire, par exemple ce qu'on doit développer davantage, des questions qu'on doit poser, des recherches à pousser, un découpage différent du texte auquel on pense tout à coup, mais dont on n'est pas sûr, etc. (*voir la figure 0.3*).

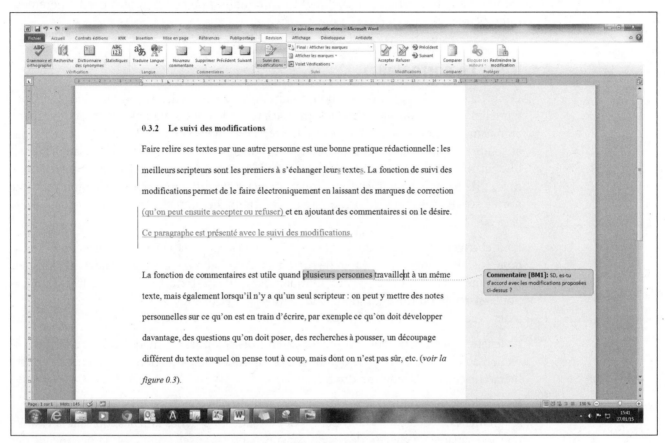

FIGURE 0.3 **Le suivi des modifications dans le logiciel Word de Microsoft**

Le texte peut en tout temps être visualisé avec les marques de correction et les commentaires (Final avec marques), ou sans marques ni commentaires (Final) ; on peut aussi choisir de n'afficher que certaines marques (par exemple, on peut choisir de ne pas afficher les changements dans la mise en forme). Les corrections peuvent être acceptées ou refusées une à une ou en bloc. De même, les commentaires peuvent être effacés en bloc, ou au fur et à mesure qu'ils deviennent inutiles.

Vous trouverez dans le matériel complémentaire un exercice portant spécifiquement sur le suivi des modifications.

0.4 Antidote, un outil à tout faire

Les outils d'aide électroniques visent la facilité de consultation, notamment par un hyperappel facile à partir du logiciel de traitement de texte ; c'est le cas des dictionnaires et des correcteurs. Presque tous visent aussi, à divers degrés, la polyvalence : être à la fois dictionnaire de langue, encyclopédie, grammaire, guide de rédaction, correcteur… Le logiciel d'aide à la rédaction Antidote incarne cette évolution : dès sa première édition, en 1996, Antidote visait la polyvalence ; aujourd'hui, le logiciel est devenu un véritable outil à tout faire. L'édition 8, de 2012, réunit un correcteur hautement personnalisable et doté de prismes permettant de sélectionner différentes dimensions de correction, une dizaine de dictionnaires (chaque rubrique constitue un « dictionnaire » : définitions, synonymes, cooccurrences, champ lexical, citations, etc.) et une autre dizaine de guides linguistiques (orthographe, lexique, ponctuation, etc.). Le menu d'aide comprend le guide d'utilisation complet (la « Posologie »). Il serait vain de vouloir résumer ici ce guide, mais nous présenterons brièvement les trois volets du système pour qui ne le connait pas, en insistant sur quelques fonctionnalités ou composantes particulièrement intéressantes.

0.4.1 Le correcteur

Le correcteur d'Antidote repère bon nombre des fautes réelles et indique des fautes potentielles ou des choix discutables en matière de lexique (anglicismes, mots familiers, archaïsmes…), de syntaxe, etc. Pour laisser l'utilisateur maitre de ses choix et ne pas encombrer la correction, Antidote comprend un système de réglages : l'utilisateur s'attribue un niveau de compétence rédactionnelle et une région linguistique, détermine le niveau de tolérance qu'il veut appliquer à l'égard de différents écarts par rapport à une norme stricte, sélectionne l'orthographe traditionnelle ou rectifiée (*voir la section 0.7 à la page 20*), etc.

Pour corriger un texte, il faut cliquer sur l'icône appelant la fenêtre de correction d'Antidote à partir du logiciel d'édition de son choix. Antidote s'intègre notamment aux logiciels de la suite Microsoft Office (Word, Outlook, PowerPoint, Excel), à des logiciels de publication assistée par ordinateur, dont Adobe InDesign et InCopy, ainsi qu'à plusieurs navigateurs Web.

La fenêtre qui s'affiche alors est organisée en trois colonnes : le mode ou le prisme de correction actif à gauche, le texte agrémenté de marques de correction au milieu et une liste hiérarchisée des détections à droite.

Le mode de correction, à gauche, permet d'afficher les détections de nature linguistique séparément des détections de nature typographique, ou de les afficher toutes à la fois. La révision séparée de chacun de ces deux aspects présente ses avantages : la pertinence des détections de nature typographique, par exemple, est généralement plus facile à évaluer que les autres.

La colonne du milieu, la plus grande, contient le texte en cours de correction, agrémenté de barres de soulignement ou de vaguelettes de différentes couleurs, qui indiquent la nature ou la gravité potentielle de chacune de ces « détections ». L'utilisateur doit les passer en revue afin d'apporter des corrections ou de les ignorer.

Dans la colonne de droite, les détections sont rassemblées par nature. La figure 0.4 présente un essai en mode de correction « Tout » (correction linguistique et typographique) sur le premier paragraphe de cette section, dans lequel plusieurs fautes ont été ajoutées pour la démonstration.

Le travail de correction consiste à cliquer sur la correction en vert dans la fenêtre de droite pour l'accepter si on est d'accord ou à cliquer sur le mot souligné dans la fenêtre du milieu pour faire apparaitre une explication sur l'erreur (potentielle ou réelle) détectée.

Dans notre petit paragraphe, toutes les erreurs détectées en sont bien. La figure 0.5 montre ce que l'on obtient en acceptant toutes les corrections.

Observons qu'Antidote n'a pas vu l'incohérence de nombre dans l'énumération « anglicismes, mots familiers, archaïsme ». Tout performant soit-il, le correcteur d'Antidote ne dispense évidemment pas d'une analyse humaine.

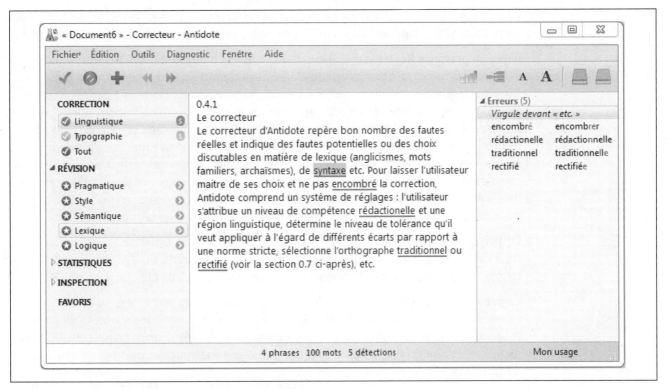

FIGURE 0.4 Exemple de correction avec Antidote

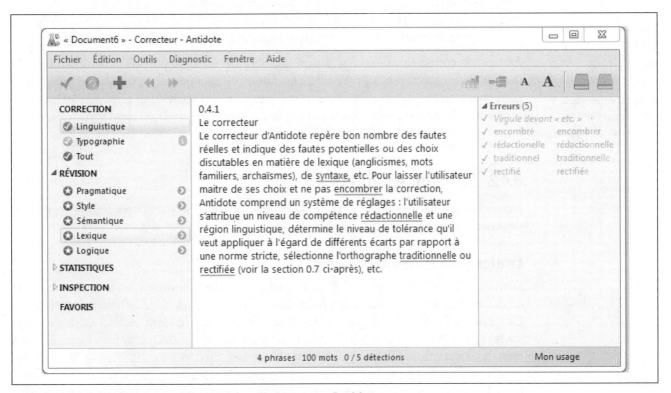

FIGURE 0.5 Exemple de résultat de correction avec Antidote

Le correcteur d'Antidote permet également de corriger d'une seule traite un grand nombre de fautes identiques dont la correction automatique ne présente pas de risque (par exemple, des espaces insécables oubliées avant le deux-points). Les changements effectués dans la fenêtre du correcteur se répercutent ensuite automatiquement dans le logiciel d'édition à partir duquel Antidote avait été appelé.

Le mode de correction d'Antidote est accompagné de trois prismes (révision, statistiques et inspection) qui permettent de mettre en évidence certains aspects de l'analyse d'Antidote.

Grâce au **prisme « Révision »**, on peut, par exemple, en utilisant différents filtres, mettre en évidence des mots ayant trait à certains éléments **pragmatiques** comme les sigles, les sommes d'argent, les dates ou les locuteurs. De même, on peut repérer certains éléments ayant trait au **style**, comme le nombre de répétitions ou de phrases négatives, impersonnelles ou à la forme passive. On peut aussi mettre en valeur des éléments **lexicaux** comme des mots rares, des verbes ternes (verbes faibles, passepartouts) ou des régionalismes. Le dernier filtre du prisme « Révision » fait ressortir certains **liens logiques** comme les charnières, les éléments entre guillemets ou les incises. Antidote donne aussi quelques données statistiques relatives à un certain nombre de ces détections. Ainsi, on peut connaitre, en quelques clics, des pourcentages ayant trait aux répétitions, aux phrases négatives ou aux régionalismes.

Le **prisme « Statistiques »** approfondit cette dimension de l'analyse en présentant une série de rapports (par exemple, répartition des temps des verbes employés, liste des mots les plus fréquemment utilisés, nombre d'erreurs détectées dans chaque phrase).

Le **prisme « Inspection »**, quant à lui, permet de naviguer dans le texte d'une instance à l'autre de différents éléments détectés (par exemple, différentes catégories lexicales, modes et temps des verbes conjugués, genres ou encore rectifications orthographiques). Ces statistiques peuvent être utiles dans le cadre d'une analyse systématique de certains aspects du texte aux fins de révision.

Notons également qu'on peut inscrire dans des dictionnaires personnels, au besoin, des mots non reconnus par Antidote (par exemple, des noms propres, des termes techniques, des néologismes). Cela rendra plus aisées de futures corrections de textes issus de domaines précis, car les mots précédemment inconnus ne seront plus traités comme des fautes potentielles.

Au total, le correcteur d'Antidote est un logiciel extrêmement puissant, même s'il ne peut déceler toutes les fautes, en particulier les fautes de syntaxe, et qu'il propose parfois des corrections erronées. On peut s'en servir comme outil d'apprentissage pour corriger l'ensemble des fautes ou comme outil professionnel pour faire de la révision stylistique ou de la correction d'épreuves.

Vous trouverez dans le matériel complémentaire des exercices portant sur l'utilisation d'Antidote.

0.4.2 Les dictionnaires

Nous avons déjà traité à la section 0.1.7 du dictionnaire des synonymes et du dictionnaire des cooccurrences d'Antidote. Voyons les autres.

Le dictionnaire des définitions

Dans l'édition 8, le dictionnaire des définitions réunit les définitions, les locutions (en vert) et les constructions à proscrire (en rouge brique) dans un ensemble visuellement très clair. La section « Locutions » regroupe des termes complexes (*cinéma maison*) et des expressions plus ou moins figées, figurées ou non (*se faire du cinéma*). Quand un mot a plusieurs sens, les locutions sont séparées en fonction de ces sens ; par exemple, pour le terme *vedette*, Antidote distingue les locutions contenant *vedette* au sens de « être humain » (*jouer les vedettes*), au sens de « mot » (*mettre en vedette*) et au sens de « embarcation » (*vedette garde-pêche*). Les termes complexes nous ouvrent instantanément tout un réseau de notions ; les expressions, tout un réseau d'emplois idiomatiques.

Le dictionnaire des antonymes

Comme le **dictionnaire des synonymes**, le **dictionnaire des antonymes** donne directement accès, dans la fenêtre de droite, à la définition de chacun des antonymes tout en gardant la liste dans la fenêtre centrale. Regroupés selon les différents sens du mot traité, les antonymes sont une voie rapide à la polysémie de ce mot ; par ailleurs, ils aident souvent à trouver un mot dont on n'a que le contraire à l'esprit. Ainsi les antonymes du mot *gout* (*dégout* ; *antipathie, aversion, dédain, indisposition, répulsion* ; *grossièreté, vulgarité*) nous donnent à voir, par ricochet, trois sens de *gout*.

Le dictionnaire des champs lexicaux

Le champ lexical, c'est l'ensemble des mots qu'on peut relier à un thème. Dans Antidote, le **champ lexical** du mot *cinéma*, par exemple, lève le rideau sur tout le monde cinématographique : du *popcorn* au *cinéparc* en passant par les *superproduction, roadmovie, 3D* et *navet*. Ce sont 253 noms, 63 adjectifs et 21 verbes qui se déroulent sous nos yeux. Les champs lexicaux nous permettent de voir l'étendue du lexique autour d'un thème, de découper des notions, d'apprendre de nouveaux mots. Pour l'apprentissage d'une langue étrangère, ils constituent tout particulièrement un formidable outil.

Le dictionnaire des familles

Une famille de mots, c'est l'ensemble des mots autour d'un même radical. Ainsi, le **dictionnaire des familles** extrait de la nomenclature tous les mots de la même famille lexicale : grâce au dictionnaire des familles, on pourra apprendre qu'un cinéphile peut devenir cinéphage s'il ne fait plus que regarder des films ! Comme avec tous les dictionnaires d'Antidote, on peut afficher la définition de n'importe lequel de ces mots dans la 3ᵉ fenêtre, sur la droite.

Le dictionnaire des citations

Si le dictionnaire des cooccurrences propose lui aussi des citations pour chaque cooccurrence afin de les placer dans le contexte d'une phrase, le **dictionnaire des citations** vise pour sa part à illustrer les emplois par la littérature et les « grands journaux ». Les citations d'auteurs étant placées en ordre chronologique, elles peuvent mettre en lumière l'évolution de l'emploi du mot.

Le dictionnaire historique

Outre l'étymologie, le dictionnaire historique présente des exemples d'emploi des mots et leur évolution graphique au fil des siècles.

Le dictionnaire *Visuel nano*

Le *Visuel nano* est un dictionnaire des illustrations qui ne fait pas partie d'Antidote, mais il peut s'acheter séparément et s'intégrer à Antidote. Il comprend des vignettes qui illustrent certains mots. Ce dictionnaire donne accès à des illustrations en grand format avec la terminologie associée.

0.4.3 Les guides linguistiques

Ensemble, les 10 guides (Orthographe, Lexique, Grammaire, Syntaxe, Ponctuation, Style, Typographie, Phonétique, Historique, Points de langue) comportent des centaines d'articles. Quelques-uns présentent des notions théoriques (« La morphologie », « La coordination », « La néologie », etc.), mais la plupart ont une visée résolument pratique : si un truc peut aider l'utilisateur, le guide n'hésite pas à le donner. Bien qu'on puisse trouver ailleurs à peu près toute l'information que recèlent ces guides, leur intégration dans un outil polyvalent qu'on peut appeler directement du texte qu'on est en train d'écrire ou de réviser en fait une ressource très appréciable.

0.5   Le Robert Correcteur

Le Robert Correcteur (RC) est un nouvel outil électronique paru en 2014[6], qui ressemble beaucoup à Antidote. Qui sait utiliser Antidote ne sera pas trop dépaysé en ouvrant le RC. Comme Antidote, c'est un outil triple : un correcteur, une série de dictionnaires (Définitions, Synonymes, Contraires, Locutions, Combinaisons, Citations, Proverbes et Conjugaisons) et des guides. De façon générale, le RC est moins adapté à nos besoins ici au Québec et dans la francophonie canadienne que ne l'est Antidote. En effet, la norme de référence est celle de la France, et le correcteur ne relève pas maintes fautes ou formes couramment critiquées ici ; ce n'est pas un outil d'apprentissage, comme peut l'être le correcteur d'Antidote. De même, le dictionnaire des locutions comprend nombre de désignations (en particulier d'organismes) aux référents strictement propres à la France. Cela étant, le RC est un outil riche et puissant, qui s'utilise facilement et qui peut compléter l'arsenal des plus mordus.

0.6   D'autres correcteurs

Il existe d'autres correcteurs en accès libre en ligne, mais leur niveau de performance est beaucoup moins élevé. Mentionnons le correcteur BonPatron, conçu au départ pour le français langue seconde, le correcteur de Reverso, à utiliser avec précaution pour ne pas ajouter de fautes (mais c'est vrai pour tous les correcteurs), et le correcteur Cordial, produit en France, qui existe en version libre en ligne pour corriger de courts textes ou en version payante.

0.7   Les outils d'aide à la rédaction et les rectifications de l'orthographe

Presque tout le monde, aujourd'hui, a entendu parler des rectifications de l'orthographe recommandées en 1990 par le Conseil supérieur de la langue française (un organisme gouvernemental français). Si les grandes instances faisant autorité en matière de langue ont généralement été favorables aux rectifications proposées (en France, elles ont reçu l'aval de l'Académie française), leur mise en œuvre est lente. Vingt-cinq ans après les recommandations du Conseil supérieur de la langue française, le mouvement est néanmoins bien enclenché : des manuels scolaires, des maisons d'édition et quelques rares journaux l'appliquent. Au Québec, l'OQLF estime que les deux graphies doivent être considérées comme correctes ; le ministère de l'Éducation, du Loisir et du Sport du Québec accepte les deux graphies dans la correction des examens ; les universités, pour leur part, enseignent l'orthographe rectifiée aux futurs maitres. Dans les autres provinces, l'Alberta, la Nouvelle-Écosse et la Saskatchewan sont les plus progressistes : l'orthographe rectifiée est la forme de référence dans les programmes d'études de français, et les directions de l'éducation française des trois provinces l'appliquent de plus en plus dans leurs écrits. Le ministère de l'Éducation du Nouveau-Brunswick accepte les deux graphies dans les copies des élèves et des étudiants. Au Manitoba et en Ontario, les ministères de l'Éducation n'ont pas de politique à l'égard de l'orthographe rectifiée pour l'éducation des francophones. Dans les pays francophones d'Europe, les programmes d'études ont généralement pour référence l'orthographe rectifiée, mais les deux graphies sont acceptées.

Le temps est donc venu de connaitre les rectifications de l'orthographe et de les appliquer, en fonction de ses préférences (du moins pour l'instant), mais aussi selon la norme que peut imposer un employeur, un professeur, voire un client.

---

6. Il est issu du correcteur Petit ProLexis et a incorporé le dictionnaire *Robert Dixel* pour les définitions.

0.7.1 L'abc des rectifications

Les rectifications visent à éliminer des éléments inutiles, et à corriger des anomalies et des incohérences. La liste ci-dessous présente les grandes catégories touchées. Vous pouvez trouver la description de l'ensemble des changements dans différentes ressources, notamment la *BDL* de l'OQLF et le site du Réseau pour la nouvelle orthographe du français (Renouvo) ou celui de sa section québécoise, le Groupe québécois pour la modernisation de la norme du français (GQMNF).

Le trait d'union

Les mots composés

Pourquoi devrait-on écrire *auto-stop*, mais *autoroute* ? *préopératoire*, mais *pré-universitaire* ? *portefeuille*, mais *porte-monnaie* ? Les rectifications recommandent la soudure d'un bon nombre de mots composés.

Les numéraux

Dorénavant, on peut mettre des traits d'union entre tous les éléments : *mille-cent-vingt-et-un*. Les rectifications recommandent aussi le trait d'union pour relier les numéraux qui sont issus de noms : *dix-millions*.

Les accents et le tréma

L'accent circonflexe

Comme il n'y a pas de différence de prononciation entre *i* et *î*, ou entre *u* et *û*, les rectifications recommandent d'éliminer les accents circonflexes sur ces deux lettres (*boite, diner, aout, gout*, etc.), sauf dans cinq cas d'homophonie (*mur/mûr*, par exemple). Adieu aux circonflexes qui paraissent pour ensuite disparaître (oups ! *disparaitre*) dans la conjugaison des verbes en… *-aitre*. Le passé simple et le subjonctif imparfait conservent cependant leurs accents circonflexes (*nous fûmes, qu'il fût*). Pour leur part, les accents sur les lettres *a* et *o* restent, puisqu'ils distinguent généralement deux sons différents (*tache/tâche*).

e/é/è

On connait le cas d'*évènement*, qui a déjà presque supplanté *événement*. Mais pourquoi *réfréner* (*refréner* dans l'orthographe traditionnelle) ses ardeurs ? Pourquoi ne pas *asséner* (et non plus *assener*) un bon coup ? S'ils appliquent l'orthographe rectifiée, les enseignants ne *piègeront* plus les étudiants avec le futur et le conditionnel : le *e* de la dernière syllabe du radical porte dorénavant un accent conforme à sa prononciation (*cédera* devient *cèdera*, *pénétrerait* devient *pénètrerait*). Vous pouvez y aller *allègrement* (et non plus *allégrement*). Dans la nouvelle orthographe, le choix entre e/é/è correspond davantage à la prononciation et aux règles générales de l'accentuation française.

L'accent grave ou le redoublement de la consonne *l* ou *t* dans les verbes

Je *pèle*, mais j'*appelle* ; j'*achète*, mais je *jette*… Seuls *appeler, interpeler, jeter* et les composés de *appeler* et de *jeter* conservent le redoublement de la consonne lorsque le *e* de la syllabe suivante est muet. Tous les autres verbes en *-eler* ou en *-eter* se conjuguent comme *peler* et *acheter* selon l'orthographe rectifiée.

Le tréma

On peut dorénavant écrire *aigüe* et *ambigüe* sans aucun remords.

Le pluriel

Le pluriel des noms composés

Finis *le casse-noisettes* et *les abat-jour*. Tous les mots composés avec trait d'union de forme verbe + nom ou préposition + nom peuvent s'écrire sans *s* au singulier et avec *s* au pluriel : *des abat-jours*, *des brise-glaces*, *des chasse-neiges*.

Le pluriel des noms étrangers

D'origine latine, anglaise ou autre, les mots étrangers peuvent prendre la marque du pluriel française : le *s*. Cette évolution était déjà bien amorcée : *des matchs*, *des sopranos*, *des maximums*, etc.

Les anomalies rectifiées

L'harmonisation dans quelques familles de mots

Quelques familles de mots sont touchées. Mentionnons *imbécilité*, qui peut dorénavant s'écrire avec un seul *l*, comme *imbécile*. Notons aussi le mot *ognon*, dont l'orthographe rectifiée s'aligne sur *grognon*, *pognon*, *rognon*, *trognon*, ou encore *exéma* et *assoir*, plutôt que *eczéma* et *asseoir*.

À CONSULTER

Pour tout savoir sur l'orthographe rectifiée, on peut consulter le ***Grand vadémécum de l'orthographe moderne recommandée***, de Chantal Contant.

0.7.2 La nouvelle orthographe dans les outils d'aide à la rédaction

La plupart des outils ont intégré au moins une partie des rectifications de l'orthographe. Par exemple, le *PL* a procédé à une intégration générale de la nouvelle orthographe lors de sa refonte de 2012 (sauf dans la section « Grammaire et conjugaisons »). Comme chaque nouvelle édition d'un outil apporte des changements, on ne peut guère en donner un compte rendu totalement fiable. Nous nous limiterons donc à présenter le traitement donné aux rectifications dans les outils les plus courants déjà mentionnés dans cette introduction.

Le *PR*

Les recommandations concernant le trait d'union et le pluriel ont été intégrées, pour la plupart, depuis l'édition de 2009 (ou dans des éditions antérieures pour certains mots), non seulement dans les entrées, mais dans le dictionnaire dans son entier. L'accent circonflexe reste sur le *i* devant un *t* dans la conjugaison des verbes en *-aitre* ; celle des verbes en *-eler* et en *-eter* ne change pas ; cependant, la conjugaison en *è* plutôt qu'en *é* au futur et au conditionnel pour les verbes comme *céder* est mentionnée.

Le *Multi*

La 5ᵉ édition du *Multi* reconnait à peu près les mêmes éléments de la nouvelle orthographe que le *PR* en ce qui a trait aux entrées. Cependant, pour chaque terme dont la nouvelle graphie n'a pas été intégrée en entrée, le *Multi* offre en fin d'article une note explicative se référant aux rectifications orthographiques de 1990 ; il comporte aussi deux tableaux qui traitent de la nouvelle orthographe : « Rectifications orthographiques » et « Anomalies orthographiques ». Les tableaux portant sur les points touchés par ces changements orthographiques comprennent aussi des notes à cet égard.

La *BDL*

La *BDL* propose 44 articles sur les rectifications orthographiques et répète les rectifications dans les articles pertinents.

Le site Amélioration du français du CCDMD

Le site Amélioration du français propose une quinzaine de fiches sur les rectifications de l'orthographe dans la section « Orthographe d'usage ». On y trouvera des exercices sur tous les aspects touchés par les rectifications !

Le correcteur orthographique de Microsoft Office

Le correcteur orthographique de Microsoft Office, utilisable dans tous les logiciels de la suite Office (Word, PowerPoint, etc.), permet de choisir l'orthographe traditionnelle ou rectifiée ou, par défaut, de considérer les deux comme correctes. Si le réglage par défaut convient pour ouvrir des documents et les lire, dès que l'on écrit, corrige, révise, on a tout intérêt à choisir une forme ou l'autre, selon le destinataire du texte, afin d'assurer la cohérence orthographique.

Antidote

Le correcteur d'Antidote permet de choisir l'orthographe traditionnelle, l'orthographe rectifiée ou les deux, au choix de l'utilisateur lors de l'installation. En tout temps, on peut changer ce réglage au besoin. C'est l'orthographe rectifiée qui est utilisée dans l'interface d'Antidote. Un des guides linguistiques porte spécifiquement sur l'orthographe rectifiée.

Vous trouverez dans le matériel complémentaire quelques exercices sur les rectifications de l'orthographe.

0.8 Pour conclure

Au fil des textes qu'on rédige, des cours qu'on suit, des emplois qu'on occupe, chacun se constitue son arsenal de ressources préférées. À la question « quelles sont les meilleures ? » on pourrait répondre « celles que vous utilisez » : rien ne sert en effet d'empiler sur sa table des ouvrages de référence qu'on n'ouvre pas. Certaines ressources sont meilleures que d'autres ; aucune n'est parfaite. Le principal, c'est de s'en servir.

Un logiciel de traitement de texte comme Word recèle de multiples fonctionnalités pour éviter ou corriger des fautes, mieux présenter ses textes, mieux rédiger même. Le *PR* comprend un conjugueur complet, indique le mode verbal qu'appellent les verbes dans une subordonnée complément, donne le sens de tous les préfixes, suffixes et formants savants, etc. Le *Multi*, la *BDL*, le *Guide du rédacteur* et d'autres ouvrages de référence répondent à de multiples questions. Antidote vise le tout-en-un.

N'oubliez pas le matériel complémentaire ! Vous y trouverez une liste récapitulative des ressources électroniques en accès libre présentées dans cette introduction avec leurs adresses.

Dans ce manuel, vous aurez à travailler en particulier avec le *PR* et avec d'autres ressources électroniques en accès libre comme la *BDL* (de même qu'avec le *Multi*, Antidote ou *Usito*, si vous les avez) et vous apprendrez à bien vous en servir. En y consacrant suffisamment de temps, on peut apprivoiser un outil électronique à première vue rébarbatif.

Chapitre 1   La phrase

1.1   La phrase (P)
1.2   Les types de phrases
1.3   Les constructions particulières
1.4   Les formes de phrases
1.5   Les classes de mots
1.6   Les groupes de mots
1.7   Les manipulations syntaxiques

Chapitre 2   La liaison des phrases : la phrase complexe

2.1   La coordination
2.2   La subordination
2.3   L'insertion

Chapitre 3   Les problèmes de syntaxe

3.1   La phrase interrogative
3.2   La phrase négative
3.3   Le pronom relatif
3.4   L'emploi de la préposition
3.5   L'anacoluthe
3.6   La coordination

3.7   L'ordre des mots
3.8   Le pronom démonstratif
3.9   La construction des compléments du verbe
3.10   La comparaison et le superlatif
3.11   Une reprise inutile

Chapitre 4   La ponctuation

4.1   La ponctuation à la fin de la phrase graphique
4.2   La ponctuation à l'intérieur de la phrase graphique

Chapitre 5   La morphologie

5.1   Le verbe et les conjugaisons
5.2   Le nom
5.3   L'adjectif
5.4   Le déterminant
5.5   Le pronom

Chapitre 6   Les accords

6.1   Les principes généraux
6.2   Les accords dans le GV
6.3   Les accords dans le GN
6.4   L'accord de *tout*, *même*, *quelque* et *tel*

Dans la grammaire traditionnelle, on définit la **phrase** comme un ensemble de mots qui forme, du point de vue du sens, un énoncé complet commençant par une lettre majuscule et se terminant par un point. Or, le critère de la complétude n'est pas toujours pertinent. En effet, une phrase, même si elle est bien construite, n'est pas nécessairement complète quant aux informations qu'elle livre. À l'inverse, un simple mot, par exemple *Non!*, peut être un énoncé complet au point de vue du sens. Il ne peut cependant pas servir de modèle pour illustrer la phrase française. En grammaire moderne, la définition de la phrase repose d'abord sur des critères syntaxiques.

1.1 La phrase (P)

En grammaire moderne, la définition de la phrase, notée *P*, se fonde sur la reconnaissance de constituants obligatoires et facultatifs. Ces constituants sont composés de groupes de mots qui ont pour centre un noyau, lequel peut être complété ou non par d'autres groupes de mots.

1.1.1 Les constituants de la phrase

La formulation d'une phrase implique nécessairement :

- que l'on parle de quelque chose ou de quelqu'un : c'est le **sujet** de la phrase ;
- que l'on dise quelque chose à propos de ce sujet : c'est le **prédicat** de la phrase.

Sujet	Prédicat
Mon groupe préféré	se produira à Québec.

Dans l'énoncé ci-dessus, on parle de *mon groupe préféré*, le **sujet** de la phrase, et on en dit quelque chose, à savoir qu'il *se produira à Québec*, ce qui constitue le **prédicat** de la phrase.

Une phrase est donc formée de deux **constituants obligatoires** : le **sujet** et le **prédicat**. On ne peut pas les effacer ni les déplacer, sauf dans certains cas particuliers.

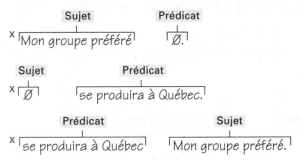

En grammaire moderne, le terme *prédicat* désigne la fonction syntaxique du groupe verbal (GV) dans la phrase. La grammaire traditionnelle parlait simplement du verbe ou du groupe du verbe, deux termes désignant une classe grammaticale et non une fonction syntaxique.

La phrase peut également s'enrichir d'un **constituant facultatif** qui précise les circonstances de ce qui est énoncé dans la phrase : c'est le **complément de phrase (CP)**. Celui-ci peut être effacé ou déplacé sans que cela nuise à la formation de la phrase.

En fait, la phrase se construit un peu à l'image des poupées russes. Ainsi, à l'intérieur des groupes de mots qui ont la fonction sujet, prédicat et complément de phrase, d'autres relations s'établissent encore. Ces fonctions seront vues plus loin dans ce chapitre. On trouvera aussi des tableaux récapitulatifs des fonctions aux pages 68 à 70.

1.1.2 La représentation d'une phrase

La représentation d'une phrase (P) est basée non seulement sur la fonction de ses constituants, mais également sur la sorte de groupes de mots qui peuvent remplir ces fonctions. Ainsi, la fonction sujet étant généralement rendue par un groupe nominal, le premier constituant obligatoire, le sujet, sera représenté le plus souvent par **GN**, c'est-à-dire **groupe nominal**. Un pronom, un groupe infinitif (GInf) ou une subordonnée (Sub.) peuvent aussi remplir la fonction de sujet.

Donc, **sujet = GN**, ou **pronom**, ou plus rarement **GInf** ou **Sub**.

La fonction prédicat étant toujours rendue par un groupe du verbe (avec ou sans expansions), le prédicat sera représenté par **GV**, c'est-à-dire **groupe verbal**.

Donc, **prédicat = GV**.

La fonction de complément de phrase peut être rendue par différents groupes de mots, soit un groupe nominal (GN), un groupe prépositionnel (GPrép), un groupe adverbial (GAdv), un groupe participe (GPart) ou une subordonnée (Sub.).

Donc, **complément de phrase = GN**, ou **GPrép**, ou **GAdv**, ou **GPart**, ou **Sub**.

Voici la représentation schématique d'une phrase P.

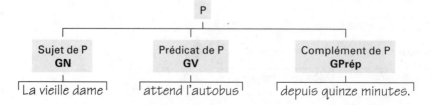

Toutes les phrases françaises peuvent être ramenées à ce modèle de la phrase P, sauf quelques constructions particulières dont nous parlerons à la section 1.3.

Exercice 1.1

Séparez les constituants des phrases suivantes par une barre oblique et donnez leur fonction.

| CP | Sujet | Prédicat |
| Demain,   / | Anita   / | achètera des fleurs. |

1 Nous avons décidé de nous baigner.

2 Mathis et moi préparerons le feu.

3 Pendant ce temps, Dany et Louis monteront la tente.

4 L'eau est glaciale.

5 Nelly, Nancy et Nicolas ont descendu la rivière des Français en canot.

1.1.3 La phrase de base

Nous avons défini la phrase en fonction des rapports s'établissant entre ses constituants. Différents traits linguistiques affectent aussi la phrase dans sa globalité et ont une incidence sur sa construction, déterminant le type et les formes de la phrase.

Les grammaires modernes s'entendent pour dire que la **phrase de base** française est une phrase qui n'est affectée d'aucun trait particulier. Elle est de type déclaratif, en ce sens que son rôle essentiel est de communiquer, sans plus, un fait, une information, une opinion, une idée. En outre, elle est positive, neutre, construite autour d'un verbe non impersonnel à la forme active. Elle ne comporte aucune caractéristique susceptible de lui donner un relief particulier.

> Le chien de la voisine a attaqué ton chat.

> (Phrase déclarative, positive, neutre, active et personnelle)

1.2 Les types de phrases

La structure d'une phrase varie selon l'intention de communication ; c'est ce qui permet de distinguer différents **types** de phrases. Les types de phrases sont mutuellement exclusifs. Toutes les phrases n'appartiennent donc qu'à l'un ou l'autre de ces types. Il y a quatre types, dont le type déclaratif qui est celui de la phrase de base. Les autres types sont déterminés à partir de ce qui les distingue du type déclaratif.

1.2.1 Le type déclaratif

La phrase déclarative, on l'a vu, sert à énoncer une idée, à communiquer une information. Elle se termine par un point.

> Les astéroïdes sont des résidus de la formation du système solaire.

> Le comité de sélection a retenu sa candidature.

1.2.2 Le type impératif (ou injonctif)

La phrase impérative sert à formuler une exigence, un ordre, une consigne ou une incitation. Dans une phrase de ce type, le verbe est au mode impératif et, parfois, au mode subjonctif ; le type impératif est donc marqué par l'effacement du sujet (dont la présence serait obligatoire dans la phrase de base). La phrase impérative se termine par un point ou par un point d'exclamation.

> **Venez** me voir demain matin**.**
>
> Qu'ils **sortent** immédiatement **!**

À NOTER

On utilise aussi parfois le mode infinitif pour formuler une consigne, une directive. C'est ce qu'on peut observer, par exemple, dans beaucoup de recettes.

> **Laisser** mijoter à découvert. **Saler** au gout.
>
> **Incorporer** les ingrédients secs au mélange.

1.2.3 Le type interrogatif

La phrase interrogative sert à poser une question. Elle se caractérise par l'inversion du sujet, la présence de mots interrogatifs, ou les deux. Elle se termine par un point d'interrogation.

> As-**tu** donné à manger au chat **?**
>
> **Est-ce que** vous serez présents **?**
>
> **Pourquoi** refuserions-**nous** de collaborer **?**

L'interrogation totale

L'interrogation est **totale** si elle porte sur toute la phrase ; la réponse à la question peut alors se résumer à *oui* ou à *non*.

> As-tu vu tous les épisodes de cette série télévisée ? **Oui.** (ou **Non.**)

Les deux procédés possibles de l'interrogation totale sont les suivants :

1. Le recours à la locution interrogative *est-ce que*

> **Est-ce que** tu viens ?
>
> **Est-ce que** le temps va s'améliorer ?

2. **Ou** l'inversion du sujet

Plus précisément, on dit que :

- L'inversion du sujet est **simple** quand le sujet est déplacé après le verbe. Dans le cas de l'interrogation totale, cette inversion simple n'est toutefois possible que si le sujet est un pronom personnel (*je, tu, il, elle, nous, vous, ils, elles*), le pronom *on* ou le pronom *ce*.

> Pensez-**vous** que ce film en vaut la peine ?
>
> Peut-**on** espérer qu'un vaccin viendra un jour enrayer cette terrible maladie ?

- L'inversion est **complexe** lorsque le sujet est un GN (ou un pronom autre que ceux mentionnés ci-dessus) repris par un pronom personnel équivalent. Dans ce cas, le sujet demeure à sa place devant le verbe et il est repris par un pronom personnel placé après le verbe.

> **Les chercheurs** arriveront-**ils** un jour à trouver un vaccin?

> **Quelqu'un** a-**t-il** déjà suivi le même itinéraire?

Il est courant, dans la langue orale, de ne marquer l'interrogation totale qu'au moyen de l'intonation, sans modifier l'ordre des mots dans la phrase. L'interrogation totale n'entraine alors aucune modification de la structure de la phrase déclarative. À l'écrit, seul le point d'interrogation à la fin de la phrase indique que celle-ci sert à poser une question.

> ^x Tu viens**?**

> ^x Le souper est prêt**?**

Ce dernier procédé n'est pas recommandable à l'écrit, du moins dans le registre soutenu.

L'interrogation partielle

Quand l'interrogation porte sur une partie seulement de la phrase, c'est-à-dire sur un élément ou un constituant de la phrase, on la dit **partielle**. On ne peut pas répondre à une interrogation partielle simplement par *oui* ou par *non*.

> Quand reviendra-t-il? **Dans dix minutes.**

> Qui donc a téléphoné? **Un de mes amis.**

Les trois procédés possibles de l'interrogation partielle sont les suivants:

1. L'emploi d'un mot interrogatif (adverbe, déterminant ou pronom interrogatif) en début de phrase, sans autre transformation syntaxique dans la phrase.

> **Combien d'**étudiants sont revenus?

> **Qui** peut répondre à cette question?

Voir les tableaux «Adverbe» et «Interrogatif, pronom» dans le *Multi*.

2. L'inversion du sujet, combinée avec l'emploi d'un mot interrogatif (adverbe, déterminant ou pronom interrogatif) en début de phrase. Cela se produit lorsque l'interrogation partielle ne porte pas sur le sujet.

Inversion simple avec l'emploi d'un mot interrogatif:

> **Pourquoi** refuses-**tu** son offre?

> **Que** feront **les enfants** pendant ce temps?

> **Comment** réagira **le gouvernement** aux pressions des syndicats?

> **Quand** commencera **la campagne de vaccination**?

Inversion complexe avec l'emploi d'un mot interrogatif:

> **Comment le gouvernement** réagira-**t-il** aux pressions des syndicats?

> **Quand la campagne de vaccination** commencera-**t-elle**?

Cependant, dans certaines structures, notamment en présence du mot interrogatif *pourquoi*, l'inversion simple n'est pas acceptable lorsque le sujet est un GN. Quand l'inversion simple n'est pas acceptable, il faut faire une inversion complexe.

> ˣ**Pourquoi** partent **ses amis**? | **Pourquoi ses amis** partent-**ils**?

De même, lorsque le sujet est un GN et que le verbe est accompagné d'un **complément direct** à sa droite, on doit recourir à l'inversion complexe.

> ˣ**Comment** acceptera **le patronat** les demandes des syndicats? | **Comment le patronat** acceptera-**t-il** les demandes des syndicats?

Inversement, lorsque la question commence par « que », l'inversion complexe n'est pas possible, du moins en français moderne :

> ˣ**Que** les enfants feront-ils?

À NOTER

Dans la langue parlée familière, il n'y a pas nécessairement inversion du sujet, et le mot interrogatif apparait alors à la fin de la phrase. Il faut donc éviter cette structure dans la langue écrite.

> ˣTu pars **quand**?
>
> ˣVous partez avec **qui**?
>
> ˣVous allez **où**?

---

3. L'emploi de la locution interrogative *est-ce que*, ou ses variantes, combinée avec un mot interrogatif en début de phrase.

> **Où est-ce que** tu vas?
>
> **Qu'est-ce qui** fait courir les foules?

1.2.4 Le type exclamatif (ou interjectif)

La phrase exclamative sert à exprimer l'intensité d'une réaction, d'un sentiment. C'est la présence d'un mot exclamatif ainsi que d'un point d'exclamation à la fin de la phrase qui caractérise le type exclamatif, aussi appelé interjectif.

> **Que** c'est beau ici!
>
> **Comme** elle chante bien!

Comme nous l'avons noté pour la phrase interrogative, on ajoute parfois un simple point d'exclamation après une phrase qui est syntaxiquement déclarative (ou impérative).

> C'est splendide!
>
> Vas-y!

1.3 Les constructions particulières

Il existe certaines constructions de phrases particulières non conformes au modèle de la phrase de base qui ne sont pas le résultat d'une transformation du type ou de la forme de la phrase de base.

- Les constructions commençant par les locutions *voici*, *voilà*, *c'est* et *il y a*, qu'on appelle *présentatifs*.

> **Voici** enfin le rapport tant attendu.
>
> **C'est** le temps de penser à son jardin.
>
> **Il y a** de nombreuses erreurs dans ce texte.

- Les énoncés qui ne comportent pas de verbe conjugué, donc pas de GV, mais qui contiennent un groupe infinitif (GInf) ou un groupe nominal (GN), et dont le sens est clair et complet.

> Défense de fumer.
>
> Joyeux anniversaire!
>
> Joyeux Noël!
>
> Marcher pieds nus sur la plage, dans le sable chaud… quel bonheur!

1.4 Les formes de phrases

Il existe huit **formes** de phrases qui peuvent être groupées par paires. Dans chacune de ces paires, une forme est marquée et l'autre est non marquée. La phrase de base possède les quatre formes non marquées : positive, neutre, active et personnelle.

1.4.1 La phrase positive et la phrase négative

La forme **positive** s'oppose à la forme **négative**. On reconnait la forme négative à la présence de certains mots de négation (*ne… pas, ne… jamais, ne… rien,* etc.).

> Mes amis m'ont invité à leur chalet. (Phrase déclarative, forme positive)
>
> Mes amis **ne** m'ont **pas** invité à leur chalet. (Phrase déclarative, forme négative)

1.4.2 La phrase neutre et la phrase emphatique

La forme **neutre** s'oppose à la forme **emphatique**, qui comprend des marques de *mise en relief*. La mise en relief est très fréquente, particulièrement dans la langue parlée. On peut mettre en relief un élément de la phrase (généralement le sujet ou un complément) en utilisant un ou plusieurs des procédés suivants : déplacement d'un mot ou d'un groupe de mots en tête de phrase, reprise au moyen d'un pronom, encadrement à l'aide de *c'est… qui* ou *c'est… que*.

> Nous avons eu accès aux documents. (Forme neutre)
>
> **Les documents**, nous **y** avons eu accès. (Forme emphatique)
>
> Procédés utilisés : déplacement du complément indirect (CI) en tête de phrase et reprise au moyen d'un pronom.
>
> J'ai utilisé ce document. (Forme neutre)
>
> **C'est** ce document **que** j'ai utilisé. (Forme emphatique)
>
> Procédés utilisés : déplacement du complément direct (CD) en tête de phrase et encadrement à l'aide de *c'est… que*.
>
> Le gouvernement a interdit la publication du document. (Forme neutre)
>
> **C'est** le gouvernement **qui** a interdit la publication du document. (Forme emphatique)
>
> Procédé utilisé : encadrement du sujet à l'aide de *c'est… qui*.

1.4.3 La phrase active et la phrase passive

La forme **active** s'oppose à la forme **passive**, dans laquelle le verbe est à la forme passive : il est construit avec le verbe *être* conjugué au temps de la phrase active correspondante, suivi de l'adjectif verbal issu du verbe de la phrase active. Le complément, s'il est exprimé, est précédé de la préposition *par* ou, plus rarement, de la préposition *de*.

> *La direction approuve vos propositions.* (Type déclaratif, forme active)
>
> *Vos propositions **sont approuvées par** la direction.* (Type déclaratif, forme passive)
>
> *On a pris toutes les mesures nécessaires.* (Type déclaratif, forme active)
>
> *Toutes les mesures nécessaires **ont été prises**.* (Type déclaratif, forme passive)

Seuls les verbes transitifs directs, c'est-à-dire ceux qui se construisent avec un complément direct (mais seulement avec un groupe nominal après le verbe conjugué), peuvent subir une transformation de la forme active à la forme passive. C'est ce groupe nominal qui devient le sujet dans la phrase passive, comme l'illustrent les exemples ci-dessus.

Les verbes transitifs indirects, c'est-à-dire ceux qui se construisent avec un complément indirect (introduit par une préposition comme *à* ou *de*), ne peuvent subir de transformation passive.

ˣ *Avez-vous été répondu ?*	*Est-ce qu'on vous a répondu ?*
ˣ *Sa question a été répondue.*	*On a répondu à sa question.*
	(Le verbe *répondre* est transitif indirect : on répond **à** qqn ou **à** qqch.)

1.4.4 La phrase personnelle et la phrase impersonnelle

La forme **personnelle** s'oppose à la forme **impersonnelle**. On reconnaitra la forme impersonnelle à la présence du pronom impersonnel sujet *il*. On appelle ce pronom « impersonnel » parce qu'il ne représente rien ni personne : il n'a pas de référent.

> *Une pluie fine tombe depuis ce matin.* (Type déclaratif, forme personnelle)
>
> *Il tombe une pluie fine depuis ce matin.* (Type déclaratif, forme impersonnelle)

Certaines phrases impersonnelles ne sont pas issues d'une phrase personnelle.

> *Il a neigé toute la journée.*
>
> *Il faut rentrer.*

Il n'y a pas de phrase personnelle correspondant aux phrases ci-dessus, car le verbe *neiger* et le verbe *falloir* sont des verbes impersonnels : ils sont toujours employés avec le pronom *il* impersonnel.

À NOTER

Une phrase peut subir une ou plusieurs transformations de formes.

> *Une plainte n'a-t-elle pas été déposée par le comité ?*
> (Type interrogatif ; formes **négative**, neutre, personnelle et **passive**)

Le tableau 1.1 récapitule les types et les formes de phrases.

TABLEAU 1.1 **Les types et les formes de phrases**

Les types de phrases	
Phrase de base	**Phrase transformée**
Phrase déclarative	Phrase impérative
Tu iras à l'épicerie acheter des pommes.	**Va** à l'épicerie acheter des pommes.
Phrase déclarative	Phrase interrogative
Le comité a commandé une nouvelle étude.	Le comité a-**t-il** commandé une nouvelle étude**?**
	Est-ce que le comité a commandé une nouvelle étude**?**
Phrase déclarative	Phrase exclamative
Elle écrit bien.	**Comme** elle écrit bien**!**
Les formes de phrases	
Phrase de base	**Phrase transformée**
Phrase positive	Phrase négative
Le comité a commandé une nouvelle étude.	Le comité **n'a pas** commandé de nouvelle étude.
Phrase neutre	Phrase emphatique
François prépare bien les pétoncles.	François **les** prépare bien, **les pétoncles**.
	C'est François **qui** prépare bien les pétoncles.
Phrase active	Phrase passive
Le professeur a bien expliqué toutes les règles.	Toutes les règles **ont été** bien **expliquées par** le professeur.
On connait les coupables.	Les coupables **sont connus**.
Phrase personnelle	Phrase impersonnelle
Une tempête se prépare.	Il se prépare une tempête.
Cuisiner sans gras est presque impossible.	Il est presque impossible de cuisiner sans gras.

Exercice 1.2

Donnez le type et les formes des phrases suivantes.

1 La date de l'examen sera bientôt fixée.

Type : _____

Formes : _____

2 Pèse bien tes mots.

Type : _____

Formes : _____

3 C'est à lui qu'il revient de trouver une solution.

Type : _____

Formes : _____

4 C'est dans la chanson que les Québécois donnent le meilleur d'eux-mêmes.

Type : _____

Formes : _____

5 Je l'adore, ce roman.

Type : _____

Formes : _____

Exercice 1.3

Transformez les phrases suivantes, qui sont toutes de type déclaratif et de formes non marquées (positive, neutre, active et personnelle), selon les indications entre parenthèses.

1 Une société régie par le gouvernement se chargera des travaux. (→ Forme emphatique)

_____

2 Une simple annonce dans un journal suffira. (→ Type interrogatif [interrogation totale], forme impersonnelle)

_____

3 Vous vous attendez à un bon résultat. (→ Type impératif, forme négative)

_____

4 On a constaté une augmentation alarmante du nombre d'enfants obèses. (→ Forme passive)

_____

5 Une injection massive de capitaux les aiderait dans leurs efforts de relance. (→ Type interrogatif [interrogation totale], forme négative)

_____

1.5 Les classes de mots

En grammaire moderne, pour désigner les différents types de mots, on ne parle plus de *nature* et de *parties du discours*, mais bien de *classes de mots* et de *catégories grammaticales*. On utilise le terme *classe*, plus général que *nature*, parce qu'il évoque le fait que la classe d'un mot donné n'est pas figée et qu'elle peut varier selon le contexte syntaxique (groupe ou phrase) dans lequel le mot est employé. En grammaire moderne, on détermine, en effet, l'appartenance d'un mot à une classe ou à une autre en observant ses caractéristiques syntaxiques dans le contexte. C'est d'ailleurs ce qui caractérise l'approche de la grammaire moderne par rapport à celle de la grammaire traditionnelle : en grammaire moderne, tous les mots répertoriés dans une classe donnée ont les mêmes caractéristiques syntaxiques.

En français, il existe huit classes de mots : le nom, le déterminant, le verbe, l'adjectif, le pronom, la préposition, l'adverbe et la conjonction. Parmi les classes de mots, on distingue les classes de mots **variables** et les classes de mots **invariables**.

1.5.1 Les classes de mots variables

Les tableaux 1.2 à 1.6 présentent les principales caractéristiques des classes de mots **variables**.

TABLEAU 1.2 Le nom

Le nom

Le **nom** est un mot qui sert à désigner des réalités (un être animé, un lieu, une chose, un concept) et à les distinguer les unes des autres. Sur le plan du sens, il existe plusieurs catégories de noms (abstraits, concrets, animés, inanimés, comptables, non comptables, etc.). Sur le plan grammatical, le nom est un donneur de genre, de nombre et de personne.

Caractéristiques	Exemples
Le nom est le noyau du groupe nominal (GN).	
Le nom peut être :	
• simple	table, livre, amitié, sommeil, etc.
• complexe	clin d'œil, pomme de terre, casse-tête, etc.
• commun	femme, joueur, chat, bouteille, etc.
• propre	Pierre, Québec, Internet, Australie, etc.
• comptable	une perdrix, deux perdrix, etc.
• non comptable	du sel, de l'eau, etc.
Le nom est un donneur d'accord (genre, nombre et personne).	Toutes les **propositions** soumises seront analysées. (Le nom *propositions* donne son genre, féminin, et son nombre, pluriel, au déterminant *Toutes les*, à l'adjectif *soumises* et au participe passé *analysées* ; il donne son nombre, pluriel, et la 3ᵉ personne au verbe *seront*.)
Comment reconnaitre le nom ?	
Le nom est souvent précédé d'un déterminant.	**le** train, **ma** ville, **cette** voiture, **des** photos, **deux** jeunes, **quelques** questions

À CONSULTER

Pour en apprendre davantage sur les **caractéristiques sémantiques** du nom, voir le tableau « Nom » dans le *Multi*.

Pour en apprendre davantage sur ses **caractéristiques morphologiques** (la variation de son orthographe selon qu'il est singulier ou pluriel), voir le tableau « Pluriel des noms » dans le *Multi* et la section 5.2 du chapitre 5.

Pour en apprendre davantage sur ses **caractéristiques syntaxiques**, voir « Les accords dans le GN » à la section 6.3 du chapitre 6.

TABLEAU 1.3 **Le déterminant**

Le déterminant

Le **déterminant** est un mot qui précède le nom et qui sert à le préciser sous différents aspects : la singularité ou la généralité, la quantité, l'appartenance, l'insistance, etc.

Un homme t'attend devant la porte.

Deux hommes t'attendent devant la porte.

L'homme t'attend devant la porte.

Ton homme t'attend devant la porte.

Cet homme t'attend depuis une heure.

Quel homme m'attend devant la porte ?

Aucun homme ne m'attend devant la porte.

Le déterminant ne constitue pas le noyau d'un groupe de mots et il n'a pas de fonction syntaxique à proprement parler ; cependant, tous les déterminants exercent le même rôle : introduire le nom en donnant des précisions sur la réalité évoquée par lui.

Caractéristiques	Exemples
La plupart des déterminants varient en genre et en nombre, parfois en personne (dans le cas des déterminants possessifs).	Le/la/les, cet/cette/ces, mon/ta/ses/leur, etc.
Le déterminant peut être de forme simple ou complexe.	**Le** dossier est bien monté. **Tous les** dossiers sont bien montés.
Le déterminant est un receveur d'accord : il reçoit le genre et le nombre du nom qu'il accompagne.	**Cet** épisode (Masculin singulier) **Certaines** plantes (Féminin pluriel)
Comment reconnaitre le déterminant ?	
Le déterminant fait partie du GN et accompagne toujours un nom. Souvent, le déterminant est obligatoire (il ne peut pas être effacé), notamment dans le GN sujet.	**Tous les** dossiers sont prêts. ˣ**Ø** Dossiers sont prêts.
Le déterminant est toujours placé devant le nom qu'il introduit dans le GN ; il peut cependant en être séparé par un groupe adjectival (GAdj).	**Ces** chatons ont faim. **Ces** petits chatons ont faim.
Le déterminant peut être remplacé par un autre déterminant.	**Les** enfants sont arrivés en retard. **Mes** enfants sont arrivés en retard. **Plusieurs** enfants sont arrivés en retard. **Tous les** enfants sont arrivés en retard. **Douze** enfants sont arrivés en retard. **Ces** enfants sont arrivés en retard.

À CONSULTER

Pour en apprendre davantage sur les **caractéristiques sémantiques**, **morphologiques** et **syntaxiques** du déterminant, voir le tableau « Déterminant » dans le *Multi*.

À NOTER

Le terme *déterminant* est issu de la grammaire moderne. La grammaire traditionnelle parle, selon le cas, d'*article* ou d'*adjectif* pour désigner les mots qui précèdent le nom en le déterminant. Le tableau qui suit présente les différents déterminants avec les termes correspondants en grammaire traditionnelle.

Terminologie moderne et traditionnelle des déterminants

Sous-catégories de déterminants (grammaire moderne)	Termes utilisés en grammaire traditionnelle	Exemples
Déterminant défini	Article défini	**La** grammaire n'est pas si compliquée.
Déterminant indéfini	Article indéfini	J'ai vu **des** enfants traverser la rue.
Déterminant indéfini partitif	Article partitif	Je vais acheter **du** pain. Bois encore **de** l'eau.
Déterminant contracté	Article contracté	Il est allé **au** cinéma.
Déterminant démonstratif	Adjectif démonstratif	**Ce** travail est parfait.
Déterminant possessif	Adjectif possessif	**Tes** clés sont sur la table.
Déterminant quantitatif	Adjectif indéfini	J'ai vu **quelques** films.
Déterminant numéral	Adjectif numéral	Ce dictionnaire coute **cinquante** dollars.
Déterminant interrogatif	Adjectif interrogatif	**Quel** chemin faut-il prendre?
Déterminant exclamatif	Adjectif exclamatif	**Quelle** drôle de situation!

TABLEAU 1.4 Le verbe

Le verbe

Le **verbe** exprime différentes valeurs. D'abord, il permet de situer un évènement dans le temps, soit le passé, le présent ou le futur. Il permet aussi de situer un évènement par rapport à un autre, en indiquant s'il lui est antérieur ou postérieur ou si les deux évènements sont simultanés. Il nous indique la façon dont on doit envisager l'évènement, en précisant s'il s'agit d'un souhait, d'un ordre, d'une réalité, d'une opinion, d'un état, etc. Il existe plusieurs types de verbes et leurs constructions sont nombreuses.

Caractéristiques	Exemples
Le verbe est le noyau du groupe verbal (GV).	
Le verbe est un receveur d'accord : il reçoit les traits grammaticaux de nombre et de personne du noyau du GN sujet.	
Il se conjugue. Il varie donc :	
• en mode (infinitif, indicatif, subjonctif, impératif, participe)	Courir, il court, qu'il coure, cours!, courant, couru.
• en temps	Il **court** (présent), il **courra** (futur), il **courait** (imparfait).
• en personne	**Je** cours, **vous** courez, etc.
• en aspect (temps simples et temps composés)	Il **court** (action en cours de réalisation), il **a couru** (action terminée).
Le verbe peut avoir plusieurs constructions. On distingue, entre autres :	
• les verbes transitifs directs, qui se construisent avec un GN ayant la fonction de complément direct (CD)	Léa **veut** une pomme. (Le verbe *vouloir* est transitif direct, car il a un CD : *une pomme*.)

Caractéristiques	Exemples
• les verbes transitifs indirects, qui se construisent avec un groupe introduit par une préposition (comme *à* ou *de*) ayant la fonction de complément indirect (CI)	Léa **parle** à son père. (Le verbe *parle* est transitif indirect, car il a un CI : *à son père*.) Il **revient** de Londres. (Le verbe *revient* est transitif indirect, car il a un CI : *de Londres*.)
• les verbes intransitifs se construisant sans CD ni CI	Il **court** vite. La lune **luit.** (Les verbes *court* et *luit* sont intransitifs, car ils n'ont pas de CD ni de CI ; *vite* est modificateur du verbe *court*.)
• les verbes attributifs se construisant avec un attribut du sujet ou du CD	Ses notes **sont** excellentes. (L'adjectif *excellentes* est attribut du sujet *Ses notes*.) Elle **a trouvé** ces romans passionnants. (L'adjectif *passionnants* est attribut du CD *ces romans*.)
Les verbes essentiellement attributifs, comme *être*, sont toujours suivis d'un attribut du sujet, qui ne peut pas être effacé.	Ils **sont** heureux. ˣIls **sont Ø.**
Les principaux verbes attributifs sont *être* et les verbes *devenir, demeurer, paraitre, rester, sembler, avoir l'air, passer pour,* etc. (on peut les remplacer par le verbe *être*).	Marie **semble** inquiète. Marie **est** inquiète.
Dans certains cas, le verbe *être* n'est pas attributif, mais transitif indirect.	Léa **est** à l'école. (Dans cet exemple, le verbe *être* est un verbe transitif indirect. Le GPrép *à l'école* est complément indirect de *est* ; on peut d'ailleurs le remplacer par le pronom *y* : *Léa **y** est*.)
• les verbes pronominaux	**Se** lever, **se** tromper, **s'**apercevoir, **s'**assoir, **se** souvenir, etc.
• les verbes impersonnels	Il faut, il pleut, il neige, etc.

Comment reconnaitre le verbe ?

On peut ajouter la locution *ne… pas* de part et d'autre du verbe.	Je **ne** travaille **pas** toujours bien.
Le verbe est un mot qu'on peut conjuguer.	Je travaille/travaillerai/travaillais toujours bien.

À CONSULTER

Pour en apprendre davantage sur les différents **types de verbes**, voir le tableau « Verbe » dans le *Multi*.

Pour connaitre ses **caractéristiques morphologiques** (la conjugaison) et ses **caractéristiques syntaxiques** (accord du verbe avec le sujet et accord du participe passé), voir « Le verbe et les conjugaisons » à la section 5.1 du chapitre 5, ainsi que « L'accord du verbe avec le sujet » et « L'accord du participe passé » aux sections 6.2.1 et 6.2.2 du chapitre 6.

TABLEAU 1.5 **L'adjectif**

L'adjectif

Il existe deux types d'**adjectifs** :

1. L'adjectif **qualifiant**, comme son nom l'indique, sert à qualifier un nom ou un pronom.

    Un **beau** chat **noir**

2. L'adjectif **classifiant**, quant à lui, sert à distinguer la réalité exprimée par le nom ou le pronom d'autres réalités.

    Un chat **siamois**

Caractéristiques	Exemples
L'adjectif est le noyau du groupe adjectival (GAdj).	
Il complète un nom ou un pronom et il est un receveur d'accord : il reçoit le genre et le nombre du nom ou du pronom qu'il complète.	**Courageuse**, ma mère a décidé de continuer le combat. (L'adjectif *Courageuse* reçoit le genre, féminin, et le nombre, singulier, du nom *mère*.) **Courageuse**, elle a décidé de continuer le combat. (L'adjectif *Courageuse* reçoit le genre, féminin, et le nombre, singulier, du pronom *elle*.)
L'adjectif **qualifiant**, qu'il soit neutre, négatif ou positif, peut généralement varier en intensité.	Le fleuve est **calme** aujourd'hui. Le fleuve est **très calme** aujourd'hui. Elle est **jolie**. Elle est **plutôt jolie**.
Contrairement à l'adjectif qualifiant, l'adjectif **classifiant** ne peut pas varier en intensité.	J'apporterai mon ordinateur **portable**. J'apporterai mon ordinateur ^x**très portable**. La Compagnie espère pouvoir offrir un vol **hebdomadaire** dans cette région. La Compagnie espère pouvoir offrir un vol ^x**moins hebdomadaire** dans cette région.
Un même adjectif peut être qualifiant ou classifiant selon le sens de l'adjectif.	Comme d'habitude, il s'est montré **très négatif**. (Adjectif qualifiant) Votre relevé de compte indique que votre solde est **négatif**. (Adjectif classifiant)
Comment reconnaitre l'adjectif ? Dans le GN, l'adjectif peut généralement être effacé.	Regarde le **beau** chat **noir**. Regarde le Ø chat Ø.

À CONSULTER

Pour en apprendre davantage sur les **caractéristiques sémantiques** de l'adjectif (les types d'adjectifs), voir le tableau « Adjectif » dans le *Multi*.

Pour connaitre ses **caractéristiques morphologiques** (la variation de son orthographe selon son genre et son nombre), voir « L'adjectif » à la section 5.3 du chapitre 5. Pour connaitre ses **caractéristiques syntaxiques**, voir « Les accords dans le GN » à la section 6.2 du chapitre 6.

TABLEAU 1.6 **Le pronom**

Le pronom

Étymologiquement, le mot *pronom* signifie « à la place du nom ». Mais le **pronom** peut aussi remplacer d'autres groupes de mots qu'un groupe nominal (GN) – par exemple, un groupe prépositionnel (GPrép) ou un groupe adjectival (GAdj) –, et même une phrase ou une partie de phrase. Les caractéristiques syntaxiques du pronom dépendent de la sorte de groupe de mots qu'il remplace et de sa fonction.

Caractéristiques	**Exemples**
Le pronom peut servir à reprendre quelque chose, une idée, etc., qui a été mentionné antérieurement dans le texte ; on l'appelle alors **pronom de reprise**.	Pierre est mon collègue et ami. Je **l'**estime beaucoup. (Le pronom *l'* [*le*] fait référence à l'antécédent *Pierre*.) Pierre a enfin obtenu un travail **qui** lui plaît. (Le pronom *qui* fait référence à l'antécédent *travail*.)
Lorsque le pronom ne reprend pas d'antécédent, c'est-à-dire qu'il ne reprend pas un ou des termes nommés dans le texte, on l'appelle **pronom nominal**.	**Rien** ne **me** fera manquer le spectacle.
Le pronom est un donneur d'accord (genre, nombre et personne).	**Ils** sont charmants. (Le pronom *Ils* donne son genre, masculin, et son nombre, pluriel, à l'adjectif *charmants*. Il donne son nombre, pluriel, et sa personne, 3ᵉ, au verbe *sont*.)
Comment reconnaitre le pronom ? On le trouve généralement avant ou après le verbe.	**Je me** fierais à **eux**.

À CONSULTER

Pour en apprendre davantage sur les **caractéristiques sémantiques** et **morphologiques** du pronom, voir le tableau « Pronom » dans le *Multi*.

1.5.2 Les classes de mots invariables

Les tableaux 1.7 à 1.9 présentent les différentes classes de mots invariables.

TABLEAU 1.7 **La préposition**

La préposition

La **préposition** est un mot invariable qui permet de former des compléments.

Lorsque la préposition est composée de plusieurs mots, les dictionnaires l'appellent *locution prépositive*. Celle-ci se termine le plus souvent par *à* ou *de*.

> **Grâce à** son aide, j'ai attrapé deux grosses truites.
>
> Il rouspète **à propos de** tout.

Caractéristiques	**Exemples**
La préposition est le noyau du groupe prépositionnel (GPrép). Elle peut être simple ou complexe.	**Prépositions simples** À, de, pour, avec, sans, etc. **Prépositions complexes** afin de, au lieu de, avant de, à la suite de, etc.

Caractéristiques	Exemples
Devant *le* ou *les*, les prépositions *à* et *de* fusionnent avec le déterminant. Ce phénomène porte le nom de *contraction*.	Il a participé **au** spectacle. (*au = à + le*) Il a participé **aux** biennales. (*aux = à + les*) Cela dépend **du** temps. (*du = de + le*) Cela dépend **des** circonstances. (*des = de + les*)
Comment reconnaitre la préposition ? Elle sert à former des compléments et a donc obligatoirement un groupe de mots à sa droite que l'on appelle *expansion*.	Léa doit rentrer **à** la maison. ^XLéa doit rentrer **à** *Ø*.

TABLEAU 1.8 **L'adverbe**

L'adverbe

L'**adverbe** est une classe difficile à définir, car il existe en fait plusieurs sortes d'adverbes qui n'ont pas de réels points communs, si ce n'est leur invariabilité. La façon la plus logique de les définir consiste à observer le rôle qu'ils jouent dans la phrase et dans le texte, pour ensuite les classer selon leur fonction.

Lorsque l'adverbe est composé de plusieurs mots (*tout à fait*, *un peu*, etc.), les dictionnaires l'appellent *locution adverbiale*.

Caractéristiques	Exemples
L'adverbe est le noyau du groupe adverbial (GAdv). L'adverbe modifie le sens d'un autre mot, qui peut être un verbe, un adjectif ou un autre adverbe.	Elle parle **fort**. (L'adverbe *fort* modifie le verbe *parle*.) Elle est **gravement** malade. (L'adverbe *gravement* modifie l'adjectif *malade*.) Elle parle **très** fort. (L'adverbe *très* modifie l'adverbe *fort*.)
D'autres adverbes sont des organisateurs textuels et sont alors généralement en début de phrase.	**Finalement**, la réunion est reportée à la semaine prochaine.
Comment reconnaitre l'adverbe ? L'adverbe est presque toujours facultatif ; il peut donc être effacé.	Elle parle **fort**. Elle parle *Ø*. Elle parle **très** fort. Elle parle *Ø* fort. Elle est **gravement** malade. Elle est *Ø* malade.
L'adverbe est obligatoire dans un seul cas : en fonction de complément indirect (CI).	Elle habite ici. ^XElle habite *Ø*.

À CONSULTER

Pour en apprendre davantage sur les **principales prépositions simples** et **locutions prépositives (prépositions complexes)**, voir le tableau « Préposition » dans le *Multi*.

TABLEAU 1.9 **La conjonction**

La conjonction	

La **conjonction**, tout comme le déterminant, ne forme pas le noyau d'un groupe de mots. Son rôle consiste à unir des mots ou groupes de mots, ou des phrases, mais elle ne fait pas partie des groupes qu'elle met en rapport.

Caractéristiques	Exemples
La conjonction est un mot invariable qui sert à joindre des groupes ou des phrases :	
• en les coordonnant On l'appelle alors **conjonction de coordination**. On dit aussi que c'est un **coordonnant**. Les conjonctions de coordination sont : *et, ou, mais, or, ni, car.* En grammaire moderne, le terme *coordonnant* désigne les mots qui lient des unités de même niveau syntaxique. Ces mots sont les conjonctions de coordination, mais aussi des adverbes de liaison comme *ensuite, puis, alors,* etc.	Rachel **et** Sophie sont les deux plus jeunes de la famille. (La conjonction *et* relie deux GN sujets.) J'aimerais aller au cinéma, **mais** je n'ai pas terminé mon travail. (La conjonction *mais* unit deux phrases P.) Il s'est levé, **puis** il est parti sans dire un mot. (L'adverbe *puis* unit deux phrases P.)
• en les subordonnant On l'appelle alors **conjonction de subordination**. On dit aussi que c'est un **subordonnant**. En grammaire moderne, le terme *subordonnant* désigne les mots qui servent à intégrer une phrase à une autre en la subordonnant. Ces mots sont les conjonctions de subordination, mais aussi les pronoms relatifs, et des adverbes ou pronoms interrogatifs.	Je crains **que** Laura ne soit pas encore rentrée. (La conjonction *que* relie la subordonnée au verbe *crains.*) Les pêches **que** j'ai mangées étaient délicieuses. (Le pronom relatif *que* relie la subordonnée au nom *pêches.*) Je ne comprends pas **pourquoi** il ne m'aime plus. (L'adverbe *pourquoi* relie la subordonnée au verbe *comprends.*)

1.6 Les groupes de mots

La notion de **groupe** est fondamentale en grammaire moderne : le groupe est l'unité intermédiaire entre le mot et la phrase. Un **groupe de mots** est un ensemble de mots structuré autour d'un **noyau**. Le noyau peut être le seul mot du groupe ou être complété par d'autres éléments, appelés **expansions**.

Le **noyau** d'un groupe de mots ne peut pas être effacé. C'est le mot qui donne au groupe son nom.

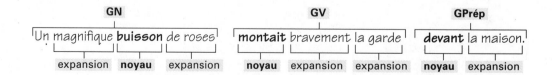

Dans la phrase à la page précédente, le groupe *Un magnifique buisson de roses* a comme noyau le **nom** *buisson* et constitue ainsi un **groupe nominal** (GN). Le groupe *montait bravement la garde* a comme noyau le **verbe** *montait*, ce qui en fait un **groupe verbal** (GV). Le groupe *devant la maison* a comme noyau la **préposition** *devant*, c'est donc un **groupe prépositionnel** (GPrép).

Par ailleurs, on remarque que dans le GN *Un magnifique buisson de roses*, le déterminant *Un* n'est pas une expansion. En effet, dans un groupe du nom, le déterminant n'est jamais une expansion du noyau. Le déterminant introduit le noyau, il ne le complète pas.

Un groupe de mots n'est pas un énoncé complet, c'est-à-dire une suite de mots autonome, tant du point de vue du sens que du point de vue de la syntaxe ; il fait nécessairement partie d'un ensemble plus grand, qui peut être un autre groupe de mots qui s'insère à son tour dans une phrase. Par exemple, dans la phrase *Un magnifique buisson de roses montait bravement la garde devant la maison*, le GPrép *de roses* fait partie de l'ensemble plus grand qu'est le GN *Un magnifique buisson de roses* ; le GN *Un magnifique buisson de roses* est contenu dans l'ensemble complet qu'est la phrase.

Les différents groupes de mots sont :

- le groupe nominal (GN), qui a pour noyau un nom ;
- le groupe verbal (GV), qui a pour noyau un verbe conjugué ;
- le groupe adjectival (GAdj), qui a pour noyau un adjectif ;
- le groupe prépositionnel (GPrép), qui a pour noyau une préposition ;
- le groupe adverbial (GAdv), qui a pour noyau un adverbe ;
- le groupe infinitif (GInf), qui a pour noyau un verbe à l'infinitif ;
- le groupe participe (GPart), qui a pour noyau un participe présent.

Dégageons, dans la phrase suivante, les principaux groupes de mots.

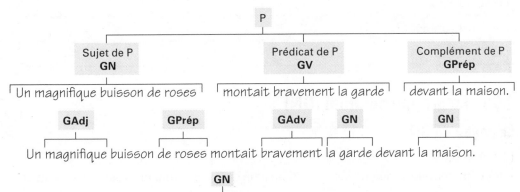

Un magnifique buisson de roses montait bravement la garde devant la maison.

Le tableau 1.10 présente le noyau du GN et ses expansions.

TABLEAU 1.10   **Le noyau du GN et ses expansions**

Groupes de mots	Noyaux	Expansions
Un magnifique buisson de roses (GN)	buisson	• magnifique • de roses
magnifique (GAdj)	magnifique	(sans expansion)
de roses (GPrép)	de	roses

Groupes de mots	Noyaux	Expansions
roses (GN)	roses	(sans expansion)
montait bravement la garde (GV)	montait	• bravement • la garde
bravement (GAdv)	bravement	(sans expansion)
la garde (GN)	garde	(sans expansion)
devant la maison (GPrép)	devant	la maison
la maison (GN)	maison	(sans expansion)

Exercice 1.4

Tentez de reconnaitre les noyaux des groupes de mots contenus dans la phrase suivante. Fiez-vous à leur(s) expansion(s) pour les reconnaitre.

La réforme de l'éducation soulève encore des débats passionnés.

Groupes de mots	Noyaux	Expansions
La réforme de l'éducation (GN)		
de l'éducation (GPrép)		
l'éducation (GN)		
soulève encore des débats passionnés (GV)		
encore (GAdv)		
des débats passionnés (GN)		
passionnés (GAdj)		

1.6.1 Le groupe nominal (GN)

Le noyau du GN

Le noyau du GN peut être :

• un **nom commun**, généralement accompagné d'un déterminant (*le*, *un*, *son*, *cet*, etc.)

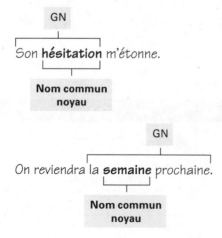

- un **nom propre**, généralement sans déterminant

- un **nom propre**, avec déterminant

La France ouvre ses portes aux touristes.

Nom propre
noyau

Les expansions dans le GN

Comme nous l'avons vu précédemment, le noyau d'un groupe de mots peut être complété par d'autres groupes de mots qu'on appelle **expansions**. Elles servent à préciser le noyau, à l'expliquer ou à le qualifier ; bref, elles le complètent. Voyons quelles peuvent être les expansions dans le GN.

La phrase suivante contient toutes les expansions possibles dans un GN.

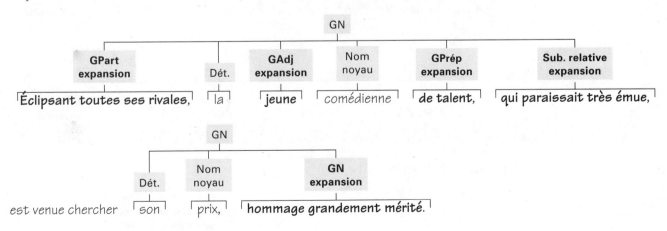

Ainsi, comme l'illustre la phrase ci-dessus, les expansions dans le GN peuvent être : un GAdj, un GPrép, un GPart, une subordonnée ou un GN (*voir le tableau 1.11 à la page suivante*).

TABLEAU 1.11	Les expansions dans le GN	
	Expansion dans le GN	**Noyau du GN**
Un GAdj	*jeune*	*comédienne*
Un GPrép	*de talent*	*comédienne*
Un GPart	*Éclipsant toutes ses rivales*	*comédienne*
Une subordonnée	*qui paraissait très émue*	*comédienne*
Un GN	*hommage grandement mérité*	*prix*

Exercice 1.5

Dans les phrases qui suivent, soulignez, s'il y a lieu, les expansions des noyaux en caractères gras et dites de quelle sorte de groupe de mots il s'agit.

◼ Mon **amie** <u>Marie</u> est en Australie. _____GN_____

1 Une **querelle** entre Pierre et François s'est terminée finalement dans la joie.

_____

2 Je vous présente mon **frère** Martin. _____

3 J'ai présenté mon **frère** à Marie-Dominique. _____

4 L'**arrière-cour**, un jardin anglais, était limitée par la rivière. _____

5 L'arrière-cour, un **jardin** anglais, était limitée par la rivière. _____

Les fonctions du GN

Les fonctions qu'un GN peut remplir dans la phrase et dans des groupes de mots sont les suivantes :

• sujet de P

• complément de P

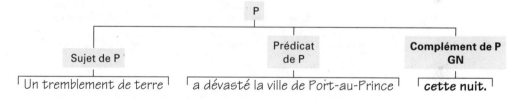

• complément direct du verbe (CD)

Contrairement au complément de phrase, le complément direct du verbe est indissociable du verbe. On ne peut donc pas le déplacer. De plus, on peut rarement l'effacer sans modifier le sens de l'énoncé. Certains verbes, d'ailleurs, demandent obligatoirement un complément direct. Ainsi, on ne peut pas dire :

> ×Un tremblement de terre a dévasté **Ø**.

Le complément direct est remplaçable par *le, la, l', les, en, cela, ça, quelque chose* ou *quelqu'un*.

- complément du nom

Mon frère **Martin** est avocat.

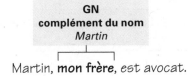

Martin, **mon frère**, est avocat.

- attribut du sujet

Mon frère est **avocat**.

L'attribut du sujet est une expansion obligatoire d'un verbe essentiellement attributif, comme les verbes *être, paraitre, devenir, sembler, rester, demeurer*, etc. ; il ne peut donc pas être effacé.

> ×Mon frère Martin est **Ø**.

L'attribut du sujet peut également être une expansion d'un verbe occasionnellement attributif, comme *sortir, arriver*, etc.

> Elle arrive **première** dans toutes les matières.

- attribut du complément direct

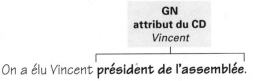

On a élu Vincent **président de l'assemblée**.

Le tableau 1.12, à la page suivante, récapitule les fonctions du GN.

TABLEAU 1.12 Les fonctions du GN

Fonctions	Exemples	Propriétés
Sujet de P	**Mon ami Simon, qui subissait souvent les railleries de ses camarades**, était pourtant un enfant heureux cet été-là.	Le GN est sujet de la phrase.
Complément de P	Mon ami Simon, qui subissait souvent les railleries de ses camarades, était pourtant un enfant heureux **cet été-là**.	Le GN est complément de phrase. On peut le supprimer ou le déplacer.
Complément direct du verbe (CD)	Mon ami Simon, qui subissait souvent **les railleries de ses camarades**, était pourtant un enfant heureux cet été-là.	Le GN est complément direct du verbe *subissait*.
Complément du nom	Mon ami **Simon**, qui subissait souvent les railleries de ses camarades, était pourtant un enfant heureux cet été-là.	Le GN est complément du nom *ami*.
Attribut du sujet	Mon ami Simon, qui subissait souvent les railleries de ses camarades, était pourtant **un enfant heureux** cet été-là.	Le GN est attribut du sujet et est une expansion obligatoire du verbe *était*.
Attribut du complément direct	Ses camarades l'avaient nommé « **président des cancres** ».	Le GN est attribut du complément direct *l'*.

Exercice 1.6

Donnez la fonction des GN en caractères gras dans les phrases suivantes.

■ La compagnie remboursera **les frais de location de la voiture**.

Complément direct (CD) du verbe remboursera.

1 La plupart des cyclistes respectent **les règles de la circulation**.

_____

2 Son père est **professeur de mécanique automobile**.

_____

3 Une téléphoniste prendra **vos appels**.

_____

4 **L'été dernier**, nous avons visité le canyon des Portes de l'enfer.

_____

5 **Des milliers de petits coquillages** craquaient sous nos pas.

_____

1.6.2 Le groupe verbal (GV)

Le noyau du GV

Le noyau du groupe verbal est un **verbe conjugué** à un mode personnel, soit à l'indicatif, au subjonctif ou à l'impératif.

À NOTER

Les verbes employés à l'**infinitif** (*former*, *sortir*, *voir*, *prendre*, etc.) et au **participe présent** (*formant*, *sortant*, etc.) ne sont pas le noyau d'un GV parce qu'ils ne peuvent généralement pas à eux seuls tenir le rôle de prédicat de la phrase (ce que l'on dit du sujet).

Le verbe à l'infinitif est le noyau d'un **groupe infinitif** (GInf). Le GInf peut remplir certaines fonctions du GN. Entre autres, il peut être :

• sujet de P

```
                          P
              ┌───────────┴───────────┐
           Sujet                    Prédicat
           GInf
      ┌──────┴──────┐          ┌────────┴────────┐
   Faire de l'exercice régulièrement    est bon pour la santé.
   └──┬──┘
   Verbe à l'infinitif
   noyau
```

→

- CD du verbe

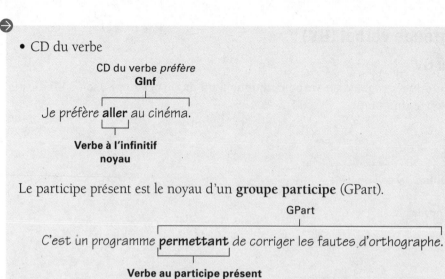

CD du verbe *préfère*
GInf

Je préfère **aller** au cinéma.

Verbe à l'infinitif
noyau

Le participe présent est le noyau d'un **groupe participe** (GPart).

GPart

C'est un programme **permettant** de corriger les fautes d'orthographe.

Verbe au participe présent
noyau

Précédé de la préposition *en*, le participe présent forme ce qu'on appelle le **gérondif**.

Il est alors le noyau d'un GPart inclus dans un GPrép dont le noyau est la préposition *en*.

GPrép

En **activant** le correcteur orthographique, on peut déjà éviter bien des fautes.

GPart

Le gérondif indique la manière ou le moyen et exprime la simultanéité avec le verbe principal (conjugué) de la phrase.

Exercice 1.7

Soulignez les 22 verbes de l'extrait ci-dessous, puis reportez-les dans les tableaux qui suivent et cochez le groupe dont ils sont le noyau : GV, GInf ou GPart.

Cendrillon alla aussitôt cueillir la plus belle citrouille qu'elle put trouver, et la porta à sa marraine, ne pouvant deviner comment cette citrouille pourrait la faire aller au bal. Sa marraine la creusa et, ne laissant que l'écorce, la frappa de sa baguette, et la citrouille se changea aussitôt en un beau carrosse tout doré. Ensuite elle alla regarder dans la souricière, où elle trouva six souris toutes en vie. Elle dit à Cendrillon de lever la trappe de la souricière, et à chaque souris qui sortait elle donnait un coup de baguette, et la souris se changeait aussitôt en un beau cheval.

(Charles Perrault, *Cendrillon*)

Verbe	GV	GInf	GPart

Verbe	GV	GInf	GPart

Verbe	GV	GInf	GPart

Verbe	GV	GInf	GPart

Les expansions dans le GV

Le verbe est parfois le seul élément du GV.

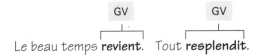

Le beau temps **revient**.   Tout **resplendit**.

Mais la plupart du temps, le verbe a des expansions. Le tableau 1.13 présente les principales expansions possibles dans le GV.

TABLEAU 1.13   **Les principales expansions dans le GV**

Expansions dans le GV	
Un **GN** GV V — GN On ouvre **les fenêtres**.	Un **GInf** GV V — GInf Michel aime **observer les étoiles**.
Un **pronom** qui remplace un GN GV Pron. — V Sylvie **le** connait.	Un **pronom** qui remplace un GPrép GV Pron. — V Elle **lui** a parlé.
Un **GPrép** GV V — GPrép On dine **sur la terrasse**.	Un **GAdj** GV V — GAdj Elle est **fière de ses crocus**.
Un **GAdv** GV V — GAdv Il parle **beaucoup**.	Une **subordonnée complétive** GV V — Sub. complétive J'espère **qu'il reviendra**.

Les expansions dans le groupe verbal peuvent bien sûr être cumulées, même si le nombre de combinaisons possibles reste limité. Voici quelques exemples de combinaisons.

- GV = Pronom + V + GN

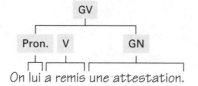

- GV = V + GN + GPrép

- GV = Pronom + V + GPrép + GPrép

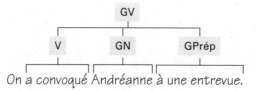

- GV = Pronom + V + GAdj

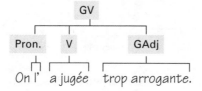

Le tableau 1.14 récapitule les principales constructions du GV.

TABLEAU 1.14   **Les principales constructions du GV**

Constructions du GV	Sujet	GV	
GV = V		**V**	
	La rivière	scintille.	
GV = V + GN		**V**	**GN**
	Nous	remontons	la rivière.
	Nous	observons	l'eau qui monte.
GV = Pron. + V		**Pronom**	**V**
	Je	la	remercierai.
	Tu	lui	téléphoneras.
GV = V + GPrép		**V**	**GPrép**
	Nous	revenons	dans un instant.
	Nous	penserons	à le prévenir.

Constructions du GV	Sujet	GV	
GV = V + GInf		**V**	**GInf**
	Nous	reviendrons	pêcher.
	Martin	a prévu	visiter quelques maisons.
GV = V + GAdj		**V**	**GAdj**
	Nathalie	semble	satisfaite.
	Nous	sommes	heureux du dénouement.
GV = V + GAdv		**V**	**GAdv**
	Il	respire	régulièrement.
	Il	réagissait	trop promptement.
GV = V + Sub. complétive		**V**	**Sub. complétive**
	Je	suppose	que vous n'êtes pas encore décidé.
	Nous	avons remarqué	qu'il manifestait beaucoup d'intérêt.

Exercice 1.8

Donnez les expansions des verbes soulignés dans les phrases suivantes à l'aide des informations qui vous sont fournies.

■ Je <u>pense</u> qu'il se rendra aux iles de Mingan en avion.

GV = V + Sub. complétive

Expansion : <u>qu'il se rendra aux iles de Mingan en avion</u> **(Sub. complétive)**

1 Claire <u>semble</u> satisfaite de son nouvel emploi.

GV = V + GAdj

Expansion : _____

2 Je l'ai <u>rencontré</u> au cinéma.

GV = pronom + V + GPrép

Expansions : _____

3 Vous <u>devez</u> explorer toutes les avenues possibles.

GV = V + GInf

Expansion : _____

4 J'ai <u>transmis</u> ton message à Sébastien.

GV = V + GN + GPrép

Expansions : _____

5 On l'a <u>trouvée</u> débordante d'énergie.

GV = pronom + V + GAdj

Expansions : _____

Identifiez les constituants des groupes verbaux soulignés.

■ Je suppose qu'il a amené les enfants à la rivière.

■ Je suppose qu'il a amené les enfants à la rivière.

GV = V + Sub. complétive

GV = V + GN + GPrép

1 On vous a préparé tout un piquenique.

GV =

2 J'ai fait un rêve qui m'a tourmenté.

J'ai fait un rêve qui m'a tourmenté.

GV =

GV =

3 En rentrant de voyage avec ses parents, la petite Nelly semblait surprise de revoir ses affaires.

GV =

4 Sa mémoire avait dû enregistrer des choses, mais elles restaient enfouies dans son subconscient.

GV =

GV =

5 Nous l'avons trouvé très attachant.

GV =

La fonction du GV dans la phrase

Le GV ne peut avoir qu'une seule fonction dans la phrase P, celle de **prédicat**. Comme nous l'avons déjà vu, le prédicat est un constituant obligatoire de P.

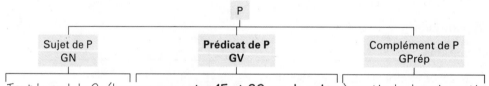

	P	
Sujet de P GN	**Prédicat de P GV**	Complément de P GPrép

Tout le sud du Québec **recevra entre 15 et 20 cm de neige** à partir de demain matin.

1.6.3 Le groupe adjectival (GAdj)

Le noyau du GAdj

Le noyau du GAdj est un **adjectif**.

L'adjectif **qualifiant** se trouve généralement après le nom, parfois avant. Il peut avoir des expansions.

> Un chat **craintif**
>
> Un **petit** chat
>
> Un <u>très</u> **beau** chat

L'adjectif **classifiant** est toujours placé après le nom et il peut avoir une expansion à sa droite. Il ne peut cependant pas varier en intensité.

> Elle est **enceinte** <u>de quelques mois</u>.
>
> Un chat **siamois**
>
> ^XUn **siamois** chat
>
> ^XUn chat <u>très</u> **siamois**

Les expansions dans le GAdj

Les principales expansions de l'adjectif peuvent être :

- un GAdv

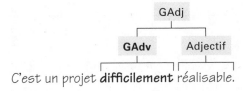

C'est un projet **difficilement** réalisable.

- un GPrép

Elle est fière **de sa petite-fille**.

- une subordonnée complétive

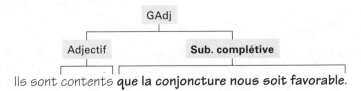

Ils sont contents **que la conjoncture nous soit favorable**.

- un pronom remplaçant un GPrép

Elle **en** est fière. (**en** = de sa petite-fille)

Transcrivez les expansions du noyau du GAdj dans les phrases suivantes et dites de quelle sorte d'expansions il s'agit.

■ Il s'est montré plutôt intéressé par notre offre.

plutôt : **GAdv** *; par notre offre :* **GPrép**

1 Il est fâché contre Julien.

2 Je vais vous faire gouter un vin agréablement fruité.

3 Elle était trop sure de son coup.

4 C'est un livre si touchant.

5 Il est très habile de ses mains.

Les fonctions du GAdj

Le GAdj peut avoir les fonctions suivantes :

• complément du nom

> **GAdj**
> **complément du nom**
> *histoire*

Je vais vous raconter une histoire **vraie**.

> **GAdj**
> **complément du nom**
> *Luc*

Luc, **impassible,** contemplait le désordre de la chambre.

À NOTER

Où donc est passée l'épithète ?

La fonction d'« épithète » n'existe plus en grammaire moderne. Elle a été remplacée par la fonction de **complément du nom**.

Dans la grammaire traditionnelle, on appelait « épithète détachée » l'adjectif apposé au nom et encadré par des virgules, comme c'est le cas de *impassible* dans l'exemple ci-dessus. Alors que la fonction épithète était réservée à l'adjectif, celle de **complément du nom** s'applique de nos jours à tous les groupes de mots qui complètent le nom, par exemple une subordonnée relative.

> **Sub. relative**
> **complément du nom** *patron*

Alain est un patron **qui est honnête envers ses employés.**

• attribut du sujet

Sa demande est **exagérée**.

• attribut du complément direct

> **GAdj**
> **attribut du CD**
> *ses excuses*

Je trouve ses excuses **inacceptables**.

Comment distinguer le GAdj complément du nom et le GAdj attribut du complément direct ?

Observons les exemples suivants.

Anne a un comportement très **imprévisible**. (L'adjectif *imprévisible* est complément du nom *comportement*.)	Je trouve Anne **imprévisible**. (L'adjectif *imprévisible* est attribut du CD *Anne*.)
Voulez-vous une bière **belge** ? (L'adjectif *belge* est complément du nom *bière*.)	Je veux cette bière bien **froide**. (L'adjectif *froide* est attribut du CD *cette bière*.)

Que peut-on déduire de ces exemples ?

Dans le cas du GAdj complément du nom, on se rend compte que l'adjectif complète le nom directement, sans intermédiaire.

Dans le cas du GAdj attribut du CD, on voit que l'adjectif complète aussi le nom, mais par l'intermédiaire d'un verbe (*trouve*, *veux*), comme c'est le cas pour le GAdj attribut du sujet.

Il n'est pas toujours facile de faire cette distinction. Cependant, une manipulation syntaxique toute simple permet de reconnaitre facilement les deux fonctions : la pronominalisation du CD de la phrase. Si on peut pronominaliser le CD tout en laissant le GAdj après le verbe, c'est que ce GAdj est un attribut du CD. Sinon, ce GAdj est un complément de nom.

Je trouve **Anne** imprévisible. Je **la** trouve imprévisible.	Anne a un **comportement** imprévisible. ^x Anne **l'**a imprévisible.
Je veux **cette bière** bien froide. Je **la** veux bien froide.	Voulez-vous **une bière** belge ? ^x **La** voulez-vous belge ?

Exercice 1.11

Complétez le tableau en fournissant les informations suivantes.

a) Dites si les adjectifs contenus dans les GAdj en gras sont qualifiants (Q) ou classifiants (C).

b) Si l'adjectif a une ou des expansions, indiquez-en la sorte.

c) Donnez la fonction du GAdj.

1 J'ai été **très surprise de sa visite**.

2 Je suis **étonné qu'il ait accepté ce poste**.

3 Nous espérons être **capables de vous communiquer des informations d'ici peu**.

4 Pourrais-tu être **plus précis** ?

5 Au Québec, les bières **artisanales** connaissent une popularité **grandissante**.

6 J'ai eu une **assez bonne** note. J'**en** suis **plutôt satisfaite**.

7 Je préfère ma bière **bien froide**.

8 Il adore les bières **importées**.

9 Je la trouve **un peu amère**.

10 Celle-ci est **très appréciée pour son gout fruité et aigrelet**.

Adjectif	Type		Expansion				Fonction du GAdj		
	Q	C	GAdv	Sub.	GPrép	Pron.	Compl. du nom	Attribut du sujet	Attribut du CD
surprise									
étonné									
capables									
précis									
artisanales									
grandissante									
bonne									
satisfaite									
froide									
importées									
amère									
appréciée									
fruité									
aigrelet									

1.6.4 Le groupe prépositionnel (GPrép)

Le noyau du GPrép

Le noyau du GPrép est une **préposition**. La préposition est un mot invariable qui permet de former des compléments.

```
                    GPrép
              ┌───────┴───────┐
Ici, seule la pêche à la mouche est permise.    (Le GPrép complète le nom pêche.)
                    │
              Préposition
                noyau
```

```
                    GPrép
              ┌───────┴───────┐
Poser l'épuisette dans le canot.    (Le GPrép complète le verbe Poser.)
                    │
              Préposition
                noyau
```

```
                    GPrép
              ┌───────┴───────┐
François est fier de son lancer.    (Le GPrép complète l'adjectif fier.)
                    │
              Préposition
                noyau
```

Le mot *de* n'est pas toujours une préposition et n'est pas nécessairement le noyau d'un GPrép. Il est déterminant indéfini et fait partie d'un GN lorsqu'il détermine un nom dans une phrase négative ou lorsque le nom est précédé d'un adjectif au pluriel.

- Dans une phrase négative

  J'ai apporté **un** canif.   /   Je **n'**ai **pas** apporté **de** canif.

- Nom précédé d'un adjectif au pluriel

  Il a **des raisons sérieuses**   Il a **de sérieuses raisons**
  pour démissionner.   =   pour démissionner.

Les expansions dans le GPrép

Les expansions dans le GPrép sont obligatoires. La préposition ne peut, à elle seule, former un GPrép. Les expansions de la préposition peuvent être :

- un GN

- un pronom

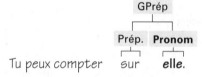

- un GInf

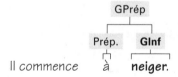

- un GPart

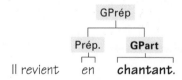

- un GAdv

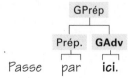

Les fonctions du GPrép

Le GPrép peut avoir les fonctions suivantes :

- complément du nom

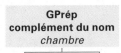

La chambre **de mon frère** est en désordre.

- complément du pronom

> **GPrép**
> **complément du pronom**
> *celui*

Le succès du livre est indéniable, mais celui **du film** n'est pas encore confirmé.

- complément de l'adjectif

> **GPrép**
> **complément de l'adjectif**
> *réfractaire*

Le public s'est montré réfractaire **aux modifications apportées par le réalisateur**.

- complément de phrase (CP)

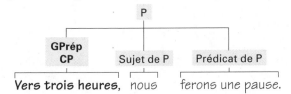

Vers trois heures, nous ferons une pause.

- complément indirect du verbe (CI)

> **GPrép**
> **complément indirect**
> **du verbe** *aboutissent*

Les fugitifs aboutissent **dans un mystérieux tunnel**.

À NOTER

Le complément indirect du verbe est généralement introduit par une préposition. Dans certains cas, par exemple lorsque le complément a été pronominalisé, on ne voit pas la préposition.

> Je **lui** ai parlé ce matin. (**lui** = à lui, à elle)
>
> Nous **leur** demanderons de revenir. (**leur** = à elles, à eux)

Contrairement au complément de phrase, le complément indirect du verbe ne peut généralement pas être déplacé. Il ne peut être supprimé sans que le sens de la phrase en soit affecté.

> [x]Dans un mystérieux tunnel, les fugitifs aboutissent.
>
> [x]Les fugitifs aboutissent Ø.

- complément direct du verbe (CD)

GPrép
**complément direct
du verbe** *demande*

Je te demande **de sortir**.

Le complément direct a généralement la forme d'un GN. Cependant, lorsque le CD apparait sous la forme d'un infinitif, il peut être introduit par une préposition. Pour vérifier s'il s'agit bien d'un CD, il suffit de remplacer le GPrép contenant un infinitif par le pronom *le*, *cela* ou *quelque chose*.

Je te demande **de sortir**. (**de sortir** = CD)

Je te **le** demande. (**le** = CD)

Je te demande **cela**. (**cela** = CD)

Un GPrép peut occuper la fonction de CD uniquement lorsque la préposition (souvent *à* ou *de*) introduit un GInf. Les autres GPrép ne sont jamais des CD.

- attribut du sujet

GPrép
attribut du sujet
Le réalisateur

Le réalisateur était **en colère**.

- attribut du complément direct

GPrép
attribut du CD
les autres

Il traitait les autres **d'imbéciles**.

- modificateur du verbe

GPrép
**modificateur
du verbe**
signait

L'auteur signait les autographes **avec empressement**.

Le tableau 1.15 récapitule les fonctions du GPrép.

TABLEAU 1.15 **Les fonctions du GPrép**

Fonctions	Exemples	Propriétés
Complément du nom	*C'est le livre **de Pierre**.*	Le GPrép *de Pierre* est complément du nom *livre*.
Complément du pronom	*C'est celui **de Pierre**.*	Le GPrép *de Pierre* est complément du pronom *celui*.

Fonctions	Exemples	Propriétés
Complément de l'adjectif	Ils sont fiers **de Pierre.**	Le GPrép *de Pierre* est complément de l'adjectif *fiers.*
Complément de phrase	**Durant ses vacances,** Pierre a lu ce livre.	Le GPrép *Durant ses vacances* est complément de P.
Complément indirect du verbe (CI)	J'ai prêté mon livre **à Pierre.**	Le GPrép *à Pierre* est complément indirect du verbe *ai prêté.*
Attribut du sujet	Ce livre est **en retard.**	Le GPrép *en retard* est attribut du sujet *livre.*
Attribut du complément direct	J'ai trouvé ce livre **sans intérêt.** Je l'ai trouvé **sans intérêt.**	Le GPrép *sans intérêt* est attribut du CD *ce livre.* Le GPrép *sans intérêt* est attribut du CD *l'.*
Modificateur du verbe	Pierre a lu ce livre **avec passion.**	Le GPrép *avec passion* modifie le verbe *a lu.*

Exercice 1.12

Donnez la fonction des GPrép contenus dans les phrases suivantes.

1 Il écoute la radio en clavardant.

_____

2 Michel est revenu enchanté de son voyage.

_____

3 J'aurai terminé dès la semaine prochaine.

_____

4 Je sais que tu es déjà passé par là.

_____

5 Nous vous reverrons là-bas avant Noël.

_____

1.6.5 Le groupe adverbial (GAdv)

Le noyau du GAdv

Le noyau du GAdv est un **adverbe** et il est invariable.

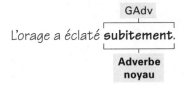

GAdv

L'orage a éclaté **subitement.**

Adverbe
noyau

L'expansion dans le GAdv

Un adverbe peut être l'expansion d'un autre adverbe.

Elles sont arrivées **presque** aussitôt.

Les fonctions et rôles du GAdv

Les fonctions et rôles du GAdv sont très diversifiés. Parmi les nombreuses sortes d'adverbes, on trouve :

• les adverbes modificateurs

Dans certains cas, l'adverbe modifie un mot ou un groupe de mots. Il agit un peu comme un adjectif, en ce sens qu'il apporte une précision complémentaire qui n'est pas obligatoire sur le plan syntaxique.

Le plus souvent, l'adverbe modifie :

– un verbe

Lorsque l'adverbe modifie un verbe, il précise, la plupart du temps, la manière dont se déroule l'évènement exprimé par le verbe, mais il est employé également pour exprimer son éventualité, son degré de réalisation ou sa fréquence.

> Elle travaille **dur** ces temps-ci. (Manière)
>
> Il marche **lentement**. (Manière)
>
> Il est **peut-être** venu. (Éventualité)
>
> Elle viendra **certainement**. (Éventualité)
>
> Elle a **presque** terminé. (Degré de réalisation)
>
> Il a **entièrement** raison. (Degré de réalisation)

L'adverbe peut également modifier le verbe et ses compléments et sert alors à nier un fait.

> Il **n'a pas** dit de bêtises.

– un adjectif ou un autre adverbe

Lorsque l'adverbe modifie un adjectif ou un autre adverbe, il marque généralement le degré.

> Vous touchez là une corde **très** sensible.
>
> Il est **un peu** fâché.
>
> Nos réserves s'épuisent **trop** rapidement.
>
> Elle travaille **extrêmement** dur ces temps-ci.

L'adverbe peut aussi modifier :

– un déterminant

> **Environ** deux-cents personnes se sont présentées.

– un pronom

> **Presque** tous ont accepté notre invitation.

– une préposition

> Sa maison est **tout** près de la rivière.

– une phrase

Certains adverbes ont pour rôle de modifier une phrase. C'est le cas, par exemple, des adverbes exclamatifs et des adverbes permettant à la personne qui rédige ou qui parle d'exprimer son opinion à l'égard de l'énoncé.

♦ adverbe exclamatif

Comme elle a changé !

♦ adverbe d'opinion

Heureusement, aucun locataire n'était présent lorsque l'incendie a éclaté.

Les manifestants, **assez bizarrement**, se sont calmés après l'arrivée des policiers.

• les adverbes compléments de phrase

Les adverbes compléments de phrase peuvent être, comme tous les compléments de phrase, effacés ; on peut en outre les déplacer. Ils peuvent marquer :

– le temps

Nous ferons la tournée des antiquaires **bientôt**.

Nous ferons la tournée des antiquaires **Ø**.

Bientôt, nous ferons la tournée des antiquaires.

Nous ferons, **bientôt**, la tournée des antiquaires.

– le lieu

Il ne fait pratiquement jamais soleil **là-bas**.

Il ne fait pratiquement jamais soleil **Ø**.

Là-bas, il ne fait pratiquement jamais soleil.

Il ne fait, **là-bas**, pratiquement jamais soleil.

• les adverbes compléments de verbe (CI)

Contrairement aux adverbes compléments de phrase, les adverbes compléments de verbe sont une expansion obligatoire du verbe. Ils ne peuvent être effacés ni déplacés. Ce sont des adverbes de lieu et ils remplacent un GPrép complément indirect.

CI

Il retourne **là-bas**. (Il retourne à un endroit.)

CI

Il est **partout**. (Ici, le verbe *être* n'est pas un verbe attributif comme dans *Il est malade* ; il a le sens de « vivre, exister ».)

D'autres adverbes n'ont pas de véritable fonction syntaxique. Ce sont :

• les adverbes organisateurs textuels

Ces adverbes ont comme rôle de faire le lien logique entre une phrase et ce qui la précède ou la suit. Ils peuvent marquer, entre autres rapports logiques, l'opposition, la cause, la conséquence, l'affirmation, la conclusion, etc., ou fournir des points de repère concernant l'ordre logique ou chronologique du déroulement de l'action. Certains grammairiens appellent ces adverbes **mots charnières** ou encore **marqueurs de relation**. Comme les adverbes compléments de phrase, on trouve très souvent ces adverbes en tête de phrase ou après le verbe.

Cependant, nous pouvons déjà avancer quelques hypothèses.

Voyons **d'abord** ce qu'en pensent les spécialistes.

Finalement, plusieurs questions restent sans réponse.

À CONSULTER

Pour connaitre la liste des principaux adverbes et locutions adverbiales (adverbes composés de plusieurs mots), voir le tableau « Adverbe » dans le *Multi*.

Le tableau 1.16 récapitule les fonctions et les rôles du GAdv.

TABLEAU 1.16 **Les fonctions et les rôles du GAdv**

Fonctions	Exemples
Modificateur	
• du verbe	Il **n'a pas** mangé. / Il mange **bruyamment**.
• de l'adjectif	Il est **très** encouragé.
• de l'adverbe	Il s'est relu **trop** vite.
• du déterminant	**Quelque** trente centimètres de pluie sont tombés.
• de la préposition	Le quai est **trop** près de celui du voisin.
• de la phrase	**Comme** il est beau! / **Malheureusement**, ce film est un navet.
Complément de phrase	**Demain**, j'irai au cinéma.
Complément du verbe	J'habite **ici**. (CI)
Organisateur textuel	**Ensuite**, il faudra faire un nouveau sondage. / Il faudra **ensuite** faire un nouveau sondage.

Exercice 1.13

Soulignez les adverbes contenus dans les phrases ou paragraphes suivants, puis donnez leur fonction (ou leur rôle) en précisant, s'il y a lieu, leur sens.

■ Nos bureaux fermeront <u>désormais</u> à 17 h.

Adverbe complément de phrase exprimant le temps.

1 Finalement, la menace qui plane sur tout le territoire est la destruction de la faune des forêts anciennes.

_____

2 Vous entendez d'abord le premier appel de la grive à collier, d'autres oiseaux chanteurs se joignent ensuite au concert. Et les couleurs, des verts, des rouges et des jaunes, prennent vie lentement.

a) _____

b) _____

c) _____

3 La sauvegarde des espèces menacées d'extinction est une bataille qui se livre partout.

_____

4 Malheureusement, les efforts déployés n'ont eu aucun effet, et l'environnement s'est progressivement dégradé.

a) _____

b) _____

c) _____

Où sont passés les compléments d'objet et les compléments circonstanciels ?

Les notions de *complément d'objet* et de *complément circonstanciel* associées à la grammaire traditionnelle ne se retrouvent pas dans la terminologie de la grammaire moderne. Parce qu'elle se fonde sur la structure de la phrase et de ses constituants, c'est-à-dire essentiellement sur la construction de cette phrase, la grammaire moderne a en effet éliminé ces notions qui faisaient appel au sens. On se rappelle, par exemple, les listes interminables d'espèces de compléments circonstanciels que les grammaires répertoriaient : de temps, de lieu, d'accompagnement, de prix, de poids, de propos, etc. Ces précisions ne sont pas nécessaires dans une analyse de la construction de la phrase. Le tableau qui suit répertorie les principales modifications terminologiques concernant certaines **fonctions syntaxiques**, et auxquelles les gens formés à la grammaire traditionnelle doivent s'initier s'ils veulent s'y retrouver dans les grammaires modernes.

La terminologie de quelques fonctions syntaxiques

Terminologie selon la grammaire traditionnelle	Exemples	Terminologie selon la grammaire moderne
Apposition	Mathilde, **engourdie par le froid**, m'attendait patiemment.	Complément du nom
Épithète	Jean m'a demandé de garder son **petit** chien saucisse.	Complément du nom
Complément d'objet direct/indirect	Josée a prêté **mon parapluie à Louise.**	Complément direct du verbe (CD)/complément indirect du verbe (CI)
Complément d'agent	Cette table a été fabriquée **par mon grand-père.**	Complément de l'adjectif
Complément circonstanciel	Je vais le conduire au travail **tous les matins.**	Complément de phrase (peut être déplacé)
	Je vais **à la piscine.**	Complément indirect du verbe (ne peut pas être déplacé ni supprimé)
	Il chante **mal.**	Modificateur du verbe

Vous trouverez ci-après les tableaux 1.17 et 1.18, qui récapitulent les **fonctions syntaxiques**. On y présente des groupes de mots ou subordonnées qui peuvent remplir ces fonctions. Notez qu'une subordonnée se comporte comme un groupe et qu'elle remplit donc une fonction dans la phrase où elle est insérée. Les différents types de subordonnées seront présentés plus en détail au chapitre 2.

TABLEAU 1.17 **Les groupes de mots et leurs fonctions syntaxiques**

Groupes de mots ou subordonnées qui peuvent remplir la fonction	Fonctions	Exemples
GN	Sujet de P	**Le voleur** s'est enfui.
	CP	**Lundi**, un vol a été commis ici.
	CD	On recherche **un témoin**.
	Compl. du nom	La propriétaire, **Martine Roy**, était absente.
	Attribut du sujet	Luc Trudel est **le gérant**.
	Attribut du CD	On a désigné la policière Turcotte **responsable du dossier**.
GV	Prédicat de P	Nous **ferons une enquête**.
GInf	Sujet de P	**Trouver le coupable** n'est pas une mince affaire.
	CD du verbe	Nous espérons **trouver rapidement les coupables**.
GPart	CP	**Advenant d'autres révélations**, vous en serez informés.
	Compl. du nom	Vous entendrez un témoignage **inculpant le gérant**.
GAdj	Compl. du nom	J'ai vu un homme **cagoulé** traverser la rue.
	Attribut du sujet	Son témoignage est **crédible**.
	Attribut du CD	Nous avons trouvé le témoin **tout à fait crédible**.
GPrép	CP	Il s'est contredit **lors de son témoignage**.
	Compl. du nom	Des éclats **de verre** jonchaient le sol.
	Compl. de l'adjectif	Elle a été heureuse **de voir les policiers**.
	CI du verbe	Les policiers ont tenu **à la rassurer**.
	CD du verbe (si prép. + GInf)	Nous promettons **de trouver rapidement les coupables**.
	Attribut du sujet	Deux des témoins étaient encore **sous le choc**.
	Attribut du CD	On les a traités **de menteurs**.
	Modificateur du verbe	Elle a réagi **avec calme**.
GAdv	CP	**Hier**, un vol a été commis.
	Modificateur du verbe	Cela s'est déroulé **rapidement**.
	Modificateur de l'adjectif	Le gérant a été **très** alerte.
	Modificateur de l'adverbe	Il a sonné l'alarme **presque** aussitôt.
	CI du verbe	La propriétaire n'habite pas **ici**.

Groupes de mots ou subordonnées qui peuvent remplir la fonction	Fonctions	Exemples
Sub. relative	Compl. du nom ou du pronom	La fille **à qui j'ai parlé** avait vu toute la scène. Celle **à qui j'ai parlé** avait vu toute la scène.
Sub. complétive	Sujet de P	**Qu'elle soit ébranlée** est normal.
	CD du verbe	Je comprends **que vous soyez ébranlée.**
	CI du verbe	Je m'étonne même **que vous ne soyez pas plus ébranlée.**
	Compl. du nom	Le fait **que les policiers sont arrivés tout de suite** m'a rassurée.
	Compl. de l'adjectif	Je suis surprise **qu'ils n'aient rien remarqué.**
Sub. circonstancielle	CP	**Quand les policiers sont arrivés,** l'alarme sonnait encore.
Sub. corrélative	Compl. de l'adjectif	Elle avait une telle peur **que son visage était tout blanc.**
	Compl. de l'adverbe	Elle s'affolait tellement **qu'elle parlait sans arrêt.**

TABLEAU 1.18 **Les fonctions syntaxiques**

Fonctions	Groupes de mots ou subordonnées qui peuvent remplir la fonction	Exemples
Sujet de P	GN	**Le voleur** s'est enfui.
	Sub. complétive	**Qu'elle soit ébranlée** est normal.
	GInf	**Trouver le coupable** n'est pas une mince affaire.
Prédicat de P	GV	Nous **ferons une enquête.**
CD du verbe	GN	On recherche **des témoins.**
	GInf	Nous espérons **trouver rapidement les coupables.**
	GPrép (avec infinitif)	Nous promettons **de trouver rapidement les coupables.**
	Sub. complétive	Je comprends **que vous soyez ébranlée.**
CI du verbe	GPrép	Les policiers ont tenu **à les rassurer.**
	GAdv	Le propriétaire n'habite pas **ici.**
	Sub. complétive	Je m'étonne même **que vous ne soyez pas plus ébranlée.**
CP	GN	**Lundi,** un vol a été commis ici.
	GPart	**Advenant d'autres révélations,** vous en serez informés.
	GPrép	Il s'est contredit **lors de son témoignage.**
	GAdv	**Hier,** un vol a été commis.
	Sub. circonstancielle	**Quand les policiers sont arrivés,** l'alarme sonnait encore.
Attribut du sujet	GN	Luc Trudel est **le gérant.**
	GAdj	Son témoignage est **crédible.**
	GPrép	Deux des témoins étaient encore **sous le choc.**

Fonctions	Groupes de mots ou subordonnées qui peuvent remplir la fonction	Exemples
Attribut du CD	GN	On a désigné le policier Turcotte **responsable du dossier.**
	GAdj	Nous avons trouvé le témoin **tout à fait crédible.**
	GPrép	On les a traités **de menteurs.**
Modificateur du verbe	GPrép	Elle a réagi **avec calme.**
	GAdv	Cela s'est déroulé **rapidement.**
Modificateur de l'adjectif	GAdv	Le gérant a été **très** alerte.
Modificateur de l'adverbe	GAdv	Il a sonné l'alarme **presque** aussitôt.
Complément du nom ou du pronom	GN	La propriétaire, **Martine Roy,** était absente.
	GPrép	Des éclats **de verre** jonchaient le sol.
	GPart	Vous entendrez un témoignage **inculpant le gérant.**
	GAdj	J'ai vu un homme **cagoulé** traverser la rue.
	Sub. relative	La fille **à qui j'ai parlé** avait vu toute la scène. Celle **à qui j'ai parlé** avait vu toute la scène.
	Sub. complétive	Le fait **que les policiers sont arrivés tout de suite** m'a rassurée.
Complément de l'adjectif	Sub. complétive	Je suis surprise **qu'ils n'aient rien remarqué.**
	GPrép	Elle a été heureuse **de voir les policiers.**
	Sub. corrélative	Elle avait une telle peur **que son visage était tout blanc.**
Complément de l'adverbe	Sub. corrélative	Elle s'affolait tellement **qu'elle parlait sans arrêt.**

1.7 Les manipulations syntaxiques

Les **manipulations syntaxiques** sont des opérations effectuées sur des mots, des groupes de mots, des phrases subordonnées et des P pour en faire l'analyse. Elles permettent de comprendre la structure de la phrase en facilitant l'identification de la classe des mots, la délimitation des groupes de mots et la reconnaissance de leurs fonctions.

Il y a cinq manipulations syntaxiques : l'effacement, le déplacement, le remplacement, l'encadrement et l'addition.

Les manipulations syntaxiques peuvent servir à :

- identifier la classe des mots, les groupes de mots et leur fonction ;
- repérer les constituants de la phrase (P) ;
- vérifier la bonne construction des phrases ;
- vérifier les accords dans les groupes ;
- enrichir les phrases ou les transformer.

En tant qu'outils d'analyse de la phrase, les manipulations syntaxiques utilisées en nouvelle grammaire remplacent les questions de la grammaire traditionnelle (*Qui est-ce qui fait l'action ?* pour trouver le sujet, par exemple), questions qui font le plus souvent appel au sens. En effet, en grammaire moderne, c'est plutôt par des opérations syntaxiques sur les mots et les groupes que l'on analyse une phrase. Ainsi, le remplacement par un pronom ou l'encadrement par *C'est… qui* permettent de trouver le sujet de P, alors que l'effacement et le déplacement permettent de distinguer un complément indirect du verbe (CI) d'un complément de phrase (CP).

Le tableau 1.19 présente les manipulations syntaxiques et leurs différents emplois.

TABLEAU 1.19 **Les manipulations syntaxiques**

L'effacement

L'**effacement** consiste à supprimer un mot ou un groupe de mots à l'intérieur d'une phrase.

Emplois	Exemples
Repérer les constituants obligatoires et les constituants facultatifs de la phrase Les constituants obligatoires, soit le sujet de P et le prédicat, ne peuvent être supprimés ; mais le complément de phrase, qui est un constituant facultatif, peut être effacé.	Mes collègues ont pris l'avion hier matin. Mes collègues ont pris l'avion Ø. ^xØ ont pris l'avion hier matin. ^xMes collègues Ø hier matin. (On peut effacer le groupe *hier matin*, qui est un complément de phrase. Mais on ne peut pas effacer le sujet de P, *Mes collègues*, ni le prédicat *ont pris l'avion*.)
Repérer le noyau d'un groupe de mots pour faire certains accords Par exemple, effacer les expansions du noyau du GN sujet permet de s'assurer que le verbe est bien accordé.	Le taux de participation des jeunes atteint à peine 20 %. **Le taux Ø** atteint à peine 20 %. (On peut effacer le groupe de mots *de participation des jeunes* dans le GN sujet de P, ce qui permet d'isoler le noyau ***taux*** et son déterminant, et de vérifier que le verbe est bien accordé.)
Repérer diverses fonctions dans la phrase, dont celles des expansions du noyau dans les groupes de mots Dans une phrase, il y a des groupes fonctionnels qu'on ne peut généralement pas effacer (le sujet de P, le CD, le CI, l'attribut du sujet) et d'autres qui peuvent l'être.	Groupes fonctionnels qui peuvent être effacés : • le complément de phrase Olivier va à Cuba **tous les hivers.** Olivier va à Cuba. • le complément du nom Ils attendent une réponse **à leur demande.** Ils attendent une réponse. • le complément de l'adjectif Ils sont heureux **du résultat.** Ils sont heureux.

Le déplacement

Le **déplacement** consiste à déplacer un mot ou un groupe de mots dans une phrase.

Emplois	Exemples
Délimiter les frontières d'un groupe de mots Généralement, on ne peut pas déplacer une partie de groupe, c'est tout le groupe qu'il faut déplacer.	Luc participe à ce premier colloque sur le plagiat. ^xSur le plagiat, Luc participe à ce premier colloque. (Le GPrep *à ce premier colloque sur le plagiat* est le CI du verbe et il forme un tout.) Le fait de vivre dans un quartier où habitent de jeunes familles est très agréable. ^xLe fait de vivre dans un quartier est très agréable où habitent de jeunes familles. (Le GN *Le fait de vivre dans un quartier où habitent de jeunes familles* est le sujet de P et il forme un tout.)

Emplois	Exemples
Distinguer le complément indirect (CI) du complément de phrase (CP) De façon générale, la place d'un groupe dans une phrase dépend de sa fonction. Le CI ne peut généralement pas être déplacé, alors que le CP peut l'être.	*Elle travaille sur ce projet depuis plusieurs jours.* ^x*Sur ce projet, elle travaille depuis plusieurs jours.* *Depuis plusieurs jours, elle travaille sur ce projet.* (On ne peut pas déplacer le GPrép *sur ce projet* : c'est donc un CI. Par contre, on peut déplacer le GPrép *depuis plusieurs jours*, ce qui indique que c'est un CP.)

Le remplacement

Le **remplacement** consiste à remplacer un mot ou un groupe de mots dans une phrase. On appelle **pronominalisation** le remplacement d'un mot ou d'un groupe de mots par un pronom.

Emplois	Exemples
Déterminer la classe d'un mot ou d'un groupe de mots On peut déterminer la classe d'un mot en le remplaçant par un mot de la même classe.	**Cent** *étudiants ont réussi le test.* **Ces** *étudiants ont réussi le test.* **Plusieurs** *étudiants ont réussi le test.* (*Cent* est un déterminant puisqu'on peut le remplacer par d'autres déterminants.)
Repérer les groupes et les subordonnées qui sont compléments du nom dans le GN Lorsque les remplacements sont possibles, les groupes de mots utilisés comme remplaçants ont la même fonction syntaxique : complément du nom.	*Certains produits* **locaux** *coutent cher.* *Certains produits* **qui proviennent de la Floride** *coutent cher.* *Certains produits* **provenant de la Floride** *coutent cher.* *Certains produits* **d'importation** *coutent cher.* (Les groupes de mots en caractères gras ont tous la même fonction syntaxique : complément du nom.)
Trouver la fonction d'un groupe de mots dans la phrase Le **sujet** peut être pronominalisé par *il, ils, elle, elles, cela, ça, ce, c'*.	**Certaines personnes hypersensibles** *ressentent fortement les humeurs et les sentiments des autres.* **Elles** *ressentent fortement les humeurs et les sentiments des autres.*
L'**attribut du sujet** peut être pronominalisé par *le* ou *l'*.	*Elle est* **très prévoyante**, *plus que moi !* *Elle* **l'**est *plus que moi !*
Le **complément direct** du verbe peut être pronominalisé par *le, l', la, les, en, cela, ça*.	*Certaines personnes hypersensibles ressentent fortement* **les humeurs et les sentiments des autres**. *Certaines personnes hypersensibles* **les** *ressentent fortement.* *Il voudrait* **de l'aide**. *Il* **en** *voudrait.* *Il aime* **le ski**. *Il aime* **ça**.

Emplois	Exemples
Le **complément indirect** du verbe peut être pronominalisé par *lui, leur, en, y*.	Je parle **aux étudiants**. Je **leur** parle. Ils se rendront **à Matane**. Ils s'**y** rendront.
Déterminer la personne et le nombre d'un GN sujet formé de plusieurs GN ou de pronoms coordonnés pour vérifier l'accord du verbe On remplacera le groupe par l'un des pronoms suivants : *ils, elles, nous, vous*.	**Les enfants de Marie et tous leurs amis** sont allés cueillir des pommes. **Ils** sont allés cueillir des pommes. **Les enfants de Marie et moi** sommes allés cueillir des pommes. **Nous** sommes allés cueillir des pommes. **Les enfants de Marie et vous** êtes allés cueillir des pommes. **Vous** êtes allés cueillir des pommes.

L'encadrement

L'**encadrement** consiste à encadrer un groupe de mots par l'expression *c'est (ce sont)… qui* ou *c'est (ce sont)… que*. Cette manipulation est parfois appelée procédé emphatique, car elle permet de construire des phrases emphatiques en mettant en évidence un groupe de mots en particulier.

Emplois	Exemples
Trouver le groupe nominal sujet (encadrement avec *c'est… qui, ce sont… qui***)**	Les nouveaux amis de Mélissa lui ont préparé une fête. **Ce sont** les nouveaux amis de Mélissa **qui** lui ont préparé une fête. ^xLes nouveaux amis **c'est** de Mélissa **qui** lui ont préparé une fête.
Délimiter les frontières d'un groupe de mots qui n'est pas sujet (encadrement avec *c'est… que, ce sont… que***)**	Je lave des fraises bien mures. **Ce sont** des fraises bien mures **que** je lave. ^x**Ce sont** des fraises **que** je lave bien mures.

L'addition

L'**addition** consiste à ajouter un mot ou un groupe de mots à une phrase.

Emplois	Exemples
Repérer le verbe par l'ajout de la locution *ne… pas*	Les logiciels antiplagiat séduisent les universités québécoises. Les logiciels antiplagiat **ne** séduisent **pas** les universités québécoises. (Le verbe de la phrase est *séduisent*.)
Distinguer l'adjectif classifiant de l'adjectif qualifiant On peut ajouter un adverbe devant un adjectif qualifiant, mais pas devant un adjectif classifiant.	Un étudiant intelligent Un étudiant **très** intelligent (L'adjectif *intelligent* est qualifiant.) L'équipe locale ^xL'équipe **très** locale (L'adjectif *locale* est classifiant.)

Emplois	Exemples
Transformer la phrase de base	Tu parles bien.
	Que tu parles bien !
	(Phrase exclamative)
	Vous aimez la musique.
	Est-ce que vous aimez la musique ?
	(Phrase interrogative)
	L'équipe participera à ce tournoi.
	L'équipe **ne** participera **pas** à ce tournoi.
	(Phrase négative)

La liaison des phrases : la phrase complexe

La phrase complexe est constituée minimalement de deux phrases comportant chacune un verbe conjugué. Les procédés syntaxiques qui permettent de lier des phrases sont la coordination, la subordination et l'insertion.

2.1   La coordination

La coordination consiste à établir une relation entre des éléments qui ont la même fonction ou le même statut, par exemple deux phrases autonomes.

Ce lien peut être implicite – on parle alors de **juxtaposition** – et les éléments sont liés par un signe de ponctuation.

$$P_1 \quad P_2$$
L'orage approchait, il fallait rentrer.

$$P_1 \quad P_2$$
Elle écarquilla les yeux: Pierre portait une perruque.

On dit que le lien est explicite quand il est exprimé par une conjonction de coordination ou un adverbe de liaison, qu'on appelle **coordonnant**.

$$P_1 \quad P_2$$
Il vente **et** il pleut.

Certains coordonnants, lorsqu'ils joignent deux phrases, sont précédés d'un signe de ponctuation.

$$P_1 \quad P_2$$
Il fallait rentrer, **car** l'orage approchait.

$$P_1 \quad P_2$$
J'adore le poisson, **mais** je suis incapable de le cuisiner.

Rappelons que la jonction de phrases par coordination peut se faire uniquement si les éléments coordonnés ont la même fonction. Par exemple, dans la phrase P suivante, la conjonction *ou* relie deux phrases subordonnées remplissant la fonction de complément de phrase.

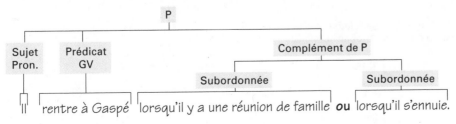

Pour connaitre les conjonctions et adverbes de liaison, voir le tableau « Conjonction de coordination » dans le *Multi*.

2.2 La subordination

La subordination est le procédé qui consiste à lier deux phrases dont l'une, la phrase enchâssée, qu'on appelle **subordonnée**, dépend syntaxiquement de l'autre, la phrase enchâssante, qu'on appelait traditionnellement la « principale ». L'ensemble de ces deux phrases constitue la **phrase matrice**. La phrase subordonnée est insérée dans la phrase matrice à l'aide d'un **subordonnant**.

Phrase matrice : J'espère **que** Laurent arrivera à l'heure.

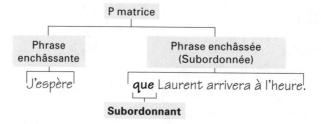

2.2.1 La subordonnée relative

La subordonnée relative est introduite par un pronom (relatif). Le pronom relatif assume trois rôles. Comme pronom, il joue deux rôles : il représente dans la subordonnée un nom ou un pronom de la phrase enchâssante, qui est appelé **antécédent**, et il occupe une fonction (sujet, complément, etc.) dans la subordonnée. Comme subordonnant, il sert à joindre à cet antécédent une subordonnée qui l'explique ou le caractérise. La subordonnée relative est presque toujours **complément du nom** ou **du pronom**.

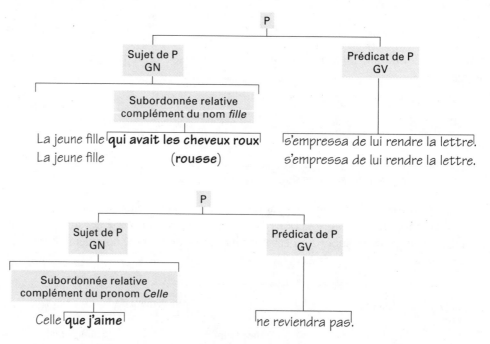

Les pronoms relatifs qui ne changent pas de forme en genre ou en nombre sont *qui*, *que*, *quoi*, *dont* et *où*. Pour sa part, le pronom relatif *lequel* prend, selon son antécédent, des marques de féminin et de pluriel: *laquelle*, *lesquels*, *lesquelles*. Il fusionne avec les prépositions *à* et *de*, comme il le fait avec les déterminants *le* et *les*, pour donner les formes contractées *auquel*, *auxquels*, *auxquelles*, *duquel*, *desquels*, *desquelles* (mais *à laquelle*, *de laquelle*). D'autres prépositions peuvent introduire ce pronom: *avec lequel*, *dans laquelle*, *grâce auxquels*, *à côté desquelles*, etc. Le choix du pronom relatif dépend essentiellement de la fonction qu'il a dans la subordonnée relative.

Les formes du pronom relatif selon la fonction qu'il remplit dans la subordonnée relative sont les suivantes:

- Le pronom *qui* utilisé sans préposition est sujet de la subordonnée.

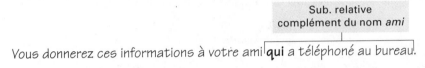

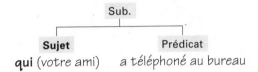

- Introduit par une préposition, le pronom *qui* est complément et remplace un antécédent animé (humain).

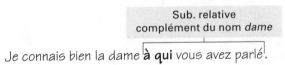

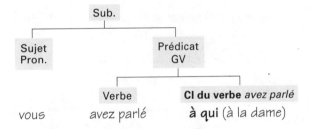

Si l'antécédent est inanimé ou si c'est un animal, on emploie *lequel* précédé d'une préposition (au lieu de *qui*).

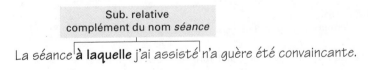

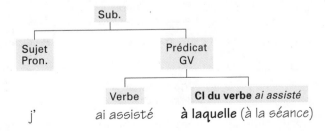

Si l'antécédent est neutre (un des pronoms *ce, ceci, cela, ça, rien, quelque chose, grand-chose, autre chose, peu de chose* ou une phrase), on emploie alors *quoi* précédé d'une préposition autre que *de*.

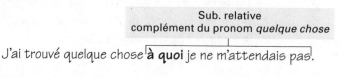

J'ai trouvé quelque chose **à quoi** je ne m'attendais pas.

Ce **sur quoi** elle comptait n'est finalement pas arrivé.

• Le pronom *que* est le plus souvent complément direct du verbe.

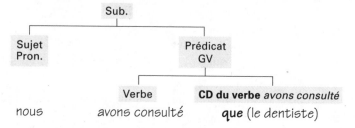

Le dentiste **que** nous avons consulté avait un accent scandinave.

nous avons consulté **que** (le dentiste)

• Le pronom *dont* peut remplir les fonctions suivantes :
  – complément indirect d'un verbe qui se construit avec la préposition *de* (*du, des*)

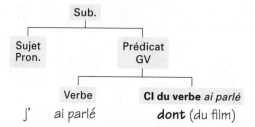

Le film **dont** j'ai parlé est présentement à l'affiche.

j' ai parlé **dont** (du film)

  – complément d'un nom, introduit par la préposition *de* (*du, des*)

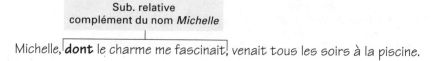

Michelle, **dont** le charme me fascinait, venait tous les soirs à la piscine.

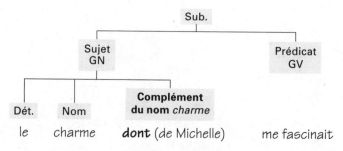

le charme **dont** (de Michelle) me fascinait

– complément d'un adjectif

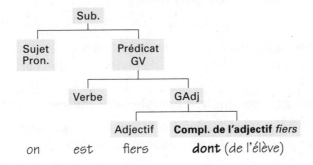

C'est une élève **dont** *on est fiers*.

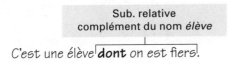

- Le pronom relatif *où* est généralement un complément indirect du verbe ou un complément de phrase exprimant généralement le lieu ou le temps.

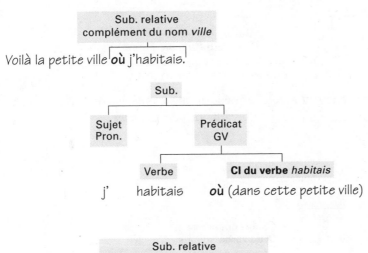

Voilà la petite ville **où** *j'habitais*.

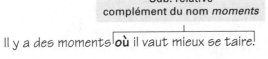

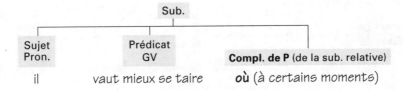

Il y a des moments **où** *il vaut mieux se taire*.

2.2.2 La subordonnée complétive

La subordonnée complétive remplit, dans la très grande majorité des cas, la fonction de **complément direct** ou de **complément indirect** du verbe de la phrase enchâssante.

La subordonnée complétive complément direct

La subordonnée complétive complément direct est généralement introduite par le subordonnant *que* (appelé conjonction de subordination).

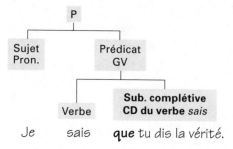

Je   sais   **que** tu dis la vérité.

Le verbe *savoir* se construit sans préposition : *je sais quelque chose* (*Je sais quoi ? que tu dis la vérité*). La complétive est donc complément direct du verbe principal *sais*.

La subordonnée complétive complément indirect

La subordonnée complétive complément indirect est généralement introduite par le subordonnant *à ce que* ou *de ce que*, et parfois par le subordonnant *que*.

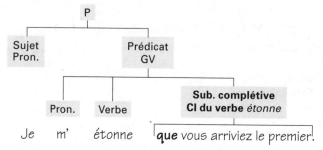

Je   m'   étonne |**que** vous arriviez le premier|.

Le verbe *s'étonner* se construit avec une préposition : *je m'étonne* **de** *quelque chose*. La complétive est donc complément indirect du verbe principal *étonne*.

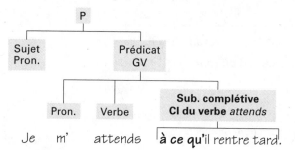

Je   m'   attends |**à ce qu'**il rentre tard|.

Le verbe *s'attendre* se construit avec une préposition : *je m'attends* **à** *quelque chose*. La complétive est donc complément indirect du verbe principal *attends*.

À NOTER

La subordonnée complétive peut également être introduite par un subordonnant interrogatif ou exclamatif.

Je me demande |**pourquoi** il est en retard|.

Regarde |**comme** il est mignon| !

La subordonnée complétive peut aussi remplir les fonctions suivantes :

• sujet de P

|**Qu'**il soit intéressé par cette affaire| n'est pas étonnant.

• complément de l'adjectif

Je suis heureux |**que** vous soyez venu|.

- complément du nom

    Le fait $\boxed{\text{qu'il soit là}}$ prouve son intérêt.

On remarque que, contrairement au pronom relatif, la conjonction *que* n'a aucune fonction dans la subordonnée et n'a pas d'antécédent.

Exercice 2.1

Soulignez les subordonnées complétives, donnez le subordonnant et la fonction de la complétive (sujet, CD ou CI) par rapport au verbe principal.

■ Je ne sais comment vous remercier. *comment ; CD*

1 Certains grincheux prétendent que le sport nuit à la santé. _____

2 Je suppose que tout cela est normal. _____

3 Je m'attends à ce qu'il neige encore demain. _____

4 On ne sait pas pourquoi ce phénomène tend à se répéter. _____

5 Que vous arriviez un peu en retard ne cause pas de problème. _____

Exercice 2.2

Dites si le subordonnant *que* (*qu'*) dans les phrases suivantes est conjonction de subordination (introduisant une subordonnée complétive) ou pronom relatif (introduisant une subordonnée relative).

■ La traduction qu'il en a faite est d'une grande fidélité. *Pronom relatif*

1 Samuel croit que Pauline lui en veut. _____

2 Le manteau qu'elle porte est démodé. _____

3 Son professeur craint qu'elle ne se décourage. _____

4 Nous sommes très satisfaits des modifications que vous avez apportées au document. _____

5 Trouves-tu que le jeu en vaut la chandelle ? _____

2.2.3 La subordonnée circonstancielle

La subordonnée circonstancielle remplit la fonction de **complément de P**.

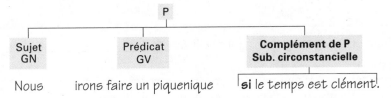

	P	
Sujet GN	Prédicat GV	**Complément de P Sub. circonstancielle**
Nous	irons faire un piquenique	$\mid$si le temps est clément$\mid$.

Elle possède donc les caractéristiques des groupes qui ont cette fonction. Elle est généralement mobile (déplaçable), et on peut l'effacer sans nuire à la grammaticalité de la phrase.

Nous irons faire un piquenique $\boxed{\text{si le temps est clément}}$.

$\boxed{\text{Si le temps est clément}}$, nous irons faire un pique-nique.

Nous irons faire un pique-nique **Ø**.

Les subordonnées circonstancielles compléments de P expriment différents rapports, soit le temps, l'opposition, la cause, la concession, la conséquence, le but, la condition, etc., et ces rapports sont marqués par le choix du subordonnant. On peut par ailleurs exprimer ou nuancer un même rapport sémantique par l'emploi de subordonnants différents.

> **Lorsque** nous sommes arrivés au sommet de la colline , l'orage a éclaté.
>
> **Quand** nous sommes arrivés au sommet de la colline , l'orage a éclaté.
>
> **Comme** nous arrivions au sommet de la colline , l'orage a éclaté.

À l'inverse, un même subordonnant peut marquer des rapports sémantiques différents.

> Les enfants se sont réveillés **comme** j'allais partir . (Temps)
>
> **Comme** la gardienne était malade , j'ai dû annuler mon rendez-vous. (Justification)
>
> **Comme** on fait son lit , on se couche. (Comparaison)

Les subordonnées circonstancielles remplissant la fonction de complément de P peuvent souvent être remplacées par un GPrép ou un GPart, notamment lorsque le sujet de la subordonnée et celui du verbe principal représentent la même chose ou la même personne.

> Quand **j'**aurai fait ma sieste , j'irai me promener avec toi.
>
> Après avoir fait ma sieste , j'irai me promener avec toi.
>
> Après ma sieste , j'irai me promener avec toi.
>
> Comme **il** courait , **il** s'est foulé la cheville.
>
> En courant , il s'est foulé la cheville.
>
> Comme **il** s'absentait trop souvent , **il** a perdu son emploi.
>
> S'absentant trop souvent , il a perdu son emploi.

À CONSULTER

Pour connaitre les différentes conjonctions de subordination et leur signification, voir le tableau « Conjonction de subordination » dans le *Multi*.

Exercice 2.3

Soulignez les subordonnées circonstancielles et précisez le rapport sémantique qu'elles expriment par rapport à la phrase qu'elles complètent.

■ Je vous invite à souper parce que vous le méritez bien. _justification_

1 Je reviendrai à la charge si nous n'avons pas de nouvelles la semaine prochaine._____

_____

2 Le coq ne chante même pas quand le jour se lève. _____

_____

3 Nous avons suivi les instructions comme on nous l'avait demandé. _____

_____

4 Elle m'a dit qu'on lui avait volé sa montre sans qu'elle s'en rende compte. _____

_____

5 Je le répète afin que vous me compreniez bien. _____

_____

2.2.4 La subordonnée corrélative

La subordonnée corrélative est liée à un adverbe corrélatif (*si, tant, tellement, plus, moins,* etc.) ou à un adjectif corrélatif (*autre, même, meilleure, pire, tel*), et elle est enchâssée dans un groupe de mots à l'aide du subordonnant *que*. Cette subordonnée est toujours placée à la fin du groupe de mots dont elle fait partie (et dont fait partie aussi l'adverbe ou l'adjectif corrélatif avec lequel la subordonnée est en relation). Conséquemment, la subordonnée est souvent éloignée du mot qu'elle complète.

La subordonnée corrélative peut s'insérer dans les groupes de mots suivants :

• un GAdj

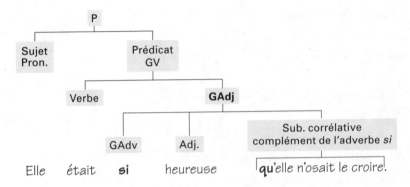

• un GN

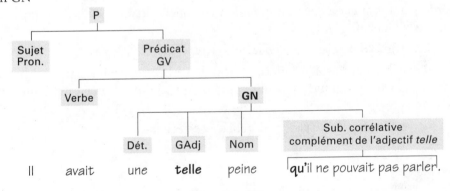

• un GAdv

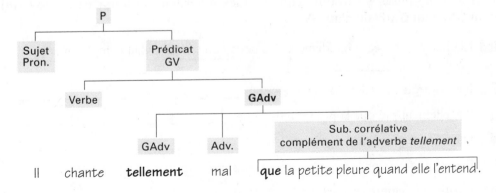

- un GV

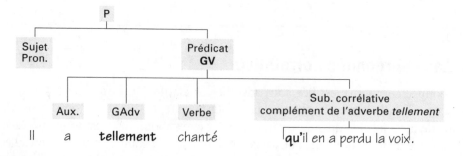

Dans les subordonnées corrélatives qui marquent la comparaison (avec les adverbes *plus*, *moins*, *autant*, *aussi*), les termes communs à la phrase enchâssante et à la phrase enchâssée sont souvent effacés.

Les éléments effacés peuvent être :

- le sujet et le prédicat

> **J'ai fait** plus de confitures aux fraises que **j'ai fait** de confitures aux framboises.

> J'ai fait plus de confitures aux fraises que **Ø** de confitures aux framboises.

- le prédicat

> J'ai fait plus de confitures que Nicole **en a fait**.

> J'ai fait plus de confitures que Nicole **Ø**.

Les corrélatives liées aux adverbes *assez*, *suffisamment* et *trop* sont introduites par le subordonnant *pour que* au lieu du subordonnant *que*, et le verbe de la subordonnée se met au subjonctif.

> Pierre est **trop** indiscipliné **pour qu'**on l'admette dans l'équipe.

De plus, si le sujet de la subordonnée et celui du verbe principal désignent la même chose ou la même personne, on peut réduire la subordonnée à un GPrép contenant un GInf.

> Pierre est **trop** indiscipliné pour réussir ses études.

Exercice 2.4

Soulignez les adverbes corrélatifs et les subordonnées corrélatives qui leur sont liées dans les phrases suivantes et dites si les subordonnées font partie d'un GAdj, d'un GN, d'un GAdv ou d'un GV.

■ La pluie est arrivée <u>si</u> rapidement <u>que nous nous sommes fait complètement mouiller</u>. *GAdv*

1 Il est si drôle que tout le monde l'adore. _____

2 Il a tellement plu que la piscine a débordé. _____

3 Luce a nagé plus longtemps que Louis. _____

4 Il est trop entêté pour que je l'accepte dans mon équipe. _____

5 Il parle si vite que personne ne le comprend. _____

2.3 L'insertion

L'insertion consiste à insérer une phrase entre deux virgules dans une autre, appelée phrase enchâssante. Il y a deux types de phrases insérées : les **incises** et les **incidentes**.

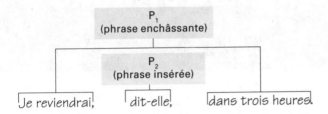

2.3.1 La phrase incise

La phrase incise est insérée entre deux virgules dans une phrase enchâssante pour signaler un discours rapporté directement. Le sujet et le verbe sont toujours inversés dans la phrase incise, mais pas dans la phrase incidente.

Lorsque la phrase incise est en fin de phrase, la deuxième virgule se confond avec le point. Quand la phrase incise est précédée d'un point d'exclamation ou d'interrogation, la première virgule se confond avec ce point.

> Vraiment, s'empressa-t-elle d'ajouter, monsieur a raison.
>
> Vraiment, monsieur a raison, s'empressa-t-elle d'ajouter.
>
> Vraiment ! s'empressa-t-elle d'ajouter, monsieur a raison.

2.3.2 La phrase incidente

La phrase incidente est insérée à l'aide de virgules ou de tirets dans une phrase enchâssante pour signaler un commentaire du scripteur ou du locuteur à propos de ce qui est dit dans la phrase enchâssante.

> La richesse du territoire est attribuable, tout le monde en convient, au grand nombre de rivières poissonneuses.

Exercice 2.5

Soulignez les subordonnées contenues dans les phrases suivantes et indiquez leur type. Mettez les phrases incises entre parenthèses et les phrases incidentes entre crochets.

1 Je vous préviendrai quand il arrivera. _____

2 Je serai là assurément, m'a-t-il pourtant dit. _____

3 Pourtant, il m'a dit qu'il serait là. _____

4 Ce café, que j'ai rapporté du Brésil, n'est pas amer. _____

5 Il aura eu, j'en ai bien peur, un accident. _____

Les problèmes de syntaxe

Il n'est pas toujours facile de détecter avec précision les erreurs de syntaxe et de les corriger. La syntaxe est en effet contraignante et rigide, il faut le reconnaitre, et c'est d'ailleurs pourquoi écrire est une tâche difficile, exigeant vigilance et souci du détail. Ces problèmes, ces hésitations viennent généralement du fait qu'à l'oral, dans la conversation courante, on privilégie les phrases simples, voire les «bouts de phrase» au style familier, non recommandé à l'écrit : *Combien il coute ?* ou *Tu prends quoi ?*

Un bon rédacteur doit également se soucier de varier la structure de ses phrases, notamment pour éviter la monotonie, ce qui suppose qu'il connait et maitrise les règles de la syntaxe.

Dans ce chapitre, nous allons passer en revue les différents points qui peuvent poser problème dans la rédaction de la phrase tout en révisant les principes de base qui régissent la construction des phrases et le maniement de certaines tournures syntaxiques d'emploi plus difficile. Nous présenterons les règles de façon aussi simple et claire que possible, en mettant l'accent sur la correction des erreurs les plus courantes.

3.1 La phrase interrogative

3.1.1 La structure de l'interrogative directe

Les procédés de construction de la phrase interrogative à l'écrit sont les suivants :

- L'emploi du point d'interrogation à la fin de la phrase

- L'emploi de la locution interrogative *est-ce que* (ou sa variante avec *qui* : *qu'est-ce qui* et *qui est-ce qui* pour poser une question sur le sujet)

    Est-ce que *vous connaissez la date de naissance de Darwin ?*

- Le déplacement du pronom sujet à la droite du verbe

    *Connaissez-***vous** *la date de naissance de Darwin ?*

- L'emploi d'un mot interrogatif avec inversion du sujet ou avec la reprise pronominale du GN

    Combien *vaut cette automobile ?*

    Combien *cette automobile vaut-***elle** *?*

À NOTER

L'inversion d'un GN sujet autre qu'un pronom personnel (ou *ce* ou *on*) est interdite avec le mot interrogatif *pourquoi*.

   ˣPourquoi est en retard Marie ?

Il faut plutôt dire ou écrire :

> Pourquoi Marie est-elle en retard ?
>
> Pourquoi est-ce que Marie est en retard ?

L'interdiction est la même lorsque le verbe a un complément direct à sa droite.

> ˣ Combien payent <u>leur passage d'autobus</u> les étudiants ?
>
> Combien les étudiants paient-ils <u>leur passage d'autobus</u> ?
>
> Combien est-ce que les étudiants paient <u>leur passage d'autobus</u> ?

3.1.2 Les erreurs de construction dans l'interrogative directe

Avec *est-ce que*

Avec le marqueur interrogatif *est-ce que*, la reprise nominale et l'inversion du sujet sont interdites.

ˣ **Est-ce que** ton ami **est-il** venu ?	Ton ami **est-il** venu ?
	Est-ce que ton ami est venu ?

L'emploi erroné de *que*

On prendra garde également de ne pas employer deux mots interrogatifs de suite. L'erreur fréquente consiste à ajouter *que* à la suite des mots interrogatifs comme *pourquoi, quand, combien,* etc.

ˣ **Combien que** ce sac coute ?	**Combien est-ce que** ce sac coute ?
	Combien coute **ce sac** ?
	Combien ce sac coute-**t-il** ?
ˣ **Comment que** Luc s'y prend ?	**Comment est-ce que** Luc s'y prend ?
	Comment s'y prend **Luc** ?
	Comment Luc s'y prend-**il** ?

À CONSULTER

Voir le tableau « Que, pronom » dans le *Multi*.

L'emploi erroné de la subordonnée interrogative après une préposition

On n'emploie pas de subordonnée interrogative après une préposition. On pourra remplacer la subordonnée interrogative par un GN contenant ou non une subordonnée.

ˣ Ne t'inquiète pas **de** <u>comment ça se passera</u>.	Ne t'inquiète pas **de** <u>la façon (la manière) dont ça se passera</u>.
ˣ On l'a interrogé **sur** <u>pourquoi il n'avait rien dit</u>.	On l'a interrogé **sur** <u>les raisons (les causes, les motifs) de son silence</u>.

Dans les exemples ci-dessus, le verbe n'accepte pas d'interrogative indirecte. On pourra aussi réécrire la phrase en changeant de verbe, de façon à faire disparaitre la préposition.

> On lui a demandé pourquoi il n'avait rien dit.

Il arrive qu'une subordonnée interrogative commence par une préposition. Cette préposition est alors requise dans la subordonnée même, souvent par le verbe de la subordonnée. Voici des exemples d'emploi corrects :

> On lui a demandé **sur qui il comptait pour faire ce travail**.
>
> On lui a demandé **à quelle heure commencerait la réunion**.
>
> On lui a demandé **avec quoi il avait dilué cette substance**.

3.1.3 La structure de l'interrogation indirecte

Dans l'**interrogation directe**, on rapporte intégralement les termes d'une question.

> Quelle est la date de notre prochaine réunion ?

On parle d'**interrogation indirecte** lorsque l'interrogation est contenue dans une phrase subordonnée complément d'un verbe comme *demander, savoir, expliquer, comprendre, ignorer, imaginer*, etc.

> Je **me demande** quelle est la date de notre prochaine réunion.
>
> Je veux **savoir** quelle est la date de notre prochaine réunion.

On ne met pas de point d'interrogation à la fin d'une interrogation indirecte, à moins que la phrase enchâssante ne soit de type interrogatif.

> **Savez-vous** quelle est la date de notre prochaine réunion ?

3.1.4 Les erreurs de construction dans l'interrogation indirecte

L'emploi erroné des locutions interrogatives dans l'interrogation indirecte

Les locutions *est-ce que* et *est-ce qui* s'emploient dans l'interrogation directe, mais pas dans l'interrogation indirecte.

ˣ Je lui ai demandé **qu'est-ce que** Jocelyn voulait.	Je lui ai demandé **ce que** Jocelyn voulait.
ˣ Gaëlle se demande **est-ce que** vous viendrez souper **?**	Gaëlle se demande **si** vous viendrez souper.

L'ajout erroné d'un pronom qui reprend le sujet

La reprise du GN sujet par le pronom *il/elle* et l'emploi du point d'interrogation sont tous deux des caractéristiques de l'interrogation directe, mais pas de l'interrogation indirecte.

ˣ Il faut d'abord chercher à savoir où ce phénomène **prend-il** naissance **?**	Il faut d'abord chercher à savoir où ce phénomène **prend** naissance.

Exercice 3.1

Vérifiez si les phrases interrogatives, à la page suivante, sont bien ponctuées et bien construites, et faites les corrections, si nécessaire. Vous pouvez utiliser les stratégies suivantes pour vous aider : soulignez les marques de l'interrogation (locutions ou mots interrogatifs, inversions du sujet ou pronoms de reprise, points d'interrogation) ; encadrez les verbes introduisant une interrogative indirecte, s'il y a lieu.

1 Pourquoi la réaction du public devant la nudité au cinéma n'est pas la même qu'au théâtre ?

_____

_____

2 Comment est-ce qu'une banale déception amoureuse peut mener des adolescents au suicide ?

_____

_____

3 Les chercheurs se demandent depuis belle lurette comment le corps régule la circulation du sang dans les tissus.

_____

_____

4 Commençons par nous demander est-il vrai que le français se dégrade au Québec ?

_____

_____

5 Tous les ans, des étudiants se demandent comment réussiront-ils à s'intégrer au groupe.

_____

_____

3.2 La phrase négative

3.2.1 La structure de la phrase négative

Une phrase négative est une phrase où l'on nie une affirmation. La construction de la phrase négative peut être source d'erreurs, le plus souvent dues à l'influence de l'oral. Les erreurs les plus fréquentes sont l'omission ou la présence indue d'une particule négative.

Les marqueurs de négation (et de restriction) comportent habituellement deux termes : _ne_ et un élément négatif ou restrictif (_ne… pas, ne… plus, ne… personne, aucun… ne, ne… que_, etc.).

> Il **ne** faut **pas** lui en vouloir.
>
> Les autorités **n'**ont encore **rien** démenti à ce propos.
>
> Il a promis de **ne pas** révéler mon secret.
>
> Je **ne** prendrai **qu'**une soupe.

3.2.2 Les erreurs de construction dans la phrase négative et restrictive

L'omission de _ne_

Si l'omission de _ne_ est naturelle à l'oral, elle constitue une faute de syntaxe à l'écrit.

^XBien qu'un ouragan puisse **jamais** être qualifié de normal, la population d'Haïti s'y est habituée.	Bien qu'un ouragan **ne** puisse **jamais** être qualifié de normal, la population d'Haïti s'y est habituée.
^XIl me reste **que** deux ou trois dollars.	Il **ne** me reste **que** deux ou trois dollars.

L'omission de *ne* à l'écrit est très fréquente entre le pronom *on* et un verbe commençant par une voyelle parce qu'on ne l'entend pas à l'oral.

^XOn exclut **aucunement** les non-membres.	On n'exclut **aucunement** les non-membres.

La présence indue de *pas*

Il ne faut pas ajouter l'adverbe de négation *pas* aux expressions ayant déjà un sens négatif (*ne... personne, ne... aucun, ne... rien*, etc.).

^XLe témoin **n'a pas** reconnu **personne**.	Le témoin **n'a** reconnu **personne**.

Dans la restriction, il faut éviter les pléonasmes *ne... que seulement* ou *ne... que simplement*.

^XLe témoin **n'a** aperçu **qu'**une femme **seulement**.	Le témoin **n'a** aperçu **qu'**une femme.
	Le témoin a aperçu **seulement** une femme.

Cependant, les formes *ne pas + que* ou *ne pas + seulement* sont correctes lorsque *ne pas* nie *que* ou *seulement*.

La coquetterie **ne** se limite **pas qu'**à l'apparence physique.

La coquetterie **ne** se limite **pas seulement** à l'apparence physique

---

Exercice 3.2

Corrigez les phrases suivantes, qui contiennent toutes une erreur liée à la négation ou à la restriction. Pour vous aider, encadrez les marqueurs de négation ou de restriction.

1 Qui dit baisse de production dit perte d'emplois. On a qu'à penser au secteur des véhicules récréatifs pour en obtenir la preuve.

_____

_____

2 Tout le monde lui affirme le contraire, mais il ne croit pas personne.

_____

_____

3 Le Québec ferait preuve d'audace en imposant aucune limite de vitesse sur les autoroutes comme dans certains pays d'Europe.

_____

_____

4 Dans les faits, il n'y a pas rien qui permet aux autorités de décider de ce qui est bien ou de ce qui est mal pour un individu.

_____

_____

5 Notre parti occupe 50 sièges à la Chambre des communes, alors que le parti de nos adversaires en occupe qu'un seul.

_____

_____

Sur l'emploi de _ni_

On peut utiliser _ni_ pour relier des termes coordonnés sur lesquels porte une négation. Il y a deux façons de le faire :

> Ils **n'**ont **pas** de chat **ni** de chien.

ou

> Ils **n'**ont **ni** chat **ni** chien.

Il faut noter que, quand _ni_ est employé devant le premier élément, _pas_ est exclu. On n'écrira donc pas :

> ˣIls **n'**ont **pas ni** chat **ni** chien.

Sur _ne_ employé seul

_Ne_ peut s'utiliser **seul** dans certaines circonstances. Il s'agit d'un usage **soutenu**. C'est le cas notamment avant les verbes _pouvoir, savoir, oser, cesser_.

> Je **n'**ose le dire. (Ou, en langue courante : Je **n'**ose **pas** le dire.)

Remarque : L'omission de _pas_ est **obligatoire** après _savoir que_ suivi de l'infinitif, à moins qu'il s'agisse d'une restriction.

> Elle **ne** sait que faire pour nous aider.

> Elle **ne** sait **pas** que chanter, mais aussi jouer du piano. (Restriction)

Sur le _ne_ explétif

L'appellation _explétif_ signifie que l'adverbe _ne_ n'est pas essentiel au sens de la phrase ; il n'y ajoute rien. C'est pourquoi son emploi est facultatif. Il ne faut pas confondre le _ne_ explétif et le _ne pas_ qui exprime la négation, car ils s'opposent. Il est recommandé d'éviter l'emploi du _ne_ explétif de nos jours : il n'exprime pas de négation, mais sa présence sème malheureusement le doute sur le sens de la subordonnée. Voyons-en tout de même quelques cas :

- Le _ne_ explétif est couramment utilisé (mais sans être obligatoire) dans les subordonnées comparatives d'inégalité.

> Ce travail est plus difficile que je (**ne**) le pensais.

> Il est moins malade qu'il (**ne**) le paraît.

- Le *ne* explétif peut également s'utiliser avec des verbes au subjonctif précédés de certains subordonnants tels *avant que*, *de peur que*, *de crainte que*.

  *Téléphonez-lui avant qu'il (**ne**) soit trop tard.*

- Le *ne* explétif est aussi d'emploi courant, mais toujours facultatif, après certains verbes employés à la forme affirmative et suivis d'un subjonctif.

  *Je crains qu'il (**ne**) soit déjà parti.*

3.3 Le pronom relatif

3.3.1 Les rôles du pronom relatif

Le pronom relatif joue trois rôles dans la phrase : c'est un **pronom de reprise** et un **subordonnant**, et il a une **fonction syntaxique** dans la subordonnée relative.

Comme tout **pronom de reprise**, le pronom relatif a un antécédent dans la phrase, qui réfère à une chose, à une personne, à une idée ou à une situation. Dans certains cas, le pronom relatif a les mêmes marques grammaticales de genre, de nombre et de personne que son antécédent.

J'ai mangé une <u>banane</u> **qui** m'est restée sur l'estomac.

J'ai mangé une <u>banane</u>, **laquelle** m'est restée sur l'estomac.

J'ai mangé deux <u>bananes</u>, **lesquelles** me sont restées sur l'estomac.

Comme **subordonnant**, le pronom relatif permet d'introduire une subordonnée relative complément du nom ou du pronom qu'il représente.

Phrase 1
J'ai mangé une banane.

Phrase 2
La banane m'est restée sur l'estomac.

J'ai mangé une banane **qui** m'est restée sur l'estomac.

Subordonnée relative complément du nom
banane

Comme tout pronom dans une phrase, le pronom relatif a une **fonction syntaxique** dans la phrase subordonnée. Il prend différentes formes, selon qu'il est le sujet de la P subordonnée, le complément direct du verbe, etc.

Sujet de la P subordonnée

J'ai lu la lettre **qui** est arrivée hier.

Complément direct du verbe *as envoyée*

J'ai lu la lettre **que** tu m'as envoyée hier.

J'ai lu la lettre **dont** tu m'avais parlé hier.

3.3.2 Le choix du pronom relatif

Le choix du pronom relatif dépend de deux critères : sa fonction syntaxique et le type de son antécédent (animé ou inanimé). Il est, selon sa fonction, souvent précédé d'une préposition. Le tableau 3.1 illustre les différentes fonctions qu'il peut avoir et les formes qui correspondent à ces fonctions.

TABLEAU 3.1 **Les fonctions et les formes du pronom relatif**

Fonction du pronom relatif (ou du GPrép contenant le pronom relatif)	Formes du pronom relatif		Exemples
	Antécédent animé	Antécédent inanimé	
Sujet	*qui*	*qui*	Choisissez un partenaire **qui** a la même force que vous. Prends celui **qui** te plait le plus parmi ces chapeaux.
	lequel	*lequel*	Il a invité Louise, **laquelle** ne s'est pas fait prier. Il a fait tomber le vase, **lequel** a volé en éclats.
CD	*que*	*que*	J'ai rencontré des personnes **que** je connais depuis plusieurs années. J'ai choisi le roman **que** tu m'as conseillé.
CI	*dont*	*dont*	Le chat **dont** elle s'occupe est malade. Le film **dont** je t'ai parlé n'est plus à l'affiche.
	Prép. + *qui*	Prép. + *quoi*[1]	Les employés **à qui** nous avons demandé d'encadrer leurs pairs ont bien travaillé. Ce **à quoi** on s'attendait aura des répercussions sur le mode de communication.
	Prép. + *lequel*	Prép. + *lequel*	C'est une personne **pour laquelle** (ou **pour qui**) j'ai beaucoup d'estime. C'est un problème **auquel** je ne trouve pas de solution. Sa mère, **loin de laquelle** il a été élevé, avait souffert de problèmes mentaux sévères. Voici le livre **à partir duquel** a été produite la série télévisée *Revanche*.

Fonction du pronom relatif (ou du GPrép contenant le pronom relatif)	Formes du pronom relatif		Exemples
	Antécédent animé	Antécédent inanimé	
CI (*suite*)	—	*où*	Le village **où** j'ai grandi est devenu une grande banlieue.
Compl. du verbe impersonnel ou compl. du présentatif	*que*	*que*	La personne **qu'**il me faut pour ce contrat doit savoir écrire en espagnol. La chaleur **qu'**il a fait la semaine dernière était étouffante. Les problèmes **qu'**il y a eu avec cette équipe sont enfin résolus.
Attribut du sujet	*que*	*que*	Mes parents seront fiers de la femme **que** je deviendrai plus tard.
Compl. du nom	*dont*	*dont*	J'ai confié ce travail à des personnes **dont** je connais les compétences. Voici un tableau **dont** je n'aime pas les couleurs.
Compl. de l'adjectif	*dont*	*dont*	Voilà une étudiante **dont** je suis fière. C'est un projet **dont** je suis responsable.
	à + qui/lequel	*à + lequel*	Il m'a suggéré une routine **à laquelle** je suis maintenant habituée.
	à côté de qui	*à côté de qui*	La dame **à côté de qui** tu es assise travaille au cégep.
	Prép. + *qui/ lequel*	Prép. + *quoi*[1]/ *lequel*	Luc est un politicien **à qui/auquel** je resterai fidèle. Voilà une idée **à laquelle** je resterai fidèle. Y a-t-il quelque chose **à quoi** tu es resté fidèle? On aime les personnes **envers lesquelles** on est reconnaissant.
CP	—	Prép. + *lequel*	J'ai assisté à des réunions **pendant lesquelles** des téléphones cellulaires sonnaient constamment. C'est l'entraineur **grâce auquel** l'équipe a fait des progrès remarquables.

1. Si l'antécédent est neutre. Les antécédents neutres sont les pronoms *ce, ceci, cela,* ça, *rien, quelque chose, grand-chose, autre chose, peu de chose* ou une phrase.

Exercice 3.3

Complétez les phrases suivantes en ajoutant le pronom relatif qui convient et, le cas échéant, la préposition qui doit le précéder.

1 La situation _____ nous devons faire face n'est pas simple.

2 Il y a des conducteurs _____ il faut se méfier et _____ on a intérêt à éviter.

3 L'expression chinoise « Creuser un puits au moment _____ on a soif » pourrait bien s'appliquer à notre gouvernement.

4 Ce _____ les Québécois doivent prendre conscience, c'est qu'ils dé-tiennent, après les Américains, le record peu glorieux de plus grands consommateurs d'énergie sur la planète.

5 Le projet _____ on a réservé le meilleur accueil est celui des étudiants en informatique.

3.3.3 Les erreurs fréquentes dans l'emploi du pronom relatif

L'emploi de *est-ce que* au début d'une subordonnée relative

Une erreur fréquente consiste à employer le marqueur interrogatif *est-ce que* dans une subordonnée relative. Notez que les formes interrogatives *qu'est-ce que* et *qu'est-ce qui* deviennent respectivement *ce que* et *ce qui* lors de l'emploi d'une relative.

ˣLa fille **à qui est-ce que** tu as parlé hier se prénomme Éliane.	La fille **à qui** tu as parlé hier se prénomme Éliane.
ˣ**Qu'est-ce qu'**il adviendra de notre ancien équipement nous préoccupe.	**Ce qu'**il adviendra de notre ancien équipement nous préoccupe.

La redondance dont + *de*

Le pronom relatif *dont* remplace toujours un complément introduit par la préposition *de* dans la phrase de base. Il peut s'agir d'un **CI**, d'un **complément du nom** ou d'un **complément de l'adjectif**.

Je congédierai l'employé **dont** la directrice se plaint.

CI de *se plaint*

La directrice se plaint **de cet employé.**

Nous utilisons plusieurs manuels scolaires **dont** les auteurs sont des femmes.

Compl. du nom *auteurs*

Les auteurs **de plusieurs manuels scolaires** sont des femmes.

Les patients **dont** il était responsable sont très satisfaits de ses services.

Compl. de l'adjectif *responsable*

Il était responsable **des** (= de + les) **patients.**

Tous les exemples ci-dessus sont bien formés. Cependant, lorsqu'on veut construire une phrase emphatique qui met l'accent sur un complément introduit avec la préposition *de*, on doit déplacer tout le GPrép et utiliser le marqueur d'encadrement *c'est... que*. Il ne faut pas confondre le marqueur *que* avec un mauvais emploi du pronom relatif *dont*, qui répète-rait de façon fautive la préposition *de* déjà contenue dans le GPrép mis en relief (créant ainsi une redondance).

^X*C'est **de cet employé** **dont** la directrice se plaint.*

Il faut remplacer le pronom relatif fautif *dont* par le marqueur emphatique *que*.

C'est *de cet employé* **que** *la directrice se.plaint.*

Le double renvoi à l'antécédent

Comme le pronom relatif a déjà un antécédent, il faut éviter d'ajouter un terme qui y renvoie aussi, comme un déterminant possessif ou les pronoms personnels *en* et *y*.

^X*Ce chat **dont** vous admirez **sa** couleur est un persan.* (Dans cette phrase, *dont* et *sa* renvoient tous les deux à l'antécédent *chat*.)	*Ce chat **dont** vous admirez **la** couleur est un persan.*
^X*Il s'agit d'ateliers **auxquels** tout le monde pourra **y** participer.* (Les pronoms *auxquels* et *y* renvoient tous deux à l'antécédent *ateliers*.)	*Il s'agit d'ateliers **auxquels** tout le monde pourra participer.*

La concurrence *dont/duquel*

Dont et *duquel*, dans le français oral et écrit contemporain, ne se font pas réellement concurrence. Lorsque les deux pronoms sont possibles, c'est, dans la très grande majorité des cas, l'emploi du pronom *dont* qui est privilégié.

*Le chalet **dont/duquel** il est propriétaire est situé dans la région de Portneuf.*

On choisira *duquel* (ou l'une de ses variantes *de laquelle*, *desquels*, *desquelles*) surtout lorsque la forme s'avère utile pour bien identifier l'antécédent dans un contexte ambigu.

*La femme de mon frère, **de laquelle** je viens d'avoir des nouvelles ce matin, est revenue du Japon.*

*La femme de mon frère, **duquel** je viens d'avoir des nouvelles ce matin, est revenue du Japon.*

Cependant, *duquel* (et ses variantes) est obligatoire lorsque le pronom relatif *lequel* est employé avec des locutions prépositives se terminant par *de*, par exemple *à cause de*, *en raison de*, *autour de*, *loin de*, *près de*, *à la fin de*, *en face de*, etc. On pourra utiliser *qui* après la locution prépositive si l'antécédent représente une personne.

*Le lac, **autour duquel** poussaient sans cesse de nouveaux chalets, était devenu une piste de course.*

*Les romans **à partir desquels** sont réalisés des films connaissent souvent un premier ou un second succès.*

*L'infirmière **près de laquelle (de qui)** jouait la petite fille était attentive au moindre geste de l'enfant.*

Duquel (et ses variantes) est aussi obligatoire lorsque son antécédent est un nom faisant partie d'un GN introduit par la préposition *de* et que ce GPrép ainsi créé est lui-même contenu dans un autre GPrép.

*Ma compagnie vient d'acheter un appareil au fonctionnement **duquel** je m'intéresse. (= Je m'intéresse **au** fonctionnement **de** l'appareil.)*

Relevez les erreurs dans les phrases suivantes, toutes incorrectes, et réécrivez les passages à corriger.

1 La Route des vins permet de découvrir 14 vignobles où est-ce qu'on pourra déguster les meilleurs vins du Québec.

_____

2 Il ne faut pas jeter la pierre aux joueurs dont leurs efforts n'ont pas suffi à gagner.

_____

3 C'est de cet enjeu dont il faut débattre.

_____

4 Si on veut mieux les servir, il est indispensable de savoir ce que les clients veulent et ce qu'ils ont besoin.

_____

5 J'ai visité un village où les habitants s'y rassemblent chaque mois pour faire la fête.

_____

3.4 L'emploi de la préposition

3.4.1 Quel est le rôle de la préposition ?

La préposition, noyau du GPrép, introduit le complément d'un mot, d'un groupe de mots ou d'une phrase. Les deux éléments ainsi reliés ne sont pas du même niveau syntaxique.

Comparons les exemples suivants.

> Exemple 1 : J'ai rencontré Stella **et** Léon.

Les GN *Stella* et *Léon* sont reliés par une **conjonction de coordination** et sont tous deux CD du verbe *ai rencontré*.

> Exemple 2 : Stella a emprunté la voiture **de** Léon.

Le GN *Léon*, introduit par la **préposition** *de*, est inclus dans un GPrép complément du nom *voiture*. Les deux GN ne sont pas du même niveau puisque l'un dépend de l'autre.

La préposition sert principalement à introduire les compléments du nom, les compléments indirects (CI), les compléments de phrase et les compléments de l'adjectif.

```
        CP              Compl. du nom
 ┌──────────┐         ┌──────────────┐
Pendant longtemps, seule la pêche à la mouche était permise ici.
```

```
              CI
 ┌──────────────────────┐
Prépare-toi à affronter des obstacles.
```

```
          Compl. de l'adj.
 ┌──────────────────────┐
François est fier de son lancer.
```

Lorsque la préposition est formée de plusieurs mots, on l'appelle **locution prépositive** ou **préposition complexe**.

> Il s'est fait mieux connaitre **lors du** (= de + le) Congrès de l'Acfas.

3.4.2 Les erreurs fréquentes dans l'emploi des prépositions

L'omission de la préposition

Les cas d'omission de la préposition les plus fréquents sont ceux qui relèvent de la **coordination** de compléments introduits par les prépositions *à*, *de* et *en*, ou par une locution prépositive se terminant par *à* ou *de*.

ˣElle a rapporté de jolis souvenirs **à** sa famille et ses amis.	Elle a rapporté de jolis souvenirs **à** sa famille et **à** ses amis.

Cette erreur sera traitée plus loin dans ce chapitre, à la section 3.6 (« La coordination »).

Sauf dans le cas de la répétition de la préposition, l'erreur qui consiste à oublier une préposition est plutôt rare à l'écrit et elle relève le plus souvent de la méconnaissance de la construction du verbe et de ses compléments.

Par exemple, la construction du verbe *échouer* exige l'emploi d'une préposition.

ˣJe crains d'échouer cet examen.	Je crains d'échouer **à** cet examen.

Ce cas est traité plus en détail un peu plus loin dans ce chapitre, à la section 3.9 (« La construction des compléments du verbe »).

Notez que le fait de ne pas répéter une préposition dans la comparaison après le subordonnant *que* est une erreur.

ˣIl aime s'habiller chic **autant dans** sa vie quotidienne **que** ses sorties publiques.	Il aime s'habiller chic **autant dans** sa vie quotidienne **que dans** ses sorties publiques.
ˣTu te souviens **plus de** ses défauts **que** ses qualités.	Tu te souviens **plus de** ses défauts **que de** ses qualités.

La présence indue de la préposition

Le cas le plus fréquent de la présence indue de la préposition est l'ajout erroné de la préposition *de* devant un GInf.

ˣDans ce pays, il n'est pas rare de voir des enfants guerriers **de faire** le guet, mitraillette à l'épaule.	Dans ce pays, il n'est pas rare de voir des enfants guerriers **faire** le guet, mitraillette à l'épaule.
ˣLes parents sont censés **de s'assurer** que leurs enfants ne partent pas pour l'école sans avoir déjeuné.	Les parents sont censés **s'assurer** que leurs enfants ne partent pas pour l'école sans avoir déjeuné.

Les cas à surveiller plus particulièrement

- La préposition *de* est superflue dans la locution verbale *avoir besoin* et devant *d'autres*.

ˣNous avons tenu compte dans nos conclusions des recommandations **de d'autres** spécialistes du milieu.	Nous avons tenu compte dans nos conclusions des recommandations **d'autres** spécialistes du milieu.

X Même si les entreprises **ont de besoin** de sang neuf, elles **ont** aussi **de besoin** de l'expertise des bébé-boumeurs.	Même si les entreprises **ont besoin** de sang neuf, elles **ont** aussi **besoin** de l'expertise des bébé-boumeurs.

- La préposition *pour* après des verbes comme *regarder, attendre, chercher, dépenser* constitue, dans certains contextes, un anglicisme syntaxique.

X La fin de semaine dernière, il a dépensé **pour** 600 $.	La fin de semaine dernière, il a dépensé 600 $.

- La préposition *à* est superflue devant les expressions *chaque fois, tous les jours,* etc., lorsqu'elles expriment la périodicité.

X Des accidents de motoneige surviennent **à tous les ans**.	Des accidents de motoneige surviennent **tous les ans**.
X **À chaque mercredi**, vous êtes invités à participer aux réunions de notre association.	**Chaque mercredi**, vous êtes invités à participer aux réunions de notre association.

- Dans d'autres cas, l'ajout fautif d'une préposition après un verbe vient de la méconnaissance de sa construction. Ainsi, le verbe *pallier* se construit avec un CD et non pas avec un CI, même si l'expression *pallier à* cherche à s'introduire dans l'usage.

X Nous cherchons des solutions pour **pallier au** (= à + le) manque de médecins de famille.	Nous cherchons des solutions pour **pallier le** manque de médecins de famille.

Ces cas seront traités plus loin dans ce chapitre, à la section 3.9.

Exercice 3.5

Corrigez les phrases suivantes, toutes incorrectes.

1 Aujourd'hui, d'obtenir un diplôme est primordial pour faire une carrière ou un métier intéressant.

_____

_____

2 Avec l'apparition des outils d'aide à la correction, les jeunes d'aujourd'hui n'ont pas de besoin de se casser la tête pour réviser leurs textes et comprendre leurs erreurs.

_____

_____

3 Aux yeux des étudiants venant de d'autres cultures et ayant des rites de passage différents, nos initiations paraissent souvent superficielles.

_____

_____

4 Comme à chaque fois qu'il se passe une tragédie, les gens se sont montrés généreux.

_____

_____

5 Olivier a plus d'intérêt pour le sport que ses résultats scolaires.

_____

_____

L'emploi des prépositions *à* et *de*

Les principales erreurs dans l'emploi des prépositions *à* et *de* sont les suivantes :

- L'emploi des prépositions *à* et *de* l'une à la place de l'autre

ˣLa direction a hésité **de** transmettre le rapport annuel aux employés.	La direction a hésité **à** transmettre le rapport annuel aux employés.
ˣSelon le sondage, le grand public a l'air **à** apprécier la formule des cours donnés en ligne.	Selon le sondage, le grand public a l'air **d'**apprécier la formule des cours donnés en ligne.

Lorsqu'on hésite sur le choix de la préposition, il faut consulter le dictionnaire, car il s'agit d'erreurs lexicales. Ainsi, à l'article « hésiter », on voit que l'*on hésite à faire quelque chose*, et à l'article « air », que la locution verbale *avoir l'air* demande la préposition **de**.

- L'emploi d'autres prépositions à la place des prépositions *à* et *de*

ˣCette étude consiste à distinguer les crocodiles **par rapport aux** alligators.	Cette étude consiste à distinguer les crocodiles **des** alligators. (On distingue qqch **de** qqch.)
ˣIl ne suffit pas de conscientiser les jeunes **sur** les problèmes qu'entrainent les comportements violents.	Il ne suffit pas de conscientiser les jeunes **aux** problèmes qu'entrainent les comportements violents. (On conscientise qqn à qqch.)
ˣPour devenir végétarien, il ne suffit pas de substituer les végétaux **avec** les protéines animales.	Pour devenir végétarien, il ne suffit pas de substituer les végétaux **aux** protéines animales. (On substitue qqch à qqch.)

Encore ici, si l'on hésite, il faut recourir au dictionnaire, dans lequel on trouvera des renseignements concernant la construction des verbes qui posent des difficultés et des exemples illustrant l'emploi correct des prépositions.

Exercice 3.6

Corrigez les phrases suivantes, toutes incorrectes, en employant la préposition qui convient. Aidez-vous du mot-clé en caractères gras et consultez le dictionnaire pour trouver la bonne réponse.

1 La vitesse à laquelle se déroule l'information dans la **télévision** fait en sorte que les nouvelles ne sont ni commentées ni analysées.

_____

_____

2 De nombreuses femmes, et de plus en plus d'hommes, **s'attendent** de voir leur corps **correspondre** avec celui de vedettes internationales.

_____

_____

3 Elle **rêvait** à devenir médaillée d'or en natation.

_____

_____

4 Je me suis donc **inscrit** dans plusieurs programmes sans les mener à terme.

_____

_____

5 Contrairement à la génération de leurs parents, la plupart des jeunes **s'efforcent** à préserver leur environnement.

_____

_____

Les autres prépositions

Pour utiliser correctement les prépositions, il faut d'abord être attentif à leur sens et s'assurer que leur emploi ne crée pas d'incompatibilité sémantique. La plupart des prépositions varient de sens selon les mots ou les groupes de mots avec lesquels elles sont combinées. Le choix de la préposition tient donc au sens de cette dernière et à celui du complément qu'elle introduit. En cas de doute, il faut recourir (encore et toujours!) au dictionnaire.

ˣ**À travers** ce rapport, vous constaterez les efforts qui ont été consentis dans la modernisation des équipements.	**Dans** ce rapport, vous constaterez les efforts qui ont été consentis dans la modernisation des équipements.
ˣIls seront donc en mesure d'intervenir plus efficacement **devant** les élèves violents.	Ils seront donc en mesure d'intervenir plus efficacement **auprès des** élèves violents.

Les cas à surveiller plus particulièrement

• *Avec*

La préposition *avec* est une source d'erreurs fréquentes, parfois dues à l'influence de l'anglais. Souvent, on doit reformuler la phrase pour la corriger.

ˣLa montée de la violence à l'école amène les observateurs à faire un lien entre la pratique des jeux vidéos **avec** les comportements violents.	La montée de la violence à l'école amène les observateurs à faire un lien entre la pratique des jeux vidéos **et** les comportements violents.
ˣFaut-il chercher des moyens de dissuasion plus radicaux **avec** les élèves présentant des comportements violents?	Faut-il chercher des moyens de dissuasion plus radicaux **en ce qui concerne** les élèves présentant des comportements violents?
	Faut-il chercher des moyens plus radicaux **pour dissuader** les élèves de commettre des actes de violence?

- *Sur*

L'influence probable de l'anglais a entraîné un usage abusif de la préposition *sur* en français. On l'emploie fréquemment dans des cas où il faudrait utiliser une autre préposition.

ˣÊtre **sur** le téléphone	Être **au** téléphone
ˣTraverser **sur** un feu rouge	Traverser **au** feu rouge
ˣSiéger **sur** un comité	Siéger **à**/**dans** un comité
ˣTravailler **sur** la construction	Travailler **dans** la construction
ˣLire **sur** le train ou **sur** l'avion	Lire **dans** le train ou **dans** l'avion
ˣJouer **sur** la rue	Jouer **dans** la rue
ˣVenir **sur** semaine	Venir **pendant la**/**en** semaine

- *Au niveau de*

La locution *au niveau de* signifie *à la hauteur de*. Elle inclut une idée de degré, d'échelon, de gradation.

> L'eau lui arrive **au niveau de** la taille. (Sens concret)

> Votre travail n'est pas **au niveau de** vos compétences. (Sens figuré)

Au sens figuré, elle exprime aussi l'idée d'une hiérarchie.

> Ces questions se règlent **au niveau du** vice-rectorat.

Il faut se méfier des autres emplois de cette locution, qu'on a tendance à utiliser à tout propos de nos jours. On retiendra que *au niveau de* ne peut pas remplacer les prépositions *de, au sujet de, en ce qui concerne, du point de vue de, dans le domaine de, pour* et *dans*.

ˣNous avons recours à des méthodes profitables **au niveau de** la création d'emplois.	Nous avons recours à des méthodes profitables **dans le domaine de** la création d'emplois.
ˣ**Au niveau des** résultats, le bilan est mitigé.	**En ce qui concerne** les résultats, le bilan est mitigé.

- *Face à*

La locution *face à* est elle aussi souvent mal employée. Dans son sens premier, elle signifie *vis-à-vis de*.

> Je voudrais une chambre **face à** la mer.

Au figuré, elle introduit des éléments qui sont négatifs ou représentent un défi.

> On ne sait comment réagir **face à** une telle agressivité.

Il ne faut donc pas l'utiliser en lieu et place de prépositions comme *par rapport à, quant à, relativement à, du point de vue de, sur, pour*, etc.

ˣNos opinions diffèrent **face à** cette question.	Nos opinions diffèrent **sur**/**relativement à** cette question.

- *Suite à*

Il faut réserver l'emploi de la locution *suite à* aux formules d'introduction de la correspondance commerciale ou administrative (*suite à votre lettre…, suite à votre demande…*) ; autrement, on lui préfèrera des locutions telles que *comme suite à, pour faire suite à, en réponse à, à la suite de, par suite de, en raison de*, etc.

ˣ**Suite à** la tempête, on a dû fermer l'école.	**En raison de** la tempête, on a dû fermer l'école.

XSuite à la recommandation
du comité, on révisera les critères
d'admission.

Comme suite à la recommandation
du comité, on révisera les critères
d'admission.

• *Dû à*

Dû à n'existe pas comme locution prépositive : c'est un calque de l'anglais *due to*. Il ne faut donc jamais l'employer au sens de *à cause de*, *en raison de*, *étant donné* ou *compte tenu de*.

XDû à la pluie, le match a été
annulé.

En raison de la pluie, le match a été
annulé.

À NOTER

Notez que la séquence *dû à* existe en français, mais qu'elle résulte de la combinaison d'un adjectif variable issu du verbe *devoir* et de la préposition *à* introduisant le complément. Voici des exemples d'emploi corrects :

Ses échecs répétés sont **dus à** son inattention.

Cet accident est **dû à** la maladresse de l'autre joueur.

Exercice 3.7

Corrigez les phrases suivantes en remplaçant les prépositions mal choisies.
Au besoin, consultez un dictionnaire.

1 Le Québec et le Canada sont étroitement liés avec le marché américain.

_____

_____

2 Cette décision doit être appliquée pour toutes les catégories de véhicules.

_____

_____

3 L'initiation aide à s'habituer avec les lieux et les autres.

_____

_____

4 Connaitre sa langue est important, car cela permet une bonne communication envers les autres.

_____

_____

5 Les infirmières doivent faire appel aux médias pour attirer l'attention à leurs conditions de travail.

_____

_____

Les problèmes de syntaxe   103

3.5 L'anacoluthe

Le *Petit Robert* (PR) nous apprend que le mot *anacoluthe* tire son origine du grec *anacoluthon*, «absence de suite», et désigne une «rupture ou discontinuité dans la construction d'une phrase». En littérature, si elle est bien utilisée, l'anacoluthe peut produire des effets de style recherchés ; mais dans les écrits courants, elle est rarement bienvenue parce qu'elle nuit à la lisibilité de la phrase.

L'anacoluthe est fréquente dans l'emploi des GPart en tête de phrase, dans l'emploi de GPrép compléments de phrase dont la préposition introduit un GPart ou un GInf, et dans les cas de compléments du nom en tête de phrase.

3.5.1 Les compléments de phrase

Le sujet du verbe au participe présent ou à l'infinitif est généralement sous-entendu et la règle exige, dans ce cas, que le sujet logique du verbe au participe présent ou à l'infinitif soit le même que le sujet de la P contenant le verbe principal.

Les phrases suivantes, construites conformément à cette règle, sont correctes.

> En **finissant,** je voudrais parler de l'auteur de ce très beau livre.
> (Le sujet implicite du participe présent *finissant* est le pronom *je*, lui-même sujet de la P contenant le verbe principal.)

> En **cliquant** sur les photos, l'utilisateur pourra voir une présentation de la section.
> (Le sujet non exprimé du participe présent est l'*utilisateur*, également sujet de la P contenant le verbe principal.)

Quand le sujet de la phrase diffère du sujet logique du participe présent ou de l'infinitif, cette règle est enfreinte, et il y a anacoluthe.

> ˣ**Aimant** le caractère rationnel des sciences, <u>ce choix de carrière</u> s'imposait à moi.

Selon la formulation de la phrase fautive qui précède, *ce choix de carrière* serait le sujet logique du participe *aimant*. Ce n'est pourtant pas le sens voulu. Il faut donc intégrer le verbe *aimer* dans une P (subordonnée) qui ait son propre sujet ou faire en sorte que le sujet implicite du participe *aimant* soit le sujet de la P contenant le verbe principal.

> Comme **j'**aimais le caractère rationnel des sciences, ce choix de carrière s'imposait à moi.

ou

> **Aimant** le caractère rationnel des sciences, **je** ne pouvais que me lancer dans cette carrière.

L'anacoluthe nuit particulièrement à la clarté de la phrase lorsque deux GN sont susceptibles d'être sujets. C'est alors au lecteur qu'incombe la tâche de démêler les fils, alors que la personne qui rédige aurait dû le faire pour lui en choisissant un sujet de P approprié.

> ˣ Avant d'entrer en ondes, le recherchiste s'entretient souvent avec le lecteur de nouvelles.
> (C'est le lecteur de nouvelles qui entre en ondes, et non pas le recherchiste. Le sujet de P aurait donc dû être *le lecteur de nouvelles*.)

À CONSULTER

Voir la section «Construction» dans le tableau «Participe présent» du Multi.

Il arrive souvent que le sujet logique d'un verbe à l'infinitif soit le pronom impersonnel *il* ou le pronom personnel indéfini *on*.

> ˣ**Afin d'éliminer** la violence verbale dans les écoles, le respect des autres doit être une règle appliquée en tout temps.

Selon la formulation de la phrase fautive qui précède, *le respect des autres* serait le sujet logique de l'infinitif *éliminer*. Ce n'est pas le sens voulu. On rétablira la phrase en employant la forme impersonnelle ou le pronom *on*.

> **Afin d'éliminer** la violence verbale dans les écoles, **il faut/on doit** faire en sorte que le respect des autres soit une règle appliquée en tout temps.

> Si **on** veut éliminer la violence verbale dans les écoles, **il faut/on doit** faire en sorte que le respect des autres soit une règle appliquée en tout temps.

3.5.2 Les compléments du nom

Dans le cas du complément du nom, l'anacoluthe consiste à associer au nom noyau du GN sujet un groupe de mots (GAdj, GN, etc.) qui n'est pas logiquement son complément.

ˣBien que malade, **sa mère** a envoyé Gabrielle à l'école.	Bien que **Gabrielle soit malade**, sa mère l'a envoyée à l'école.

Encore ici, c'est le lecteur qui doit déduire que c'est Gabrielle et non sa mère qui est malade.

La possibilité d'anacoluthe peut créer des équivoques qui risquent de laisser le lecteur dans le doute.

> Guitariste, saxophoniste, pianiste, Claire apprécie énormément le répertoire de ce musicien.
>
> (On devrait comprendre que Claire est guitariste, saxophoniste et pianiste. Est-ce bien cela que le scripteur voulait dire?)

Exercice 3.8

Corrigez les anacoluthes dans les phrases suivantes. Dans la majorité des cas, plusieurs réponses sont possibles.

1 D'une hauteur de 83 mètres, des milliers de touristes affluent chaque été pour admirer la chute Montmorency.

_____

_____

2 Étant infirmière auxiliaire, le règlement ne m'autorise pas à faire des injections.

_____

_____

3 Le dictionnaire peut être consulté à l'écran sans sortir du document.

_____

_____

4 En analysant la société de consommation dans laquelle nous vivons, il est alarmant de constater que l'utilisation du crédit est à ce point banalisée.

_____

_____

5 Un peu dur d'oreille, Simon a dû répéter trois fois l'adresse à son père.

_____

_____

3.6   La coordination

3.6.1   Qu'est-ce que la coordination ?

Comme nous l'avons vu à propos de la liaison des phrases, la **coordination** consiste à établir un lien entre des éléments qui ont la même fonction syntaxique. On dit que le lien est explicite quand il est exprimé par une conjonction de coordination ou un adverbe de liaison, qu'on appelle **coordonnant**.

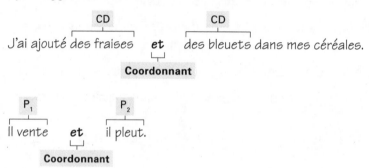

Lorsque les éléments sont liés par un signe de ponctuation, on parle alors de **juxtaposition**.

```
          P₁                           P₂
    ┌──────────────┐           ┌────────────────┐
    L'orage approchait,         il fallait rentrer.
```

3.6.2   La répétition des prépositions *à, de* et *en* dans la coordination

Il est obligatoire de répéter la préposition lorsque deux ou plusieurs GPrép introduits par *à, de* ou *en* sont coordonnés.

ˣIl est urgent que la direction propose des moyens **d'**éliminer ou, du moins, réduire les actes de violence à l'école.

ˣDe nos jours, les gens préfèrent emprunter **à** des institutions financières ou des agences de crédit avant de solliciter leurs proches.

Il est urgent que la direction propose des moyens **d'**éliminer ou, du moins, **de** réduire les actes de violence à l'école.

De nos jours, les gens préfèrent emprunter **à** des institutions financières ou **à** des agences de crédit avant de solliciter leurs proches.

ˣPour protester contre la longueur des négociations, les employés ont décidé de se présenter au travail **en** pyjama et pantoufles.	Pour protester contre la longueur des négociations, les employés ont décidé de se présenter au travail **en** pyjama et **en** pantoufles.

À NOTER

Lorsque les compléments sont introduits par une locution prépositive terminée par *de* ou *à* (par exemple *afin de*), on répète seulement *de* ou *à* (*du, des, au, aux,* s'il y a contraction de la préposition et du déterminant).

> Les épreuves de ce matin ont été annulées **afin de** forcer les athlètes à se reposer et **de** les inciter à visiter le village.

> **Quant aux** (= à + les) élèves de la maternelle et **aux** élèves de première année, ils pourront s'inscrire à des activités pendant la semaine de relâche.

3.6.3 La coordination de verbes de construction différente

Une préposition peut lier un même complément à plusieurs verbes, noms ou adjectifs.

> Rire ou se moquer **de** l'entraineur est interdit dans notre équipe.

La préposition *de* lie ici le GN *l'entraineur* à deux verbes différents coordonnés par *ou*, et qui se construisent de la même façon : *rire de, se moquer de*.

C'est cette cohérence qu'il faut s'assurer de garder dans les phrases : on ne peut lier au moyen d'une seule préposition un complément à des mots qui ne se construisent pas de la même façon.

> ˣCritiquer ou se moquer **de** l'entraineur est interdit dans notre équipe.

Le verbe *critiquer* demande un CD et se construit donc sans préposition, alors que le verbe *se moquer* demande un CI introduit par la préposition *de*. On rétablira la phrase en respectant ces particularités.

ˣIl ne faut pas critiquer ni se moquer **de** l'entraineur.	Il ne faut pas se moquer **de** l'entraineur ou **le** critiquer. (Le pronom *le* est CD de *critiquer*.)

Exercice 3.9

Corrigez les phrases suivantes, toutes incorrectes.

■ Dans les centres de soins de longue durée, il arrive que les infirmières nouent des liens et exercent une influence positive **sur les patients**.

Dans les centres de soins de longue durée, il arrive que les infirmières nouent des liens **avec les patients** et exercent une influence positive **sur eux**.

1 Le service reçoit, répond, analyse et traite les demandes des clients.

2 Tout le monde est en faveur et fait confiance à l'énergie éolienne, mais personne ne veut d'éoliennes dans sa cour.

_____

_____

3 Les initiateurs peuvent rassurer et dire à quoi devront s'attendre les nouveaux étudiants.

_____

_____

4 Le cégep donne de la maturité et prépare les étudiants au niveau universitaire.

_____

_____

5 L'information commentée permet d'expliquer et de sensibiliser la population aux grands enjeux de notre époque.

_____

_____

3.6.4 L'incohérence dans la coordination

Pour que la coordination soit réussie, les éléments joints doivent non seulement avoir la même fonction, mais ils doivent aussi être liés du point de vue du sens en faisant partie d'un même ensemble.

Dans l'exemple ci-dessous, les piétons ne sont pas à proprement parler un facteur de risque pour les automobilistes et ne sont pas un comportement dangereux comme le sont l'excès de vitesse, la consommation d'alcool et l'utilisation du téléphone cellulaire au volant.

ˣ_Comme **la vitesse, les piétons et l'alcool au volant,** l'utilisation du téléphone cellulaire est un facteur de risque d'accident d'automobile._	_Comme **la vitesse et l'alcool au volant,** l'utilisation du téléphone cellulaire est un facteur de risque d'accident d'automobile._

3.6.5 Des sujets ou des compléments coordonnés de classes différentes

Généralement, la liaison de sujets ou de compléments de classes différentes relève d'un style lourd et maladroit. Cependant, l'exemple suivant, tiré du _Bon usage_, montre qu'une écrivaine telle que Colette peut se permettre de coordonner deux compléments dont l'un est un GPrép et l'autre, une subordonnée.

> _Alain se souvenait **du souffle accéléré de Camille** et **qu'elle avait fait preuve d'une chaude docilité.**_

Même si la liaison de sujets ou de compléments de classes différentes ne constitue pas nécessairement une erreur, il vaut mieux l'éviter dans les textes courants. Dans la très grande majorité des cas, il est en effet possible de modifier une phrase pour harmoniser les sujets ou les compléments.

^X**Le kayak** *et* **cueillir des champignons** sont mes activités préférées.

(Les sujets sont constitués ici d'un GN et d'un GInf, ce qui rend la phrase disgracieuse. On remplacera donc l'ensemble du sujet coordonné par deux GN ou deux GInf.)

Le kayak *et* **la cueillette des champignons** sont mes activités préférées.

(Sujets = GN + GN)

Faire du kayak *et* **cueillir des champignons** sont mes activités préférées.

(Sujets = GInf + GInf)

^XParmi les solutions envisagées pour amener les jeunes au théâtre, nous avons choisi **la reprise de pièces à succès** *et* **faire des tournées dans les écoles.**

(Les deux compléments sont un GN et un GInf, ce qui nuit à l'harmonie de la construction syntaxique de la phrase.)

Parmi les solutions envisagées pour amener les jeunes au théâtre, nous avons choisi **la reprise de pièces à succès** *et* **des tournées dans les écoles.**

(Compléments = GN + GN)

Parmi les solutions envisagées pour amener les jeunes au théâtre, nous avons choisi **de reprendre des pièces à succès** *et* **de faire des tournées dans les écoles.**

(Compléments = GPrép + GPrép contenant chacun un GInf)

Exercice 3.10

Corrigez les phrases suivantes, qui contiennent toutes une erreur touchant la cohérence des éléments coordonnés.

1 J'ai beaucoup aimé ce roman policier et palpitant de Chrystine Brouillet.

_____

_____

2 La détente et se ressourcer sur tous les plans sont gages d'une bonne santé morale et physique.

_____

_____

3 Mes tâches principales étaient la comptabilité et gérer le personnel.

_____

_____

4 La publicité est partout, voire envahissante.

_____

5 Malheureusement, ces gens-là ont besoin de se faire soigner et de leur faire prendre conscience qu'ils sont responsables de leurs actes.

_____

_____

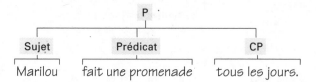

3.7 L'ordre des mots

Dans la phrase de base, l'ordre normal des constituants est celui-ci :

Sujet – Prédicat – Complément de phrase (CP)

```
                        P
        ┌───────────────┼───────────────┐
      Sujet          Prédicat           CP
      ┌────┐      ┌──────────────┐   ┌──────────────┐
     Marilou   fait une promenade   tous les jours.
```

3.7.1 Les compléments directs et indirects

À l'intérieur du prédicat, l'ordre des compléments directs et indirects, quant à lui, dépend de règles particulières : le complément direct précède le complément indirect, et les compléments indiquant le lieu précèdent ceux indiquant le moyen.

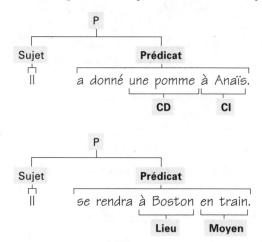

Toutefois, ces dernières règles sont elles-mêmes subordonnées à des contraintes syntaxiques touchant la complexité et la longueur des compléments, et avec lesquelles elles entrent parfois en conflit.

Les principales contraintes syntaxiques relatives à la complexité et à la longueur des compléments du verbe sont les suivantes :

- Les compléments les plus courts devraient précéder les compléments les plus longs.

> Après quelques vérifications d'usage, on a réclamé **à ce contribuable** (CI)
> **le montant de deux-mille dollars qu'il avait omis de verser** (CD).

- Si le CD est une subordonnée, il doit suivre le CI.

> Elle a dit **à tous les membres de sa famille immédiate** (CI)
> **qu'elle soulignerait cette occasion** (subordonnée complétive CD).

3.7.2 Les compléments de phrase

La place des compléments de phrase est variable, mais on doit se soucier de respecter certains principes si on veut s'assurer de l'équilibre de la phrase.

On doit éviter, par exemple, de séparer le sujet du verbe par un trop long CP.

> Les membres de la coopérative, **malgré le fait qu'ils soient divisés et incapables de se regrouper derrière un projet commun**, s'entendent fort bien sur ce point.

Il vaut mieux placer le CP en début de phrase et rapprocher ainsi le sujet du verbe.

> **Malgré le fait qu'ils soient divisés et incapables de se regrouper derrière un projet commun**, les membres de la coopérative s'entendent fort bien sur ce point.

3.7.3 La séparation indue de groupes de mots

Normalement, il faut veiller à rapprocher les groupes qui sont liés sur le plan syntaxique. La séparation d'un complément du mot qu'il complète peut entrainer des ambigüités ou rendre la phrase difficile à lire.

^X Il faut expliquer **l'importance** aux jeunes **de travailler**. (Le complément *de travailler* est séparé du nom *importance* qu'il complète.)	Il faut expliquer aux jeunes **l'importance de travailler**.

Cette maladresse peut donner lieu à des janotismes, qui consistent en une ambigüité de sens produisant parfois un effet amusant ou même grotesque.

^X Il est allé chercher un poulet chez **le boucher qu'il a fait cuire en arrivant.** (Le complément *qu'il a fait cuire en arrivant* est séparé du nom *poulet* qu'il complète. Il n'a pas fait cuire le boucher !)	Il est allé chercher chez le boucher **un poulet qu'il a fait cuire en arrivant.**

Dans certains cas, le sens de l'énoncé exige que le complément de phrase soit en début de phrase plutôt qu'à la fin.

^X Je pense qu'on devrait reporter à 18 ans l'âge légal pour l'obtention d'un permis de conduire **pour diverses raisons.** (Le complément *pour diverses raisons* ne s'applique pas à l'obtention d'un permis de conduire, mais au fait de penser.)	**Pour diverses raisons**, je pense qu'on devrait reporter à 18 ans l'âge légal pour l'obtention d'un permis de conduire. Je pense, **pour diverses raisons**, qu'on devrait reporter à 18 ans l'âge légal pour l'obtention d'un permis de conduire.

Exercice 3.11

Corrigez les phrases suivantes, qui contiennent toutes une erreur portant sur l'ordre des mots.

1 Lorsque les bébé-boumeurs auront tous pris leur retraite, il y aura encore moins d'infirmières. Celles-ci finiront par elles aussi avoir besoin de soins.

_____

_____

2 Il est arrivé qu'à plusieurs reprises une infirmière qui avait travaillé toute la nuit doive travailler toute la journée suivante.

_____

_____

3 Les malfaiteurs se sont introduits au moyen d'un passepartout dans l'établissement commercial.

_____

_____

4 Dans un article paru le 29 novembre dernier du _Devoir_, Mme Gervais rapporte les prévisions de M. Lamotte sur la situation des francophones.

_____

_____

5 En ce qui concerne le français, qui saurait dire au Québec s'il est en danger ou non?

_____

_____

3.7.4 La place des adverbes et des marqueurs de relation

Les règles concernant la position des adverbes dans la phrase varient en fonction des catégories d'adverbes : négation, intensité, manière, organisateur textuel, etc. Cependant, un principe général doit être respecté : il faut rapprocher l'adverbe modalisateur le plus près possible du mot ou du groupe de mots qu'il modifie.

Retenons également que les GAdv courts sont moins mobiles que les GAdv longs.

ˣCertains facteurs économiques nous poussent **davantage** à nous ouvrir à l'immigration.	Certains facteurs économiques nous poussent à nous ouvrir **davantage** à l'immigration.
ˣEn limitant l'accès au crédit, les institutions bancaires conscientisent le client en lui évitant des dettes qu'il aurait à rembourser toute ou **presque** sa vie.	En limitant l'accès au crédit, les institutions bancaires conscientisent le client en lui évitant des dettes qu'il aurait à rembourser **presque** toute sa vie.

À NOTER

En tête de phrase, l'adverbe _aussi_ introduit une conséquence et entraine la disparition de la virgule et généralement l'inversion du sujet.

> Le tumulte était devenu insupportable. **Aussi** avons-nous demandé qu'on lève la séance.

L'adverbe modifiant un verbe se place entre l'auxiliaire et le participe lorsque la forme est composée.

> Il m'est **souvent** arrivé de piqueniquer ici.

Corrigez les phrases suivantes, qui contiennent toutes une erreur portant sur
la place des adverbes dans la phrase.

1 Le gouvernement aurait fait mieux d'imposer la réduction de la charge des camions.

_____

_____

2 Ces camions sont impliqués souvent dans des collisions et font souvent des sorties de route.

_____

_____

3 Également, je crois que le fait de limiter la vitesse ne diminuera pas de beaucoup
le nombre d'accidents.

_____

_____

4 Le fait de fumer modérément n'est pas en soi un crime et même, dans certains pays,
la vente de la marijuana est légale.

_____

_____

5 À cet âge, on peut être encore plus productif que jamais on ne l'a été.

_____

_____

3.8   Le pronom démonstratif

3.8.1 Le rôle du pronom démonstratif

Comme le pronom personnel, le pronom démonstratif peut être employé comme pronom
de reprise, c'est-à-dire qu'il peut renvoyer à un élément déjà évoqué dans le contexte.

> Pierre a démenti les propos de Paul. **Celui-ci** s'en est offusqué.
>
> (_Celui-ci_ reprend le référent _Paul_ et son emploi permet de ne pas confondre
> les deux personnes en cause.)

À l'oral, le référent peut être seulement visuel.

> Regardez attentivement **celle-ci**. Voyez sa couleur différente.

3.8.2 _Ceci_ et _cela_

Historiquement, les pronoms _ceci_ et _cela_ étaient employés dans le but de parler de quelque
chose de proche dans le cas de _ceci_ et de quelque chose d'éloigné dans le cas de _cela_.

Dans la langue contemporaine, ces deux pronoms distinguent principalement les notions
de ce qui est à venir, et de ce qui a été fait ou a été dit.

Retenez bien **ceci** : <u>tous les laboratoires fermeront à 18 h</u>. **Cela** évitera de payer des heures
supplémentaires aux techniciens.

Dans la langue parlée, le pronom *ça* tend à remplacer le pronom *cela*. Il n'en demeure pas moins que cet emploi est critiqué et qu'il appartient à la langue familière. Il faut donc l'éviter dans des textes de registre soutenu.

3.8.3 *Celui-ci* et *celui-là*

Là, particule démonstrative, désigne ce qui est le plus éloigné, par opposition à *ci*, qui désigne ce qui est le plus proche. Il faut donc respecter, dans un texte suivi, ces particularités.

> La serveuse, qui n'avait pas beaucoup d'expérience, tenait l'assiette remplie de soupe chaude au-dessus de la tête de la cliente. **Celle-ci** (ou Cette dernière), en voyant la guêpe, se leva brusquement.

3.8.4 L'abus dans l'emploi du pronom démonstratif

Contrairement aux autres catégories de pronoms, le démonstratif, comme son nom l'indique, a le sens premier de monstration (action de montrer). Il permet de distinguer un objet parmi d'autres et d'éviter ainsi des équivoques. Cependant, certains scripteurs en abusent et l'emploient comme pronom de reprise là où le pronom personnel ferait très bien l'affaire. Cet emploi abusif du pronom démonstratif (ou de l'expression *ce dernier*) lorsqu'il n'y a pas d'ambigüité à lever alourdit le style et, dans certains cas, allonge inutilement la phrase.

ˣCe sujet intimide bien des **parents** ; par conséquent, **ceux-ci/ces derniers** hésitent trop longtemps avant d'aborder la question avec leurs enfants.	Ce sujet intimide bien des **parents** ; par conséquent, **ils** hésitent trop longtemps avant d'aborder la question avec leurs enfants.
ˣLes enseignants ne devraient pas taire les différences entre les enfants, mais **se servir de celles-ci/de ces dernières** comme solution pour atteindre un but commun.	Les enseignants ne devraient pas taire les différences entre les enfants, mais **s'en servir** comme solution pour atteindre un but commun.

Le pronom démonstratif est souvent employé inutilement dans le complément d'un nom, alors que l'emploi d'un déterminant possessif devant ce nom serait beaucoup plus approprié.

ˣL'enseignant doit parfois faire des tâches qui semblent sortir du cadre du mandat **de celui-ci**.	L'enseignant doit parfois faire des tâches qui semblent sortir du cadre **de son** mandat.

3.8.5 Le pronom démonstratif et son complément

Les pronoms *celui* (*ceux*) et *celle(s)* sont des pronoms démonstratifs qui équivalent syntaxiquement à un GN. Comme le nom, ils peuvent avoir un ou plusieurs compléments. Ils ne peuvent, cependant, être complétés par un adjectif employé seul.

ˣComme journaliste, il a couvert de nombreuses campagnes électorales dans le monde, surtout **celles américaines**.	Comme journaliste, il a couvert de nombreuses campagnes électorales dans le monde, surtout **les campagnes américaines**.

La phrase est toutefois correcte lorsque l'adjectif est lui-même accompagné d'un complément.

> J'aime ses chansons, notamment **celles inspirées par son voyage au Japon**.

> Il faut s'assurer des meilleures conditions de travail, surtout **celles nécessaires à la concentration**.

Exercice 3.13

Corrigez les phrases suivantes, qui contiennent des pronoms démonstratifs superflus ou des erreurs touchant leur complément.

1 Le tournage des scènes du temple a été fastidieux ; on a dû reprendre celles-ci plusieurs fois.

_____

_____

2 Il est primordial que les futurs enseignants prennent conscience de l'importance de la tâche qui leur est confiée et que ceux-ci trouvent des moyens d'y faire face.

_____

_____

3 L'enseignant doit donner des devoirs et exiger qu'ils soient faits même si ceux-ci ne comptent pas.

_____

_____

4 La tendance est que l'élève doit vouvoyer son enseignant et toujours rester respectueux envers celui-ci.

_____

_____

5 Le bambou est un arbre dont les pandas raffolent, car les jeunes pousses de celui-ci sont très tendres et même sucrées.

_____

_____

3.9 La construction des compléments du verbe

3.9.1 L'omission d'un complément obligatoire

Certains verbes demandent obligatoirement un complément. La meilleure façon de s'assurer de la bonne construction du GV, c'est de consulter un dictionnaire. Par exemple, au verbe *quitter*, le *PR* répertorie plusieurs emplois du verbe, tous construits avec un CD. En voici quelques-uns.

1. Sortir d'un lieu :   *Je dois* **quitter ma chambre** *à* 11 h 45.

2. Laisser qqn :   *Je dois* **vous quitter** *à* 11 h 45.

3. S'éloigner d'un lieu :   *Je dois avoir* **quitté Paris** *à* 11 h 45.

La phrase suivante est donc erronée.

ˣ*Je dois* **quitter** *à 11 h 45.*

C'est la même obligation avec le verbe *comparer* :

ˣSi on **compare** *avec l'énergie nucléaire, on se rend compte que les barrages sont beaucoup plus avantageux.*	*Si on* **compare l'énergie hydraulique** *avec l'énergie nucléaire, on se rend compte que les barrages sont beaucoup plus avantageux.*
(Le verbe *comparer* ne peut s'employer uniquement avec un CI : on compare deux choses ou une chose avec une autre.)	

3.9.2 La présence indue d'un CD

Les verbes qu'on appelle « intransitifs » ne peuvent pas avoir de CD. Voici un exemple tiré du *PR*.

« **REDÉMARRER**[ʀ(ə)demaʀe] **v. int.** […] ■ **1** Faire repartir un véhicule immobilisé ; repartir après s'être arrêté. « *On s'arrête aux arrêts, on redémarre* » Lᴇ Cʟᴇ́ᴢɪᴏ. […] »

ˣ*Je dois* **redémarrer l'auto** *à chaque feu rouge.*	*Je dois* **redémarrer** *à chaque feu rouge.*
ˣ*Nous avons* **débuté la soirée** *par un toast en l'honneur du nouveau papa.*	**La soirée a débuté** *par un toast en l'honneur du nouveau papa.*
(Le verbe *débuter* est un verbe intransitif et ne peut donc avoir un CD.)	

3.9.3 Un CI à la place d'un CD

Une erreur fréquente consiste à employer un complément indirect, alors que le verbe demande un complément direct.

ˣ*L'utilisation d'un appareil mains libres favorise* **à adopter un comportement moins dangereux.**	*L'utilisation d'un appareil mains libres favorise* **l'adoption d'un comportement moins dangereux.**

À NOTER

La présence indue d'une préposition peut se répercuter sur l'emploi du pronom. Par exemple, les pronoms *leur* et *lui*, qui sont toujours CI, indiquent que le verbe est construit avec une préposition.

Je **lui** *remets ton message.* (On remet un message à quelqu'un.)

ˣ*Arriver toujours en retard ne* **lui** *gêne pas du tout.*

L'emploi de *lui* signale que le locuteur construit erronément le verbe *gêner* avec la préposition *à*. Or, il n'est pas permis de dire : *On gêne à quelqu'un*. En effet, le verbe *gêner* se construit avec un CD, d'où l'emploi du pronom *le* :

Arriver toujours en retard ne **le** *gêne pas du tout.*

3.9.4 Les erreurs liées à la subordonnée complétive

Certains verbes, même s'ils demandent un CD, ne peuvent pas être complétés par une subordonnée complétive introduite par *que*. C'est le cas, par exemple, du verbe *exprimer*. On peut cependant exprimer quelque chose, par exemple son mécontentement. Dans certains cas, comme dans l'exemple suivant, il faut remplacer le verbe.

ˣCette dame **exprimait qu'**elle avait le droit de fumer dans son appartement.	Cette dame **affirmait/soutenait/ disait qu'**elle avait le droit de fumer dans son appartement.

Une autre erreur consiste à ajouter une subordonnée complétive à un verbe qui n'en accepte pas et qui demande un autre type de construction. Il faut alors modifier ce qui suit le verbe ou changer de verbe.

ˣIl est important de **tenir compte que** la cigarette est responsable d'un grand nombre de problèmes de santé. (On tient compte **de** quelque chose.)	Il est important de **tenir compte du fait que** la cigarette est responsable d'un grand nombre de problèmes de santé.
ˣTout le monde **s'accorde** maintenant **que** c'était un pari gagné.	Tout le monde **s'accorde** maintenant **pour dire que** c'était un pari gagné.
ˣÀ la télévision, ils **ont parlé que** certains parents choisissent d'éduquer leurs enfants à la maison.	À la télévision, ils **ont dit que** certains parents choisissent d'éduquer leurs enfants à la maison.

Exercice 3.14

Corrigez les phrases suivantes, qui contiennent toutes une erreur liée à la construction du verbe.

1 Comme j'ai mentionné plus haut, l'âge de la retraite ne devrait pas faire l'objet d'une loi.

_____

_____

2 Il faudrait la téléphoner pour lui annoncer la bonne nouvelle.

_____

3 Débuter un nouveau programme universitaire peut générer une source importante de stress chez un étudiant.

_____

_____

4 L'information vient de multiples sources et on ne peut pas toujours se fier.

_____

_____

5 Ma sœur est maintenant députée et je peux vous témoigner que la vie d'un politicien n'est pas si plaisante.

3.10 La comparaison et le superlatif

3.10.1 L'absence ou le choix erroné d'un élément dans la comparaison

La majorité des erreurs liées à la comparaison provient de l'absence ou du choix erroné d'un élément de la comparaison. Pour construire une comparaison correcte, il faut quatre éléments :

1. un objet qui est comparé ;

2. un point de comparaison ;

3. une structure comparative ;

4. un second objet auquel est comparé le premier.

Observons la comparaison suivante construite correctement.

> *Les garçons sont plus sages que les filles.*

Dans cette comparaison, on retrouve :

- un objet qui est comparé : *les garçons* ;

- un point de comparaison : *sont sages* ;

- une structure comparative : *plus… que* ;

- un second objet auquel est comparé le premier : *les filles.*

Par contre, dans l'exemple suivant, un des éléments est impropre.

> ˣ*L'habillement des jeunes filles est beaucoup plus osé et provocateur que les garçons de leur âge.*

On y retrouve :

- un objet qui est comparé : *l'habillement des jeunes filles* ;

- un point de comparaison : *est osé et provocateur* ;

- une structure comparative : *beaucoup plus… que* ;

- un second objet auquel est comparé le premier : *les garçons de leur âge.*

Or, on aura compris que les objets comparés devraient être l'habillement des filles et l'habillement des garçons, et non les garçons eux-mêmes.

ˣ*L'habillement des jeunes filles est beaucoup plus osé et provocateur* **que les** *garçons de leur âge.*	*L'habillement des jeunes filles est beaucoup plus osé et provocateur que* **celui des** *garçons de leur âge.*
	(Le référent du pronom *celui* est l'habillement.)

3.10.2 L'accord dans le superlatif

Les erreurs liées à l'emploi du superlatif portent souvent sur l'accord de *le plus*, *la plus*, *les plus*. Généralement, l'accord se fait lorsque le superlatif marque une comparaison avec des personnes ou des objets différents.

> *C'est l'étudiante* **la** *plus dynamique de mon groupe.*
>
> (On compare l'étudiante avec d'autres étudiants.)

Dans le cas contraire, c'est-à-dire lorsque la comparaison porte sur une seule personne ou un seul objet, on emploie *le plus*.

> *C'est dans la classe de français que cette étudiante est* **le** *plus dynamique.*
>
> (On compare l'étudiante avec elle-même.)

Exercice 3.15

Corrigez les phrases suivantes, qui comportent toutes une comparaison incorrecte.

1 Les Québécois sont dans un contexte complètement différent que les francophones du Nouveau-Brunswick.

_____

_____

2 Le passage à l'université est une étape difficile pour les étudiants qui proviennent d'un système scolaire comme l'Ontario.

_____

_____

3 C'est dans ce domaine que l'attitude des parents est la plus influente sur le développement de l'enfant.

_____

_____

4 Les routes du Québec semblent peu entretenues si on les compare aux autres provinces.

_____

_____

5 La retraite ne devrait jamais être obligatoire sauf dans certains emplois comme les pilotes.

_____

_____

3.11 Une reprise inutile

La plupart des erreurs que l'on trouve dans cette catégorie consistent à mettre inutilement en relief un mot de la phrase. Examinons l'exemple à la page suivante où l'on tente de mettre en relief le sujet.

^X <u>Pour l'employeur</u>, **il** doit effectuer différentes retenues à la source et les remettre au gouvernement.

L'emploi du GPrép *Pour l'employeur* est incorrect. En effet, un GPrép ne peut jamais avoir la fonction de sujet. On peut corriger la phrase en mettant le sujet en évidence de la façon suivante.

L'employeur, lui, doit effectuer différentes retenues à la source et les remettre au gouvernement.

Pour mettre l'accent sur un groupe de mots, on peut aussi employer des expressions comme *quant à* ou *en ce qui concerne*.

Quant à l'employeur, il doit effectuer différentes retenues à la source et les remettre au gouvernement.

En ce qui concerne l'employeur, il doit effectuer différentes retenues à la source et les remettre au gouvernement.

Exercice 3.16

Corrigez les phrases suivantes, qui contiennent toutes une erreur liée à la mise en relief.

1 Chez le bébé nourri au sein, il s'éveillera plus tôt et sera protégé contre différentes maladies.

_____

_____

2 Pour les Américains, ils sont à la fois fiers d'avoir élu un président métis et encore plus un président dont les origines ne sont pas américaines.

_____

_____

3 Selon moi, je suis pour la mise en application d'une telle loi.

_____

4 Concernant les victimes d'incendie et d'accident, elles devraient être les principales patientes des chirurgiens esthétiques.

_____

_____

5 Malgré les efforts faits pour sensibiliser la population, ils ne sont pas encore suffisants.

_____

_____

La ponctuation

Avant de commencer l'étude de la ponctuation, il importe de bien faire la distinction entre **phrase syntaxique** et **phrase graphique**. Le tableau 4.1 établit cette distinction.

TABLEAU 4.1 **La phrase syntaxique et la phrase graphique**

Phrase syntaxique	Phrase graphique
La phrase syntaxique (P) est un ensemble de mots contenant deux constituants obligatoires, un sujet et un prédicat. P ├─ Sujet └─ Prédicat ⌐Marie¬ ⌐a accepté notre invitation.¬	La phrase graphique est une suite de mots qui commence par une majuscule et se termine par un point, un point d'interrogation, un point d'exclamation ou des points de suspension. *Je suis fatigué, je rentre.* *Non!* *Il paraît qu'il a de bonnes raisons...*

Une phrase graphique peut donc contenir plusieurs phrases syntaxiques.

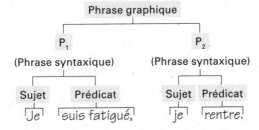

Les signes de ponctuation servent à organiser, à l'intérieur de la phrase graphique, les mots et les groupes de mots. On verra que l'absence ou la présence d'un signe de ponctuation peut modifier radicalement le sens d'un énoncé. Une attention particulière sera prêtée à la virgule parce que c'est le signe de ponctuation le plus fréquent, celui dont l'emploi est le plus complexe.

4.1 La ponctuation à la fin de la phrase graphique

4.1.1 Le point

Le point sert surtout à marquer la fin d'une phrase déclarative ou impérative.

Phrase déclarative	Phrase impérative
Tu ranges tes chaussures dans le placard.	*Range tes chaussures dans le placard.*

Les erreurs relatives à l'emploi du point sont plutôt rares et s'observent presque exclusivement dans les cas suivants :

• Les titres et les sous-titres ainsi que les intertitres

On ne met pas de point à la fin du titre d'un manuel, d'un chapitre ou d'un travail écrit (analyse, rapport, synthèse, etc.).

> *Le français apprivoisé*
>
> *Chapitre 2 – La liaison des phrases*

• Les abréviations

L'abréviation consiste à supprimer des lettres d'un mot. Elle ne reprend que le début d'un mot ou une combinaison du début et de la fin d'un mot (les dernières lettres étant généralement mises en exposant). Le point abréviatif s'utilise lorsqu'on ne garde que le début d'un mot.

La fin du mot est supprimée.			La fin du mot n'est pas supprimée.		
monsieur	→	M.	madame	→	Mme *ou* Mme
boulevard	→	boul.	boulevard	→	Bd, bd *ou* B^d
incorporée	→	inc.	limitée	→	ltée *ou* l^{tée}

On ne met pas de point abréviatif aux symboles chimiques ni aux unités de mesure. Dans les sigles, la tendance est de ne plus mettre de points abréviatifs.

cuivre	→	Cu	foire aux questions	→	FAQ
heure	→	h	numéro d'assurance sociale	→	NAS
centimètre	→	cm	société en nom collectif	→	SENC

En fin de phrase, le point final se confond avec le point abréviatif.

> *La culture de légumes anciens du Québec comprend le melon de Montréal, le concombre citron, le topinambour, la tomate noire, etc.*

À CONSULTER

Pour connaitre les différentes façons d'abréger les mots, on peut consulter le tableau « Règles de l'abréviation » dans le *Multi*. On trouvera également aux sections 5.2.4 et 5.2.5 du chapitre 5 des explications et des exercices supplémentaires sur les abréviations et sur l'orthographe des symboles des unités de mesure.

4.1.2 Le point d'interrogation

Le point d'interrogation s'utilise à la fin d'une phrase interrogative directe.

> *Saviez-vous que le melon de Montréal se vendait 1 $ la tranche sur le marché de New York dans les années 1920 ?*
>
> *Est-ce que vous saviez que le melon de Montréal se vendait 1 $ la tranche sur le marché de New York dans les années 1920 ?*

À NOTER

On ne met pas de point d'interrogation à la fin d'une phrase interrogative indirecte.

> *Je me demande pourquoi le melon de Montréal se vendait si cher.*

4.1.3 Le point d'exclamation

On utilise le point d'exclamation pour marquer diverses émotions (la surprise, la colère, l'étonnement, etc.).

> *Ces melons sont magnifiques, sucrés et juteux!*

Contrairement au point final, le point d'exclamation peut s'employer dans les titres (comme le point d'interrogation), si le contexte s'y prête.

> *Un incendie fait deux victimes!*

À NOTER

Le point d'exclamation perd de son efficacité si on en abuse; il donne alors un ton hystérique au texte!!! Il est rarement obligatoire, sauf dans les phrases de type exclamatif.

4.1.4 Les points de suspension

Les points de suspension, toujours au nombre de trois, indiquent que la suite d'une phrase reste volontairement inachevée. On les emploie, entre autres, pour signaler:

- une énumération;

> *J'ai tout perdu: mon argent, mes clés, mon passeport, mes papiers importants…*

- une hésitation;

> *Laissez-moi deviner…*

- un sous-entendu;

> *Il m'assure qu'elle ne lui plait pas…*

- une interruption ou une hésitation dans un dialogue.

> *— Je vous répète que…*
> *— Laissez tomber, j'ai compris.*
> *— Avez-vous l'intention de… me voler?*

À l'intérieur de crochets, les points de suspension indiquent qu'on a omis un passage dans une citation, le plus souvent parce que ce passage est superflu ou non pertinent dans l'énoncé où il s'insère.

> *On précise à la page 4 du rapport: «Le procès-verbal [...] doit être rédigé par une ou un secrétaire qui n'intervient pas dans le débat.»*

À NOTER

La locution latine *et cætera* (*etc.*) signifie «et les autres choses»; l'emploi des points de suspension après *etc.* constitue donc une redondance.

Ajoutez les signes de ponctuation qui manquent.

1 — Je ne vois pas comment vous auriez pu vous débrouiller seul J'ai fait de mon mieux et

— Suffit Tentons plutôt de résoudre le problème

2 — Comment va votre mère Toujours en forme

— Euh

— Dois-je comprendre qu'elle ne va pas bien

3 Ha, ha Je savais bien que vous mentiez

4 On n'y vend que des instruments à cordes : violons, guitares, harpes, etc.

5 Je me demande pourquoi elle n'a pas assisté à la réunion

4.2 La ponctuation à l'intérieur de la phrase graphique

4.2.1 La virgule

La virgule exerce deux fonctions syntaxiques bien distinctes. D'une part, elle sert à coordonner des groupes de mots : on parle alors de **virgule simple** ou **coordonnante** ; d'autre part, elle permet d'insérer ou de déplacer des groupes de mots dans la phrase de base : on parle alors de **virgule double** ou **subordonnante**.

La virgule simple ou coordonnante

La virgule simple sert à coordonner dans une énumération horizontale une suite de mots, de groupes de mots ou de phrases. La dernière virgule est le plus souvent remplacée par une conjonction comme *et* ou *ou*.

Le tableau 4.2 présente des éléments qui peuvent être coordonnés par une virgule.

TABLEAU 4.2 **Les éléments pouvant être coordonnés par une virgule**

Éléments	Exemples
Des phrases	Nous avons observé des larves de mollusques, nous avons dénombré différentes espèces de diatomées, puis nous avons analysé des centaines de sédiments.
Des sujets	**La revalorisation de la formation professionnelle, l'utilisation de nouvelles technologies, l'encouragement à l'innovation** font partie des recommandations de la Commission.
Des CD	Nous avons vu **deux lionnes, un kangourou et trois singes**.
Des CI	Il a habité **à Liège, à Amsterdam et à Milan**.
Des CP	**Aujourd'hui, à peine trois ans plus tard,** c'est la catastrophe.
Des attributs	Elle est **rapide, efficace et gentille**.
Des compléments du nom	Le registre contient des données **économiques, sociales, culturelles et démographiques**.
Des prédicats (GV)	Il **se versa un verre, but une gorgée, s'alluma une cigarette, puis éclata en sanglots**.

La virgule double ou subordonnante

La virgule double, ou subordonnante, qui s'emploie par paire, indique l'**insertion** d'un mot, d'un groupe de mots, d'une phrase (incidente, incise ou subordonnée) dans une phrase. Elle peut aussi indiquer le **déplacement** d'un groupe de mots par rapport à l'ordre habituel des constituants de la phrase de base ou l'**effacement** dans le cas de l'ellipse.

Notons qu'un segment inséré au début ou à la fin d'une phrase n'est pas encadré par deux virgules. En effet, l'une d'entre elles se confond soit avec la majuscule, soit avec le point final, selon le cas. On parle alors de **détachement**.

> Heureusement, les touristes continuent d'affluer vers la ville de Québec.

Le tableau 4.3 présente les éléments qui peuvent être insérés ou détachés par une virgule double.

TABLEAU 4.3   **Les éléments pouvant être détachés par une virgule double**

Éléments	Exemples
Un complément du nom • un GAdj • un GN • une subordonnée relative explicative	La maison, **aussi austère qu'un couvent,** n'avait pas été repeinte depuis des années. La maison, **un ancien couvent,** n'avait pas été repeinte depuis des années. Ces lunettes, **qui font appel à des technologies similaires à celles du casque virtuel,** ont l'avantage d'être montées sur un contrebalancier.
Un complément du pronom	Elle, **une parfaite inconnue,** est devenue célèbre instantanément.
Un sujet, un complément ou une phrase mis en évidence et repris par un pronom (dans une phrase emphatique)	**Moi,** je m'inscris à un cours d'informatique. (Mise en évidence du sujet) **Les frais qu'occasionneront ces modifications,** il faudra en rendre compte dans le prochain rapport. (Mise en évidence du complément) **Laver la vaisselle,** je l'ai fait bien plus souvent que ma sœur cadette. (Mise en évidence de la phrase)
Une phrase incise	Votre commentaire, **m'a-t-il fait remarquer,** était intempestif.
Un élément incident (commentaire) • une phrase incidente • un groupe incident • un modalisateur (souvent un adverbe)	C'est un véritable langage, **on l'a prouvé,** qui permet aux abeilles de s'orienter en groupe. Il est, **à ce qu'il paraît,** le plus riche de sa famille. Trois nouvelles pistes de 20 à 30 kilomètres ont été balisées, **ce qui nous permettra d'organiser des compétitions tout en conservant l'accès aux anciens parcours.** **Heureusement,** aucun locataire n'était présent lorsque l'incendie a éclaté. Les manifestants, **assez bizarrement,** se sont calmés après l'arrivée des policiers.
Un complément de phrase • en début de phrase • dans le corps de la phrase	**Lorsque nous sommes arrivés,** toute la maisonnée dormait. Les prêts sont remboursés, **dans la majorité des cas,** en moins de 10 ans.

Éléments	Exemples
Un GN mis en apostrophe (interpellation)	**Antoine,** réponds-moi. Je t'en supplie, **cher Antoine,** réponds-moi.
Un marqueur de relation ou un organisateur textuel en début de phrase ou dans le corps de la phrase	**Par contre,** il est vrai que les performances scolaires des filles sont supérieures à celles des garçons. Nous ne pouvons, **par conséquent,** répondre à votre demande. **En résumé,** la supériorité des filles sur le plan scolaire s'explique par le fait qu'elles travaillent en moyenne deux fois plus que les garçons.
L'expression *et ce*	Il faut se pencher sur les problèmes occasionnés par le non-remplacement des employés retraités, **et ce,** dans les plus brefs délais.

La virgule qui indique l'**effacement** est employée exclusivement dans le cas de l'**ellipse**.

> Lucie était bagarreuse et fonceuse; Marie, timide et mélancolique.

(Effacement du verbe *était*)

Par ailleurs, on **ne met pas** de virgule dans les cas suivants :

• Entre le sujet et le prédicat

ˣ Parfois, le choix de la virgule, du point ou du point-virgule, relève de l'intention du locuteur.	Parfois, le choix de la virgule, du point ou du point-virgule relève de l'intention du locuteur.
ˣ Les recherches effectuées de 1965 jusqu'au début des années 1980, ont permis de concevoir des fibres optiques de qualité remarquable.	Les recherches effectuées de 1965 jusqu'au début des années 1980 ont permis de concevoir des fibres optiques de qualité remarquable.

• Entre le verbe et ses expansions dans le GV

ˣ Les membres de l'Union des producteurs agricoles (UPA) rejettent en bloc le projet sur le commerce intérieur et soutiennent, que cet accord menace la spécificité de l'agroalimentaire québécois.	Les membres de l'Union des producteurs agricoles (UPA) rejettent en bloc le projet sur le commerce intérieur et soutiennent que cet accord menace la spécificité de l'agroalimentaire québécois.

• Devant le CP lorsqu'il est en fin de phrase

ˣ Les spécialistes en réadaptation utilisent des générateurs d'impulsion, pour stimuler les muscles non sollicités et empêcher qu'ils ne s'atrophient.	Les spécialistes en réadaptation utilisent des générateurs d'impulsion pour stimuler les muscles non sollicités et empêcher qu'ils ne s'atrophient.

• Devant ou après la conjonction *que/qui* dans une phrase corrélative ou emphatique

ˣ Les deux enfants me faisaient pénétrer avec tellement de spontanéité dans leur univers, que j'avais l'impression d'être un personnage essentiel aux nombreux scénarios qu'ils improvisaient.	Les deux enfants me faisaient pénétrer avec tellement de spontanéité dans leur univers que j'avais l'impression d'être un personnage essentiel aux nombreux scénarios qu'ils improvisaient.
ˣ C'est que, vous avez répondu incorrectement à toutes les questions.	C'est que vous avez répondu incorrectement à toutes les questions.

• Avant *et*, *ou* et *ni* dans une énumération

| ˣLes travaux de Stephen Hanessian sur les antibiotiques, les agents antiviraux, et les antileucémiques lui ont valu six brevets. | Les travaux de Stephen Hanessian sur les antibiotiques, les agents antiviraux et les antileucémiques lui ont valu six brevets. |

À NOTER

On peut cependant mettre une virgule avant la conjonction *et* qui introduit le dernier élément de l'énumération dans les cas suivants :

• lorsqu'on veut mettre en évidence le dernier élément ;

Il a remercié sa famille, ses amis, **et tous ceux qui l'ont soutenu pendant cette épreuve.**

• lorsque *et* marque une opposition ou une conséquence ;

Vous n'avez écouté ni les conseils ni les recommandations de personne, **et voilà maintenant ce qui vous arrive.**

• lorsque le dernier élément de l'énumération n'appartient pas, du point de vue du sens, à la même catégorie que les éléments précédents.

Ce matin, j'ai déjeuné d'un croissant, d'une tranche de fromage et d'un fruit, **et je suis partie le cœur léger faire mon tour de vélo.**

• Pour encadrer un complément du nom déterminatif (GN ou subordonnée relative déterminative)

| ˣL'auteure, Arlette Cousture, a connu la renommée en 1985 avec la parution du premier tome de sa trilogie *Les Filles de Caleb*. | L'auteure Arlette Cousture a connu la renommée en 1985 avec la parution du premier tome de sa trilogie *Les Filles de Caleb*. |
| ˣSeuls les candidats, qui habitent la région de Québec, seront convoqués en entrevue. | Seuls les candidats qui habitent la région de Québec seront convoqués en entrevue. |

À NOTER

Comment distinguer les compléments explicatifs encadrés de deux virgules des compléments déterminatifs, qui, eux, n'en prennent pas ?

Comparons les deux exemples suivants.

L'océan Pacifique, **dont la superficie dépasse les 180 millions de kilomètres carrés,** constitue la plus grande étendue d'eau du monde.
(Subordonnée relative **explicative**)

Les lacs **dont la superficie est supérieure à 50 000 km²** sont en fait de grandes mers intérieures.
(Subordonnée relative **déterminative**)

Dans le premier exemple, la subordonnée relative *dont la superficie dépasse les 180 millions de kilomètres carrés* ne fait qu'ajouter une information complémentaire au sujet de la phrase. En effet, si on la retirait, le sens de l'énoncé ne serait pas modifié. On appelle cette subordonnée relative **explicative** et on l'encadre d'une paire de virgules.

→

Dans le second exemple, la relative *dont la superficie est supérieure à 50 000 km²* est essentielle. En effet, ce ne sont pas tous les lacs qui sont de grandes mers intérieures, mais seulement ceux « dont la superficie est supérieure à 50 000 km² ». Si on supprimait la relative, le sens de la phrase s'en trouverait modifié. Cette subordonnée, appelée relative **déterminative**, ne doit pas être entre virgules.

Exercice 4.2

Dites si les virgules numérotées dans les phrases suivantes sont simples (coordonnantes) ou doubles (subordonnantes). Dans le cas de la virgule double, précisez son emploi.

1 Mon grand-père avait fabriqué une horloge qui, (1) à toute heure du jour et de la nuit, (2) déclenchait une sonnerie infernale.

2 Par ailleurs, (1) j'aimerais attirer votre attention sur le fait que votre taux d'absentéisme est très élevé.

3 Le vent soufflait, (1) les vagues nous léchaient le visage, (2) mais le voilier refusait toujours d'avancer dans la bonne direction.

4 C'est pour moi, (1) fit-il remarquer, (2) une question d'honneur.

5 Nous transmettrons votre message à la responsable du secteur, (1) Mme Julie Pedneault.

Exercice 4.3

Les phrases suivantes contiennent toutes une subordonnée relative. Dites si ces subordonnées sont déterminatives ou explicatives et ajoutez les virgules dans le cas des subordonnées explicatives.

1 La Toscane où nous avons passé nos dernières vacances restera l'une de mes destinations préférées.

2 Le premier ministre a déclaré que tout serait mis en œuvre pour qu'on dédommage dans les plus brefs délais les riverains qui ont perdu une partie de leurs biens.

3 Le chalet que nous avons loué cet été ne sera pas disponible l'an prochain.

4 Mon père qui habite en Suisse vient nous rendre visite tous les ans.

_____

5 Mon frère qui habite en Suisse vient nous rendre visite tous les ans.

_____

4.2.2 Le point-virgule

Le point-virgule s'emploie pour séparer deux phrases distinctes, mais étroitement liées par le sens. Il peut marquer la succession des évènements évoqués dans les phrases qu'il lie ou encore montrer en quoi elles s'opposent. Dans ces deux emplois, le point-virgule peut toujours être remplacé par un point, auquel cas la deuxième phrase doit commencer par une majuscule ; lorsqu'on veut plutôt resserrer le lien entre les phrases, on peut remplacer le point-virgule par une simple virgule.

> _Comme récompense, Mathis a choisi un livre ; Charlotte, une épée._
>
> _Des baigneurs profitaient de la vague ; d'autres tentaient de nager malgré tout._

On utilise parfois le point-virgule à la place d'une virgule pour séparer les éléments d'une longue énumération ou lorsque, dans une énumération, la virgule sert déjà à différencier des sous-groupes.

> _Nous avons réuni des représentants de tous les secteurs : professeurs, chargés de cours, auxiliaires d'enseignement ; employés de soutien, préposés à l'entretien et au service à la clientèle ; étudiants et auditeurs libres._

4.2.3 Le deux-points

Le deux-points se distingue fortement des autres signes de ponctuation : il ne lie pas, ne sépare pas ou n'encadre pas des groupes de mots ou des phrases ; il les introduit. Habituellement, la minuscule suit le deux-points, sauf si on introduit une citation ou un nom propre, ou encore si le texte introduit fait partie d'une remarque ou d'une note.

Le tableau 4.4 présente des éléments introduits par le deux-points.

TABLEAU 4.4 **Les éléments introduits par le deux-points**

Éléments	Exemples
Une énumération • horizontale (dans le corps de la phrase) • verticale (sous forme de liste)	J'ai perdu toutes mes cartes : **carte de crédit, carte d'assurance maladie, carte d'assurance sociale, carte de l'université, etc.** Seules les pièces d'identité suivantes sont acceptées : – **carte d'assurance maladie ;** – **carte d'assurance sociale ;** – **permis de conduire.**
Une explication, une cause	Il a démissionné : **la situation devenait insupportable.**
Une conséquence	La situation devenait insupportable : **j'ai démissionné.**
Une conclusion	Le vocabulaire est imprécis, la syntaxe est boiteuse, la présentation est négligée : **c'est un travail bâclé.**
Une citation	Il se tut quelques instants, puis me demanda : **« Quel âge avez-vous ? »**

On n'utilise pas le deux-points pour introduire une énumération complément d'un verbe.

> ˣDans sa jeunesse, il a fait : du vélo, de la natation, du ski et de l'escalade.

On écrira plutôt :

> Dans sa jeunesse, il a fait du vélo, de la natation, du ski et de l'escalade.

ou encore :

> Dans sa jeunesse, il a pratiqué plusieurs sports : le vélo, la natation, le ski et l'escalade.

Exercice 4.4

Justifiez l'emploi des virgules, des points-virgules et des deux-points dans les phrases suivantes.

1 On le soupçonne depuis quelque temps déjà : (1) une carence en vitamines peut nuire au bon fonctionnement du cerveau.

_____

2 Le Dʳ John Stein, (1) neurophysiologiste à l'Université d'Oxford, (2) va plus loin. Selon lui, (3) une saine alimentation pourrait améliorer notre comportement.

_____

_____

_____

3 Les fruits et les légumes contiennent des antioxydants ; (1) le thé et le chocolat noir en renferment encore plus.

_____

4 L'examen de certification comprend plusieurs volets : (1) la compréhension de l'écrit, l'expression écrite ; (2) la compréhension de l'oral, l'expression orale ; (3) la maitrise des compétences liées au domaine du candidat.

_____

_____

_____

5 Il existe deux systèmes pour recueillir la sève d'érable : (1) la chaudière et la tubulure.

_____

4.2.4 Les guillemets

Les emplois des guillemets sont variés. Les guillemets servent généralement à encadrer une citation ou des mots ou des expressions qu'on ne veut pas prendre à son compte.

Depuis l'apparition des logiciels de traitement de texte, l'italique fait de plus en plus concurrence aux guillemets. Toutefois, dans le cas de citations ou de paroles rapportées, les guillemets restent de rigueur.

Le tableau 4.5 présente les différents cas d'emploi des guillemets.

TABLEAU 4.5 **Les emplois des guillemets**

Emplois	Exemples
Rapporter les paroles intégrales de quelqu'un, qu'il s'agisse d'une phrase partielle ou complète.	Le ministre a laissé entendre qu'il recourrait à **«des mesures exceptionnelles»** si la situation se détériorait. Durant la conférence de presse, le ministre a dit: **«Je prendrai des mesures exceptionnelles s'il le faut.»**
Encadrer une citation de moins de cinq lignes. Si on mentionne la référence de la citation, on doit le faire après les guillemets fermants et la mettre entre parenthèses.	**«Quand un philosophe vous répond, on ne comprend même plus ce qu'on lui avait demandé.»** (André Gide)
Souligner les mots qui viennent après des verbes ou des adjectifs comme *appeler*, *qualifié de*, *nommer*, etc., et les mots qui renvoient à eux-mêmes.	La culture du maïs, qu'on appelle traditionnellement **«blé d'Inde»** au Québec, demande beaucoup d'engrais. Le pronom personnel **«leur»** est toujours complément.
Marquer une certaine distance par rapport à la définition habituellement donnée à un terme. Les guillemets peuvent ainsi traduire le doute, la perplexité, voire l'ironie d'un auteur.	Quand il y a doute, il suffit de consulter ces autorités pour connaitre ce qu'on appelle encore, à tort ou à raison, le **«bon usage»**, c'est-à-dire l'usage des **«bons écrivains»**. Que veut dire l'expression **«minorité visible»**? Est-ce le contraire de **«majorité invisible»**?
Indiquer qu'on a conscience du fait qu'un mot ou une expression appartient à une autre langue, au langage familier, populaire ou vulgaire, ou qu'il n'existe tout simplement pas.	Autrefois, les Québécols se **«balancinaient»** au lieu de se balancer. C'est un patron plutôt **«cool»**.

À NOTER

Les guillemets français ont la forme « ». Pour mettre entre guillemets un mot ou une expression à l'intérieur d'une phrase ou d'un paragraphe déjà encadrés par des guillemets français, on emploie les guillemets anglais (" ").

4.2.5 Les parenthèses

Les parenthèses s'emploient pour encadrer une information qu'on ne juge pas essentielle à la compréhension du texte, mais qui peut s'avérer utile. On évitera de surcharger le texte de parenthèses, car les segments insérés risquent d'en briser la continuité.

Le tableau 4.6 présente des éléments qui peuvent être insérés par des parenthèses.

TABLEAU 4.6 **Les éléments pouvant être insérés par des parenthèses**

Éléments	Exemples
Un commentaire ou une explication	J'ai mis cette étudiante à la porte pour plusieurs raisons. D'abord, elle est arrivée en retard **(comme toujours)**. Puis, elle s'est mise à répondre à ses courriels **(les étudiants ont droit à leur ordinateur en classe)**. Enfin, elle s'est endormie sur son bureau.
Un exemple, une précision ou un chiffre	« De même, le Français qui s'adressera à des francophones d'ici aura peut-être du mal à se faire comprendre s'il parle de carte grise **(carte d'immatriculation d'un véhicule)**, de gendarmerie **(poste de police)**, de lycée **(école secondaire)** [...]. » (E. Poisson, *Écrire son français*) Nous avons reçu cinq-cent-vingt-trois **(523)** nouvelles demandes d'inscription.
Une référence	Dans une entrevue récente **(*Le Soleil*, 21 novembre 2010)**, la ministre a soutenu que...

4.2.6 Les crochets

Le tableau 4.7 présente différents cas d'emploi des crochets.

TABLEAU 4.7 **Les emplois des crochets**

Emplois	Exemples
Indiquer qu'on a modifié ou omis un passage dans une citation.	Comme l'affirme l'auteur d'un article paru en 1982 dans *Meta*, « **[la poésie]** ne se situe ni au-delà ni en marge, mais en plein cœur de la langue ».
Éviter des parenthèses doubles, c'est-à-dire des parenthèses à l'intérieur de parenthèses.	(Les étudiants devront présenter leur carte d'identité **[aut. 2011]**.)

4.2.7 Les tirets

Le tableau 4.8 présente les différents cas d'emploi des tirets.

TABLEAU 4.8 **Les emplois des tirets**

Emplois	Exemples
Mettre en relief un commentaire ou une précision qu'on juge utile (mais non essentielle) à la compréhension du texte. Dans ce cas, les tirets font concurrence aux parenthèses.	Certains arbres – **comme l'amélanchier ou l'argousier** – assurent à leur propriétaire la présence d'oiseaux moins communs que les espèces habituées à notre jardin.
Annoncer un changement d'interlocuteur dans un dialogue.	— Avez-vous déjeuné? — Pas encore. — Puis-je vous inviter? — Avec plaisir.

Emplois	Exemples
Détacher, sous forme de liste, les termes d'une énumération verticale.	Les principaux genres d'écrits journalistiques sont : – la brochure ; – l'article ; – la chronique ; – l'éditorial ; – la lettre publique.

Exercice 4.5

Ponctuez correctement les phrases suivantes. Pour vous aider à faire cet exercice, consultez la *Banque de dépannage linguistique* (*BDL*) de l'Office québécois de la langue française[1].

1 L'éducation développe les facultés mais ne les crée pas Voltaire

2 Vos responsabilités incluront également la collaboration avec le vérificateur financier le suivi du processus de vérification et la représentation de la compagnie auprès des concurrents

3 Le circuit La route des oasis et aventure saharienne est un de nos circuits les plus appréciés

4 Le bleuet sauvage a des qualités que n'a pas le bleuet de culture Il est plus sucré donc idéal pour la confiture contient moins d'eau et possède beaucoup plus d'antioxydants affirme Daniel Simard du Syndicat des producteurs de bleuets du Québec

5 La cabane à sucre est un lieu où les acériculteurs recueillent l'eau d'érable ce qu'on appelle aussi la sève brute et en font la transformation

---

1. La BDL : www.oqlf.gouv.qc.ca/ressources/bdl.html. Dans l'index thématique, allez à « La ponctuation », puis à « Les signes de ponctuation », « Guillemets » et « Guillemets et citation ».

La morphologie

La **morphologie** est l'étude de la variation de la forme des mots. En français, les noms, les pronoms, les adjectifs, les participes passés et les déterminants sont marqués en genre et en nombre ; quant aux verbes, ils varient en fonction de la personne grammaticale du sujet et selon le temps et le mode auxquels ils sont employés. Ces particularités orthographiques font l'objet du présent chapitre.

À NOTER

Les règles énoncées dans ce chapitre tiennent compte des rectifications orthographiques de 1990 proposées par le Conseil supérieur de la langue française et recommandées en 2004 par l'Office québécois de la langue française (OQLF). Les rectifications orthographiques sont traitées dans l'introduction, à la section 0.7.1 (« L'abc des rectifications »).

5.1   Le verbe et les conjugaisons

Le verbe français possède une morphologie très riche (ou très compliquée, selon le point de vue). Les variations dépendent en premier lieu de la **terminaison** du verbe, en fonction de la **personne**, du **nombre**, du **temps** et du **mode**. À certains temps (présent et passé simple de l'indicatif, présent de l'impératif, imparfait du subjonctif), la terminaison peut également varier en fonction de celle de l'infinitif du verbe.

Il li**e** facilement amitié.	Il li**t** énormément.
Verbe *lier*	Verbe *lire*
Il fond**a** Québec.	Il fond**it** en larmes.
Verbe *fonder*	Verbe *fondre*
Mang**e** ta soupe.	Fini**s** ta soupe.
Verbe *manger*	Verbe *finir*
Il ne croyait pas que la fée Carabine tir**ât** si bien.	Il ne croyait pas qu'elle p**ût** si bien tirer.
Verbe *tirer*	Verbe *pouvoir*

Pour le reste, les terminaisons sont constantes pour tous les verbes à un temps donné, à quelques exceptions près, que l'on connait bien (par exemple, -*es* plutôt que -*ez* pour quelques verbes au présent de l'indicatif : *vous faites, vous dites*, etc.). C'est donc sur ces constantes que l'on porte ses premiers efforts de mémorisation durant l'enfance.

En second lieu, les variations dans les conjugaisons tiennent au *radical*, c'est-à-dire à la base lexicale du verbe sans sa terminaison. C'est là en particulier qu'on « s'emmêle les pinceaux » : *je filète* ou *je filette* ? *je céderai* ou *je cèderai* ? À l'ordinateur, le correcteur nous dit qu'on *filète*, qu'on *cèdera* (*cédera* dans la graphie traditionnelle).

Les rectifications de l'orthographe de 1990 ont introduit plusieurs simplifications dans les règles orthographiques des conjugaisons. Nous en rendrons compte dans cette section, tout en présentant un survol du système. La maitrise des conjugaisons passe en effet par la connaissance du système : connaitre d'abord les noms des temps et des modes pour mieux distinguer les formes ; connaitre les valeurs de chacun pour éviter les confusions entre formes proches (futur et conditionnel, par exemple) ; connaitre les changements de radical ainsi que les terminaisons de chaque temps même si on écrit à l'ordinateur, les correcteurs ne pouvant pas toujours déterminer la forme désirée.

Le monde francophone a sans doute produit assez d'exercices de conjugaison pour permettre aux passionnés de la chose d'en faire jusqu'à leur centième anniversaire, et même au-delà. Essayons plutôt de vous outiller pour que vous n'ayez plus à en faire.

5.1.1 Les personnes

La terminaison du verbe change selon la personne du sujet. Il y a, en français, trois personnes grammaticales, qui varient en nombre. Tous les groupes nominaux et les groupes infinitifs sujets sont de la 3e personne. Le tableau 5.1 montre les pronoms personnels pouvant être sujets du verbe.

TABLEAU 5.1   Les pronoms personnels selon la personne grammaticale

Personne	Singulier	Pluriel
1re	*je*	*nous*
2e	*tu*	*vous*
3e	*il, elle*	*ils, elles*

Seuls les pronoms de la 3e personne varient selon le genre (masculin ou féminin : *il/elle*, *ils/elles*). Le genre caractérise néanmoins aussi les pronoms des 1re et 2e personnes, comme en témoigne l'accord du participe passé (des verbes conjugués avec *être*) et de l'adjectif attribut.

> Je suis deven**u** séri**eux**. (*Je* = Julien)
>
> Tu es deven**ue** séri**euse**. (*Tu* = Juliette)

Il ne faut pas non plus oublier que *vous* peut désigner une personne unique (lorsqu'il s'agit d'une personne que l'on vouvoie), et donc commander des accords au singulier.

> Chère directrice, vous êtes très appréci**ée** de tous vos collègues.
>
> (*vous* = la directrice)

Même *nous* peut occasionnellement prendre une valeur singulière et commander des accords au singulier.

> Nous, roi de France, sommes attrist**é** de la famine qui sévit. (*Nous* de majesté)
>
> Nous sommes part**ie** de l'hypothèse suivante. (*Nous* d'auteur, dit aussi de modestie,
>
> qu'on utilise dans certains types de textes, par exemple les mémoires et les thèses de maitrise
>
> et de doctorat)

À ces pronoms s'ajoute le pronom *on* qui, grammaticalement, est de la 3e personne du **singulier** et appelle, dans sa valeur indéfinie, un accord au masculin singulier pour le participe passé ou l'adjectif attribut.

> *On n'est jamais si bien servi que par soi-même.*

Utilisé dans le sens de *nous*, cependant, il commande un accord au pluriel (mais le verbe ou l'auxiliaire reste, bien sûr, à la 3e personne du singulier). Cet emploi du pronom *on* à la place de *nous* relève de la langue orale familière et n'est donc pas recommandé à l'écrit.

> *Julie et moi (= Julien), on est allés au cinéma.*
> *Julie et moi (= Juliette), on est allées au cinéma.*

Exercice 5.1

Déterminez le genre et le nombre du référent désigné par le pronom en gras sur la base de l'accord qu'il commande pour le participe passé ou l'adjectif.

1 **Vous** n'êtes pas encore parti ?

_____

2 Dans la population, **on** commence à être fatigué de tous ces scandales.

_____

3 **Je** me suis trompée.

_____

4 Après examen du dossier, **nous** sommes arrivée à la conclusion qu'un recours collectif était la meilleure voie.

_____

5 Si **on** est absents, la clé sera chez le voisin.

_____

5.1.2 Les modes et les temps

On distingue les modes **personnels** et les modes **impersonnels**. Les modes personnels sont l'indicatif, le subjonctif et l'impératif. Les modes impersonnels sont l'infinitif et le participe. Comme leur nom l'indique, les modes impersonnels ne varient pas en personne.

- **L'infinitif** exprime strictement le contenu lexical du verbe. L'infinitif comporte une forme simple (infinitif présent) et une forme composée (infinitif passé).

> *Il veut **finir** ce soir.* (Infinitif présent)
> *Il veut **avoir fini** ce soir.* (Infinitif passé)

L'infinitif passé n'a aucune valeur temporelle : l'action n'est pas vue comme passée (dans le second exemple ci-dessus, elle appartient même au futur), mais comme « accomplie ». Cette valeur est dite **aspectuelle**. L'aspect accompli caractérise en fait tous les temps composés.

- Le mode **participe** comprend le participe présent et le participe passé.
  - Le **participe présent** se présente sous une forme simple (participe présent) ou sous une forme composée (participe présent composé).

    Voici la liste des emplois **exigeant** une grande force physique. (Participe présent)

    Ayant remercié mes hôtes, je pris congé. (Participe présent composé)

    Étant arrivé le premier, je pris la meilleure place. (Participe présent composé)

  - Le **participe passé** sert en particulier à former les temps composés du verbe.

    J'aurai tout **essayé**! (Participe passé employé avec l'auxiliaire *avoir* dans un futur antérieur de l'indicatif)

    Je suis **arrivée** à temps. (Participe passé employé avec l'auxiliaire *être* dans un passé composé de l'indicatif)

- L'**indicatif** compte 10 temps, répartis en formes simples et composées.
  - Formes simples :

    Il **chante** bien. (Présent)

    Il **chantait** bien lorsqu'il était jeune. (Imparfait)

    Il **chanta** un air connu. (Passé simple)

    Il **chantera** à l'Opéra demain soir. (Futur simple, aussi appelé simplement futur)

    Je ne croyais pas qu'il **chanterait** si bien. (Conditionnel présent)

  - Formes composées :

    Il **a** bien **chanté**. (Passé composé)

    Il **avait** bien **chanté** ce soir-là. (Plus-que-parfait)

    Après qu'il **eut chanté**, tout le monde applaudit. (Passé antérieur)

    Nous pourrons l'interviewer après qu'il **aura chanté**. (Futur antérieur)

    Il **aurait (eût)** mieux **chanté** s'il avait réchauffé sa voix. (Conditionnel passé)

L'indicatif est le seul mode qui situe réellement les évènements dans le temps, c'est-à-dire dans le passé, dans le présent ou dans l'avenir. C'est en fait le seul mode proprement temporel.

- Le **subjonctif** est le mode de la dépendance : il ne s'utilise que dans les subordonnées, sauf à la 3e personne, où il peut exprimer un ordre ou un vœu à la manière d'un impératif.

    Qu'il **aille** à l'école. (Comparer à : *Va à l'école.*)

    Que le Ciel lui **vienne** en aide.

Le subjonctif compte quatre temps, répartis en formes simples et composées.

  - Formes simples :

    Il faut qu'il **parte**. (Subjonctif présent)

    Il fallait toujours qu'elle **eût** le dernier mot. (Subjonctif imparfait – rare)

  - Formes composées :

    Je ne crois pas qu'il **soit parti** hier soir. (Subjonctif passé)

    La maladie l'emporta avant qu'il **eût terminé** son livre. (Subjonctif plus-que-parfait – rare)

Le subjonctif imparfait et le subjonctif plus-que-parfait ne s'emploient que dans la langue littéraire (par concordance) et ne sont en aucun cas obligatoires. Dans la langue courante, on préfère l'emploi du subjonctif présent ou le subjonctif passé.

> Il fallait toujours qu'elle **ait** le dernier mot. (Subjonctif présent)
>
> La maladie l'emporta avant qu'il **ait terminé** son livre. (Subjonctif passé)

Le subjonctif passé et le subjonctif plus-que-parfait marquent l'aspect accompli, comme tous les temps composés.

- L'**impératif**, qui ne se conjugue qu'à trois personnes (2e du singulier, et 1re et 2e du pluriel), exprime différentes modalités : ordre, conseil, prière. Il compte une forme simple (impératif présent) et une forme composée (impératif passé).

> **Mange** ta soupe ! (Impératif présent, 2e personne du singulier)
>
> **Mangeons** vite ! (Impératif présent, 1re personne du pluriel)
>
> **Mangez** (impératif présent, 2e personne du pluriel), mes pauvres enfants, mais **soyez partis** (impératif passé, 2e personne du pluriel) avant que l'ogre ne rentre.

Comme le montre le dernier exemple, l'impératif « passé » est strictement aspectuel : il s'emploie pour marquer l'antériorité par rapport à une autre action future (*rentre*).

Exercice 5.2

En vous aidant au besoin d'un tableau de conjugaison du verbe *être*, indiquez à quel mode et à quel temps sont les verbes en caractères gras.

1 Il **fut** (_____) impossible de s'entendre.

2 Je ne croyais pas qu'il **fût** (_____) possible de s'entendre.

3 Je **suis** (_____) contente qu'il

   ait été (_____) possible de s'entendre.

4 Il **avait été** (_____) déçu qu'elle ne

   soit (_____) pas là.

5 J'aurais été (_____) déçue que vous ne

   fussiez (_____) pas là.

5.1.3 Les verbes réguliers et irréguliers

Du point de vue de la conjugaison, les verbes du français se répartissent en verbes réguliers et irréguliers. Les verbes réguliers sont les verbes en *-er* et les verbes en *-ir* comme *finir*, qui font *-issons* à la 1re personne du pluriel du présent. Les autres verbes en *-ir*, les verbes en *-re* et les verbes en *-oir* sont irréguliers.

Les verbes en *-er* sont de loin les plus nombreux. La quasi-totalité des nouveaux verbes qui apparaissent dans la langue française sont d'ailleurs des verbes en *-er* : *solutionner*, *finaliser*, *bloguer*, etc. Mis à part le verbe *aller*, qui est totalement irrégulier, les verbes en *-er* ne comportent aucune exception dans leurs terminaisons. Les difficultés que présente la conjugaison des verbes en *-er* touchent en fait des modifications du **radical** (la partie du début qui porte le sens lexical du verbe); ces modifications sont cependant toutes liées à des règles phonétiques et sont donc faciles à retenir.

Les verbes en -*ir* qui se conjuguent comme *finir* (ceux qui font -*issons* à la 1re personne du pluriel du présent) ne connaissent pas de modification de leur radical, sauf l'ajout parfois de -*iss*. Sinon, leur conjugaison est totalement régulière.

Les autres verbes en -*ir* ainsi que ceux en -*re* ou en -*oir* sont irréguliers : ils connaissent de nombreuses modifications dans leur radical et des exceptions dans leurs terminaisons.

Les erreurs dans l'orthographe du verbe sont particulièrement fréquentes lorsque la terminaison n'est pas sonore, ce qui amène parfois à confondre deux modèles de conjugaison.

> La décision de l'arbitre li**e** les deux parties. (Verbe *lier*)
>
> La ministre li**t** tous les rapports. (Verbe *lire*)

La présence d'un *e* muet dans le radical de certaines formes verbales peut aussi prêter à confusion.

> Nous distribu**erons** des dépliants. (Verbe *distribuer*)
>
> Nous conclu**rons** cette entente dès que possible. (Verbe *conclure*)

Pour conjuguer correctement un verbe, il faut remonter à l'infinitif et appliquer le modèle de conjugaison approprié.

De façon plus générale, il faut, lorsqu'on écrit, avoir en tête que la conjugaison écrite a beaucoup plus de formes marquées que la conjugaison orale : *aime, aimes* et *aiment* se prononcent de la même façon, mais ont des terminaisons différentes, tout comme *voyais, voyait* et *voyaient, crois, croit, croie* et *croient,* etc.

Exercice 5.3

Donnez l'infinitif des verbes en caractères gras et indiquez s'ils sont réguliers ou irréguliers.

1 Le cabinet de la jeune dentiste ne **désemplit** (_____) pas.

2 Il **fuit** (_____) son passé.

3 Le comité **fondera** (_____) sa décision sur des principes d'équité.

4 La neige **fondra** (_____) bientôt.

5 Nous n'**inclurons** (_____) pas ce document dans le rapport.

Exercice 5.4

Pour éviter les confusions (assez fréquentes) entre les terminaisons des verbes en -*er* et celles des autres verbes, il faut remonter à la forme infinitive. Donnez l'infinitif des verbes en caractères gras puis récrivez les phrases au singulier à la personne correspondante.

1 Nous **publions** 10 livres par mois.

_____

2 Nous **vérifions** toutes nos informations avant de les publier.

___

3 Nous **parions** que le ministre démissionnera.

___

4 **Créez**-vous des logiciels personnalisés?

___

5 Ils **essaient** de bien comprendre.

___

5.1.4 Les conjugaisons aux différents temps et aux différents modes

Afin d'éliminer certaines complexités inutiles dans l'orthographe ainsi que certaines anomalies graphiques, les rectifications de l'orthographe de 1990 ont, entre autres choses, recommandé les simplifications suivantes: élimination de l'accent circonflexe sur les voyelles *i* et *u* lorsqu'il ne sert pas à distinguer deux mots (ce qu'il fait pour des paires comme *jeune/jeûne, du/dû, croit/croît*, etc.); modification de certains accents pour que la graphie corresponde à la prononciation et respecte les règles de l'accentuation française (par exemple, en ce qui concerne les verbes, *asséner* plutôt qu'*assener, règlementer* plutôt que *réglementer*); élimination d'un certain nombre d'irrégularités dans l'emploi de la double consonne, notamment les incohérences touchant la conjugaison des verbes en *-eler* et en *-eter*.

Le tableau 5.2 donne des exemples des changements qu'entrainent les rectifications orthographiques dans la conjugaison.

TABLEAU 5.2 **Les principales modifications apportées par les rectifications orthographiques**

Rectifications	Exemples	Graphies traditionnelles
1. **Suppression de l'accent circonflexe sur le *i*** **Notes**: On le maintient dans *croîs* et *croît* pour distinguer les conjugaisons de *croitre* de celles de *croire*. Le passé simple conserve son accent circonflexe à la 1re et à la 2e pers. du plur.: *nous vîmes, nous reçûmes, vous aimâtes*. Le subjonctif imparfait conserve également le circonflexe à la 3e pers. du sing.: *qu'il vît, qu'il reçût, qu'il aimât*.	connaitre, paraitre, etc. il connait je connaitrai/connaitrais Mais: il croît (verbe *croitre*) en opposition à il croit (verbe *croire*). **Formes touchées** • Infinitif • Présent de l'indicatif à la 3e pers. du sing. • Futur simple et conditionnel présent à toutes les personnes	connaître, paraître, etc. il connaît je connaîtrai je connaîtrais

Rectifications	Exemples	Graphies traditionnelles
2. Remplacement de l'accent aigu par l'accent grave au futur et au conditionnel des verbes du type de *céder* pour que l'accent reflète la prononciation	je c**è**derai je consid**è**rerais **Formes touchées** • Futur simple et conditionnel présent à toutes les personnes	je c**é**derai je consid**é**rerais
3. Uniformisation de l'orthographe des verbes en *-eler* et en *-eter* (sauf *appeler*, *jeter* et leurs dérivés) **avec un accent grave et un seul *l* ou un seul *t*, sur les modèles de *peler* et d'*acheter*** **Note :** Les verbes *appeler* et *jeter* ainsi que leurs dérivés conservent l'alternance avec la double consonne parce que nous sommes trop habitués à les voir écrits avec cette alternance pour la changer.	j'étiqu**è**te tu renouv**è**leras il ruiss**è**lerait elles pell**è**teraient que je fic**è**le vol**è**te, petit papillon **Formes touchées** • Futur simple et conditionnel présent à toutes les personnes • Présent de l'indicatif et du subjonctif aux trois pers. du sing. et à la 3e pers. du plur. • Impératif présent à la 2e pers. du sing.	j'étiqu**ette** tu renouv**elle**ras il ruiss**elle**rait elles pell**ette**raient que je fic**elle** vol**ette**, petit papillon

Comme il a été mentionné dans l'introduction, « Les outils d'aide à la rédaction », tous les ouvrages n'ont pas également incorporé les rectifications. Parmi les outils électroniques, Microsoft Office 2007 et plus (ou la version 2003, avec le Service Pack 2) et Antidote permettent de choisir entre les graphies rectifiées et les graphies traditionnelles. Le *Petit Robert* (PR) 2009 montre les deux formes *céderai/cèderai* pour tous les verbes se conjuguant sur ce modèle, mais rejette les deux autres rectifications touchant les verbes. La 5e édition (2009) du *Multidictionnaire* (*Multi*) mentionne en note la graphie rectifiée des verbes. Comme les outils changent régulièrement, à vous de vérifier ce qu'il en est dans vos ouvrages de référence préférés. Par exemple, *L'art de conjuguer* de Bescherelle, grand favori des élèves, a intégré les rectifications depuis 2006 en les présentant comme des variantes à part entière.

Même s'ils n'intègrent pas totalement les nouvelles formes (somme toute peu nombreuses), n'hésitez pas à consulter vos ouvrages de référence habituels pour les conjugaisons. Ces ouvrages ne sont-ils pas déjà ouverts, devant vous, sur votre table ou à l'ordinateur, pendant que vous rédigez ? Rappelons ici que la version électronique du *PR* donne la conjugaison complète de chaque verbe à partir de l'article même (avec au bas de chaque tableau généré un rappel des principales difficultés orthographiques touchant la catégorie du verbe en cause) ; dans la version imprimée, chaque verbe est suivi d'un numéro renvoyant à son modèle de conjugaison (en annexe). Pour sa part, le *Multi* présente 76 tableaux de conjugaison de verbes modèles, qui apparaissent à l'ordre alphabétique des verbes en cause ;

pour tous les autres verbes, le *Multi* indique le modèle à suivre, tout en signalant les particularités de formes s'il s'agit d'un verbe irrégulier.

La plupart d'entre nous sont encore habitués à voir le verbe *connaître* avec un circonflexe, à regarder l'eau qui *ruisselle* ou les employés qui *étiquettent*. Pour autant, nous ne donnerons, dans les corrigés des exercices, que les graphies rectifiées, qui se pratiquent de plus en plus dans les écoles. Bien sûr, les formes traditionnelles demeurent tout aussi bonnes et acceptables.

Les temps simples de l'indicatif

En soi, les terminaisons des verbes aux différents temps de l'indicatif sont relativement simples.

Le présent

Le tableau 5.3 présente les terminaisons régulières et particulières du présent de l'indicatif. La numérotation qui apparait dans ce tableau et dans les tableaux suivants sert à distinguer les différentes règles. Vous devrez en tenir compte dans certains exercices.

TABLEAU 5.3 **Les terminaisons régulières et particulières au présent de l'indicatif**

	Terminaisons régulières			
Personne	**⑴ₐ Verbes en -*er***		**⑴ᵦ Verbes en -*ir*, en -*oir* et en -*re***	
	Singulier	**Pluriel**	**Singulier**	**Pluriel**
1ʳᵉ	-*e*	-*ons*	-*s*	-*ons*
2ᵉ	-*es*	-*ez*	-*s*	-*ez*
3ᵉ	-*e*	-*ent*	-*t*	-*ent*

Terminaisons particulières		
Verbes	**Terminaisons**	**Remarques**
	Terminaison en -*d*	
⑵ Verbes en -*dre* (sauf ceux en -*indre* et en -*soudre*)	3ᵉ pers. du sing. *il fend, elle coud, il entend, elle répond* **Note :** à la 1ʳᵉ et à la 2ᵉ pers. du sing., on aura -*ds* : *je fends, tu couds.*	Mais : *il joint, elle peint, il résout, elle dissout.* Et à la 1ʳᵉ et à la 2ᵉ pers. du sing. : *je joins, tu résous.* Voir les verbes en -*indre* et en -*soudre* dans le tableau des changements dans le radical.
	Terminaison en -*e* ou -*es* comme les verbes en -*er*	
⑶ Verbes *ouvrir, couvrir* et *cueillir* (et leurs dérivés, par exemple, *recouvrir* et *recueillir*) ainsi que *assaillir, défaillir, offrir, souffrir* et *tressaillir*	1ʳᵉ, 2ᵉ et 3ᵉ pers. du sing. *je couvre, tu cueilles, il assaille, elle offre*	

Terminaisons particulières		
Verbes	**Terminaisons**	**Remarques**
	Terminaison en -*x*	
4 Verbes *pouvoir*, *valoir* (et ses dérivés) et *vouloir*	1re et 2e pers. du sing. *je peux, je vaux, je veux* *tu peux, tu vaux, tu veux*	Mais 3e pers. du sing. en -*t* selon le modèle général pour les verbes en -*ir*, en -*oir* et en -*re* : *il peut, il vaut, il veut*.
	Terminaison en -*es* **(et non -*ez*)**	
5 Verbes *dire*, *redire* et *faire* (et ses dérivés)	2e pers. du plur. *vous dites, vous faites*	Les autres dérivés de *dire* prennent -*ez* à la 2e pers. du plur. : *vous contredisez, vous prédisez.*
	Terminaison en -*c*	
6 Verbes *vaincre* et *convaincre*	3e pers. du sing. *il vainc, elle convainc* **Note** : à la 1re et à la 2e pers. du sing., on aura -*cs* : *je vaincs, tu convaincs.*	Mais radical *vainc-* → *vainqu-* aux trois pers. du plur. : *nous vainquons, elles convainquent.*

Le présent de l'indicatif comporte de nombreux changements dans le radical, qui se produisent avec une grande régularité : ils touchent souvent les mêmes personnes grammaticales (les trois personnes du singulier et la 3e personne du pluriel, par exemple) et reviennent généralement à d'autres temps ou à d'autres modes. Une fois qu'on a retenu les transformations morphologiques du présent, on peut donc les appliquer facilement aux autres temps ou modes concernés.

Le tableau 5.4 porte sur les changements dans le radical des verbes au présent de l'indicatif.

TABLEAU 5.4 **Les changements dans le radical au présent de l'indicatif**

Verbes	**Changements dans le radical**	**Remarques**
	$y \rightarrow i$	
7 Verbes en -*oyer* Verbes en -*uyer* Verbes en -*ayer*	1re, 2e, 3e pers. du sing. et 3e pers. du plur. *je paie, tu envoies, elle essuie, ils balaient*	La chute de la dernière syllabe rend le *y* inutile. Les verbes en -*ayer* peuvent toutefois garder le *y* : *j'essaye, tu égayes, elle bégaye, ils déblayent.*
	$g \rightarrow ge$	
8 Verbes en -*ger*	1re pers. du plur. *nous changeons*	Pour être prononcée [ʒ], la lettre *g* doit être suivie d'un *e* devant *a*, *o* et *u* (comme dans le prénom *Georges*).

Verbes	Changements dans le radical	Remarques
	$c \rightarrow ç$	
(9) Verbes en *-cer*	1re pers. du plur. *nous avançons*	Pour être prononcée [s], la lettre *c* doit porter la cédille devant *a*, *o* et *u*.
	$e \rightarrow é$	
(10) Verbes ayant un *e* muet à l'avant-dernière syllabe de l'infinitif	1re, 2e, 3e pers. du sing. et 3e pers. du plur. *je lève, tu congèles, il achète, elles amènent*	Mais : *nous levons, vous congelez*, à cause de la finale sonore.
	$l \rightarrow ll$ et $t \rightarrow tt$	
(11) Verbes *appeler, jeter* et leurs dérivés	1re, 2e, 3e pers. du sing. et 3e pers. du plur. *j'appelle, tu jettes, il interpelle, ils rejettent*	Mais : *nous appelons, vous jetez*, à cause de la finale sonore. Si l'on applique les rectifications, tous les autres verbes en *-eler* et en *-eter* suivent l'alternance entre *e* et *è* (modèles : *peler* et *acheter*).
	$é \rightarrow è$	
(12) Verbes ayant un *e* fermé à l'avant-dernière syllabe de l'infinitif	1re, 2e, 3e pers. du sing. et 3e pers. du plur. *je possède, tu cèdes, il révèle, elles préfèrent*	Mais : *nous possédons, vous cédez*, à cause de la finale sonore.
	$i \rightarrow iss$	
(13) Verbes en *-ir* réguliers	1re, 2e et 3e pers. du plur. *nous finissons, vous grandissez, ils rougissent*	
	$ï \rightarrow i$	
(14) Verbe *haïr*	1re, 2e et 3e pers. du sing. *je hais, tu hais, elle hait*	Mais : *nous haïssons, vous haïssez, ils haïssent.*
	Chute de la consonne précédant la terminaison de l'infinitif	
(15) Certains verbes en *-ir* irréguliers	1re, 2e et 3e pers. du sing. *je dors, tu pars, il sert*	Mais : *je vêts, tu cours, elle encourt.*
	$i \rightarrow y$	
(16) Verbes *fuir* et *s'enfuir*, verbes en *-traire* et leurs dérivés (*soustraire, extraire*), verbes *croire, voir* et *assoir*	1re et 2e pers. du plur. *nous fuyons, vous fuyez*	

Verbes	Changements dans le radical	Remarques
(17) Verbes *tenir* et *venir* (et leurs dérivés)	**Radical → *tien(n)-* et *vien(n)-*** 1re, 2e, 3e pers. du sing. et 3e pers. du plur. *je tien**s**, tu vien**s**, elle retien**t**, ils survien**n**ent*	
(18) Verbes *acquérir* et autres dérivés de *quérir*	**Radical → *acquier-*** 1re, 2e et 3e pers. du sing. *j'acquier**s**, tu conquier**s**, il s'enquier**t**, elle requiert*	Mais : *nous acquérons, vous conquérez.*
	Radical → *acquièr-* 3e pers. du plur. *ils acquièrent, elles conquièrent*	Le verbe *quérir* est pour sa part complètement défectif et ne s'emploie qu'à l'infinitif : *Il alla quérir le professeur.*
(19) Verbe *bouillir*	**Radical → *bou-*** 1re, 2e et 3e pers. du sing. *je bou**s**, tu bou**s**, il bou**t***	
(20) Verbe *mourir*	**Radical → *meur-*** 1re, 2e, 3e pers. du sing. et 3e pers. du plur. *je **meur**s, tu **meur**s, il **meur**t, elles **meur**ent*	
(21) Verbes en *-indre* et en *-soudre*	**Chute du *d*** 1re, 2e et 3e pers. du sing. *je join**s**, tu pein**s**, il réso**ut***	La chute du *d* à la 3e pers. du sing. permet la terminaison *t*, normale pour les verbes en *-ir*, en *-oir* et en *-re*. Voir les verbes en *-dre* dans le tableau 5.3.
(22) Verbes en *-indre*	***nd → gn*** 1re, 2e et 3e pers. du plur. *nous joi**gn**ons, vous pei**gn**ez, elles joi**gn**ent*	
(23) Verbes en *-ttre*	**Un *t* au sing., deux *t* au plur.** *je me**t**s, nous ba**tt**ons*	
(24) Verbes *aller, avoir, être* et autres verbes irréguliers (*boire, écrire, lire,* etc.)	**Multiples changements**	Voir les tableaux du *PR*, du *Multi*, d'Antidote, du *Bescherelle* ou de tout autre guide.

Écrivez les verbes entre parenthèses au présent de l'indicatif. Au besoin, reportez-vous aux tableaux précédents sur les terminaisons particulières et les changements dans le radical. Justifiez votre réponse en indiquant le numéro de la règle correspondante qui figure dans les tableaux.

1 Moi aussi, cela m'(ennuyer) _____ prodigieusement.

2 Ce contrat me (lier) _____ à vous.

3 Tous les matins, elle (lire) _____ son journal.

4 Nous (créer) _____ une nouvelle pièce tous les ans.

5 Je ne (répondre) _____ pas de lui.

6 Nous (se distraire) _____ comme nous

(pouvoir) _____.

7 Cet argument ne me (convaincre) _____ pas.

8 Nous (rejoindre) _____ notre régiment

dès maintenant.

9 Nous (placer) _____ notre confiance en vous.

10 Je (soutenir) _____ votre candidature.

L'imparfait

Comme le montre le tableau 5.5, la conjugaison des verbes à l'imparfait de l'indicatif comporte peu de cas d'exception.

TABLEAU 5.5 **Les terminaisons, les difficultés et les erreurs courantes à l'imparfait de l'indicatif**

25 Terminaisons des verbes		
Personne	**Singulier**	**Pluriel**
1ʳᵉ	-ais	-ions
2ᵉ	-ais	-iez
3ᵉ	-ait	-aient

Difficultés et erreurs courantes de conjugaison		
Difficultés et erreurs	**Exemples/formes correctes**	**Remarques**
26 Oubli du *i* dans la terminaison des 1re et 2e pers. du plur. lorsqu'on ne l'entend pas C'est le cas, en particulier, après une voyelle, un double *l* (*ll*), la séquence *gn* ou un *y*.	nous cri**i**ons nous travaill**i**ons vous gagn**i**ez vous essuy**i**ez	Sans le *i*, la terminaison est celle du présent (*nous crions, nous travaillons, vous gagnez, vous essuyez*).
27 Erreur quant au radical auquel s'ajoute la terminaison L'imparfait de **tous les verbes** (sauf *être*) peut se former **par addition de la terminaison appropriée au radical de la 1re pers. du plur. du présent de l'indicatif.**	je **pay**ais (cf. nous **pay**ons) tu **finiss**ais (cf. nous **finiss**ons) il **fuy**ait (cf. nous **fuy**ons) vous **craign**iez (cf. nous **craign**ons) elles **acquér**aient (cf. nous **acquér**ons)	La maitrise des variations de radical au présent est très utile pour l'ensemble des conjugaisons.

Exercice 5.6

Écrivez les verbes entre parenthèses à l'imparfait de l'indicatif. Justifiez votre réponse en indiquant le numéro correspondant qui figure dans le tableau précédent. Formez bien l'imparfait sur le radical de la 1re personne du pluriel du présent de l'indicatif (sans oublier les *i* qu'on n'entend pas !).

1 Je (placer) _____ beaucoup d'espoir en elle.

2 Il faisait chaud et nous (suer) _____ à grosses gouttes.

3 Il (répartir) _____ son temps entre ses deux emplois.

4 Les adversaires (se jauger) _____ en silence.

5 Je ne (se rappeler) _____ pas vous avoir dit cela.

Le passé simple

Le passé simple s'utilise surtout à l'écrit, dans les textes narratifs (romans, biographies, etc.), et surtout à la 3e personne. À l'oral et, de façon générale, dans les textes courants, on emploie le passé composé. Le tableau 5.6, à la page suivante, présente les terminaisons des verbes au passé simple de l'indicatif ainsi que les difficultés et les erreurs courantes de conjugaison qui y sont reliées.

TABLEAU 5.6 Les terminaisons, les difficultés et les erreurs courantes au passé simple de l'indicatif

Terminaisons des verbes								
Personne	**(28a) Verbes en -er**		**(28b) Verbes en -ir réguliers et irréguliers (sauf courir, mourir, tenir et venir[1])**		**(28c) Verbes en -re et en -oir (plus courir et mourir)**			
	Sing.	Plur.	Sing.	Plur.	Sing.	Plur.	Sing.	Plur.
1re	-ai	-âmes	-is	-îmes	-is	-îmes	-us	-ûmes
2e	-as	-âtes	-is	-îtes	-is	-îtes	-us	-ûtes
3e	-a	-èrent	-it	-irent	-it	-irent	-ut	-urent

Difficultés et erreurs courantes de conjugaison		
Difficultés et erreurs	**Exemples/formes correctes**	**Remarques**
(29) Terminaison en i ou en u ? Terminaison en u seulement pour les verbes suivants : • *courir* (et ses dérivés) et *mourir* • les verbes en *-oir* (sauf *voir, entrevoir, prévoir, revoir, assoir, rassoir, sursoir*) • les 15 verbes en *-re* (et leurs dérivés) suivants : *boire, conclure, connaitre, croire, croitre, être, exclure, lire, moudre, paraitre, plaire, repaitre, résoudre, taire, vivre*	En *i* : je vis, je m'assis, je servis, je rendis, j'entendis, je naquis En *u* : il aperçut, il reçut, il connut, il comparut, il résolut, il vécut, il mourut	Pour les verbes en *-ir* se conjuguant comme *finir*, le passé simple et le présent ont les mêmes formes aux trois pers. du sing. (*je finis, tu finis, il finit*).
(30) Emploi de l'accent circonflexe : seulement aux 1re et 2e pers. du plur.	nous fûmes, vous fûtes nous fîmes, vous fîtes Mais pas d'accent au singulier : j'eus, il fut, il fit	C'est au **subjonctif imparfait** qu'on emploie (rarement et dans un registre littéraire) le circonflexe à la 3e pers. du sing. : *Je ne croyais pas qu'il fût* (subj. imp.) *si tard.*

1. *Tenir, venir* et leurs dérivés contiennent la séquence *in* dans leurs terminaisons : *je tins, tu appartins, il vint, nous retînmes, vous soutîntes, ils devinrent.*

Écrivez les verbes entre parenthèses au passé simple. Assurez-vous de bien choisir la bonne terminaison (en *i* ou en *u*) pour les verbes irréguliers.

Poète, archiviste, diplomate, Simone Routier (naitre) **1** _____

à Québec en 1901 et (faire) **2** _____ ses études chez

les Ursulines et à l'Université Laval. Elle (publier) **3** _____

son premier recueil de poésie, *L'immortel adolescent*, en 1928. Pendant dix ans,

Simone Routier (vivre) **4** _____ à Paris, où elle (devenir)

5 _____ membre de la Société des poètes français et

(travailler) **6** _____ pour les Archives canadiennes.

De retour au Canada, elle (séjourner) **7** _____ quelque temps

chez les moniales dominicaines, à Berthierville. À la suite de cette expérience,

elle (écrire) **8** _____ *Les psaumes du jardin clos*. Archiviste

adjointe à Ottawa pendant plusieurs années, Simone Routier (occuper)

9 _____ ensuite diverses fonctions dans la diplomatie

canadienne. Elle (entrer) **10** _____ à l'Académie canadienne-

française en 1947.

Le futur simple et le conditionnel présent

Les terminaisons du futur simple et du conditionnel présent se ressemblent, et le radical est le même pour les deux temps. Pour ces deux raisons, nous avons regroupé ces deux temps au tableau 5.7.

TABLEAU 5.7 **Les terminaisons, les difficultés et les erreurs courantes au futur simple et au conditionnel présent**

	Terminaisons des verbes			
	(31a) **Futur simple**		(31b) **Conditionnel présent**	
Personne	**Singulier**	**Pluriel**	**Singulier**	**Pluriel**
1re	-rai	-rons	-rais	-rions
2^e	-ras	-rez	-rais	-riez
3^e	-ra	-ront	-rait	-raient

Difficultés et erreurs courantes de conjugaison		
Difficultés et erreurs	**Exemples/formes correctes**	**Remarques**
㉜ **À quel radical greffer la terminaison?**		
Pas de difficulté pour les verbes réguliers en *-ir* (comme *finir*)	rempli- → je rempli**rai**/rempli**rais**	Pour tous les autres verbes, il faut être vigilant.
Ajout d'un *e* au radical avant la terminaison pour les verbes à un seul radical en *-er* (comme *aimer*)	oubli- → je n'oublierai/n'oublierais pas	
Erreur de radical pour certains verbes en *-re*	conclu- → je conclu**rai**/conclu**rais**	Il ne faut pas ajouter de *e* avant la terminaison s'il ne s'agit pas d'un verbe en *-er*.
㉝ Quelques changements de radical au futur simple et au conditionnel présent	envoyer → enver- cueillir → cueille- tenir → tiend- pouvoir → pour- voir → ver- apercevoir → apercev- savoir → sau- falloir → faud-	On connait ces radicaux pour les verbes courants. Pour les autres, il peut être sage de vérifier.
㉞ Confusion avec l'imparfait pour les verbes *courir*, *mourir* et les dérivés de *quérir* → **deux *r* au futur simple et au conditionnel présent**	je cou**rrai**/cou**rrais** il mou**rra**/mou**rrait** nous acque**rrons**/acque**rrions**	Un seul *r* à l'imparfait : *je courais, il mourait, nous acquérions*

Exercice 5.8

Écrivez les verbes entre parenthèses au futur simple. Justifiez votre réponse en indiquant le numéro de la règle correspondante qui figure dans le tableau précédent.

1 Ils (accourir) ________________ dès qu'ils (apprendre) ________________ la nouvelle.

2 Plusieurs pays (essayer) ________________ de faire pression sur le Canada à Copenhague.

3 Je ne (moisir) ________________ pas ici.

4 Nous (créer) ________________ un nouveau site Web pour la compagnie.

5 L'État (subvenir) ________________ aux besoins des sinistrés.

Écrivez les verbes entre parenthèses au conditionnel présent. Justifiez votre réponse en indiquant le numéro de la règle correspondante qui figure dans le tableau précédent.

1 Je ne croyais pas que la rivière (geler) _____ si rapidement.

2 Je n'aurais jamais cru que vous (rejeter) _____ la faute sur lui.

3 Si les élections avaient lieu aujourd'hui, le parti au pouvoir ne

(recueillir) _____ que 30 % des voix.

4 Nous n'(inclure) _____ pas cette dépense au budget.

5 Ne (souffrir) _____ -il pas de paranoïa ?

Le subjonctif

Le subjonctif présent
La terminaison des verbes au subjonctif présent est régulière. Les difficultés dans la conjugaison des verbes au subjonctif touchent surtout le radical. Le tableau 5.8 présente les terminaisons régulières et les difficultés et erreurs courantes de conjugaison au subjonctif.

TABLEAU 5.8 **Les terminaisons, les difficultés et les erreurs courantes au subjonctif présent**

㉟ Terminaisons des verbes		
Personne	**Singulier**	**Pluriel**
1re	-e	-ions
2^e	-es	-iez
3^e	-e	-ent

Difficultés et erreurs courantes de conjugaison		
Difficultés et erreurs	**Exemples/formes correctes**	**Remarques**
㊱ Toujours un *e* dans les terminaisons du singulier sauf dans ***être*** et ***avoir***	*qu'il croie, que tu voies, tout comme qu'il mange et qu'il dorme*	Pas de *e* aux trois pers. du sing. pour *être* : *que je sois, que tu sois, qu'il soit.* Pas de *e* à la 3e pers. du sing. pour *avoir* : *qu'il ait.* Il faut bien distinguer l'indicatif du subjonctif présent en cas d'homophonie (même prononciation) : *Il **voit** (indic. prés.) mieux avec ses lunettes.* *On lui a acheté des lunettes pour qu'il **voie** (subj. prés.) mieux.*

Difficultés et erreurs courantes de conjugaison		
Difficultés et erreurs	**Exemples/formes correctes**	**Remarques**
(37) Comme à l'imparfait, toujours un *i* dans la terminaison des 1ʳᵉ et 2ᵉ pers. du plur., même quand on ne l'entend pas après : • une voyelle • *y* • *ll* • *gn*	que nous étudi**i**ons que nous pay**i**ons que vous brill**i**ez que vous craign**i**ez	**Sauf** dans *être* et *avoir* : *que nous soyons/ayons* *que vous soyez/ayez*
(38) Pour les verbes irréguliers, très souvent le même radical au subjonctif présent qu'à la 3ᵉ pers. du plur. du présent de l'indicatif	que j'**acquière**, comme ils **acquièr**ent que j'**aperçoive**, comme ils **aperçoiv**ent que je **résolve**, comme ils **résolv**ent	Quelques verbes courants ont un radical particulier au subjonctif : *que j'aie, que j'aille, qu'il faille, que je fasse, que je puisse, que je sache, qu'il soit, qu'elle vaille, qu'elle veuille*

Exercice 5.10

Écrivez les verbes entre parenthèses au subjonctif présent. Les différents contextes d'emploi du subjonctif vous sont rappelés au fil de l'exercice.

Le subjonctif s'emploie obligatoirement :

• après de nombreux verbes de volonté ou de sentiment (parfois des noms ou des adjectifs) ;

1 Je veux qu'il (s'abstenir) _____ de voter.

2 Nous craignons qu'il ne (venir) _____ trop tard.

3 Nous sommes contents qu'il (aller) _____ à Montréal.

• après de nombreuses locutions impersonnelles ;

4 Il est impossible que je (faire) _____ ce travail aujourd'hui.

5 Il ne faut pas que tu (conclure) _____ trop rapidement.

6 Il vaut mieux que tu (disparaitre) _____ rapidement.

• dans les subordonnées introduites par *quoi que* ;

7 Quoi que tu (croire) _____, tu te trompes.

• dans les subordonnées introduites par certaines conjonctions ;

8 Puis-je vous parler avant que vous (prendre) _____ une décision ?

9 Je vous écris afin que vous (savoir) _____ la vérité.

10 Tout s'est fait sans que je (pouvoir) _____ intervenir.

- **dans des subordonnées sujets en début de phrase.**

11 Qu'il (faire) _____ beau si longtemps est un miracle !

12 Qu'on ne (savoir) _____ jamais la vérité est fort possible.

Le subjonctif s'emploie facultativement (le mode est alors au choix : indicatif ou subjonctif) :

- **après certains verbes d'opinion dans des phrases négatives, interrogatives ou ayant un verbe au conditionnel ;**

13 Je ne crois pas que cela en (valoir) _____ la peine.

14 Pensez-vous qu'il (falloir) _____ conclure à un échec ?

15 S'imaginait-elle que nous la (croire) _____ ?

- **dans des subordonnées relatives, après un superlatif ou les adjectifs** *seul, dernier, unique.*

16 C'est la meilleure voiture qui (se vendre) _____ en ce moment.

17 C'est le seul magazine que je (recevoir) _____ .

18 C'est le plus petit modèle que nous (avoir) _____ en stock actuellement.

Le subjonctif imparfait

Le subjonctif imparfait et le subjonctif plus-que-parfait sont très peu courants dans la langue contemporaine, même si, selon la règle, le subjonctif imparfait devrait être employé dans une subordonnée lorsque le verbe principal, celui de la phrase enchâssante, est au passé.

> Elle avait espéré qu'il **plût** pour ne pas avoir à sortir.

Toujours dans la langue littéraire, le subjonctif plus-que-parfait peut être utilisé avec une valeur de conditionnel.

> Elle **eût préféré** (aurait préféré) qu'il pleuve pour ne pas avoir à sortir.

Dans la langue moderne, le subjonctif imparfait est généralement remplacé par le subjonctif présent ou le conditionnel.

Aux 1re et 2e personnes, cependant, l'emploi du subjonctif imparfait ou plus-que-parfait traduit souvent l'ironie, voire le sarcasme d'un auteur, et on ne le trouve jamais dans un discours ou un écrit neutre.

Le texte qui suit permet de savourer ces formes méconnues, qui ne manquaient pas de panache.

> Oui dès l'instant que je vous vis
>
> Beauté féroce, vous me plûtes
>
> De l'amour qu'en vos yeux je pris
>
> Sur-le-champ vous vous aperçûtes
>
> Ah ! Fallait-il que je vous visse

Fallait-il que vous me plussiez

Qu'ingénument je vous le disse

Qu'avec orgueil vous vous tussiez

Fallait-il que je vous aimasse

Que vous me désespérassiez

Et qu'enfin je m'opiniâtrasse

Et que je vous idolâtrasse

Pour que vous m'assassinassiez

(Alphonse Allais [1854-1905], *Complainte amoureuse*. Poème écrit pour Jane Avril, célèbre danseuse du Moulin Rouge et égérie du peintre Toulouse-Lautrec.)

Le tableau 5.9 donne les terminaisons et les difficultés et erreurs courantes de conjugaison au subjonctif imparfait à titre informatif seulement.

TABLEAU 5.9 **Les terminaisons, les difficultés et les erreurs courantes au subjonctif imparfait**

	Terminaisons des verbes							
Personne	(39a) **Verbes en -*er***		(39b) **Verbes en -*ir* réguliers et irréguliers (sauf *courir, mourir, venir* et *tenir*)**		(39c) **Verbes en -*re* et en -*oir* (plus *courir* et *mourir*)**			
	Sing.	Plur.	Sing.	Plur.	Sing.	Plur.	Sing.	Plur.
1re	-asse	-assions	-isse	-issions	-isse	-issions	-usse	-ussions
2e	-asses	-assiez	-isses	-issiez	-isses	-issiez	-usses	-ussiez
3e	-ât	-assent	-ît	-issent	-ît	-issent	-ût	-ussent

Difficultés et erreurs courantes de conjugaison		
Difficultés et erreurs	**Exemples/formes correctes**	**Remarques**
(40) Toujours un **accent circonflexe** et un *t* à la 3e pers. du sing.	qu'il f**û**t, qu'il e**û**t, qu'il d**û**t, qu'il pens**â**t, qu'il fin**î**t	Le subjonctif imparfait est surtout un temps littéraire. Seule la 3e pers. du sing. est d'un emploi plus ou moins courant.
(41) Dans les concessions figées construites avec subj. imp. et inversion, ajout d'un accent grave pour l'euphonie à la 1re pers. du sing.	Je ne renoncerai pas, **dussè-je** le regretter plus tard.	Dans la graphie traditionnelle, l'accent est aigu (*dussé-je*). Cet emploi concessif avec inversion se rencontre surtout (quoique l'emploi soit tout de même rare) à la 3e pers. du sing. : *Il regretta aussitôt ses pensées peu charitables envers son prochain, **fût-il le dernier des imbéciles**.*

L'impératif présent

Les formes du présent de l'impératif sont identiques à celles du présent de l'indicatif, sauf pour les verbes *être*, *avoir*, *savoir* et *vouloir*. À noter que les verbes se terminant par *-es* à la 2ᵉ personne du singulier de l'impératif présent perdent le *s* s'ils ne sont pas suivis de *-en* ou de *-y*.

C'est ce que montre le tableau 5.10.

TABLEAU 5.10 **Les terminaisons régulières, les difficultés et les erreurs courantes à l'impératif présent**

Terminaisons régulières		
Personne	(42a) **Verbes en -*er***	(42b) **La majorité des verbes en -*ir*, en -*oir* et en -*re***
2ᵉ du singulier	*-e*	*-s*
1ʳᵉ du pluriel	*-ons*	*-ons*
2ᵉ du pluriel	*-ez*	*-ez*

Difficultés et erreurs courantes de conjugaison		
Difficultés et erreurs	**Exemples/formes correctes**	**Remarques**
(43) **Changements de radicaux :** Comme au présent de l'indicatif, sauf *être*, *avoir*, *savoir*, *vouloir*, dont le radical à l'impératif est le même qu'au subjonctif présent	Sois patient. Ayons confiance. Sachons attendre. Veuillez signer ici.	L'impératif de *vouloir* fait *veux*, *voulons*, *voulez* dans l'expression *ne pas en vouloir à qqn* : *Ne m'en veux pas.*
(44) **Terminaison** en *-e* à la 2ᵉ pers. du sing. pour quelques verbes en *-ir* (les mêmes qu'au présent de l'indicatif) + *avoir*, *savoir* et *vouloir*	Cueille des fleurs. Offre-lui des fleurs. Sache écouter. N'aie pas peur.	Verbes en *-ir* touchés : *ouvrir*, *couvrir*, *cueillir* et leurs dérivés ; *assaillir*, *défaillir*, *offrir*, *souffrir*, *tressaillir*.
(45) **Confusion** entre la terminaison des verbes en *-er* et celle des autres verbes pour la 2ᵉ pers. du sing.	Lis et étudi**e** ! Exclus-le ou alors attribue-lui une tâche.	On oublie parfois qu'il n'y a pas de *s* à la 2ᵉ pers. du sing. de l'impératif présent des verbes en *-er* (ou qu'il s'agit d'un verbe en *-er*). Pas de *s* non plus pour *aller* : *Va !* Cependant, on doit l'ajouter devant *-en* et *-y*.

Difficultés et erreurs courantes de conjugaison		
Difficultés et erreurs	**Exemples/formes correctes**	**Remarques**
(46) Emploi du trait d'union entre le verbe à l'impératif et les pronoms compléments (un ou deux) qui le suivent Ces pronoms liés par un trait d'union sont ceux qui précédaient le verbe à l'indicatif.	Tu l'écoutes : Écoute-la ! Nous lui parlons : Parlons-lui. Vous y allez : Allez-y ! Tu les lui expliques : Explique-les-lui. Tu vas le faire : Va le faire. (Pas de trait d'union)	Trait d'union également pour le pronom du verbe pronominal : *Tu te lèves : Lève-toi !* *Nous nous taisons :* *Taisons-nous.* *Vous vous servez : Servez-vous !*
(47) Emploi du s euphonique à la 2ᵉ pers. du sing. des verbes qui se terminent par *-e* à l'impératif s'ils sont suivis des pronoms *en* et *y*, pour éviter un hiatus	Parl**e** donc de ton problème. → Parle**s-en** donc. Va à l'école ! → Va**s-y** !	Ni s ni trait d'union : • si *en* est complément d'un **autre verbe** ; *Va acheter **des timbres**.* → *Va **en** acheter.* (Le pronom *en* est complément de *acheter*.) • si *en* est une préposition. *Voyage **en** paix.*
(48) Ordre des pronoms compléments après le verbe : • *Le, la, l', les* sont toujours en première position après le verbe. • Les pronoms *y* puis *en* viennent toujours en dernier.	Donne-**le**-moi. Donne-lui-**en**. Conduis-nous-**y**. Parle-lui-**en**.	À l'oral, l'ordre est souvent inversé.
(49) Place des pronoms à la forme négative : Les pronoms compléments précèdent le verbe lorsque la phrase impérative est de forme négative.	Ne **la lui** donne pas. Ne **leur en** parle jamais. N'**y** va pas. Ne **lui** soumets aucun plan.	À l'oral, les pronoms suivent parfois le verbe, ce qui constitue une erreur.
(50) Élision des pronoms compléments *moi* et *toi* devant *en* ou *y* : La marque de l'élision est l'apostrophe.	Parle-moi de ton voyage. → Parle-**m'**en. Méfie-toi du chien. → Méfie-**t'**en. Mets-toi au travail. → Mets-**t'**y. (Style soutenu)	Le pronom *toi* élidé ne doit pas être confondu avec le *t* euphonique de la forme interrogative : *Va-**t'**en.* (*s'en aller*, 2ᵉ pers., impér. prés.) *S'en va-t-il ?* (*s'en aller*, 3ᵉ pers., indic. prés., forme interrogative)

Exercice 5.11

Écrivez les verbes entre parenthèses à la 2e personne du singulier de l'impératif présent et ajoutez le trait d'union s'il y a lieu. Justifiez votre réponse en indiquant le numéro de la règle correspondante qui figure dans le tableau précédent.

1 (Parler) _____.

2 (Parler) _____ lui.

3 (Parler) _____ lui-en.

4 (Parler) _____ en au ministre.

5 (Être) _____ prêt à 5 heures.

6 (Se souvenir) _____ de ce que j'avais dit.

7 Ne lui (donner) _____ pas ces renseignements.

8 (Souvenir) _____ t'en.

9 (Savoir) _____ bien que c'est impossible.

10 (Avoir) _____ la bonté de l'aider.

Exercice 5.12

Récrivez les phrases suivantes en utilisant un pronom pour remplacer chaque complément en caractères gras. Aidez-vous au besoin des règles 46 à 50 du tableau précédent.

1 Donnes-en **à ta sœur.**

_____

2 Livrez-moi **cette marchandise** dès demain.

_____

3 Livrez-moi trois douzaines **de ces sacs à main.**

_____

4 Ne te sers pas **de l'imprimante au laser.**

_____

5 Précisez **le contenu des colis** à la réceptionniste.

_____

Les temps composés

À chaque temps simple correspond un temps composé, formé de l'auxiliaire *avoir* ou *être* au temps simple correspondant et du participe passé du verbe. La plupart des verbes se conjuguent avec l'auxiliaire *avoir* aux temps composés. L'auxiliaire *être* est utilisé pour une trentaine de verbes dont il faut connaitre la liste ; les plus courants sont *aller, arriver, décéder, demeurer, devenir, intervenir, mourir, naître, partir, rester, revenir, tomber, venir.* De même que *descendre, entrer, monter, retourner* et *sortir* s'ils ne sont pas accompagnés d'un GN complément direct. Les verbes pronominaux, pour leur part, se conjuguent toujours avec l'auxiliaire *être*.

Les temps composés indiquent essentiellement l'antériorité et l'aspect accompli. Certains peuvent aussi prendre des valeurs modales (voir le chapitre 12, « La cohérence du texte »).

Le tableau 5.11 répertorie l'ensemble des formes composées.

TABLEAU 5.11 **Les formes composées**

Modes		Les temps simples		Les temps composés	
personnels		**Indicatif**			
	Présent	*tu chantes*	Passé composé	*tu as chanté*	
	Imparfait	*tu chantais*	Plus-que-parfait	*tu avais chanté*	
	Passé simple	*tu chantas*	Passé antérieur	*tu eus chanté*	
	Futur simple	*tu chanteras*	Futur antérieur	*tu auras chanté*	
	Conditionnel présent	*tu chanterais*	Conditionnel passé	*tu aurais chanté*	
	Impératif				
	Présent	*chante*	Passé	*aie chanté*	
	Subjonctif				
	Présent	*que tu chantes*	Passé	*que tu aies chanté*	
	Imparfait	*qu'il chantât*	Plus-que-parfait	*qu'il eût chanté*	
impersonnels	**Infinitif**				
	Présent	*chanter*	Passé	*avoir chanté*	
	Participe				
	Présent	*chantant*	Présent composé	*ayant chanté*	
	Passé	*chanté*	–	–	

Exercice **5.13**

Mettez les verbes entre parenthèses au temps composé demandé.

a) **Passé composé**

1 J'(lire) _____ toute la soirée.

2 Vous (être) _____ absent longtemps !

b) Plus-que-parfait

    3 Si j'(savoir) _____ , je ne serais pas venu.

    4 Il (terminer) _____ le travail quand je suis arrivé.

c) Passé antérieur

    5 Dès qu'elle (succéder) _____ à son père, elle restructura la compagnie.

    6 Après que leur père (partir) _____ , les enfants montèrent le volume.

d) Futur antérieur

    7 Dès que tu (terminer) _____ , téléphone-nous.

    8 Il (partir) _____ quand vous arriverez.

e) Conditionnel passé

    9 On n'(croire) _____ jamais _____ une telle chose possible.

f) Impératif passé

    10 (Revenir) _____ avant le dernier coup de minuit, Nicolas.

g) Subjonctif passé

    11 Il est venu sans que nous le lui (demander) _____ .

    12 Je craignais qu'il ne (s'en apercevoir) _____ .

h) Subjonctif plus-que-parfait

    13 Il avait tout fait sans qu'on le lui (demander) _____ .

i) Infinitif passé

    14 Après (chanter) _____ , la cigale fut invitée à danser.

j) Participe présent composé

    15 La cigale, (chanter) _____ tout l'été, se trouva fort dépourvue quand la bise fut venue.

5.1.5 La conjugaison à la forme interrogative

La forme interrogative soulève deux difficultés orthographiques.

L'inversion du sujet et le trait d'union

Comme il a été vu dans le chapitre 1, « La phrase », chaque fois que le pronom personnel sujet est placé après le verbe (c'est-à-dire dans les phrases de type interrogatif), il y est joint par un trait d'union. Si l'on construit l'interrogation avec *est-ce que*, il ne faut pas oublier le trait d'union entre *est* et *ce*.

        Est-ce que tu viens?   Venez-**vous** avec moi?   Irons-**nous** ensemble?

Le *t* euphonique

Comme les verbes en *-er* se terminent par un *e* à la 3ᵉ personne du singulier du présent de l'indicatif, il se créerait un hiatus, à la forme interrogative, entre le verbe et les pronoms *il*, *elle* ou *on* en inversion. Pour aider à l'enchaînement sonore, on intercale donc un *t*, précédé et suivi d'un trait d'union, entre le verbe et le pronom. Il en va de même pour les verbes *aller*, *avoir*, *vaincre* et *convaincre* à la 3ᵉ personne du singulier et pour les verbes en *-ir* ayant une terminaison en *e*.

> Parle-**t**-il…?   Parle-**t**-on…?   Va-**t**-il…?   A-**t**-elle…?   Souffre-**t**-elle?

Il faut donc faire attention à l'erreur fréquente qui consiste à mettre une apostrophe à la place du deuxième trait d'union.

> ˣ Qu'arrive-t'il?

Le futur simple de même que le passé simple des verbes en *-er* demandent aussi ce *t* euphonique, puisque la conjugaison se termine par la voyelle *a*.

> Chantera-**t**-il?   Chanta-**t**-elle…?

Exercice 5.14

Changez la construction interrogative avec *est-ce que* pour une interrogation par inversion.

1 Est-ce qu'il chante juste?

_____

2 Est-ce qu'on a tout fini?

_____

3 Est-ce qu'elle termine aujourd'hui?

_____

4 Est-ce qu'il entend me convaincre ainsi?

_____

5 Est-ce que cet argument te convainc?

_____

5.2   Le nom

Cette section porte sur le genre et le nombre des noms et leur variation orthographique. Sont également regroupés ici quelques points qui touchent indirectement l'orthographe des noms, soit l'emploi des majuscules et des minuscules, les abréviations et les symboles.

5.2.1 Le genre du nom

Le nom possède son genre en lui-même. Il est soit masculin, soit féminin.

> **un** clavier

> **une** autoroute

Toutefois, les noms désignant des êtres animés peuvent varier en genre.

> un ami, une amie

> un chat, une chatte

Les autres noms se répartissent arbitrairement entre les genres masculin et féminin ; ils n'ont pas toujours le genre qu'on croit, et la forme du nom ne donne pas toujours un indice de son genre. La présence d'un *e* à la fin du nom, par exemple, ne signifie pas nécessairement que ce nom est féminin.

> **une** idée, **une** arrivée, mais aussi **un** trophée et **un** musée

Cependant, les noms de qualité finissant par le son « té » ([te] en transcription phonétique) sont tous féminins et s'écrivent tous sans *e*.

> beauté, honnêteté, sagacité, vivacité

À CONSULTER

Il vaut mieux prendre l'habitude de consulter le dictionnaire au moindre doute quant au genre d'un nom. Pour une vue d'ensemble, voir le tableau « Genre » dans le *Multi* et la section « Genre des noms » dans la *Banque de dépannage linguistique* (*BDL*) de l'OQLF.

À NOTER

Les erreurs les plus fréquentes de genre portent sur les noms commençant par une voyelle, et cette erreur se répercute bien souvent sur le déterminant ou l'adjectif.

> ˣune autobus articulée → **un** autobus articulé

> ˣune imperméable verte → **un** imperméable vert

Exercice 5.15

Faites les accords qui s'imposent en consultant au besoin votre dictionnaire, le *Multi* ou la *BDL* pour vérifier le genre des noms.

1 On a eu (un, une) _____ (bel, belle) _____ .

été, mais (un, une) _____ automne (pluvieux, pluvieuse)

_____ .

2 On parle de construire (un, une) _____ (nouvel, nouvelle)

_____ autoroute.

3 Pourquoi l'autobus a-t-(il, elle) _____ tant de retard ce matin ?

4 (Un, une) _____ avion militaire a permis aux touristes réchappés

de rentrer au pays.

5 Aujourd'hui, j'ai dîné d'(un, une) _____ sandwich et d'un café.

La formation du féminin des noms d'êtres animés

Le féminin des noms désignant un être animé se forme généralement par addition d'un *e*
à la fin du mot (avec ou sans dédoublement de la dernière consonne).

> un Anglais, une Anglais**e**
>
> un pharmacien, une pharmacien**ne**
>
> La docteur**e** Carly Wong sera la prochaine conférencièr**e**.

Cependant, plusieurs noms varient en fonction de règles particulières.

> un amoureux, une amoureu**se**
>
> un vieux, une vie**ille**
>
> un Turc, une Tur**que**
>
> un hôte, une hôte**sse**
>
> un rédacteur, une rédact**rice**

Parfois, le genre n'est pas marqué et seuls le déterminant ou l'adjectif portent la marque du
masculin ou du féminin. On appelle ces mots « épicènes ».

> **un** enfant, **une** enfant
>
> **un bon** propriétaire, **une bonne** propriétaire
>
> **un** juge, **une** juge
>
> **un** jeune cadre, **une** jeune cadre

Enfin, surtout dans le cas des noms qui désignent des liens familiaux ou certaines espèces
d'animaux, les noms masculins et les noms féminins ont des formes parfois totalement
différentes, comme le montre le tableau 5.12.

TABLEAU 5.12   Quelques noms différents selon le genre

Liens familiaux	Animaux
Un mari, une femme	*Un mâle, une femelle*
Un père, une mère	*Un cheval, une jument*
Un frère, une sœur	*Un bœuf, une vache*
Un oncle, une tante	*Un cerf, une biche*

Complétez les phrases suivantes avec les noms entre parenthèses formés au féminin.

1 C'est une (Japonais) _____ qui a été nommée à la tête de l'entreprise.

2 C'est une (Grec) _____ qui tient ce restaurant italien.

3 Est-ce une (Italien) _____ qui vous enseigne l'italien ?

4 C'est une formation destinée aux jeunes filles qui veulent devenir

(gardien) _____ de but.

5 Trois petites (vieux) _____ faisaient la queue devant le magasin.

Le féminin des noms désignant un titre ou une profession

Il n'y a pas si longtemps, les noms désignant des professions exercées surtout par des hommes avaient rarement une forme féminine. On palliait ces lacunes par des périphrases.

> *une femme professeur*
>
> *une femme écrivain*

En remontant un tout petit peu plus dans le temps, une *mairesse*, une *générale*, une *ambassadrice* étaient respectivement l'épouse d'un *maire*, d'un *général*, d'un *ambassadeur* ; une femme *présidente* était probablement présidente d'un club féminin ou d'une société de protection des animaux, pas d'un conseil d'administration ou d'un pays.

Les dernières décennies du xxᵉ siècle ont vu une féminisation générale des appellations de personnes. Si le Québec a été un des chefs de file du mouvement de féminisation linguistique, l'emploi de formes féminines pour les noms désignant titres et professions se répand de plus en plus dans la francophonie. Certes, on rencontre encore peu de pompières et de plombières, mais les mots ne suscitent plus guère de débats enflammés ; professeures, auteures, procureures ont acquis droit de cité.

Il reste que la féminisation de certains titres de fonction soulève des questions morphologiques : par exemple, les noms et adjectifs en *-teur* font parfois leur féminin en *-trice*, parfois en *-teuse* (principalement lorsque le verbe correspondant existe : *chanteur/chanter/chanteuse*), mais l'usage a résisté à certaines formes comme « autrice » pour préférer la forme en *-eure*. Le féminin en *-euse* des noms et adjectifs en *-eur* rencontre de temps en temps de la résistance, notamment en raison de son association courante avec des comportements plutôt que des occupations : *menteur/menteuse*, *voleur/voleuse*, ou des métiers peu prestigieux : *masseur/masseuse*, *vendeur/vendeuse* – quand le féminin n'est pas réservé à une machine : *laveuse, ponceuse, pelleteuse*.

La féminisation des noms de métiers n'est donc pas toujours simple : une femme est-elle *députée* ou *député*, *chercheuse* ou *chercheure* ? À défaut d'étudier à fond les règles de formation du féminin des noms désignant des êtres animés, à défaut également d'enquêter longuement sur les usages, on doit se fier à ses outils : les dictionnaires rendent compte des féminins attestés ; le *Multi*, la *BDL* et le dictionnaire *Usito* proposent de substantiels répertoires des féminins des titres et des fonctions.

Exercice 5.17

Complétez les phrases suivantes avec la forme appropriée en vous aidant de votre dictionnaire ainsi que d'un répertoire des féminins des titres et des fonctions.

1 Madame Côté est (professeur, professeure) _____ à l'université.

2 Marguerite Yourcenar a été la première femme à entrer à l'Académie française. Elle est l'(auteur, auteure) _____, entre autres, des *Mémoires d'Hadrien* et de *L'œuvre au noir*.

3 (Le, La) _____ ministre est-elle favorable aux partenariats des secteurs public et privé ?

4 La (gouverneur général, gouverneure générale) _____ _____ a rencontré Mme Michaëlle Jean, anciennement (ambassadeur, ambassadrice, ambassadeure) _____ du Canada en Côte d'Ivoire et récemment désignée Secrétaire générale de la Francophonie.

5 (Le, La) _____ (maire, mairesse) _____ a-t-elle été réélue ?

5.2.2 Le pluriel des noms

Le nom varie en nombre selon le contexte. Généralement, il se met au pluriel quand il désigne deux êtres ou objets, ou plus.

> Il a couru 10 kilomètres. La surface est de 1,5 kilomètre.

La règle générale et les règles particulières de formation du pluriel

La règle générale de la formation du pluriel des noms consiste à ajouter un *s* au nom singulier.

> une fleur, des fleur**s**

Les règles particulières, quant à elles, sont peu nombreuses. Le tableau 5.13 en présente un résumé.

TABLEAU 5.13 **Les règles particulières de la formation du pluriel**

Règles particulières	Exemples
Les noms en *-al* forment leur pluriel en *-aux*, sauf *bal*, *carnaval*, *festival*, *récital* et *régal*.	J'ai recyclé tous les journ**aux** de la semaine dernière. Les petites bouchées de Suzanne sont de véritables rég**als**.

Règles particulières	Exemples
Les noms en -*ail* font -*ails* au pluriel, sauf *bail, corail, émail, soupirail, travail* et *vitrail*.	Les port**ails** nord et sud du palais seront rénovés. Les cor**aux** sont de petits animaux pluricellulaires primitifs.
Les noms en -*ou* font -*ous* au pluriel, sauf *bijou, caillou, chou, genou, hibou, joujou* et *pou*.	À quoi sert de faire autant de rem**ous** autour de cette affaire? J'ai mal aux gen**oux**.
Les noms en -*au*, en -*eau* et en -*eu* font -*aux*, -*eaux* et -*eux* au pluriel, sauf *landau, sarrau, bleu* et *pneu*.	Il possède plusieurs bat**eaux**. Il est couvert de bleu**s**.

À NOTER

- La formation du pluriel de quelques noms varie en fonction de leur sens. C'est le cas notamment de *ciel*.

  Le «royaume des **cieux**», est-ce l'équivalent du paradis? (Sens religieux)

  Les **ciels** du Grand Nord sont à couper le souffle. (Sens météorologique)

- Le mot *vacance/vacances* a un sens différent selon son nombre. Au singulier, il désigne un poste vacant. Au pluriel, il désigne une période de congé.

  La **vacance** du poste dure depuis trop longtemps.

  Les écoliers sont maintenant en **vacances**.

- Certains noms s'emploient uniquement au singulier. C'est le cas du mot *argent*, ainsi que du mot *énergie* au sens figuré.

  ˣ **Des argents** seront débloqués → Des sommes **d'argent** seront débloquées.

  → **De l'argent** sera débloqué.

  ˣ J'y ai mis **toutes mes énergies**. → J'y ai mis **toute mon énergie**.

  (Mais: *L'industrie des énergies renouvelables est en pleine croissance*.)

- Certains noms s'emploient uniquement au pluriel. Il faut les connaitre ou consulter un dictionnaire. Les principaux sont: *les alentours, des archives, les environs, des condoléances, des félicitations, des fiançailles, des frais, des funérailles, les gens, des honoraires, des intempéries, des représailles*.

Exercice 5.18

Corrigez, s'il y a lieu, les erreurs dans la forme ou l'emploi du pluriel des noms.

1 L'hiver vous semble interminable? Pourquoi ne pas prendre une vacance revigorante?

_____

2 Il a donné plusieurs récitals au Canada.

_____

3 Il y a toutes sortes de festivals l'été.

_____

4 Une lunette gratuite à l'achat de lentilles cornéennes.

---

5 Au Québec, les baux se renouvèlent surtout au mois de juillet.

Les erreurs fréquentes dans la détermination du nombre d'un nom

On hésite souvent à déterminer le nombre d'un nom en l'absence de déterminant marqué morphologiquement, par exemple *le* ou *les*, *un* ou *des*, etc., ou quand le nom est précédé d'une préposition (*du jus de pamplemousse* ou *de pamplemousses* ?). On peut généralement se fier au sens, mais la répartition entre le singulier et le pluriel n'est pas toujours d'une logique parfaite, comme en témoignent les exemples suivants tirés du *PR*.

> jus de citron, jus de tomate, jus de raisin (toujours singuliers)
>
> jus de fruits, jus de betteraves, jus de carottes (toujours pluriels)
>
> (Mais : *jus de pomme* ou *de pommes*)

Voici des cas fréquents d'erreurs dans la détermination du nombre d'un nom :

- Dans certaines expressions figées

  Il est tentant de mettre les mots *main* et *pied* au pluriel dans les expressions suivantes.

  > Le gouvernement n'a pas la situation **en main**.
  >
  > Le patient sera **sur pied** dans trois jours.

  Pourtant, dans ces expressions, les mots *main* et *pied* s'emploient au singulier ! Dans le doute, on trouvera la réponse dans le dictionnaire à l'entrée du mot principal de l'expression – soit, dans ce cas-ci, à *main* et à *pied*.

- Après le déterminant *de*

  Généralement, le déterminant *de* remplace le déterminant *des* lorsqu'un adjectif précède le nom. Le nom est alors toujours au pluriel.

  > Vincent prend toujours **de si grosses** bouchées ! (= *des bouchées si grosses*)
  >
  > Je me réserve **de longues** périodes de repos durant l'été. (= *des périodes de repos longues*)

  Le déterminant *de* s'emploie également dans une phrase négative ; le nombre du nom varie alors selon le contexte. Il suffit de remettre la phrase à la forme positive pour déduire le nombre.

  > Il n'a pas de femme. (Positif : *Il a une femme.*)
  >
  > Il n'a pas d'enfants. (Positif : *Il a des enfants.*)

  Mais : *Il n'y a pas de rat(s) dans la maison.* (Le nombre du nom *rat* varie en fonction du contexte.)

- Après une expression de quantité ou un nom collectif

  Avec une expression de quantité comme les déterminants *beaucoup de*, *peu de*, *trop de*, etc., le nombre du nom varie selon qu'il a le trait comptable ou non comptable. Le remplacement par les déterminants *du*, *de la*, *de l'* ou *des* permet de déduire le nombre.

– Lorsque le nom est comptable (dénombrable), il prend la marque du pluriel.

> Beaucoup de valeur**s** sont transmises par l'éducation parentale. (= *des valeurs*)
>
> Beaucoup de touriste**s** préfèrent venir durant l'hiver. (= *des touristes*)
>
> Tu as pris trop de risque**s**. (= *des risques*)

– Lorsque le nom est non comptable, il s'emploie au singulier.

> Notre maison a pris beaucoup de **valeur** ces dernières années. (= *de la valeur*)
>
> Tu as eu beaucoup de **chance**. (= *de la chance*)
>
> Il y avait plein d'**eau** dans la cave. (= *de l'eau*)

Lorsque le nom est complément d'un nom collectif, il prend généralement la marque du pluriel.

> un groupe de touriste**s**, un tas de feuille**s**, une multitude d'oiseau**x**

• Après une préposition

Lorsque le nom est précédé d'une préposition, on peut souvent se fier au sens pour en déterminer le nombre.

> un livre de **cuisine** (Pour faire la cuisine.)
>
> un livre de **recettes** (Il y a plus d'une recette dans le livre.)
>
> une maison sans **fenêtres** (Une maison a généralement plusieurs fenêtres.)
>
> Elle est partie sans laisser d'**adresse**. (Habituellement, on a une seule adresse.)
>
> Mon manteau est couvert de **poils**. (Il y a de nombreux poils sur mon manteau.)
>
> Gloria est débordante d'**enthousiasme**. (Le nom *enthousiasme* a le trait non comptable.)

Dans certains cas, il est difficile de savoir si le nom doit s'employer au singulier ou au pluriel.

> un négociant en **vin** (ou en ***vins***?)

Comme dans le cas des expressions figées, en cas de doute, on doit recourir à un dictionnaire.

Le pluriel des noms composés

Selon les rectifications orthographiques de 1990, la règle de formation du pluriel des noms composés d'un verbe et d'un nom, comptable ou non, ou d'une préposition et d'un nom suit celle des noms simples. Ainsi, au singulier, tous les éléments d'un nom composé restent au singulier et, au pluriel, seul le dernier élément prend la marque du pluriel. Le tableau 5.14 en donne quelques exemples.

TABLEAU 5.14 **Les modifications à l'orthographe des noms composés**

Orthographe traditionnelle	Orthographe rectifiée
Un ramasse-miette**s**	Un ramasse-miette
Des hache-viande	Des hache-viande**s**
Des après-midi	Des après-midi**s**

Les mots dont le dernier élément est précédé d'un déterminant et les séquences nom + préposition + nom ne sont pas touchés par la nouvelle règle de l'orthographe rectifiée.

> un hors-**la**-loi, des hors-**la**-loi
>
> un *tête-à-tête*, des *tête-à-tête*

Le fait de souder de plus en plus les éléments des noms composés contribue aussi à la simplification de leur pluriel : les *passe-partout* et les *porte-monnaie* cèdent tranquillement la place aux *passepartouts* et aux *portemonnaies*.

Pour connaitre les subtilités de la règle traditionnelle, consultez le tableau « Noms composés » dans le *Multi* ou la section « Pluriel des noms composés » dans la *BDL*.

Exercice 5.19

Déterminez le nombre des noms en caractères gras, puis mettez-les au pluriel s'il y a lieu.

1 Les histoires de **revenant** _____ vous épouvantent-elles ?

2 Notre ville n'aura jamais eu autant de **sans-abri** _____, malgré les efforts fournis par les organismes humanitaires.

3 Il a acquis beaucoup d'**expérience** _____ depuis quelques années.

4 Pouvez-vous me suggérer quelques livres de **référence** _____ sur ce sujet ?

5 Elle est devenue une femme d'**affaire** _____ influente.

5.2.3 L'emploi de la majuscule

Tout scripteur francophone sait qu'on doit mettre la majuscule à un nom propre ou au début d'une phrase graphique, mais rares sont ceux qui maitrisent toutes les règles relatives à l'emploi de la majuscule, tant elles sont nombreuses (noms de fêtes, noms de rues, noms de langues ou de nationalités, noms d'organismes gouvernementaux ou privés, noms d'établissements scolaires, etc.). L'exercice 5.20 permet de faire un survol des principales règles liées à l'emploi de la majuscule.

Exercice 5.20

Ajoutez les majuscules nécessaires dans les phrases à la page suivante en vous aidant du tableau « Majuscules et minuscules » dans le *Multi*, ou des nombreuses pages de la *BDL* qui traitent de l'emploi de la majuscule. Si le cas que vous recherchez n'est pas traité, allez directement à l'entrée du mot dans le *Multi*. Vous pouvez aussi trouver la réponse dans le site Internet de certains organismes.

■ Le site internet de l'office québécois de la langue française est facile à consulter.

Le site I̲nternet de l'O̲ffice québécois de la langue française est facile à consulter.

Pour *Internet*, on trouve la réponse à l'entrée « Internet » du *Multi* ; pour *Office québécois de la langue française*, dans le tableau « Majuscules et minuscules » du *Multi* ou sur le site de l'OQLF.

1 J'ai fait mes études primaires à l'école saint-sacrement.

2 J'ai fréquenté ensuite le cégep limoilou.

3 Puis, j'ai terminé mes études à l'université de sherbrooke.

4 Le soleil tourne autour de la terre.

5 Tant qu'il y aura des hommes sur la terre, il y aura des guerres et des massacres.

6 Qui a dit : « De tous les peuples de la gaule, les belges sont les plus braves » ?

7 J'ai plus de facilité à comprendre l'anglais d'angleterre que l'anglais américain.

8 L'état français offre des bourses aux québécois qui veulent étudier en france.

9 Nous aurons bientôt un congé pour la fête du travail.

10 J'en profiterai pour aller au musée de la civilisation et visiter la place royale.

5.2.4 Les abréviations

En français, il existe trois modes de formation des abréviations.

- On coupe AVANT la voyelle de la deuxième syllabe (parfois de la troisième syllabe).

    ap - par - te - ment → app.
    (La deuxième syllabe est -*par*. On coupe avant le *a* et on indique la troncation par un point.)

    pa - ra - gra - phe → paragr.
    (La troisième syllabe est -*gra*. On coupe après les deux consonnes et avant la voyelle.)

Il faut veiller à ne pas oublier le point. C'est lui qui indique que les dernières lettres du mot sont absentes.

    a - ve - nue → av.
    bou - le - vard → boul.
    té - lé - phone → tél.
    com - plé - ment → compl.

- On retient la première lettre du mot et on lui adjoint la dernière lettre du mot, que l'on place en exposant.

    numéro → n°
    Maitre → M^e

Parfois, on met en exposant plus d'une lettre, mais ce sont toujours les dernières lettres du mot.

    Madame → Mme

Vous aurez remarqué que les abréviations formées selon ce deuxième mode ne sont pas suivies d'un point. En effet, la présence de la dernière lettre du mot rend inutile le point abréviatif.

- On retient la lettre initiale et on la fait suivre d'un point.

> Monsieur → M.
>
> page → p.

Abréviations particulières :

L'abréviation de certains mots peut ne pas suivre ces règles générales, comme c'est le cas des abréviations suivantes.

> Messieurs → MM.
>
> Premier/première → 1er/1re
>
> Québec → QC

À NOTER

Au Québec, et dans la francophonie canadienne en général, on forme presque toujours les abréviations selon le premier mode (coupure avant la voyelle de la deuxième syllabe). Seule une poignée d'abréviations formées suivant le second mode sont utilisées ; aux quatre mots déjà donnés en exemples, ajoutons les abréviations des numéraux ordinaux.

> 1er, 1re, 2e, 3e, 20e, 100e, 1 000e, etc.

À CONSULTER

Voir les tableaux « Abréviation, règles de l' » et « Abréviations courantes » dans le *Multi* ou la section « Les abréviations » dans la *BDL*.

Voir aussi au chapitre 4, portant sur la ponctuation, l'emploi du point abréviatif.

5.2.5 Les symboles des unités de mesure

Comme les grandeurs mesurables sont multiples (espace, temps, poids, force, température, etc.) et que leur échelle est infinie, les désignations des unités de mesure sont souvent des noms composés de plusieurs éléments.

un gramme	un mètre
un centigramme	un centimètre
un kilogramme	un kilomètre

Les abréviations des unités de mesure suivent deux règles :

1. On retient en général la première lettre de chaque élément.
2. On ne fait JAMAIS suivre l'abréviation d'une unité de mesure par un point.

> un gramme → 1 g
>
> un centigramme → 1 cg
>
> un kilogramme → 1 kg
>
> un mètre → 1 m
>
> un centimètre → 1 cm
>
> un kilomètre → 1 km

Souvent, les unités de mesure sont désignées par le nom de leur inventeur. Si la majuscule du nom propre disparait généralement dans l'unité de mesure, elle réapparait presque toujours dans son abréviation.

un volt	→	1 V
un ampère	→	1 A
un watt	→	1 W
un joule	→	1 J

À CONSULTER

Voir le tableau « Symbole » dans le *Multi* ou la section « Les symboles » dans la *BDL*.

Exercice 5.21

Donnez les abréviations des mots suivants.

1 février _____

2 page _____

3 numéro _____

4 téléphone _____

5 Messieurs _____

Exercice 5.22

Donnez les symboles des unités de mesure suivantes. Vous trouverez la réponse à l'entrée du mot dans n'importe quel dictionnaire.

1 heure _____

2 mètre _____

3 minute _____

4 seconde _____

5 kilogramme _____

Exercice 5.23

Corrigez, s'il y a lieu, les fautes contenues dans les phrases suivantes.

1 La réunion aura lieu à 3 hrs 30.

_____

2 Il a parcouru les 20 kilomètres en 1 h 20 min 30 s.

_____

3 Monsieur Léo Laframboise

36, blvd. du Verger, # 15

Rougemont (Québec) G1V 1X1

_____

4 Num. de tél. : 514 525-0000

_____

5 La 1ère médaille sera remise à l'équipe des Petits-Loups et la 2e médaille ira à votre équipe.

_____

5.3 L'adjectif

5.3.1 La formation du féminin des adjectifs

Les adjectifs qui se terminent par un _e_ gardent la même forme au féminin.

> un fondement solid**e**, une amitié solid**e**

Les adjectifs qui se terminent par une voyelle autre que _e_ ou par une consonne forment généralement leur féminin par addition d'un _e_.

> un vent fort, une mer fort**e**
>
> un ciel bleu, une lumière bleu**e**
>
> un ami loyal, une personne loyal**e**

À NOTER

On doit veiller à ne pas oublier le _e_, même quand il ne s'entend pas, comme dans _une lumière bleue_ ou _une personne loyale_.

Les grammaires et les ouvrages de difficultés recensent les féminins particuliers, c'est-à-dire les cas où la formation du féminin s'accompagne d'une modification du radical. Reportez-vous à la _BDL_ ou au _Multi_ pour faire l'exercice 5.24 ; vous aurez ainsi une vue d'ensemble des variations morphologiques liées à la formation du féminin. Ultérieurement, quand vous chercherez le féminin d'un adjectif en particulier, vous préférerez sans doute utiliser le dictionnaire, qui est d'une consultation plus rapide. (N'oubliez pas que les dictionnaires électroniques donnent toutes les formes des mots, donc, pour les adjectifs, le féminin et le pluriel.)

Exercice 5.24

Mettez les adjectifs entre parenthèses au féminin. Consultez la _BDL_ ou le _Multi_ pour vous aider.

1 Pourriez-vous me trouver une chemise (pareil) _____ à celle-ci ?

2 Elle est ma chanteuse (favori) _____.

3 Elle semble très (éprouvé) _____ par la mort
(subit) _____ de son canari.

4 Il n'y a aucune (commun) _____ mesure entre ces deux évènements.

5 Ce n'était qu'une (léger) _____ crise, mais qui devrait vous servir
d'alarme.

5.3.2 La formation du pluriel des adjectifs

La règle générale

En règle générale, on forme le pluriel d'un adjectif en ajoutant un *s* à la forme du singulier
de l'adjectif, sauf si celui-ci se termine déjà par *s* ou par *x*.

> un plat élaboré → des plats élaboré**s**
>
> une entreprise ardue → des entreprises ardue**s**
>
> un garçon incompris et malheureux → des garçons incompris et malheureux

Les règles particulières

- Les adjectifs se terminant par *-eau* au singulier prennent un *x* au pluriel.

> un nouv**eau** film → de nouv**eaux** films
>
> un frère jum**eau** → des frères jum**eaux**

- Les adjectifs se terminant en *-al* forment généralement leur pluriel en *-aux*.

> un évènement spéci**al** → des évènements spéci**aux**
>
> un logiciel convivi**al** → des logiciels convivi**aux**

Exceptions :

> banal → banal**s**
>
> bancal → bancal**s**
>
> natal → natal**s**
>
> naval → naval**s**
>
> fatal → fatal**s**

Certains adjectifs acceptent les deux formes du pluriel. Par exemple : *des cours prénatal***s**
ou *prénat***aux**.

Grammaires, dictionnaires et dictionnaires de difficultés recensent les pluriels particuliers
des adjectifs. Au besoin, reportez-vous à l'un ou à l'autre pour faire l'exercice 5.25.

Exercice 5.25

**Mettez les adjectifs entre parenthèses au pluriel. Consultez un dictionnaire
au besoin.**

1 Nous avons établi les objectifs (général) _____ de la mission.

2 Les examens (final) _____ auront lieu en juillet.

3 Nous avons acheté deux lits (jumeau) _____ pour les filles.

4 Il faisait de grands gestes (théâtral) _____ .

5 Partout dans le monde, les chantiers (naval) _____ connaissent des difficultés.

5.4 Le déterminant

5.4.1 Quelques généralités

Comme le montre le tableau 5.15, la plupart des déterminants varient en genre et en nombre.

TABLEAU 5.15 La variation des déterminants en fonction de leur genre et de leur nombre

Masculin singulier	Féminin singulier	Masculin/féminin pluriel
Le vent	*La* pluie	*Les* orages
Un collège	*Une* université	*Des* écoles
Ce film	*Cette* pièce	*Ces* spectacles
Son livre	*Sa* calculatrice	*Ses* crayons
Quel homme!	*Quelle* femme!	*Quels* enfants! / *Quelles* filles!
Quel numéro?	*Quelle* adresse?	*Quels* problèmes? / *Quelles* questions?

Seul le déterminant possessif varie aussi selon la personne grammaticale et le nombre du possesseur (*voir le tableau 5.16*).

TABLEAU 5.16 La variation des déterminants possessifs selon la personne grammaticale et le nombre du possesseur

Personne/nombre du possesseur	Déterminant singulier pour un nom singulier	Déterminant pluriel pour un nom pluriel
1re/singulier (à moi)	*Mon* livre, *ma* tablette	*Mes* livres
2e/singulier (à toi)	*Ton* livre, *ta* tablette	*Tes* livres
3e/singulier (à lui ou à elle)	*Son* livre, *sa* tablette	*Ses* livres
1re/pluriel (à nous)	*Notre* livre	*Nos* livres
2e/pluriel (à vous)	*Votre* livre	*Vos* livres
3e/pluriel (à eux ou à elles)	*Leur* livre	*Leurs* livres

Toutes les grammaires comportent des tableaux recensant les différentes formes des déterminants. Le tableau 1.3, à la section 1.5.1 du chapitre 1, en présente quelques-unes.

5.4.2 Le déterminant contracté

Le déterminant contracté, appelé également déterminant prépositionnel, résulte de la fusion de la préposition *à* ou *de* et du déterminant défini *le/les*.

à + le = au	Je vais **au** marché.	de + le = du	Je reviens **du** marché.
à + les = aux	Il va **aux** États-Unis.	de + les = des	Il revient **des** États-Unis.

À NOTER

Des : déterminant contracté ou déterminant indéfini ?

Il ne faut pas confondre le déterminant contracté *des* avec le déterminant indéfini *des*, forme du pluriel du déterminant indéfini *un* ou *une*.

> Il y a **une** cerise dans ce chocolat. → Il y a **des** cerises dans ces chocolats.

Le déterminant indéfini *des* peut être remplacé par un autre déterminant.

> Je vais acheter **des** cerises. → Je vais acheter **ces** cerises.

Le déterminant contracté *des*, quant à lui, ne peut pas être remplacé par un autre déterminant. Il contient la préposition *de*.

> Cela dépend **des** conditions météorologiques.
> ˣCela dépend **ces** conditions météorologiques.

5.4.3 Le déterminant indéfini partitif

Le déterminant indéfini partitif s'emploie devant un nom qui, dans le contexte donné, est non comptable. Il est généralement singulier.

> Je vous souhaite **du** plaisir.
> Je vous souhaite **de la** chance.
> Je veux boire **de l'**eau.

À NOTER

Du : déterminant contracté ou déterminant partitif ?

Le mot *du* peut être un déterminant contracté, ou prépositionnel, résultant de la fusion de la préposition *de* et du déterminant *le*. Dans ce cas, il ne peut pas être remplacé par un autre déterminant, puisqu'il contient la préposition *de*.

> Je reviens **du** Maroc.
> ˣJe reviens **le** Maroc.

Le mot *du* peut aussi être un déterminant partitif. Comme partitif, il s'emploie devant un nom non comptable. Son féminin est *de la*. On peut le remplacer par un autre déterminant.

> Nous apporterons **du** vin et **de la** bière. → Nous apporterons **le** vin et **la** bière.

Donnez le type (contracté, indéfini ou partitif) des déterminants en caractères gras dans les phrases suivantes.

1 Ils nous ont parlé **du** Pakistan. _____

2 C'est de la part **des** jeunes que nous avons reçu le plus de commentaires.

_____

3 Ce ne sont que **des** paroles. _____

4 N'oublie pas d'acheter **du** beurre. _____

5 Je ne me souviens plus **du** titre de la chanson. _____

5.4.4 Le déterminant numéral

L'écriture des déterminants numéraux a fait l'objet de rectifications orthographiques. Tous les éléments des déterminants numéraux composés, y compris les noms *million*, *milliard* et la conjonction *et*, doivent être liés par un trait d'union.

> dix-sept
>
> trente-et-un
>
> deux-cent-quarante-trois
>
> dix-millions

À CONSULTER

Pour connaitre la règle traditionnelle concernant l'emploi du trait d'union dans les déterminants numéraux, voir le tableau «Nombres» dans le *Multi* ou les différentes sections portant sur les nombres dans la *BDL*.

Pour connaitre les règles d'accord des déterminants numéraux, voir « Le déterminant numéral » à la section 6.3.2 du chapitre 6.

Transcrivez les nombres suivants en lettres.

1 21 _____

2 122 _____

3 300 _____

4 3 000 _____

5 3 000 000 _____

5.5 Le pronom

Le **pronom de reprise** varie selon le nombre, le genre et la personne de son <u>antécédent</u>, et aussi selon la fonction que ce pronom de reprise remplit dans la phrase.

> Je vais donner mon adresse à <u>Julien</u>. → Je vais **lui** donner mon adresse.

Lui : pronom personnel qui reprend l'antécédent *Julien*, 3ᵉ personne, masculin singulier ; il remplit la fonction de CI.

> Je vais donner <u>mon adresse</u> à Julien. → Je vais **la** donner à Julien.

La : pronom personnel qui reprend l'antécédent *mon adresse*, 3ᵉ personne, féminin singulier ; il remplit la fonction de CD.

> Je ne me souviens plus de <u>l'adresse</u> **que** Pierre m'a transmise.

Que : pronom relatif qui reprend l'antécédent *l'adresse*, 3ᵉ personne, féminin singulier ; il remplit la fonction de CD.

> Je vais rappeler <u>les personnes</u> **qui** ont laissé un message pendant mon absence.

Qui : pronom relatif qui reprend l'antécédent *les personnes*, 3ᵉ personne, féminin pluriel ; il remplit la fonction de sujet.

Certains pronoms sont simples (*nous*, *lequel*), d'autres sont composés (*les siens*, *celui-ci*) ou contractés (*auquel*, *duquel*).

Plusieurs des pronoms qu'on appelle **nominaux** ne reprennent pas d'antécédent et sont invariables.

> **Rien** n'est comparable à la tarte au sucre de ma grand-mère.

> **Personne** ne souhaite un échange de cadeaux.

À NOTER

Le pronom personnel *leur* (toujours CI du verbe) est de la 3ᵉ personne du pluriel, mais ne prend jamais de *s*.

> Il a dit **à Luc et à Léo** de ne pas s'inquiéter. → Il **leur** a dit de ne pas s'inquiéter.

Il faut donc le distinguer du pronom possessif *les leurs*, qui en prend un, et du déterminant possessif *leur*, qui s'accorde avec le nom qu'il introduit.

> À qui sont ces cadeaux ? Ce sont **les leurs**.

> Ils ont organisé une fête pour **leur tante Brigitte**.

> Ils ont organisé une fête pour **leurs parents**.

À CONSULTER

On trouvera dans la section «Les pronoms» de la *BDL* ainsi que dans le tableau «Pronom» du *Multi* les différentes formes que peuvent prendre les pronoms selon leur sens, leur fonction et les caractéristiques de leur antécédent.

Voir aussi le tableau 3.1, «Les fonctions et les formes du pronom relatif», à la section 3.3.2 du chapitre 3.

Remplacez les groupes de mots en caractères gras par le pronom approprié en modifiant, le cas échéant, l'ordre des mots.

1 Nous avons apporté nos raquettes. Je me demande si Louis a apporté **ses raquettes**.

_____

2 Le lac est à environ deux kilomètres d'ici. On pourrait se rendre **au lac** en raquettes.

_____

3 Luc et Anaïs sont en voyage. On se demande si on verra **Luc et Anaïs** à Noël.

_____

4 Mathieu et Sophie n'ont pas été invités. Il faudrait téléphoner **à Mathieu et à Sophie**.

_____

5 Il y a du gâteau au chocolat. Voulez-vous **du gâteau au chocolat**?

_____

Dans ce chapitre, vous réviserez les principales règles d'accord dans le GV et dans le GN. Mais revoyons d'abord les principes généraux qui sous-tendent le système des accords en français.

6.1 Les principes généraux

6.1.1 Les classes de mots

Comme vous l'avez vu au chapitre 1, les mots se répartissent en deux grandes catégories : les classes de mots invariables et les classes de mots variables, c'est-à-dire les mots dont la forme peut varier en genre et en nombre et, dans le cas des verbes, en personne.

Les classes de mots invariables sont les **adverbes**, les **prépositions** et les **conjonctions**.

Les classes de mots variables comprennent les **noms**, les **pronoms**, les **déterminants**, les **adjectifs** et les **verbes** (y compris, dans les temps composés, les verbes auxiliaires et les participes passés).

6.1.2 Les traits grammaticaux et les marques grammaticales

Les **traits grammaticaux** sont les caractéristiques de personne, de genre et de nombre des mots appartenant à une classe variable. Le pronom *il*, par exemple, a trois traits grammaticaux : 3e personne, masculin, singulier.

Les **marques grammaticales** font référence aux variations dans la forme d'un mot selon ses traits grammaticaux : par exemple, le *-e* est souvent la marque du féminin des adjectifs, le *-t* la marque de la 3e personne du singulier des verbes et le *-s* la marque du pluriel des noms.

Il faut savoir que les marques grammaticales, perceptibles à l'écrit, « ne s'entendent ou ne se prononcent pas » toujours à l'oral, ce qui est la cause d'erreurs d'accord fréquentes. Comparez :

<blockquote>Il est poli.   Elle est polie.   Elles sont polies.</blockquote>

L'adjectif *poli*, auquel on ajoute les marques du féminin et du pluriel dans les deux derniers exemples, se prononce toujours de la même façon. Il ne faut donc pas se fier à ce que l'on entend quand il s'agit de faire des accords.

6.1.3 Les notions de donneur et de receveur d'accord

Le **donneur** (D) est un mot d'une classe variable qui donne ses traits grammaticaux à un mot d'une autre classe variable qui les reçoit, devenant ainsi le **receveur** (R). Les donneurs sont le **nom** et le **pronom**. Les receveurs sont le **verbe** (y compris le verbe auxiliaire dans les formes composées), l'**adjectif**, le **participe passé** et le **déterminant**.

Tout le système des accords se fonde sur la relation syntaxique étroite qui s'établit entre le donneur et le receveur, le premier donnant ses traits grammaticaux (personne, genre ou nombre) au second. On dit qu'il y a accord lorsqu'un mot variable (le **receveur**) reçoit d'un autre mot (le **donneur**) ses traits de genre, de nombre ou de personne.

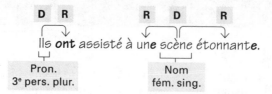

Dans cette phrase, le pronom *Ils* donne au verbe auxiliaire *ont* ses traits grammaticaux de personne et de nombre (3e personne du pluriel), et le nom *scène* donne au déterminant *une* et à l'adjectif *étonnante* ses traits grammaticaux de genre et de nombre (féminin, singulier).

6.1.4 L'importance et l'utilité des accords

L'orthographe grammaticale décrit les règles d'accord des mots dits de classe variable. Il est important de respecter ces règles, car les accords renseignent le lecteur sur les rapports syntaxiques s'établissant entre les mots dans la phrase et favorisent de ce fait une bonne compréhension de la phrase lue. Comparez, par exemple, les deux phrases suivantes :

> On lui a remis un horaire de cours **adapté** à sa situation.
>
> On lui a remis un horaire de cours **adaptés** à sa situation.

Dans la première phrase, l'accord de l'adjectif *adapté* montre clairement que l'adjectif est en relation syntaxique avec le nom *horaire*, qui lui a donné ses traits grammaticaux de genre (masculin) et de nombre (singulier). Dans la deuxième phrase, le même adjectif est en relation syntaxique avec, cette fois, le nom *cours*, qui lui a donné ses traits grammaticaux de genre (masculin) et de nombre (pluriel), ce qui se traduit par l'ajout de la marque grammaticale du pluriel -*s*. On comprend donc, en lisant la première phrase, que c'est l'horaire qui est adapté à la situation, alors qu'en lisant la deuxième phrase, on comprend que ce sont les cours qui sont adaptés à la situation. En somme, il faut faire les choix qui s'imposent pour respecter le sens qu'on veut donner à la phrase.

6.1.5 Les règles d'accord

La présentation des règles d'accord est intimement liée au travail d'analyse de la phrase : une fois que les groupes formant le sujet et le prédicat de la phrase sont isolés, on peut en analyser la composition et découvrir quels sont les donneurs et les receveurs d'accord dans la phrase. Dès lors, l'accord des mots n'obéit plus à une longue série de règles, mais à un nombre très limité de règles générales fondées sur la relation entre le donneur et le receveur d'accord : en effet, une règle d'accord ne fait que préciser quels traits grammaticaux un donneur d'accord transmet au receveur. Et ces règles, on peut les appliquer dans tous les contextes où il y a un ou des accords à faire.

Les règles d'accord se répartissent en deux groupes principaux : les accords dans le GV (qui peuvent être régis par le sujet ou par le CD) et les accords dans le GN.

6.2 Les accords dans le GV

6.2.1 L'accord du verbe avec le sujet

Dans les termes de la nouvelle grammaire, la règle de l'accord du verbe se formule ainsi : le verbe (ou l'auxiliaire du verbe à un temps composé) reçoit les traits de nombre et de personne du pronom sujet ou du noyau du GN sujet. Le receveur d'accord est donc le verbe, et le donneur d'accord est le noyau du GN sujet, ou le pronom sujet, qui donne ses traits grammaticaux de nombre et de personne au verbe avec lequel il est en relation syntaxique.

Ils parl**ent**.

Donneur : *Ils*, 3ᵉ personne du pluriel.

Receveur : *parlent*.

Plusieurs **enfants** de l'école **ont** attrapé la grippe.

Donneur : *enfants*, 3ᵉ personne du pluriel.

Receveur : *ont*.

À NOTER

Un GInf, une subordonnée relative ou une subordonnée complétive sont de la 3ᵉ personne du singulier ; lorsqu'ils occupent la fonction de sujet, ils donnent leurs traits grammaticaux au verbe avec lequel ils sont en relation, qui s'écrira à la 3ᵉ personne du singulier.

> **Construire** <u>peut</u> être le fruit d'un travail long et ardu. **Détruire** <u>peut</u> être l'œuvre d'une seule journée. (Winston Churchill)

> **Qui trébuche et ne tombe pas** <u>ajoute</u> à son pas. (Miguel de Cervantès)

> **Que les étudiants ne réussissent pas mieux le test de français** <u>est</u> préoccupant.

L'identification du sujet

Le verbe reçoit la personne et le nombre du pronom sujet ou du noyau du GN sujet. Pour bien faire l'accord, il faut donc, avant tout, savoir reconnaitre le sujet. Dans la grammaire traditionnelle, on suggère de poser la question *Qui est-ce qui ?* ou *Qu'est-ce qui ?* devant le verbe pour repérer le sujet.

> **L'enfant du voisin** revient souvent jouer chez nous.

> (*Qui est-ce qui* revient ? *L'enfant du voisin*.)

En nouvelle grammaire, on a recours à d'autres moyens pour repérer le sujet. Ainsi, pour identifier le sujet, on peut essayer de le remplacer par un pronom sujet de la 3ᵉ personne, soit *il*, *ils*, *elle* ou *elles*, ou encore de le remplacer par *cela* ou *ce* (*c'*). Le remplacement par un pronom est une manipulation syntaxique relativement simple et très utile pour repérer le sujet avec certitude. Par exemple, dans la phrase ci-dessus, on remplacera par le pronom *il* les mots dont on pense qu'ils constituent le sujet jusqu'à ce qu'on obtienne une phrase grammaticale.

> L'enfant du voisin revient souvent jouer chez nous.

> ˣ Il du voisin revient souvent jouer chez nous. (Phrase agrammaticale)

> Il revient souvent jouer chez nous. (Phrase grammaticale)

La manipulation de remplacement par un pronom permet donc de repérer le sujet de la phrase : *l'enfant du voisin*.

Voici un autre exemple :

> **Que vous soyez présent à la réunion** est très important.
>
> **C'**est très important.

On peut remplacer *Que vous soyez présent à la réunion* par le pronom *c'*, pronom de la 3ᵉ personne du singulier. Le sujet de la phrase est donc la subordonnée *Que vous soyez présent à la réunion*.

La manipulation d'encadrement avec *c'est… qui* ou *ce sont… qui* permet aussi de délimiter le groupe sujet avec précision.

> **Les étudiants que nous avons reçus cette année** seront nos hôtes l'année prochaine.
>
> **Ce sont** les étudiants que nous avons reçus cette année **qui** seront nos hôtes l'année prochaine.

À NOTER

Les pronoms *je*, *tu*, *il*, *ils* et *on* (ou *l'on*) sont des pronoms qui sont toujours sujets, alors il n'est pas nécessaire de faire une manipulation quand ils sont dans la phrase : ils sont assurément le sujet et on n'a pas besoin de manipulation pour le prouver. D'ailleurs, les pronoms *je*, *tu*, *il*, *ils* et *on* (ou *l'on*) ne fonctionnent pas avec le test de l'encadrement ; pour que la manipulation fonctionne, il faut transformer le pronom : *je* devient *moi*, *tu* devient *toi*, etc.

Le sujet de la phrase est donc le GN *Les étudiants que nous avons reçus cette année*. Dans ce GN sujet, il faut d'ailleurs reconnaitre le **noyau** du groupe (*étudiants*), car c'est lui qui régit l'accord du verbe. Voici un autre exemple démontrant cette règle d'accord.

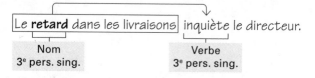

À CONSULTER

Voir le tableau « Sujet » dans le *Multi*.

Les difficultés de repérage du sujet

Dans certaines situations, cependant, le repérage du noyau du GN sujet ou du pronom sujet peut s'avérer plus difficile. Examinons quelques cas.

- **Il y a un écran entre le sujet et le verbe.**

  Le mot qui précède immédiatement le verbe n'est pas forcément son sujet. Des mots qu'on appelle **mots écrans** peuvent en effet, comme leur nom l'indique, faire « écran » entre le pronom ou le nom noyau du GN sujet et le verbe, ce qui peut rendre son repérage plus difficile. Examinons la phrase suivante, qui contient une erreur d'accord.

  > ˣLes **athlètes** qui veulent participer au marathon de Boston s'entraine toute l'année.

Dans cette phrase, le verbe doit s'accorder avec le noyau du GN sujet, *athlètes* (3ᵉ personne du pluriel). Il aurait donc fallu écrire *s'entrain**ent***. L'éloignement du noyau du GN sujet est probablement la cause de l'erreur, l'auteur de la phrase ayant peut-être « oublié » le sujet de sa phrase ou ayant tout simplement accordé le verbe avec le nom *marathon*, placé plus près.

Les mots écrans, c'est-à-dire les mots (ou groupes de mots) qui peuvent ainsi s'intercaler entre le verbe et le noyau du GN sujet, sont :

– un ou des pronoms personnels compléments du verbe, dont voici la liste :

♦ *le, la, l', les* (toujours CD du verbe)

♦ *lui* et *leur* (toujours CI du verbe)

♦ *me, m', te, t', se, s', en, y*

♦ *nous* et *vous* (qui sont parfois sujets, parfois compléments du verbe)

> Je **les** mange.
>
> Ils te **le** donnent.
>
> Je **vous** téléphonerai demain.
>
> Les professeurs **nous** aideront à mieux préparer le congrès.

Il ne faut pas se laisser tromper par les pronoms *les, le* et *vous,* qui sont des écrans, et écrire ˣ*Je **les** mangent.* ˣ*Ils te **le** donne.* ˣ*Je **vous** téléphonerez demain.* ˣ*Les professeurs **nous** aiderons à mieux préparer le congrès.*

– un complément de phrase (CP)

> Les enfants, **pendant ce temps**, achetaient des bonbons.
>
> Ces skis, **malgré leur prix prohibitif**, me tentent beaucoup.

– un complément du nom ou du pronom

> Les matous **du quartier** font peur aux enfants.
>
> Nous, **les étudiants**, n'accepterons pas cette hausse injustifiée des droits de scolarité.

Encore là, les manipulations syntaxiques peuvent aider à contourner ces difficultés. Dans les exemples précédents, on peut effacer le mot ou le groupe de mots qui fait écran entre le verbe et le noyau du GN sujet sans nuire à la grammaticalité de la phrase, ce qui montre bien que l'écran n'est pas le sujet ou du moins ne contient pas le noyau du GN sujet.

> **Je** mange.
>
> **Ils** donnent.
>
> **Je** téléphonerai demain.
>
> Les **enfants** achetaient des bonbons.
>
> Ces **skis** me tentent beaucoup.
>
> Les **matous** font peur aux enfants.
>
> **Nous** n'accepterons pas cette hausse injustifiée des droits de scolarité.

• **Le sujet est inversé, c'est-à-dire placé après le verbe.**

Précisons également que le sujet n'est pas toujours placé avant le verbe, car les phrases ne correspondent pas toutes au modèle de base. Il y a des cas où le sujet est placé après le groupe verbal (GV) ou après l'auxiliaire.

> L'achètes-**tu** ?   L'as-**tu** acheté ?
>
> Devant lui surgirent **deux chiens à l'allure inquiétante**.

Pour faciliter le repérage du sujet dans de telles phrases, on peut retrouver les phrases de base correspondantes en faisant des manipulations de déplacement.

Tu l'achètes.   **Tu** l'as acheté.

Deux chiens à l'allure inquiétante surgirent devant lui.

Le sujet est aussi placé après le verbe dans certaines subordonnées.

Les problèmes que vous cause cet enfant sont dus à ses difficultés scolaires.

Dans de tels cas, on peut essayer de reformuler la phrase pour placer le sujet avant le verbe et en faciliter le repérage.

Les problèmes **que vous cause cet enfant** sont dus à ses difficultés scolaires.

→ Les problèmes **que cet enfant vous cause** sont dus à ses difficultés scolaires. (Manipulation de déplacement du sujet)

Il vous cause des problèmes… (Manipulation de remplacement)

C'est cet enfant **qui** vous cause des problèmes… (Manipulation d'encadrement)

Exercice 6.1

Soulignez le sujet (GN, pronom, GInf ou subordonnée) des verbes en caractères gras. Pour identifier le sujet plus facilement, retrouvez au besoin la phrase de base correspondante et utilisez les manipulations de pronominalisation, d'encadrement, de déplacement ou d'effacement.

1 Où l'**as**-tu **acheté**, ce marteau ?

_____

2 Les étudiants nous les **remettront** demain, leurs travaux.

_____

3 Le cout des rénovations **dépasse** largement nos prévisions.

_____

4 Sur les rives du Rhin **s'élèvent** de magnifiques châteaux et de très nombreuses usines.

_____

5 Que ce soit vous le coupable ne **fait** aucun doute.

_____

La personne grammaticale du sujet

Précisons tout de suite que les GN sujets sont généralement de la 3ᵉ personne. En fait, la quasi-totalité des sujets sont de la 3ᵉ personne, à l'exception de certains emplois du pronom *qui* (par exemple, *Chers électeurs qui avez…*, *c'est nous qui chantons…*), et à l'exception des pronoms personnels des 1ʳᵉ et 2ᵉ personnes (*je, tu, nous, vous*) ou des GN coordonnés contenant un ou des pronoms personnels de 1ʳᵉ ou 2ᵉ personne (par exemple, *Ma fille et moi*). Dans ce dernier cas, l'accord du verbe se fait selon la règle suivante : la 1ʳᵉ personne l'emporte sur la 2ᵉ et la 3ᵉ, et la 2ᵉ personne l'emporte sur la 3ᵉ.

Claire (= 3ᵉ) et moi (= 1ʳᵉ) **avons** (= 1ʳᵉ) réussi notre examen.

(La 1ʳᵉ personne l'emporte = *nous*.)

Claire (= 3ᵉ) et toi (= 2ᵉ) **devriez** (= 2ᵉ) sortir. (La 2ᵉ personne l'emporte = *vous*.)

- Voici des sujets de la 1ʳᵉ personne :

> **Je** travaille.
>
> **Nous** travaillons.
>
> Marie (= *elle*) et **moi** (= *je*)) travaillons ensemble.
>
> Toi (= *tu*) et **moi** (= *je*) travaillons trop fort.

- Voici des sujets de la 2ᵉ personne :

> **Tu** travailles.
>
> **Vous** travaillez.
>
> Ma sœur (= *elle*) et **toi** (= *tu*) êtes du même âge.
>
> Ma sœur (= *elle*) et **vous** êtes du même âge.

- Les autres sujets sont de la 3ᵉ personne :

  – noyau des groupes du nom (GN)

  > **Pierre** est parti pour la fin de semaine.
  >
  > Les **listes** des étudiants inscrits seront affichées en face du secrétariat.

  – pronoms personnels

  > **Il** travaille tous les soirs.   **Elles** travaillent souvent ensemble.

  – pronoms démonstratifs

  > **Cela** se saura.   **Ceux-ci** sont moins chers que ceux-là.

  – pronoms possessifs

  > **Le vôtre** est peut-être plus beau, mais **le mien** fonctionne mieux.
  >
  > Vos enfants sont de véritables pestes ; **les nôtres** n'auraient jamais fait ça.

  – pronoms indéfinis : il y a des pronoms indéfinis singuliers (*rien, personne, tout*) et des pronoms indéfinis pluriels (*d'autres, d'aucuns, tous*)

  > **Rien** ne me sourit.   **Certains** pensent qu'il a tort.
  >
  > **Personne** n'est venu à la soirée.   **D'autres** disent qu'il a raison.
  >
  > **Tout** te réussit.   **Tous** ne sont pas d'accord.

  – pronoms interrogatifs

  > **Qui** frappe ?   **Lesquels** sont partis ?

  – pronoms relatifs sujets

  > Les soupçons **qui** pèsent sur lui ne sont pas fondés.
  >
  > (Mais : *Est-ce toi qui* **as** *obtenu le contrat ?* L'antécédent est de la 2ᵉ personne du singulier.)

  – verbes à l'infinitif (GInf) et subordonnées

  > **Rire** fait du bien.
  >
  > **Qui a bu** boira.
  >
  > **Que sa nomination n'ait pas plu à tout le monde** ne fait aucun doute.

Quand le GN sujet est formé de deux GInf coordonnés et que le verbe a un attribut, le verbe se met au singulier si l'attribut est singulier, et au pluriel si l'attribut est pluriel.

> Faire de l'exercice et boire beaucoup d'eau **est** bon pour la santé.
>
> (Attribut singulier : *bon pour la santé*)
>
> Faire de l'exercice et boire beaucoup d'eau **sont** de bonnes habitudes.
>
> (Attribut pluriel : *de bonnes habitudes*)

Exercice 6.2

Dans les phrases suivantes, remplacez le sujet par le pronom pluriel correspondant. Donnez ensuite la personne et le nombre du sujet.

1 Mes amis et moi avons décidé de rebrousser chemin.

_____

2 Toi et moi partirons les premiers.

_____

3 Tes frères et toi me rejoindrez au coin de la rue.

_____

4 Vous et moi savons cela depuis longtemps.

_____

5 Lui et moi sommes devenus de véritables complices.

_____

Dans le cas de verbes à l'impératif, comme dans les phrases suivantes, la personne du verbe dépend de ce que le locuteur veut dire (s'il s'inclut ou non) et de la façon dont il veut s'adresser à l'autre (par tutoiement ou vouvoiement).

> **Revenez,** monsieur. (Vouvoiement : 2e personne du pluriel)
>
> **Dors,** mon petit enfant. (Tutoiement : 2e personne du singulier)
>
> **Dormons,** mon petit enfant. (1re personne du pluriel, la personne qui parle est incluse.)
>
> **Venez,** mes petits. (2e personne du pluriel)
>
> **Partons,** mes amis. (1re personne du pluriel, la personne qui parle est incluse.)

Exercice 6.3

Donnez la personne et le nombre des verbes à l'impératif dans les phrases suivantes.

1 Les enfants, écoutez-moi bien. _____

2 Les jeunes, retenez bien ceci. _____

3 Viens ici, mon petit. _____

4 Mes amis, ne perdons pas de temps. _____

5 Sébastien, rappelle-moi ce soir. _____

Exercice 6.4

Soulignez les GN sujets ou les pronoms sujets et mettez les verbes entre parenthèses au temps demandé.

1 De derrière la maison (**surgir**, indicatif présent) _____ trois chiens menaçants.

2 Ils nous (**écouter**, futur) _____.

3 Pierre les (**écouter**, conditionnel présent) _____ davantage s'ils lui (**parler**, indicatif imparfait) _____ sur un autre ton.

4 (**S'ajouter**, indicatif présent) _____ à cette somme les frais de séjour.

5 Nous possédons une salle où (**se rencontrer**, indicatif présent) _____ les membres du personnel.

L'accord des formes composées du verbe

Dans les temps composés du verbe, l'auxiliaire de conjugaison reçoit la personne et le nombre du sujet, en suivant les terminaisons des temps simples correspondants.

j'**ai** mangé	nous **aurons** mangé
tu **avais** mangé	vous **auriez** mangé
il **eut** mangé	qu'ils **aient** mangé

Les règles de l'accord du participe passé sont présentées plus loin dans ce chapitre.

À NOTER

Rappelons ici que l'auxiliaire *être* s'emploie dans trois cas pour former des temps composés.

- Les verbes pronominaux se construisent toujours avec *être*.

  À son entrée, le silence **s'est fait.**

- Certains verbes (comme *aller, arriver, décéder, demeurer, devenir, intervenir, mourir, naitre, partir, rester, revenir, tomber, venir,* etc.) demandent l'auxiliaire *être*.

  Elle **est née** à Tombouctou, au Mali.

  Elles **sont devenues** riches en gagnant à la loterie.

- Quelques verbes se conjuguent tantôt avec *avoir*, tantôt avec *être*, selon qu'ils sont transitifs directs ou non.

  Elle **a descendu** les pommes de terre à la cave.

  (Verbe transitif ; le CD est *les pommes de terre*.)

  Elle **est descendue** de la voiture avec une grâce infinie.

  (Verbe transitif indirect ; ici, le verbe n'a pas de CD.)

Ajoutez l'auxiliaire (*être* ou *avoir*) de conjugaison nécessaire pour mettre le verbe entre parenthèses au temps demandé et accordez-le.

1 Les triplés (**naitre**, passé composé) _____ nés à Trois-Rivières.

2 Toutes ses craintes (**s'évanouir**, passé composé) _____ évanouies comme par magie.

3 Le directeur (**intervenir**, passé composé) _____ intervenu dans tous les dossiers.

4 Elles (**se dire**, passé composé) _____ dit qu'elles auraient surement l'occasion de se revoir.

5 Mélissa et Ulysse (**se rencontrer**, conditionnel passé) _____ rencontrés dans la vallée de l'Okanagan.

Le pronom *il* sujet impersonnel

Prenons l'exemple suivant :

> **Il** *arrive des invités.*

Dans cette phrase, le pronom *Il* est le sujet grammatical. En grammaire traditionnelle, on dit que *des invités* est le sujet réel, ou sujet sémantique (ce sont *les invités* qui arrivent), et que l'accord se fait avec le sujet grammatical, *il*, et non avec le sujet sémantique *des invités*. La nouvelle grammaire explique la chose en termes plus simples : le pronom *il* est le sujet de cette phrase impersonnelle, et le GN *des invités* est appelé le complément du verbe impersonnel. Il n'y a donc plus de confusion possible : le verbe ne peut que s'accorder avec le pronom *il*, car c'est son « seul » sujet.

Mettez les verbes impersonnels entre parenthèses au temps demandé.

1 Il (**manquer**, présent) _____ encore deux élèves.

2 Il (**se passer**, imparfait) _____ de drôles de choses dans cette maison.

3 Chaque jour, il (**arriver**, imparfait) _____ des centaines de lettres.

4 Il leur (**falloir**, conditionnel passé) _____ de meilleurs outils pour faire ce travail.

5 Il leur (**sembler**, imparfait) _____ bien que leur tour était venu.

Le pronom *on* sujet

Le pronom *on* est de la 3ᵉ personne du singulier. Le verbe ou le verbe auxiliaire ayant pour sujet le pronom *on* sera donc à la 3ᵉ personne du singulier.

> *Au ministère de la Justice,* **on semble** *s'étonner des réactions de la population.*

Le pronom *on* a normalement une valeur indéfinie : il renvoie à une personne ou, plus souvent, à un groupe de personnes dont on tait l'identité soit parce qu'on l'ignore, soit parce qu'on ne la juge pas pertinente. Le pronom *on* a souvent une valeur totalement neutre comme dans la phrase précédente (on tait, on ignore), ou encore il peut renvoyer à l'humanité en général, par exemple dans les maximes et les proverbes.

> **On** n'**est** *jamais si bien servi que par soi-même.*

Dans la conversation, *on* est le plus souvent employé dans le sens de « nous », mais le verbe ou l'auxiliaire restent au singulier. Cet emploi n'est pas recommandé à l'écrit. Même à l'oral, il est critiqué de référer à « nous » en employant à la fois le pronom *on* (3ᵉ personne) et un élément à la 1ʳᵉ personne (*nous, Pierre et moi*, etc.).

> Est-ce qu'**on va** au cinéma ?
>
> ˣPierre et moi, **on va** au cinéma.
>
> ˣNous, **on va** au cinéma.

Exercice 6.7

Mettez les verbes entre parenthèses au temps demandé. Précisez si le pronom *on* est employé dans son sens indéfini (I) ou dans le sens de « nous » (N).

1. Au ministère de l'Environnement, on (**sembler**, présent) _____ tout ignorer de cette histoire.

2. Autrefois, on (**se marier**, imparfait) _____ souvent jeune.

3. On (**pouvoir**, conditionnel présent) _____ se donner un délai de réflexion.

4. De cette façon, on (**résoudre**, conditionnel présent) _____ tous les problèmes d'un seul coup.

5. Si on (**pouvoir**, plus-que-parfait) _____ prévoir ce qui allait arriver, on (**prendre**, conditionnel passé) _____ les mesures nécessaires pour que ça n'arrive pas.

① Le GN sujet est formé de plusieurs GN

⒜ Le GN sujet est formé de GN coordonnés par *et*

Le verbe dont le GN sujet est formé de plusieurs GN coordonnés par *et* se met évidemment au pluriel.

> La loi et le règlement **seront** appliqués de façon souple.

⒝ Le GN sujet est formé de GN juxtaposés

Dans le GN sujet, l'addition des GN est parfois faite par juxtaposition, c'est-à-dire que les GN énumérés sont liés uniquement par la virgule, sans conjonction de coordination. Dans de tels cas, le verbe se met au pluriel.

> L'or, l'argent, le platine **sont** des métaux précieux.

Dans le GN sujet, il faut prendre garde de ne pas confondre le GN complément du nom avec un GN juxtaposé à un autre GN. Prenons l'exemple suivant :

> L'essentiel de son œuvre, poèmes et chansons, **sera** réédité.

Dans cette phrase, il faut voir que *poèmes et chansons* est un complément du nom (appelé « apposition » dans les grammaires traditionnelles) et non un GN juxtaposé au GN *L'essentiel de son œuvre*. Le complément *poèmes et chansons* est d'ailleurs clairement encadré par deux virgules. Le GN sujet, *L'essentiel de son œuvre, poèmes et chansons*, a pour noyau le nom *essentiel* (singulier) ; il ne faut donc pas mettre le verbe au pluriel.

À NOTER

Si le sujet est formé d'une énumération de GN juxtaposés se terminant par un pronom singulier qui les résume, le verbe s'accorde avec ce pronom.

> Les sushis, les tapas, les raviolis japonais, les rouleaux impériaux, **tout** est délicieux dans ce restaurant.

ⓒ Le GN sujet est formé de GN synonymes ou exprimant une gradation

Lorsque le GN sujet est composé de plusieurs GN qui expriment de façons différentes la même idée ou les divers degrés d'une même qualité, le verbe s'accorde avec le GN le plus rapproché.

Comme le GN exprime la même idée, il peut être remplacé par *cela*.

> Un vent doux, une brise de printemps, un souffle chaud **caressait** ma joue.

> Son amabilité, sa gentillesse, sa bonté la **rendait** sotte à mes yeux.

Notez que cette construction est littéraire et rare, voire désuète.

ⓓ Le GN sujet est formé de GN singuliers coordonnés par *ou*

Lorsque le GN sujet est composé de plusieurs GN singuliers unis par le coordonnant *ou*, le verbe se met au pluriel si les deux GN peuvent faire l'action exprimée par le verbe, c'est-à-dire si *ou* exprime l'addition et a ainsi un sens voisin de celui de *et*. On dit alors que ce *ou* est inclusif.

> Le moindre choc physique ou une mauvaise nouvelle **peuvent** le terrasser.
> (Les deux peuvent le terrasser.)

Si l'un des deux GN singuliers formant le GN sujet exclut l'autre, le verbe se met au singulier. On dit alors que ce *ou* est exclusif.

> Le directeur ou le sous-directeur **présidera** l'assemblée.
> (Un seul des deux présidera l'assemblée.)

ⓔ Le GN sujet est formé de GN singuliers coordonnés par *ni*

L'accord du verbe est parfois arbitraire lorsque des sujets singuliers sont unis par *ni*, mais le pluriel est d'usage fréquent étant donné que le *ni* est souvent inclusif.

> Ni la natation ni le tennis ne l'**intéressent** (ou ne l'*intéresse*).

Mais, comme pour *ou*, le coordonnant *ni* peut être exclusif : si l'action ne peut pas être attribuée aux deux sujets à la fois, le singulier est de rigueur.

> Ni Jacques ni son cousin n'**est** le père de Manon.

ⓕ Le GN sujet est formé de GN unis par une conjonction d'addition servant parfois de comparaison

Lorsque les conjonctions *comme*, *ainsi que*, *aussi bien que*, *autant que*, *de même que*, *non moins que*, *pas plus que*, etc. gardent leur valeur de comparaison, elles introduisent un complément de phrase plutôt qu'un second GN sujet. Le complément de phrase, mobile et facultatif, est placé entre virgules et le verbe s'accorde avec le GN sujet (qui est le premier élément) et non avec le complément de comparaison.

> Mon père, comme beaucoup d'hommes, **aimait** le sport.
> (= *Comme beaucoup d'hommes, mon père* **aimait** *le sport.*)

> L'enfant, ainsi qu'un petit animal sauvage, ne nous **approcha** pas.
> (= *Ainsi qu'un petit animal sauvage, l'enfant ne nous* **approcha** *pas.*)

À l'idée de comparaison peut se substituer celle d'addition. On a alors véritablement un GN sujet composé de deux GN coordonnés. Dans de tels cas, on peut remplacer la conjonction par *et*. Le verbe se met au pluriel et le GN coordonné n'est pas encadré de virgules.

> Votre argent ainsi que votre passeport **doivent** toujours être en lieu sûr.
> (= *Votre argent* **et** *votre passeport* **doivent** *toujours être en lieu sûr.*)

La sociologie comme la philosophie **sont** en voie de disparition.

(= *La sociologie et la philosophie sont en voie de disparition.*)

Mettez les verbes entre parenthèses au temps demandé.

1 Né en 1873, mort en 1937, Élie Faure est un autodidacte dans toute la force que ce terme peut prendre lorsque la passion de savoir et l'intelligence (**dépasser**, indicatif présent) _____ les découvertes des spécialistes et des érudits.

2 Les enfants et vous (**devoir**, conditionnel présent) _____ essayer de vous entendre.

3 Ni lui ni moi ne (**être**, indicatif présent) _____ en mesure de vous répondre.

4 M. Dubé ou Mᵐᵉ Tremblay vous (**appeler**, futur) _____ après votre entrevue.

5 Votre suggestion ainsi que celle de M. Tremblay (**retenir**, passé composé) _____ l'attention du comité.

② Le sujet est le pronom relatif *qui*

Le pronom relatif *qui* est un pronom sujet s'il n'est pas précédé d'une préposition. Le verbe de la subordonnée relative s'accorde donc avec lui. Comme tous les pronoms de reprise, le pronom relatif *qui* remplace un GN ou un pronom. Le pronom relatif *qui* est donc de la même personne et du même nombre que son antécédent, c'est-à-dire le noyau du GN ou le pronom qu'il remplace.

> *C'est* **moi qui** *irai.* (1ʳᵉ personne du singulier)
>
> *C'est* **toi qui** *iras.* (2ᵉ personne du singulier)
>
> *C'est* **l'étudiant qui** *a remporté le prix.* (3ᵉ personne du singulier)
>
> *C'est* **nous qui** *l'avons emprunté.* (1ʳᵉ personne du pluriel)

Mais il arrive que les choses se compliquent. Un autre accord est parfois possible quand l'antécédent du pronom *qui* est attribut, mais à certaines conditions particulières (par exemple, si le sujet est *nous* ou *vous*, et que l'attribut est un numéral, un indéfini, un collectif ou exprime une quantité : *Nous sommes plusieurs qui avons…*). Mis à part ces cas particuliers, retenez que, de manière générale, le pronom relatif *qui* a pour antécédent le noyau du GN attribut.

> *Je suis* **la personne** *qui* **voulait** *vous rencontrer.*
>
> *Je suis* **un étudiant** *qui* **veut** *apprendre.*
>
> *Vous êtes* **le seul** *qui m'***ait remis** *mon argent.*

À NOTER

Lorsque le pronom *qui* est placé après *(l')un des…*, *(l')une des…*, ou *(l')un de…*, *(l')une de…* suivi d'un nom, c'est le sens qui détermine l'accord. En effet, il faut déterminer si le pronom relatif *qui* représente l'ensemble des êtres désignés par le nom pluriel, ou s'il représente un seul être.

> *À l'un des policiers qui l'***interrogeait**… (Un seul policier l'interrogeait.)
>
> *À l'un des policiers qui l'***interrogeaient**… (Tous les policiers l'interrogeaient.)

Mettez les verbes entre parenthèses au temps demandé.

1 Comme d'habitude, c'est encore Claire ou Judith qui (**décrocher**, futur) _____ le premier prix.

2 Est-ce vous qui (**téléphoner**, passé composé) _____ ?

3 Ce n'est pas moi qui (**avoir**, conditionnel présent) _____ une chance pareille.

4 Ce n'est pas à moi qu'on (**faire**, conditionnel passé) _____ une offre pareille.

5 Je cherche une personne qui (**savoir**, subjonctif présent) _____ écrire sans fautes.

③ Le GN sujet du verbe *être* est le pronom démonstratif *ce*

Le verbe *être* ayant pour sujet *ce* (ou *c'*) s'écrit au singulier devant les pronoms des 1re et 2e personnes du pluriel.

> **C'est nous** qui prenons…
>
> **C'est vous** qui prenez…

Mais devant la 3e personne du pluriel, le verbe *être* s'écrit au pluriel.

> **Ce sont eux** qui…
>
> **Ce sont les employés** qui…

Dans la langue parlée, on ne respecte pas toujours cette règle ; mais, dans la langue écrite, il faut l'appliquer de façon rigoureuse. Cependant, si le verbe *être* est suivi de plusieurs noms dont le premier est singulier, il s'écrit généralement au singulier.

> **C'est Jean Gagnon et Martin Côté** qui ont remporté les deux premiers prix.

De même, si le pronom ou le nom pluriel est précédé d'une préposition, le verbe *être* s'écrit au singulier.

> **C'est à** des employés surnuméraires de faire ce travail.

Comme vous le savez, *aux* est une contraction de la préposition *à* et du déterminant défini *les* (*aux* = *à* + *les*). Pour sa part, *des* peut aussi être une contraction, équivalant à *de les*. Lorsqu'il est suivi de ces éléments contractés, le verbe *être* s'écrit au singulier.

> **C'est aux** (à les) employés surnuméraires de faire ce travail.
>
> **C'est aux** (à les) employés que revient la décision.
>
> **C'est des** (de les) employés que la plainte est venue.

Toutefois, lorsque *des* est un déterminant indéfini, le verbe *être* se met au pluriel.

> **Ce sont des** employés fiables.
>
> **Ce sont des** jeux vidéos que vos enfants ont demandés pour Noël.

Rappelons que *de* devant un adjectif et un nom au pluriel est parfois un déterminant équivalant à *des*.

> **Ce sont de** bons employés.

Lorsque le déterminant indéfini *des* ou *de* est précédé du présentatif *ce sont*, on peut remplacer *ce sont* par *voici*.

> **Ce sont des** employés fiables.
>
> (= **Voici des** employés fiables.)
>
> **Ce sont de** bons employés.
>
> (= **Voici de** bon employés.)

Voici un moyen pour vous aider à différencier *des* issu de la contraction *de les* de *des*, déterminant indéfini. Essayez de mettre le déterminant au singulier : la préposition « réapparaitra » si *des* est une contraction de *de les*.

> *Ce sont* **des** *individus fort aimables.*
>
> *C'est* **un** *individu fort aimable.*
>
> (Le mot *des* est un déterminant indéfini.)
>
> *C'est* **des** *vaches que vient le lait.*
>
> *C'est* **de la** *vache que vient le lait.*
>
> (Le mot *des* est la contraction de *de les*.)

Exercice 6.10

Mettez le verbe *être* (précédé de *ce/c'* ou *ce ne/n'*) au singulier ou au pluriel, et au temps présent.

1 (**Ce + ne + être**, présent) _____ pas des risques à prendre.

2 (**Ce + être**, présent) _____ des décisions difficiles à prendre.

3 (**Ce + être**, présent) _____ de grosses décisions à prendre.

4 (**Ce + être**, présent) _____ des mesures qui profiteront à tout le monde.

5 (**Ce + être**, présent) _____ des agriculteurs eux-mêmes que nous vient cette requête.

④ **Le GN sujet contient un nom collectif, une fraction ou un pourcentage**

Le nom collectif est un nom qui désigne un ensemble d'objets ou de personnes : *tas*, *foule*, *série*, *partie*, etc. Lorsqu'un nom collectif (au singulier) est employé sans complément ou que son complément est au singulier, le verbe se met au singulier.

> *La foule* **attendait** *impatiemment l'ouverture des portes.*
>
> *La majorité du groupe* **était** *composée de jeunes filles.*

Lorsque le nom collectif a un complément, on est libre d'accorder le verbe avec le nom collectif ou avec son complément, si le sens le permet.

> *Une foule d'étudiants* **attendait** *devant la porte.*
>
> *Une foule d'étudiants* **attendaient** *devant la porte.*

Le sens du verbe et le contexte déterminent parfois l'accord. Prenons l'exemple suivant :

> *Le cercle d'enfants* **se referma.**

Dans cette phrase, c'est le cercle formé par les enfants qui fait l'action de *se refermer*, à l'inverse de la phrase suivante.

> Un groupe d'enfants **criaient** à tue-tête.

Ici, il nous vient plus naturellement à l'esprit l'image d'enfants qui crient que celle d'un groupe qui crie. Le pluriel est donc préférable.

Avec la locution *la plupart*, le verbe s'accorde toujours avec le complément, qu'il soit exprimé ou non.

> La plupart des gens **pensent** que...

> La plupart **pensent** que...

Le GN sujet *tout le monde* demande le singulier, puisque *monde* (noyau) est ici un nom singulier, précédé de *le*.

> Tout le monde **est** bien content. (Règle générale : accord avec le noyau du GN sujet)

De même, le GN sujet *beaucoup de monde* exige lui aussi le singulier.

> Beaucoup de monde **est** venu. (Règle générale : accord avec le noyau du GN sujet)

Quand le collectif a un sens numéral et exprime une quantité précise, le singulier est de rigueur. S'il s'agit d'un nombre approximatif, l'accord est libre. N'oubliez pas d'accorder aussi les attributs.

> Une douzaine d'huitres **coute** 5 $.

> Une quinzaine de jours **sera/seront** nécessaire(s).

À CONSULTER

Voir le tableau « Collectif » dans le *Multi*.

Notez cependant que si le complément du collectif désigne des personnes, le pluriel est plus fréquent.

> Une quinzaine d'étudiants **sont** absents ce matin.

À NOTER

Les fractions et les pourcentages : accord fluctuant !

Si le GN sujet contient un nom de fraction au singulier ou un pourcentage, le verbe se met au singulier ou au pluriel, selon le sens ou l'intention de l'auteur. En fait, on met le verbe au singulier si on veut insister sur la fraction ou le pourcentage, ou on le met au pluriel si on veut insister sur l'ensemble, représenté par le complément.

> Le quart des répondants **est** en faveur du changement proposé.
>
> (On insiste sur une fraction précise.)
>
> Le quart des répondants **sont** en faveur du changement proposé.
>
> (On met l'accent sur le complément, qui est pluriel.)
>
> La moitié des étudiants québécois **ont** obtenu la note de passage.
>
> La moitié **a** essuyé un échec. (Règle générale : accord avec le noyau du GN sujet.)
>
> La moitié **ont** essuyé un échec.
>
> (Un complément pluriel est sous-entendu : l'accord au pluriel est permis.)
>
> Quelque 20 % des étudiants **pensent** que la règle est claire ; 40 % **croient** qu'elle est trop sévère.
>
> Environ 80 % de son temps **est** consacré au travail !

Cependant, si le nom de fraction ou le pourcentage sont précédés d'un déterminant pluriel, le verbe se met au pluriel.

> Les deux tiers de la classe **ont** obtenu d'excellents résultats.

> Les 30 % qui restent **devront** suivre des cours d'appoint.

De même, on met le verbe au pluriel quand il a un attribut pluriel.

> Soixante pour cent du personnel des écoles **sont** des femmes.

> (Le GN *des femmes* est attribut.)

Exercice 6.11

Complétez les phrases suivantes en mettant les verbes entre parenthèses au temps demandé.

1 Un tas de papiers (**trainer**, imparfait) _____ sur son bureau.

2 Une bande de voyous (**faire**, présent) _____ des ravages dans le quartier du port.

3 La plupart des arguments invoqués ne m'(**convaincre**, passé composé) _____ pas _____.

4 Une douzaine d'œufs (**couter**, présent) _____ entre deux et trois dollars.

5 Une nuée de sauterelles (**dévaster**, passé composé) _____ son champ.

⑤ Le GN sujet contient une expression de quantité

Un certain nombre d'expressions de quantité prennent parfois une valeur nominale ; ce sont alors des pronoms indéfinis (quantitatifs), et ils peuvent par conséquent occuper la fonction sujet de P (3ᵉ personne du pluriel).

> **Beaucoup** sont revenus attristés.

> **Peu d'entre nous** ont reçu un bel accueil.

> **Combien** s'en sont plaints !

Lorsqu'elles sont suivies d'un nom, ces expressions de quantité deviennent des déterminants indéfinis (quantitatifs) complexes : *beaucoup de, peu de, combien de, trop de, pas mal de, énormément de, tellement de, suffisamment de, davantage de, bien du/de la/des, quantité de, (bon) nombre de*, etc. On applique la règle générale : le noyau du GN sujet (le nom) est le donneur d'accord, qu'il soit singulier (non comptable) ou pluriel (comptable).

> **Beaucoup de** neige est tombée sur le sol.

> **Énormément de** sable s'accumule dans mes sandales.

> **Trop peu de** films étrangers sont diffusés dans cette salle.

> **Bon nombre de** candidates se sont présentées à ce poste.

Lorsque le déterminant *plus d'un* est placé devant un nom, le verbe s'accorde au singulier avec ce nom, comme le veut la règle générale (malgré le sens, qui laisse entendre qu'il y en a plusieurs).

> **Plus d'un** marin **périt** au cours de ce voyage.

Cependant, on écrira :

> **Plus d'un marin, plus d'un capitaine** ne **revinrent** jamais.

La raison en est qu'il y a dans cette phrase deux sujets juxtaposés.

Moins de deux, malgré le sens qu'il véhicule, suit lui aussi la règle générale et demande donc le pluriel parce que le verbe doit s'accorder avec le nom noyau du GN sujet pluriel.

> **Moins de deux** heures me **séparent** de lui : j'irai le rejoindre ce soir.

Exercice 6.12

Complétez les phrases suivantes en mettant les verbes entre parenthèses au temps demandé de l'indicatif.

1 Tant d'efforts (**anéantir**, présent, forme passive) _____ !

2 Bien du temps (**pouvoir**, conditionnel passé) _____ être gagné.

3 Quantité d'Afghans (**partir**, passé composé) _____ au Pakistan.

4 Nombre de gens (**connaitre**, présent) _____ mal la géographie.

5 Peu de subventions (**accorder**, passé composé, forme passive) _____ cette année.

Le tableau 6.1 récapitule l'accord du verbe.

TABLEAU 6.1   L'accord du verbe

L'accord du verbe avec le sujet (règle générale)

Le verbe (ou le verbe auxiliaire dans les formes composées) reçoit le nombre et la personne du pronom sujet ou du noyau du GN sujet.

> Les commentaires du ministre de la Santé et des Services sociaux **ont fait** bondir les infirmières.

Notons que le verbe est à la 3ᵉ personne du singulier lorsque le sujet est :

• le pronom *on*	On **pense** qu'ils ont raison.
• le pronom *il* impersonnel	Il **semblerait** qu'ils aient réussi.
• *plus d'un* + nom	Plus d'un étudiant **a** demandé à me rencontrer.
• une subordonnée ou un GInf	Qu'il y ait autant d'enfants affamés **est** révoltant.
	Prendre des médicaments pour un rien **est** mauvais pour la santé.
• le pronom *ce* suivi du verbe *être* et de *nous*, de *vous* ou d'une préposition	**C'est** vous qui le savez. **C'est** nous qui le savons.
	C'est d'eux que je tiens ce renseignement.
• un déterminant indéfini quantitatif complexe (*beaucoup de*, *peu de*, etc.) + nom non comptable	Beaucoup d'eau **a coulé** sous les ponts.

Notons que le verbe est à la 3ᵉ personne du pluriel lorsque le sujet est :

• *moins de deux* + nom	Moins de deux litres **ont été utilisés**.
• un déterminant indéfini quantitatif complexe (*beaucoup de*, *peu de*, etc.) + nom comptable	Beaucoup de crayons **sont** sur la table.

1. Le sujet est composé de deux (ou plus) groupes juxtaposés ou coordonnés

Le verbe se met au singulier	Le verbe se met au pluriel
• Lorsque le GN sujet est singulier et que *comme, ainsi que, de même que…* exprimant la comparaison servent à former un complément de phrase après le sujet. Le complément de phrase est alors entre virgules. *Vincent, comme son père,* **adore** *la pêche.*	• Lorsque *comme, ainsi que, de même que…* exprimant l'addition coordonnent deux groupes. Les virgules sont alors absentes. *Vincent ainsi que ses enfants* **sont** *là.* *Vincent comme son père* **adorent** *la pêche.*
• Lorsque *ni* et *ou* coordonnent deux groupes sujets singuliers (ou plus) et dont un seul est susceptible de faire l'action (exclusion). *C'est Vincent ou son père qui* **conduira** *la voiture.*	• Lorsque *ni* et *ou* coordonnent deux groupes sujets (ou plus) qui sont tous susceptibles de faire l'action (inclusion). *Ni Antoine ni Vincent n'***ont** *marqué de buts pendant le tournoi.*
• Lorsqu'une suite de plusieurs groupes synonymes au singulier exprime une gradation. *Une odeur parfumée, une senteur divine, un parfum sublime nous* **parvenait** *aux narines.*	• Lorsque le GN sujet est composé de deux (ou plusieurs) personnes grammaticales différentes. *Pierre, toi et moi serons au restaurant.* (La 1re personne l'emporte sur les autres.)

2. Le sujet est le pronom relatif *qui*

Le verbe s'accorde avec l'antécédent du pronom *qui*.

Ce sont les **premières** *qui* **sont** *les plus douces.*

Ce sont **des étudiants** *qui* **savent** *travailler fort.*

C'est **moi** *qui* **suis** *arrivée la première.*

3. Le sujet contient un mot de sens collectif

Le verbe se met au singulier	Le verbe se met au singulier ou au pluriel	Le verbe se met au pluriel
• Lorsque le nom collectif sujet est employé seul. *La file* **s'allongeait** *d'heure en heure aux portes du centre de vaccination.* • Lorsque le nom collectif sujet a un complément singulier. *La majorité de la population* **a été** *vaccinée.*	• Lorsque le nom collectif sujet est précédé d'un déterminant indéfini singulier (*un/une*) et qu'il a un complément pluriel. *Une majorité des médicaments* **est/sont** *remboursée/remboursés.* Mais: *Une file d'étudiants* **s'étirait** *sur la place.* (Critère de sens: ce ne sont pas les étudiants qui s'étirent!)	• Lorsque le sujet est *la plupart* ou un pronom quantitatif (*beaucoup, combien,* etc.) sans complément. *La plupart* **sont** *d'accord. Beaucoup* **pensent** *le contraire.*

Complétez les phrases suivantes en mettant le verbe entre parenthèses au temps demandé.

1 (**Ce + être**, présent) _____ à vous de prendre les mesures nécessaires.

2 Il nous (**manquer**, présent) _____ encore deux rapports.

3 C'est moi qui (**aller**, futur) _____ le rencontrer.

4 La plupart (**s'opposer**, présent) _____ à cette mesure.

5 Dans cette histoire, tout le monde (**avoir tort**, présent) _____ .

Voici cinq phrases dans lesquelles des verbes ont été mal accordés. Corrigez les verbes fautifs et justifiez votre correction.

1 Le chômage, comme le montre les statistiques, augmentent de façon croissante.

_____

_____

_____

2 Manger des aliments variés, toujours selon les nutritionnistes, constitueraient une excellente façon de prévenir certaines maladies.

_____

_____

_____

3 À une de ses élèves qui lui demandaient à quoi pouvait bien servir le français et la philosophie, il a répondu : « À mieux vivre. »

_____

_____

_____

4 C'est ce à quoi nous, les scientifiques, consacreront tous nos efforts.

_____

_____

_____

5 Nous nous demandons bien ce que nous rapporterons tous nos efforts.

_____

_____

_____

6.2.2 L'accord du participe passé

Alors que l'accord du verbe et celui du verbe auxiliaire sont régis par le sujet, l'accord du participe passé est régi, selon le cas, par le sujet ou par le complément direct du verbe. Le participe passé est receveur des traits de genre et de nombre du donneur sujet ou complément direct. Le participe passé s'emploie avec les auxiliaires *être* ou *avoir* et sert à former les temps composés des verbes.

C'est l'auxiliaire utilisé avec le participe passé qui détermine quelle règle d'accord s'applique. Pour bien accorder les participes passés, il faut évidemment connaitre les règles, mais aussi être capable d'analyser la phrase pour repérer le sujet ou le complément direct du verbe, selon la règle qui s'applique. Dites-vous bien que la maitrise des accords grammaticaux s'acquiert par la pratique et est affaire d'habitude.

⑥ La formation des participes passés

Avant d'aborder l'accord proprement dit des participes passés, voyons comment former le participe passé des verbes.

⑥ₐ Les verbes réguliers se terminant en *-er* à l'infinitif présent

La formation des participes passés de ces verbes ne présente aucune difficulté. Les participes passés de ces verbes se terminent par :

-é au masculin singulier	**-és** au masculin pluriel
-ée au féminin singulier	**-ées** au féminin pluriel

⑥ᵦ Les verbes réguliers se terminant en *-ir* à l'infinitif présent et en *-issant* au participe présent

Les participes passés de ces verbes se forment eux aussi tous de la même façon. Ils se terminent par :

-i au masculin singulier	**-is** au masculin pluriel
-ie au féminin singulier	**-ies** au féminin pluriel

⑥ᵪ Les verbes irréguliers

Les participes passés de ces verbes sont irréguliers et parfois difficiles à former. Ils peuvent en effet se terminer, au masculin singulier, par :

-i : parti, suffi	**-s** : repris, acquis
-u ou **-û** : reçu, dû	**-t** : écrit, peint

Rappelez-vous que la lettre finale des participes passés qui se terminent par *-s* ou *-t* ne se prononce pas au masculin, mais s'entend au féminin. Pour s'assurer de l'orthographe d'un participe passé, il suffit donc de le mettre au féminin.

> venu → venue
>
> acquis → acquise
>
> atteint → atteinte

Avant l'avènement des rectifications de l'orthographe, il y avait deux exceptions à la règle précédente. Les verbes *absoudre* et *dissoudre* formaient leur participe passé de la façon suivante : *absous* et *dissous* au masculin singulier ; *absoute* et *dissoute* au féminin singulier. On peut désormais écrire *absout* et *dissout* au masculin singulier.

Au moindre doute sur la forme d'un participe passé, n'hésitez pas à consulter un dictionnaire ou une grammaire.

Écrivez le participe passé masculin singulier des verbes suivants.

1 Vêtir _____

2 Découvrir _____

3 Devoir _____

4 Émettre _____

5 Peindre _____

⑦ Le participe passé employé avec l'auxiliaire *être*

Le participe passé employé avec l'auxiliaire *être* s'accorde **toujours** avec le **sujet** : il reçoit le genre (masculin ou féminin) et le nombre (singulier ou pluriel) du pronom sujet ou du nom noyau du GN sujet.

Les musiciens sont arriv**és**.

Nom noyau du GN sujet masc. plur. — Part. passé masc. plur.

> **À NOTER**
>
> Avec le pronom sujet *on*, l'accord dépend de la valeur du pronom : s'il s'agit d'un *on* indéfini, le participe passé se met au singulier, mais le pluriel est de rigueur si *on* est employé dans le sens familier de « nous ».
>
> (Familier) *On est rest**és** chez eux pour la nuit.* (*On = nous* : masculin pluriel)
>
> (Familier) *On est rest**ées** bonnes amies.* (*On = nous* : féminin pluriel)
>
> L'accord dépend aussi de la valeur du pronom lorsque le sujet est *vous* : si ce pronom représente un homme qu'on vouvoie, le participe passé recevra les traits masculin et singulier ; si le pronom *vous* représente une femme, le participe passé recevra les traits féminin et singulier ; si le pronom *vous* représente plusieurs personnes, les traits masculin et pluriel ou féminin et pluriel seront transmis au participe passé, selon le cas.
>
> *Vous êtes rentr**é** tôt, Monsieur. Vous êtes rentr**ée** tôt, Madame.*
>
> *Chers amis, vous êtes sort**is** rapidement. Vous êtes intervenu**es** à temps, Mesdames.*

Soulignez le sujet des verbes auxiliaires en caractères gras, puis écrivez les participes passés des verbes entre parenthèses et accordez-les s'il y a lieu.

1 Il prétend que les choses ne **sont** pas (aller) _____ aussi loin que l'affirment ses collègues.

2 **Sont**-elles (parvenir) _____ à leurs fins ?

3 Les enfants, pourquoi **êtes**-vous (revenir) _____ plus tôt que prévu ?

4 Je suis allée voir l'exposition hier avec Marie. On **est** (arriver) _____ à l'ouverture du musée, mais il y avait déjà un monde fou.

5 Les premières chansons en format MP3 **sont** (apparaitre) _____ quand la vague Internet a commencé à déferler.

⑧ Le participe passé employé avec l'auxiliaire *avoir*

Le participe passé employé avec l'auxiliaire *avoir* s'accorde avec le complément direct (CD) s'il y en a un et que ce complément est placé avant le participe passé. C'est donc le pronom complément direct ou le nom noyau du GN complément direct placé devant le verbe qui donne son genre et son nombre au participe passé employé avec l'auxiliaire *avoir*. Notez bien que le participe passé employé avec l'auxiliaire *avoir* ne s'accorde **jamais** avec le sujet.

Étant donné cette règle, on retiendra qu'il y a deux situations où le participe passé employé avec *avoir* ne s'accorde pas.

• Le verbe n'a pas de complément direct.

> Tous ses effets personnels ont **brulé** dans ce terrible incendie. (Il n'y a pas de CD.)
>
> Ils ne nous ont **parlé** de rien. (Il n'y a pas de CD.)

• Le complément direct suit le participe passé.

> Elle a **fini** tous ses travaux.
>
> (Le GN complément direct *tous ses travaux* est placé après le participe passé *fini*.)

⑧ₐ Comment reconnaitre le CD placé avant le verbe ?

Pour trouver le complément direct (CD), on retrouve au besoin la phrase de base et on ajoute *quelque chose* ou *quelqu'un* à droite du verbe.

> Finalement, **quels livres de cuisine** a-t-il **empruntés** ?
>
> (*Il a emprunté quelque chose : les livres de cuisine. Le participe passé empruntés s'accorde avec livres, le nom noyau du GN complément direct qui précède le verbe.*)
>
> Elle **nous** a **prévenus** qu'elle serait en retard.
>
> (*Elle a prévenu quelqu'un : nous. Le pronom CD nous donne son genre et son nombre au participe passé : prévenus.*)
>
> **Les raisons** que certains politiciens ont invo**quées** sont d'ordre financier.
>
> (*Certains politiciens ont invoqué quelque chose : que, pronom relatif ayant pour antécédent raisons, féminin pluriel. Le participe passé invoquées reçoit le genre et le nombre de ce CD.*)

On peut aussi repérer le CD en utilisant d'autres manipulations. Le tableau 6.2 rappelle toutes les manipulations possibles.

TABLEAU 6.2   Les manipulations pour repérer le CD

Manipulation	Exemples
Pronominalisation par *le, la, les, l', en, cela* ou *ça*	Antoine a essayé une nouvelle recette. Antoine **l'**a essay**ée**. (CD : *une nouvelle recette*) Elle n'a jamais aimé aller dans le Sud. Elle n'a jamais aim**é cela**. (CD : *aller dans le Sud*)

Manipulation	Exemples
Remplacement par *quelque chose* ou *quelqu'un*	Il m'a conseillé de le rejoindre au cinéma.
	Il m'a conseill**é quelque chose.**
	(CD: *de le rejoindre au cinéma*)
	Les lettres que je vous ai demandé de traduire sont sur votre bureau.
	Je vous ai demand**é quelque chose.**
	(CD: *de traduire que [que = les lettres]*)
Encadrement avec *c'est que…* ou *ce sont… que*	Elles nous ont prévenus qu'elles seraient en retard.
	C'est nous **qu'**elles ont prévenus qu'elles seraient en retard. (CD: *nous*)
Déplacement (le déplacement du CD en début de phrase est impossible)	Olivier a suivi des cours de conduite.
	ˣ Des cours de conduite Olivier a suivi. (CD: *des cours de conduite*)
Effacement (on ne peut généralement pas effacer le CD)	Les pirates ont capturé des otages.
	ˣ Les pirates ont capturé. (CD: *des otages*)

Exercice 6.17

Écrivez le participe passé des verbes entre parenthèses. Si ce verbe a un CD, indiquez-le et écrivez son antécédent entre parenthèses s'il en a un. Si ce verbe n'a pas de CD, cochez la case correspondante. S'il y a lieu, accordez le participe passé. N'oubliez pas que le participe passé conjugué avec *avoir* ne s'accorde jamais avec le sujet.

1 Depuis quelques années, les prix ont beaucoup (augmenter) _____.

Le CD est _____.   Ce verbe n'a pas de CD. ☐

2 Est-ce qu'il te l'aurait (prêter) _____, sa bicyclette ?

Le CD est _____.   Ce verbe n'a pas de CD. ☐

3 Ces musiciens que les mélomanes de toutes les grandes capitales ont (acclamer)

_____ ont (trouver) _____ ici un accueil enthousiaste.

(acclamer) Le CD est _____.   Ce verbe n'a pas de CD. ☐

(trouver) Le CD est _____.   Ce verbe n'a pas de CD. ☐

4 Je vous répète les paroles exactes qu'a (dire) _____ Pierre.

Le CD est _____.   Ce verbe n'a pas de CD. ☐

5 Tous les gens qu'elle a (consulter) _____ l'ont (avertir)

_____ des dangers qu'elle courait en se lançant dans cette entreprise.

(consulter) Le CD est _____.   Ce verbe n'a pas de CD. ☐

(avertir) Le CD est _____.   Ce verbe n'a pas de CD. ☐

8b ⃝ Le pronom personnel l'/neutre

Quand le complément direct est le pronom neutre *l'* représentant une phrase (subordonnée), le participe passé reste toujours invariable.

> La sole n'était pas aussi bonne que je l'avais cr**u**.

> (*J'avais cru quelque chose, cela = que la sole était bonne. Le CD l' représente une subordonnée, et une subordonnée n'a ni genre ni nombre. Le participe passé reste donc invariable : cru.*)

> La toile n'était pas aussi belle que je l'avais pens**é**.

> (*l' = que la toile était belle.*)

Si le pronom *l'* ne représente pas une phrase ou une subordonnée mais plutôt une personne ou une chose, on accorde le participe passé avec le nom noyau du GN que le pronom remplace.

> Je l'ai déjà v**ue** quelque part, cette fille.

> (*l' = cette fille*)

Exercice 6.18

Écrivez le participe passé des verbes entre parenthèses et accordez-le s'il y a lieu. Justifiez votre réponse.

1 La grammaire est-elle aussi rebutante que vous l'aviez (imaginer) _____ ?

Justification : _____

_____

2 Les gens qui l'ont bien (connaitre) _____ s'entendent tous pour dire qu'elle avait un remarquable sens des affaires.

Justification : _____

_____

3 La guerre, ils ne l'avaient pas (croire) _____ si proche ; ils jurent ne pas l'avoir (vouloir) _____ .

Justification : _____

_____

_____

4 Ces soldes sont moins intéressants que nous l'avions (penser) _____ .

Justification : _____

_____

5 Cette tâche est moins difficile que je l'aurais (croire) _____ .

Justification : _____

_____

(8c) Le pronom *en* complément direct

Quand le complément direct (CD) du verbe est le pronom *en*, le participe passé est traditionnellement invariable.

> *Des problèmes, il **en** a eu plus souvent qu'à son tour!*
>
> *Elle **en** a ache**té**, des robes!*

Ce non-accord avec le CD *en* constitue une exception à la règle générale et, conséquemment, de plus en plus de grammairiens se disent favorables à l'accord.

Le pronom *en* n'est pas toujours complément direct. Lorsqu'il équivaut à *de lui, d'elle(s), de cela, d'eux*, il ne peut pas être un donneur d'accord, car, dans ce cas, *en* est complément indirect du verbe ou complément d'un nom.

> *Elle **en** a bien profi**té**, de ses vacances!*
>
> (*en = de ses vacances* : CI)
>
> *Cette pièce a connu un grand succès; les représentations qu'on **en** a donn**ées** sont innombrables.*
>
> (L'accord du participe passé se fait avec *qu'*, qui est le CD du verbe et dont l'antécédent est *représentations*. Notez que *en* est ici complément du nom *représentations*. On a donné des représentations de quelque chose : *en*, qui remplace *de cette pièce*.)

Exercice 6.19

Dites si les participes passés en caractères gras dans les phrases suivantes sont bien accordés et justifiez votre réponse.

1 Ce sont les seuls souvenirs que j'en ai **gardé**, de mon enfance.

L'accord est correct. ☐   L'accord est incorrect. ☐

Justification : _____

_____

2 Quel bon placement! Les profits que nous en avons **retirés** dépassent toutes nos prévisions.

L'accord est correct. ☐   L'accord est incorrect. ☐

Justification : _____

_____

3 J'ai étudié la philosophie pendant deux ans. Les quelques notions que j'en ai **retenu** me sont précieuses.

L'accord est correct. ☐   L'accord est incorrect. ☐

Justification : _____

_____

4 Sa proposition, vous en avez **pensé** plus de mal que de bien, n'est-ce pas?

L'accord est correct. ☐   L'accord est incorrect. ☐

Justification : _____

_____

5 Vous avez analysé ce problème. Quelle conclusion en avez-vous **tirées** ?

L'accord est correct. ☐   L'accord est incorrect. ☐

Justification : _____

_____

⁸ᵈ **Le participe passé des verbes impersonnels et du présentatif *il y a***

Rappelons que les verbes essentiellement impersonnels sont ceux qui s'emploient uniquement avec le pronom *il* impersonnel ; ils se conjuguent uniquement à la 3ᵉ personne du singulier. Les verbes occasionnellement impersonnels peuvent être conjugués à toutes les personnes, mais peuvent aussi avoir un emploi impersonnel. Le participe passé des verbes impersonnels est toujours invariable, parce qu'il est toujours sans CD.

> *Les deux jours qu'il a neigé en février étaient mémorables.*
>
> (Verbe essentiellement impersonnel. Le pronom *qu'* est ici un complément de phrase signifiant *pendant lesquels*, et non un CD.)
>
> *Les chaleurs qu'il a fait l'été dernier étaient presque insupportables par moments.*
>
> (Verbe occasionnellement impersonnel. Le pronom *qu'* est ici un complément du verbe impersonnel, et non un CD.)
>
> *Les tempêtes qu'il y a eu l'hiver dernier ont paralysé certaines grandes villes américaines.*
>
> (Présentatif *il y a*. Le pronom *qu'* est ici un complément du présentatif, et non un CD.)

Exercice 6.20

Écrivez les participes passés des verbes entre parenthèses et accordez-les s'il y a lieu.

1 La tempête qu'il y a (avoir) _____ a complètement paralysé la circulation.

2 Les ennuis qu'il a (avoir) _____ avec le propriétaire étaient-ils dus à son manque de diplomatie ?

3 Pensez aux années d'efforts qu'il leur a (falloir) _____ pour arriver à leur but !

4 Il faut ranger Gaston Miron au nombre des plus grands poètes québécois qu'il y ait jamais (avoir) _____ .

5 Il devra corriger les erreurs qu'il a (commettre) _____ .

⁸ᵉ **Le participe passé des verbes *coucher, courir, couter, mesurer, peser, souffrir, valoir, vivre*, etc.**

Quand le verbe est construit avec un complément exprimant la mesure, la durée, le prix, le poids ou la distance, le participe passé reste invariable. Des compléments de ce type ne sont en effet pas de véritables compléments directs ; la transformation passive de la phrase est d'ailleurs impossible avec ces compléments.

> *Les trente dollars qu'a couté ce livre...* (Prix)
>
> ˣ*Les trente dollars ont été coutés.*
>
> *Les douze heures qu'il a souffert l'ont épuisé.* (Durée)
>
> ˣ*Les douze heures ont été souffertes.*

Si le complément n'exprime pas une mesure, la transformation passive de la phrase est généralement possible. On a alors affaire à un véritable complément direct, et le participe passé s'accorde avec ce CD si celui-ci précède le verbe.

> Le douanier a ouvert les valises que l'employé avait pes**ées**.
>
> Les valises **avaient été pesées**.
>
> (Le CD *que*, mis pour *les valises*, n'exprime pas une mesure.)
>
> Je n'oublierai pas les dangers que nous avons cou**rus**.
>
> Les dangers **ont été courus**.
>
> (Le CD *que*, mis pour *les dangers*, n'exprime pas une mesure.)

Notez cependant que, même si le complément n'exprime pas une mesure, il arrive que la transformation passive soit impossible. Le participe passé s'accorde néanmoins avec le CD qui le précède.

> Je n'oublierai pas les efforts que cette victoire nous a cout**és**.
>
> ˣ Les efforts **ont été coutés**.
>
> (Le CD *que*, mis pour *les efforts*, n'exprime pas une mesure.)

Notez que certains verbes, comme *dormir*, *durer*, *marcher*, ne sont pas transitifs directs et n'ont donc jamais de CD. Leur participe passé reste conséquemment invariable.

> Les douze heures qu'il a dor**mi** l'ont épuisé.
>
> (Pas de CD. Le complément *qu'* exprime une durée et signifie « pendant lesquelles ».)

Exercice 6.21

Accordez, s'il y a lieu, les participes passés en caractères gras dans les phrases suivantes. Dites si la transformation passive est possible et si le complément exprime la mesure ou non.

1 Je suis restée clouée à mon siège pendant les trois heures qu'a **duré** _____ ce film.

_____

2 Nous avons dû emprunter les mille dollars que nous a **couté** _____ notre déménagement.

_____

3 Il a beaucoup maigri ; il est loin des quatre-vingt-dix kilos qu'il a déjà **pesé** _____ .

_____

4 Les terrains qu'il a **mesuré** _____ étaient de dimensions équivalentes.

_____

5 Ces paroles que vous avez prononcées, les aviez-vous bien **pesé** _____ ?

_____

⑧ᶠ Le participe passé suivi d'un verbe à l'infinitif

Le participe passé conjugué avec l'auxiliaire *avoir* et suivi d'un verbe à l'infinitif reçoit le genre et le nombre du complément direct placé avant lui (un pronom ou le noyau d'un GN) si ce complément est bien le complément direct du verbe conjugué à un temps composé.

Autrement dit, le participe passé s'accorde avec le complément direct placé avant lui si ce complément est bien CD du verbe conjugué (et non de l'infinitif). Dans un tel cas, le CD du verbe conjugué fait très souvent l'action exprimée par l'infinitif. On peut le vérifier en remplaçant le pronom par son antécédent.

> Les enfants que j'ai **vus** monter dans l'autobus étaient tous souriants.
>
> (*J'ai vu **les enfants** [monter dans l'autobus] = Les enfants montaient…*)

Le fait que l'on puisse remplacer *que* par *les enfants* montre que *les enfants* est le CD de *ai vus* et on constate aussi qu'il est le sujet de *monter*. On peut d'ailleurs le confirmer à l'aide des manipulations d'encadrement du CD et du sujet : ***ce sont*** *les enfants **que** j'ai vus*, et ***ce sont*** *les enfants **qui** montaient dans l'autobus*. Le participe passé s'accorde avec le CD *que*, dont l'antécédent est *les enfants*.

Prenons un autre exemple.

> Ces arbres que j'ai **vu** abattre étaient centenaires.
>
> (^X*J'ai vu **ces arbres** [abattre]. ≠ ^XLes arbres abattaient.*)
>
> (*J'ai vu [**quelqu'un**] abattre ces arbres. = Quelqu'un abattait ces arbres.*)

Le fait que l'on ne puisse pas remplacer *que* par *ces arbres* montre que *ces arbres* n'est pas le CD de *ai vu* (ni le sujet de *abattre*). Le pronom *que* est en fait le CD de l'infinitif *abattre*. Le participe passé *vu* reste donc invariable.

Voici un dernier exemple.

> Les airs que nous avons **entendu** chanter étaient très doux.
>
> (^X*Nous avons entendu **les airs** [chanter]. ≠ ^XLes airs chantaient.*)
>
> (*Nous avons entendu [**quelqu'un**] chanter ces airs. = Quelqu'un chantait ces airs.*)

Le fait que l'on ne puisse pas remplacer *que* par *les airs* montre que *les airs* n'est pas le CD de *avons entendu* (ni le sujet de *chanter*). Le pronom *que* est en fait le CD de l'infinitif *chanter*. Le participe passé *entendu* reste donc invariable.

À NOTER

Les participes passés *fait* et *laissé* suivis d'un infinitif sont toujours invariables, peu importe l'analyse ou les manipulations que l'on puisse faire.

> Nous les avons **fait** imprimer hier, ces documents.
>
> Nous les avons **fait** mourir, ces plantes.
>
> Pourquoi les as-tu **laissé** tomber?

Les participes passés *pu*, *cru*, *dit*, *su*, *voulu* et *dû* sont invariables quand ils sont suivis d'un infinitif (GInf) ou si cet infinitif est sous-entendu, car cet infinitif est le CD du verbe. Ils restent aussi invariables si on peut sous-entendre qu'ils sont suivis d'une subordonnée.

> Elle a fait tous les efforts qu'elle a **pu** (faire).
>
> Il a fait plus froid qu'elle avait **cru** (qu'il ferait).

Quand les participes passés *donné*, *eu* et *laissé* sont suivis de la préposition *à* et d'un verbe à l'infinitif, le participe passé devrait être invariable si le pronom *que* (*qu'*) devant le verbe conjugué est en fait le CD de l'infinitif. Pourtant, selon certains grammairiens, vous avez le choix entre l'accord et l'invariabilité dans des exemples comme ceux qui suivent.

> Les exercices qu'on vous a **donné(s)** à faire vous aideront à bien assimiler les règles.
>
> Les impôts que j'ai **eu(s)** à payer cette année ont grevé mon budget.

Accordez, s'il y a lieu, les participes passés en caractères gras dans les phrases suivantes.

1 Les équipes de hockey que nous avons **vu** _____ jouer venaient de la Suisse et de la République tchèque.

2 Les pommiers que j'ai **vu** _____ planter par mon père, je ne les ai vu _____ donner des fruits que cinq ans plus tard.

3 La somme qu'il nous a **fallu** _____ payer était dérisoire.

4 Ces enfants, les as-tu **vu** _____ traverser la rue sans faire attention?

5 Le directeur les a **fait** _____ appeler et les a **laissé** _____ s'expliquer.

⁸ᵍ D'autres règles

- Quand le complément direct du verbe est le pronom relatif *que* et que deux noms placés avant lui sont susceptibles d'être l'antécédent de ce pronom, on accorde le participe passé selon le sens de la phrase. En effet, l'antécédent d'un pronom relatif n'est pas toujours le premier nom qui le précède.

  *Le nombre de **personnes** que j'ai connu**es** à l'université…*

  *La **boite** de livres que vous m'avez envoy**ée**…*

- Quand le participe passé est précédé d'un GN contenant un déterminant complexe qui est une expression de quantité, le participe passé s'accorde avec le noyau du GN complément direct, donc avec le nom, comme le veut la règle générale.

  *Combien de **disques** avez-vous achet**és**?*

  Toutefois, si le nom est placé après le participe passé, celui-ci reste invariable.

  *Combien a-t-il fai**t** de **fautes**?*

- Avec l'expression adverbiale *le peu*, on fait l'accord avec le complément ou avec *le peu* (singulier), selon l'idée sur laquelle on veut insister.

  *Le peu de noix que vous m'avez donn**é(es)**…*

  *Le peu d'**encouragements** que j'ai reç**us** ne m'ont pas empêché de continuer.*
  (Le pluriel exprime ici une quantité restreinte, mais réelle, positive.)

  ***Le peu** d'encouragements que j'ai reç**u** m'a déçu.*
  (Le singulier marque l'amertume, l'insuffisance.)

- Si le pronom relatif *que*, complément direct, est précédé de *(l')un des…* ou *(l')une des…* suivi d'un nom, on peut accorder le participe passé soit avec le pronom *(l')un* ou *(l')une*, soit avec le nom inclus dans le complément de ce pronom, selon ce que l'on veut dire.

  *C'est **l'une des** personnes les plus sympathiques que j'ai rencontr**ée(s)**.*

  *C'est **l'un des** meilleurs professeurs que j'ai e**u(s)**.*

  *C'est assurément **l'un des** meilleurs films que j'ai v**u(s)**.*

Accordez, s'il y a lieu, les participes passés en caractères gras dans les phrases suivantes.

1 Cet échec s'explique par le peu d'attention que vous avez **apporté** _____ à ce travail.

2 C'est surement l'un des meilleurs films que j'ai **vu** _____.

3 Combien d'heures t'a-t-il **fallu** _____ consacrer à la rédaction de cette lettre ?

4 Beaucoup des observations que vous m'avez **fait** _____ étaient justes.

5 La quantité de comptes que j'ai **payé** _____ ce mois-ci ont épuisé mes économies.

Parmi les participes passés en caractères gras dans les phrases suivantes, certains sont mal accordés. Dans le tableau qui suit l'exercice, notez le numéro des phrases contenant une erreur d'accord. Proposez une correction et justifiez-la.

1 Appelle les personnes que nous avons **invitées** pour ce soir.

2 Ma mère a **dû** renoncer à ce voyage.

3 Cette entreprise n'a pas **réussie** comme nous l'avions **espéré**.

4 Cette histoire, il en a **inventée** une bonne partie.

5 Je les ai **faits** venir par la poste, ces livres.

Phrase (nº)	Correction	Justification

Accordez, s'il y a lieu, les participes passés en caractères gras dans les phrases suivantes. Justifiez votre réponse.

1 Elles ont **chanté** _____ toute la journée.

Justification : _____

_____

2 Les chemins que j'ai **suivi** _____ étaient bien entretenus.

Justification : _____

_____

3 La troupe de comédiens que j'ai **vu** _____ jouer est épatante.

Justification : _____

_____

4 Combien a-t-elle **commis** _____ de gaffes cette semaine ?

Justification : _____

_____

5 Je les ai **cherché** _____ pendant plus d'une heure, ces deux lettres.

Justification : _____

_____

⑨ Le participe passé des verbes pronominaux

Le participe passé des verbes pronominaux s'accorde tantôt avec le sujet, tantôt avec le complément direct si le complément précède le verbe ; enfin, comme c'est le cas de tous les participes passés, il est parfois invariable.

Rappelez-vous que le verbe pronominal est un verbe accompagné d'un pronom conjoint réfléchi (*se laver, se fâcher, se repentir*, etc.). Dans la conjugaison, le verbe pronominal est toujours accompagné d'un pronom personnel conjoint réfléchi (*me, te, se, nous, vous*) représentant la même personne que le sujet, ce qui donne, quand le sujet est un pronom personnel, les séquences *je me* ; *tu te* ; *il* (*elle* ou *on*) *se* ; *nous nous* ; *vous vous* ; *ils* (ou *elles*) *se*.

Je me souviens	**tu te** laves	**Pierre se** demande	**on se** téléphone
Marie et moi nous évanouissons		**vous vous** trompez	**elles se** parlent

Rappelez-vous également que les temps composés des verbes pronominaux se construisent **toujours** avec l'auxiliaire *être*.

Ils se **sont** tromp**és**.

Elles se **sont** félicit**ées** de leur décision.

Ils s'**étaient** téléphoné la veille.

Nous nous **sommes** vite rend**u** compte de notre erreur.

Dans les exemples précédents, vous aurez observé que, même si le participe passé des verbes pronominaux s'emploie avec *être*, on ne l'accorde pas nécessairement avec le sujet.

Si c'était le cas, on aurait écrit ^x*Ils s'étaient téléphonés* et ^x*Nous nous sommes vite rendus compte*. Nous aurions alors commis deux erreurs, car ces participes passés restent invariables. C'est la difficulté que pose l'accord des participes passés des verbes pronominaux : les participes passés en contexte pronominal s'accordent **souvent** avec le sujet, mais **pas toujours**. Il faut connaitre les particularités de l'accord de ces participes passés et se méfier des mauvaises analyses qui peuvent induire en erreur.

Pour accorder les participes passés des verbes pronominaux, vous l'avez compris, on applique tantôt la règle d'accord des participes passés conjugués avec *avoir* (accord avec le CD s'il est placé devant le verbe), tantôt la règle d'accord des participes passés conjugués avec *être* (accord avec le sujet). Tout dépend du type de verbe pronominal auquel on a affaire. On dénombre en effet deux grandes catégories de verbes pronominaux : les verbes essentiellement pronominaux et les verbes occasionnellement pronominaux. Voyons quelles règles s'appliquent selon la catégorie.

9a Les verbes essentiellement pronominaux

Les verbes essentiellement pronominaux sont des verbes qui ne s'emploient qu'à la forme pronominale : le pronom conjoint réfléchi (*se, me, te, nous, vous*) est indissociable du verbe, il en fait partie intégrante. Par exemple, les verbes *se méfier, s'enfuir* et *s'absenter* ne peuvent être employés qu'avec le pronom *se,* donc en construction pronominale. Il n'existe pas de verbe ^x*méfier,* ^x*enfuir* ou ^x*absenter*.

^xJe méfie de lui.	Je **me méfie** de lui.
^xIl absente souvent.	Il **s'absente** souvent.

Pour accorder les participes passés de ces verbes, on suit la règle d'accord des participes passés employés avec l'auxiliaire *être,* sauf si le verbe a un CD. C'est donc le pronom sujet ou le noyau du GN sujet qui donne son genre et son nombre au participe passé.

Elle s'est évano**uie** en apercevant ses idoles.

Les enfants se sont toujours méfi**és** de lui.

Ils se sont réfugi**és** dans une immense maison.

Voici une liste des principaux verbes essentiellement pronominaux.

> S'absenter, s'abstenir (*de*), s'accroupir, s'affairer (*à*), s'agenouiller, s'en aller, se blottir, se contorsionner, se décarcasser, se démener, se désister, s'ébattre, s'ébrouer, s'écrier, s'écrouler, s'efforcer (*de*), s'égosiller, s'emparer (*de*), s'empresser (*de*), s'enfuir, s'enquérir (*de*), s'ensuivre, s'entraider, s'entredéchirer, s'entredévorer, s'entrenuire, s'entretuer, s'envoler, s'éprendre (*de*), s'esclaffer, s'évader, s'évanouir, s'évertuer (*à*), s'exclamer, s'extasier, s'immiscer, se méfier (*de*), se parjurer, se pavaner, se prélasser, se raviser, se rebeller, se rebiffer, se recroqueviller, se réfugier, se renfrogner, se repentir, se soucier (*de*), se suicider.

9b Les verbes occasionnellement pronominaux

On appelle verbe « occasionnellement pronominal » un verbe non pronominal qui s'utilise aussi dans la construction pronominale. Les verbes non pronominaux *laver, parler* et *regarder*, par exemple, s'utilisent également dans les constructions pronominales *se laver, se parler* et *se regarder*. Comparez :

Il **a lavé** la voiture. → Il **s'est lavé** les mains.

Elle **a parlé** à son amoureux. → Ils **se sont parlé**.

Ils **ont regardé** le spectacle. → Ils **se sont regardés** dans les yeux.

Les verbes occasionnellement pronominaux sont des verbes transitifs, c'est-à-dire qu'ils peuvent se construire avec des compléments directs ou indirects.

On dit qu'un verbe occasionnellement pronominal est réfléchi et réflexif lorsque l'action « revient », donc se réfléchit, sur le sujet ; le pronom conjoint réfléchi est alors complément direct ou indirect du verbe.

> Marie **s'est lavée**. (On lave quelqu'un ; s' = CD.)
>
> Marie s'est **nui** en répétant cette histoire. (On nuit à quelqu'un ; s' = CI.)

On le dit réfléchi et réciproque lorsque les sujets agissent les uns sur les autres ; le pronom conjoint réfléchi est aussi complément direct ou indirect.

> Ils **se** sont **regardés**. (On regarde quelqu'un ; se = CD.)
>
> Ils se sont **souri**. (On sourit à quelqu'un ; se = CI.)

Le participe passé des verbes occasionnellement pronominaux s'accorde avec le complément direct du verbe si ce CD le précède : il reçoit le genre et le nombre du pronom CD ou du noyau du GN CD qui le précède. Il faut donc appliquer la même règle que celle qu'on utilise pour accorder le participe passé employé avec l'auxiliaire *avoir* et se poser les mêmes questions : Y a-t-il un complément direct ? Ce complément est-il placé devant le verbe ?

Soit les exemples suivants :

> Elle **s'est blessée**. (Elle a blessé elle-même [s'] ; s' = CD placé **devant** le verbe : on accorde le participe passé.)
>
> Elle s'est **blessé** le doigt. (Elle a blessé *le doigt* ; *le doigt* = CD placé **après** le verbe : le participe passé reste invariable.)
>
> Elle **s'est blessée** au doigt. (Elle a blessé elle-même [s'] au doigt ; s' = CD placé **devant** le verbe : on accorde le participe passé.)
>
> Les messages **qu'**elles **se** sont **envoyés** sur Facebook sont publics.
>
> (Elles ont envoyé les messages à elles-mêmes [se] : se = CI ; qu' = CD placé **devant** le verbe : le participe passé reçoit le genre masculin et le nombre pluriel du pronom CD qu', qui remplace *les messages*.)
>
> **Laquelle** de ces tartes as-tu achet**ée** ?
>
> (Tu as acheté laquelle de ces tartes ; *laquelle* = noyau du GN CD placé **devant** le verbe : le participe passé reçoit le genre féminin et le nombre singulier de ce pronom.)

Vous aurez compris que le participe passé des verbes occasionnellement pronominaux transitifs reste invariable si le CD est placé après le verbe, ou alors si le verbe n'a pas de CD et que le pronom conjoint réfléchi (qu'il soit réflexif ou réciproque) est le CI (verbe transitif indirect).

> Ils se sont **menti**. (Il n'y a pas de CD et le pronom conjoint réfléchi est CI ; mentir à quelqu'un : le participe passé est invariable.)
>
> Ils se sont **acheté** une maison. (Le CD *une maison* est placé **après** le verbe : le participe passé est invariable.)
>
> Elles se sont **envoyé** des textos pendant le cours. (Le CD *des textos* est placé **après** le verbe : le participe passé est invariable.)
>
> Les conférenciers se sont **succédé** tout l'après-midi. (Il n'y a pas de CD et le pronom conjoint réfléchi est un CI ; succéder à quelqu'un : le participe passé est invariable.)

Pour vous aider à bien identifier la fonction du pronom conjoint réfléchi, vous pouvez tenter de le remplacer par *le, la, l', les* (CD) ou par *lui, leur* (CI) en employant l'auxiliaire *avoir*. L'accord, en toute logique, sera exactement le même que dans la phrase non pronominale. C'est le meilleur moyen de vérifier la valeur du pronom réfléchi.

> Elle **s'est coupée**. = Elle **l'a coupée**.
>
> Elle s'est blessé **le doigt**. = Elle lui a bless**é le doigt**.

Elle **s'est coupée** au doigt. = Elle **l'**a coupé**e** au doigt.

Les messages **qu'**ils se sont envoy**és**... = Les messages **qu'**ils lui ont envoy**és**...

Ils se sont acheté **une maison**. = Ils leur ont acheté **une maison**.

Ils se sont menti. = Ils leur ont menti.

À NOTER

Les verbes occasionnellement pronominaux dont le sens est différent de celui du verbe non pronominal correspondant

Certains verbes ont un sens différent en construction pronominale et en construction non pronominale. Un cas extrême est le verbe *se douter*, qui a un sens presque diamétralement opposé à celui du verbe *douter*.

> Elle **s'est doutée** qu'elle réussirait. (*Elle croyait bien réussir.*)
>
> Elle **a douté** de sa réussite. (*Elle n'y croyait pas.*)

La différence de sens entre le verbe *s'apercevoir* et le verbe *apercevoir* est aussi claire.

> Elle **s'est aperçue** de son erreur. (*Elle s'est rendu compte de son erreur.*)
>
> Elle **a aperçu** sa sœur dans la foule. (*Elle a vu sa sœur dans la foule.*)

Souvent, la différence de sens n'est pas aussi évidente – elle est parfois même très mince –, mais ce qui est constant, c'est que le pronom conjoint réfléchi dans ces verbes n'a jamais de valeur réelle ou de fonction logique dans la phrase : le pronom conjoint réfléchi n'est ni CD ni CI, et on ne peut donc pas le remplacer par *le*, *la*, *l'*, *les*, ni par *lui* ou *leur*. Ces verbes s'apparentent aux verbes essentiellement pronominaux dont le pronom n'a souvent pas de valeur précise et ils s'accordent aussi avec le sujet.

> **Elle** s'est dout**ée** qu'elle réussirait.
> (Il n'y a pas de CD, et le pronom conjoint réfléchi n'est pas CI.)
>
> **Ils** ne se sont dout**és** de rien. (Il n'y a pas de CD, et le pronom conjoint réfléchi n'est pas CI.)

Voici la liste des principaux verbes pronominaux dont le pronom conjoint réfléchi n'a pas de fonction logique. On accordera donc le participe passé de ces verbes avec le sujet, puisqu'ils n'ont pas de CD et que leur pronom conjoint réfléchi n'est pas CI non plus (il est sans valeur réelle, sans fonction logique, il fait partie du verbe dans ces constructions).

> S'adresser (à), s'apercevoir (de), s'attaquer (à), s'attendre (à), s'aviser (de), s'échapper (de), se douter (de), se jouer (de), s'ennuyer (de), s'entendre (avec), se passer (de), se plaindre (de), se prévaloir (de), se saisir (de), se servir (de), se taire, se tromper (de).

Exercice 6.26

Indiquez dans les parenthèses si le verbe en caractères gras est occasionnellement (O) ou essentiellement (E) pronominal et faites les accords qui s'imposent.

1 Elle **s'est absenté** _____ (_____) pendant une heure.

2 Ils **se sont moqué** _____ (_____) de leur petit frère.

3 Elles **se sont blessé** _____ (_____) au bras.

4 Les prisonniers **se sont évadé** _____ (_____).

5 Elle **s'est foulé** _____ (_____) la cheville.

Indiquez dans les parenthèses la fonction (CD ou CI) du pronom conjoint réfléchi des verbes occasionnellement pronominaux en caractères gras et accordez le participe passé s'il y a lieu.

1 Elles **se** (_____) **sont croisé** _____ dans la rue.

2 Ils **se** (_____) **sont raconté** _____ tous leurs malheurs.

3 Elle **s'** (_____) **est dit** _____ qu'elle devrait partir.

4 Elles **se** (_____) **sont couvert** _____ d'honneurs aux Jeux olympiques.

5 Ils **se** (_____) **sont souri** _____ et **se** (_____) **sont juré** _____ de s'aimer pour la vie.

Accordez, s'il y a lieu, les participes passés en caractères gras. Selon le cas, soulignez le sujet ou le CD qui régit l'accord du participe passé. Si le participe est invariable parce qu'il a un CD placé après lui, soulignez ce CD.

1 Ils **se sont juré** _____ fidélité.

2 Elle **s'est habillé** _____ en vitesse.

3 Les étudiants **se sont succédé** _____ chez le directeur du programme.

4 Elles **se sont fait** _____ un bon café avant de commencer à travailler.

5 Elle ne **s'est** pas **empêché** _____ de dire ce qu'elle en pensait !

⁹ᶜ **Les verbes pronominaux à valeur passive**
La forme pronominale peut servir à donner une valeur passive à un verbe transitif direct. On emploie cette forme surtout lorsqu'il n'y a pas d'agent identifié.

> On **a vendu** tous les billets.
>
> Les billets **ont** tous **été vendus.** (Passif ordinaire ; *voir la section 1.4.3 au chapitre 1*)
>
> Les billets **se sont** tous **vendus.** (Passif de construction pronominale)

Le pronom conjoint réfléchi n'assume aucune fonction syntaxique dans la phrase, et les participes passés de ces verbes s'accordent avec le sujet.

> **Les billets** se sont vend**us** comme des petits pains chauds.
>
> **La classe** s'est vid**ée** en un clin d'œil.

Accordez le participe passé des verbes pronominaux en caractères gras, s'il y a lieu ; si le verbe pronominal a un sens passif, indiquez-le en inscrivant un P à droite dans la parenthèse.

1 Ces tableaux **se sont vendu** _____ (_____) très chers à l'encan.

2 La séance **s'est ouvert** _____ (_____) à seize heures précises.

3 Ils **se sont tu** _____ (_____) quand la présidente est entrée.

4 Ils **se sont trompé** _____ (_____) de jour.

5 Les enfants **se sont ennuyé** _____ (_____) de leurs parents au camp de vacances.

À NOTER

Si le participe passé du verbe pronominal à valeur passive est suivi d'un verbe à l'infinitif, il faut faire la même analyse que pour le participe passé employé avec *avoir* et suivi d'un infinitif. Cependant, les participes passés *fait* et *laissé* suivis d'un infinitif sont toujours invariables et le participe passé *vu* suivi d'un infinitif reste généralement invariable.

> Ils se sont **fait** couper les cheveux.
>
> Elles se sont facilement **laissé** convaincre.
>
> Ces personnes coupables se sont **vu** imposer une lourde amende.

9d L'accord du participe passé des verbes pronominaux : méthode simplifiée

Nous vous proposons maintenant une méthode simplifiée pour réussir tous les accords des participes passés des verbes pronominaux. Si vous maitrisez bien l'accord du participe passé employé avec *avoir* et celui du participe passé employé avec *être* et que vous savez bien faire la différence entre le sujet, le complément direct et le complément indirect, vous trouverez sans doute le maniement de cette règle simplifiée plus aisé que celui de la règle « traditionnelle ».

Voici les étapes à suivre :

1re étape : Il faut d'abord vérifier si le verbe a un complément direct (CD) autre que le pronom conjoint réfléchi, en ayant recours, au besoin, aux manipulations syntaxiques tout en prenant soin de conserver le verbe sous sa forme pronominale.

- Si le verbe a un CD qui le précède, le participe passé s'accorde avec ce CD ; si un CD est placé après le verbe, le participe passé reste invariable.

- S'il n'y a pas de CD (autre que le pronom conjoint réfléchi, potentiellement), passez à la deuxième étape.

2e étape : Il faut maintenant vérifier si le pronom personnel conjoint réfléchi est un complément indirect (CI) introduit par la préposition *à*, donc s'il est un pronom remplaçable par *lui* ou *leur* dans un contexte non pronominal. Si tel est le cas, le participe passé reste invariable. Sinon, on l'accorde avec le sujet.

À NOTER

Les verbes pronominaux qui sont sans complément direct (CD) et dont le pronom conjoint réfléchi exerce la fonction de complément indirect (CI) sont peu nombreux. En voici quelques-uns : *se parler* (dans la plupart de ses emplois), *se mentir, se nuire, se sourire, se téléphoner, se succéder, se ressembler, s'en vouloir, se plaire, se déplaire*.

Il reste trois exceptions qui défient toutes les règles, la traditionnelle comme la simplifiée : *se rire de*, *se plaire à*, *se déplaire quelque part* et *se complaire*, dont le participe passé est toujours invariable.

> Elles se sont r**i** des difficultés.
>
> Elles se sont pl**u** à faire ce travail.
>
> Elle s'est dépl**u** dans ces régions éloignées.
>
> Elle s'est compl**u** à parler de son dernier succès.

Appliquons maintenant cette méthode simplifiée à quelques exemples.

EXEMPLE 6.1

> Ils se sont fait… une limonade.

1ʳᵉ étape : *Ils se sont fait* **quelque chose**. *Ils se* **la** *sont faite.*

Il y a un CD (*une limonade*), mais il est placé après le verbe. Le participe passé reste donc invariable.

> Ils se sont fai**t** une limonade.

EXEMPLE 6.2

> La voiture que Paul s'est offert… lui a coûté une petite fortune.

1ʳᵉ étape : *Paul s'est offert* **quelque chose**. *Paul se* **l'**est offerte.

Il y a un CD dans la phrase (*que*, qui remplace *la voiture*), et ce CD précède le verbe. Il faut donc accorder le participe passé avec ce CD (*que* = *voiture*, féminin singulier).

> La voiture que Paul s'est offer**te** lui a coûté une petite fortune.

EXEMPLE 6.3

> Pierre et Julie se sont téléphoné… hier soir.

1ʳᵉ étape : ˣ *Pierre et Julie se sont téléphoné* **quelque chose** ou **quelqu'un**. ˣ *Pierre et Julie se* **les** *sont téléphonés.*

Ces phrases sont agrammaticales. Il n'y a pas de CD dans la phrase. Il faut passer à la deuxième étape.

2ᵉ étape : Le pronom conjoint réfléchi *se* est-il un CI introduit par la préposition *à* ? Est-ce qu'on téléphone **à** quelqu'un ? Oui. On peut remplacer le pronom réfléchi par *lui* ou *leur* dans un contexte semblable, mais non pronominal.

> Pierre et Julie lui ont téléphon**é** hier soir.
>
> Pierre et Julie leur ont téléphon**é** hier soir.

Le participe passé reste donc invariable.

> Pierre et Julie se sont téléphon**é** hier soir.

EXEMPLE 6.4

> Elle s'est montré… satisfaite de ta réponse.

1ʳᵉ étape : ˣ *Elle s'est montré* **quelque chose** ou **quelqu'un**. ˣ *Elle se* **l'**est montré.

Ces phrases sont agrammaticales. Il n'y a pas de CD après le verbe. Le GAdj *satisfaite de ta réponse* est **attribut** et non complément direct : rappelez-vous que, règle générale, un adjectif (ou un GAdj) ne peut être complément direct !

2ᵉ étape : Peut-on dire *Elle a montré à se (elle)* ? Non, car ce n'est pas à elle-même qu'elle a fait la démonstration, mais à d'autres personnes extérieures au sujet. Il faut donc accorder le participe passé avec le pronom sujet *elle*.

> Elle s'est montr**ée** satisfaite de ta réponse.

EXEMPLE 6.5

> Pierre et Julie se sont succédé… à la présidence du syndicat.

1ʳᵉ étape : ˣ*Pierre et Julie se sont succédé **quelque chose** ou **quelqu'un**.* ˣ*Pierre et Julie se **les** sont succédés.*

Ces phrases sont agrammaticales. Il n'y a pas de CD dans la phrase. Il faut passer à la deuxième étape.

2ᵉ étape : Le pronom conjoint réfléchi *se* est-il un CI introduit par la préposition *à* ? Est-ce qu'on succède **à** quelqu'un ? Oui. On peut remplacer le pronom réfléchi par *lui* ou *leur* dans un contexte semblable, mais non pronominal.

> Pierre et Julie lui ont succéd**é** à la présidence du syndicat.

> Pierre et Julie leur ont succéd**é** à la présidence du syndicat.

Le participe passé reste donc invariable.

> Pierre et Julie se sont succéd**é** à la présidence du syndicat.

EXEMPLE 6.6

> Elles se sont aperçu… de son absence.

1ʳᵉ étape : ˣ*Elles se sont aperçu **quelque chose** ou **quelqu'un**.* ˣ*Elles se **les** sont aperçus.*

Ces phrases sont agrammaticales. Il n'y a pas de CD dans la phrase. Il faut passer à la deuxième étape.

2ᵉ étape : Le pronom conjoint réfléchi *se* est-il un CI introduit par la préposition *à* ? Est-ce qu'on aperçoit **à** quelqu'un ? Non. Il faut donc accorder le participe passé avec le pronom sujet *Elles*.

> Elles se sont aperç**ues** de son absence.

EXEMPLE 6.7

> Ils se sont douté… de la supercherie.

1ʳᵉ étape : ˣ*Ils se sont douté **quelque chose** ou **quelqu'un**.* ˣ*Ils se **les** sont doutés.*

Ces phrases sont agrammaticales. Il n'y a pas de CD dans la phrase. Il faut passer à la deuxième étape.

2ᵉ étape : Le pronom conjoint réfléchi *se* est-il un CI introduit par la préposition *à* ? Est-ce qu'on doute **à** quelqu'un ? Non. Il faut donc accorder le participe passé avec le pronom sujet *Ils*.

> Ils se sont dout**és** de la supercherie.

L'accord du participe passé des verbes pronominaux

La méthode simplifiée

Le participe passé des verbes pronominaux s'accorde généralement avec le **sujet**, sauf dans les deux cas suivants :

1. Le verbe a un complément direct (CD) autre que le pronom personnel conjoint réfléchi : dans ce cas, on fait l'accord avec ce **CD s'il précède le verbe**, mais le participe passé reste invariable si le CD suit le verbe.

2. Le verbe n'a pas de complément direct (CD), mais le pronom personnel conjoint réfléchi est complément indirect (CI) : dans ce cas, le participe passé du verbe pronominal reste **invariable**.

Les deux cas où il n'y a pas d'accord

Retenez bien les deux cas dans lesquels le participe passé d'un verbe pronominal ne s'accorde pas :

1. Le participe passé d'un verbe pronominal ne s'accorde pas lorsque le verbe est suivi d'un complément direct (CD). Cependant, le participe passé s'accorde en genre et en nombre avec le CD si celui-ci précède le verbe.

> Elle s'est **lavé** <u>les cheveux</u>. (Le CD suit le verbe.)
>
> Les dictionnaires <u>qu'</u>elle s'est **achetés** sont excellents. (Le CD *qu'* représente *les dictionnaires* et est placé avant le verbe : le participe passé s'accorde avec ce CD.)

2. Le participe passé d'un verbe pronominal ne s'accorde pas lorsque le pronom conjoint réfléchi (*se*, *me*, *te*, *nous* ou *vous*) est un complément indirect (CI).

> Ils **se** sont **plu**. (On plait à quelqu'un : *se* est un CI et le participe passé reste invariable.)
>
> Elles **se** sont **téléphoné** ce matin. (On téléphone à quelqu'un : *se* est un CI et le participe passé reste invariable.)

Exercice 6.30

Écrivez les participes passés des verbes pronominaux entre parenthèses et accordez-les s'il y a lieu. Utilisez la méthode simplifiée pour justifier votre réponse.

■ Ils ne se sont même pas (s'apercevoir) _____aperçus_____ que tu étais arrivé.

Justification : Il n'y a pas de CD autre que le pronom conjoint réfléchi « se » (potentiellement), et le pronom conjoint réfléchi « se » n'est pas un CI introduit par la préposition « à ». Il faut accorder le participe passé avec le sujet « ils » : aperçus.

1 La pluie s'est (s'abattre) _____ sur nous.

Justification : _____

_____

2 Ils se sont (s'abstenir) _____ de voter.

Justification : _____

_____

3 La hausse des prix s'est (s'accentuer) _____ cette année.

Justification : _____

_____

4 Elle s'est (s'accommoder) _____ de ses conditions de travail.

Justification : _____

_____

5 Les bagues qu'il s'est (s'acheter) _____ sont extravagantes.

Justification : _____

_____

Exercice 6.31

Parmi les participes passés en caractères gras dans les phrases suivantes, certains sont mal accordés. Dans le tableau qui suit l'exercice, notez le numéro des phrases contenant une erreur d'accord. Proposez une correction et justifiez-la.

1 Ils se sont **serré** la main.

2 Elle s'est **promise** de ne plus recommencer.

3 Nous nous sommes **mentis** trop longtemps.

4 Toutes ces rumeurs se sont **tues**.

5 Elles se sont **dites** adieu.

Phrase (n°)	Correction	Justification
_____	_____	_____
_____	_____	_____
_____	_____	_____
_____	_____	_____
_____	_____	_____

Accordez, s'il y a lieu, les participes passés des verbes pronominaux en caractères gras (règle générale et cas particuliers). Justifiez votre réponse.

1 La voiture qu'ils se sont **offert** _____ consomme beaucoup d'essence.

Justification : _____

_____

2 Ils se sont **arrogé** _____ le droit de nous critiquer ouvertement.

Justification : _____

_____

3 Ils se sont **fixé** _____ un objectif : réussir.

Justification : _____

_____

4 Elle s'est **laissé** _____ servir sans discuter.

Justification : _____

_____

5 Les comédiens se sont **fait** _____ huer.

Justification : _____

_____

Le tableau 6.3 récapitule l'accord du participe passé.

TABLEAU 6.3   **L'accord du participe passé**

L'accord du participe passé employé avec l'auxiliaire *être*

Le participe passé employé avec l'auxiliaire *être* s'accorde toujours avec le sujet.

L'accord du participe passé employé avec l'auxiliaire *avoir*

Le participe passé employé avec l'auxiliaire *avoir* ne s'accorde jamais avec le sujet.

Il s'accorde avec le CD (s'il y en a un) si celui-ci est placé devant le verbe.

Il est invariable dans les cas suivants :

1. Le CD est le pronom neutre *le* ou *l'* (dont le référent est une phrase ou une idée).
2. Le CD est le pronom *en* (bien que des grammairiens tendent à régulariser en acceptant l'accord).
3. Le participe passé est celui d'un verbe impersonnel ou du présentatif *il y a*.
4. Le participe passé est suivi d'un GInf et le CD placé devant le verbe n'est pas le sujet de l'infinitif.
5. Le participe passé est *fait* ou *laissé*, suivi d'un GInf.
6. Le participe passé est *pu*, *cru*, *dit*, *su*, *voulu* ou *dû*, suivi d'un GInf, ou encore d'une subordonnée ou d'un GInf sous-entendus.

L'accord du participe passé d'un verbe pronominal

Le participe passé d'un verbe **essentielle-ment** pronominal s'accorde avec le sujet.	Le participe passé d'un verbe **occasionnelle-ment** pronominal s'accorde avec le CD placé devant le verbe.

Méthode simplifiée

Le participe passé des verbes pronominaux s'accorde généralement avec le **sujet**, sauf dans les deux cas suivants :

1. Le verbe a un CD autre que le pronom personnel conjoint réfléchi : dans ce cas, on fait l'accord avec ce **CD s'il précède le verbe**, mais le participe passé reste invariable si le CD suit le verbe.

2. Le verbe n'a pas de CD et le pronom personnel conjoint réfléchi est un CI : dans ce cas, le participe passé du verbe pronominal reste **invariable**.

Exercice 6.33

Dites si les participes passés en caractères gras sont bien accordés et justifiez votre réponse.

1 Pourquoi ne portes-tu jamais la bague que je t'ai **offerte** pour ton anniversaire ?

L'accord est correct. ☐   L'accord est incorrect. ☐

Justification : _____

_____

2 Elle est **revenue** de son entrevue avec le directeur du journal depuis déjà une heure.

L'accord est correct. ☐   L'accord est incorrect. ☐

Justification : _____

_____

3 C'est à Hélène qu'on a **demandée** d'organiser la réception.

L'accord est correct. ☐   L'accord est incorrect. ☐

Justification : _____

_____

4 Les étudiants ont **décidés** de s'opposer à toute hausse des droits de scolarité.

L'accord est correct. ☐   L'accord est incorrect. ☐

Justification : _____

_____

5 Je vais te montrer ma dernière acquisition : une chaine stéréo que j'ai **eue** pour une bouchée de pain.

L'accord est correct. ☐   L'accord est incorrect. ☐

Justification : _____

_____

6.2.3 L'accord de l'adjectif attribut du sujet

Le noyau d'un GAdj remplissant la fonction d'attribut du sujet reçoit le genre et le nombre du noyau du GN sujet.

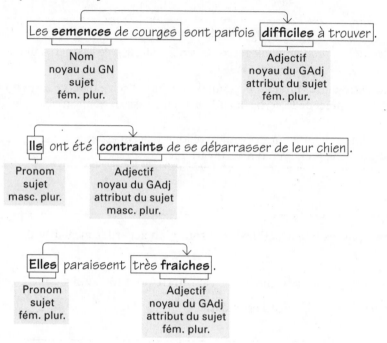

Si les adjectifs sont en rapport avec des noms unis par une conjonction de comparaison (*ainsi que*, *comme*, etc.), on les accorde avec le premier nom si la conjonction exprime une idée de comparaison ; l'ensemble formé par la conjonction et le deuxième nom sera alors placé entre virgules.

> Le manque d'exercice, **comme** le tabagisme, est **nuisible** à la santé cardiovasculaire.

Si la conjonction a un sens d'addition, l'adjectif s'accorde avec les deux noms ; il se met donc au pluriel.

> Le manque d'exercice **comme** le tabagisme sont **nuisibles** à la santé cardiovasculaire. (Notez l'absence de virgules.)

Si les noms s'additionnent, l'adjectif s'accorde avec les deux noms ; il se met donc au pluriel.

> Le manque d'exercice **ou** le tabagisme sont **nuisibles**.

À NOTER

Si *on* est employé dans le sens de *nous* (registre familier), et que le verbe est suivi d'un attribut du sujet, le noyau du GAdj attribut s'accorde avec ce que *on* représente.

> **On** est **contents** de vous voir.   **On** est **contentes** de vous voir.
> (Luc et Paul)   (Marie et Lise)

Avec le sujet *vous*, même si le verbe est toujours à la 2e personne du pluriel, le noyau du GAdj attribut peut être singulier.

> Vous êtes **gentil**, Monsieur.

> Vous êtes **belle**, Madame.

6.2.4 L'accord de l'adjectif attribut du complément direct

Le noyau d'un GAdj remplissant la fonction d'attribut du complément direct reçoit le genre et le nombre du noyau du GN complément direct ou du pronom complément direct.

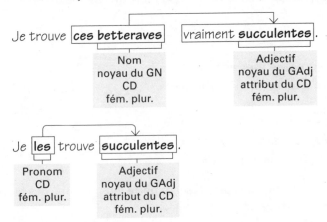

> **À NOTER**
>
> Certains adjectifs peuvent être employés comme adverbes. Ils modifient alors le verbe et sont invariables, comme tous les adverbes.
>
> Jessica mange trop **gras**.   Ces fleurs sentent **bon**.
>
> Ils parlent **fort**.   Elles valent **cher**.

Exercice 6.34

Complétez les phrases suivantes avec les adjectifs entre parenthèses et faites les accords nécessaires. Lorsque l'adjectif reçoit l'accord, soulignez le ou les donneurs ; lorsqu'il est invariable parce qu'il s'agit plutôt d'un emploi comme adverbe, indiquez-le entre parenthèses après votre réponse. Consultez une grammaire ou le *Multi* au besoin.

1 L'autruche a la tête ainsi que le cou (garni) _____ de duvet.

2 Ils ont tenu (bon) _____ .

3 L'un comme l'autre sont (inutile) _____ .

4 L'organisation et la synchronisation étaient (parfait) _____ .

5 C'est une forte tête, mais nous nous faisons (fort) _____ de lui faire entendre raison.

6.3 Les accords dans le GN

Dans un GN, les accords dépendent du noyau du GN, qui donne ses traits de genre et de nombre à d'autres constituants du GN : l'adjectif et le déterminant. Le nom ou son équivalent, le pronom, sont donc des donneurs de genre et de nombre, alors que le déterminant et l'adjectif sont des receveurs de genre et de nombre.

6.3.1 L'accord de l'adjectif complément du nom ou du pronom

La règle générale

L'adjectif est un mot variable ; il reçoit son genre et son nombre du nom ou du pronom dont il est le complément.

Fém. plur.

Des **personnes chaleureuses** l'ont accueilli.

(L'adjectif *chaleureuses* est complément du nom *personnes*.)

Fém. sing.

Fatiguée de sa journée, **elle** s'est endormie dans le fauteuil.

(L'adjectif *fatiguée* est complément du pronom *elle*.)

Pour trouver le nom ou le pronom auquel l'adjectif se rapporte, on pose une des questions *Qui est-ce qui est… ?* ou *Qu'est-ce qui est… ?* devant l'adjectif.

Sophie a eu une journée vraiment **fatigante**.

(*Qu'est-ce qui est fatigant ?* la journée. L'adjectif se met au féminin singulier : *fatigante*.)

L'adjectif se rapportant à plus d'un nom

Lorsque l'adjectif se rapporte à deux noms, il prend la marque du pluriel.

Ce comédien joue avec **un naturel et un aplomb parfaits**.

Si l'un des deux noms est féminin et que l'autre est masculin, l'adjectif reste au masculin.

Ce comédien joue avec **une justesse et un naturel parfaits**.

On évitera autant que possible de placer le nom féminin juste avant l'adjectif.

ˣCe comédien joue avec **un naturel et une justesse parfaits**.

Si ce n'est pas possible, on peut toujours essayer de remplacer l'adjectif par un autre où le masculin et le féminin ont la même forme.

Ce comédien joue avec un naturel et une justesse **remarquables**.

À NOTER

Si l'adjectif est en relation avec des noms unis par *ou*, il s'accorde avec le deuxième nom si l'un des noms exclut l'autre.

Selon son humeur, il peut faire montre d'une courtoisie ou d'une impolitesse **inqualifiable**. (C'est l'impolitesse qui est *inqualifiable*.)

Je pourrais vous offrir un verre de bière ou de vin **rouge**. (Seul le vin est *rouge*.)

Les adjectifs se rapportant à un même nom

Quand deux adjectifs se rapportent de façon distributive à un nom pluriel, il faut bien sûr les laisser au singulier.

Les fronts **méridional et occidental** (Un seul front méridional, un seul front occidental)

Les langues **grecque et latine** (La langue grecque, la langue latine)

Les **premier et deuxième** chapitres (Le premier chapitre, le deuxième chapitre)

Sauf si le sens l'exige.

> Les gouvernements fédéral et provinci**aux**
>
> (Au Canada, un gouvernement fédéral, dix gouvernements provinciaux)

Les adjectifs désignant une couleur

De nombreux adjectifs désignant une couleur sont en fait des noms même si, dans plusieurs grammaires, on parle d'adjectifs de couleur. Le nom employé pour désigner une couleur reste invariable.

> des souliers **aubergine**
>
> des bonnets **turquoise**
>
> des chaussettes **orange**
>
> des pantalons **marron**

Les adjectifs dérivant de noms ou d'adjectifs de couleur reçoivent le genre et le nombre du nom avec lequel ils sont en relation.

> une écharpe **orangée**
>
> des teintes **cuivrées**
>
> une sauce **rosée**

Cependant, certains noms de couleur sont devenus, en raison de leur usage répandu, de véritables adjectifs et s'accordent donc en genre et en nombre avec le nom auquel ils se rapportent.

> des chaussettes **roses**
>
> des chaussures **violettes**

Dès qu'ils sont composés, les adjectifs tout comme les noms désignant des couleurs restent invariables. L'exemple suivant est donc incorrect.

> ˣJe me suis acheté des chaussettes **vertes foncées**.

Il faut respecter l'invariabilité dans tous les cas.

> Je me suis acheté des chaussettes **vert foncé**.
>
> des cheveux **blond cendré**
>
> des chaussettes **bleu marine**

> **À CONSULTER**
>
> Voir le tableau « Couleur, adjectifs de » dans le *Multi*.

Exercice 6.35

Complétez les phrases suivantes avec les mots entre parenthèses et faites les accords qui s'imposent. Consultez une grammaire ou le *Multi* au besoin.

1 Nous n'avons plus de peinture (blanc cassé) _____.

2 L'automne prochain, la mode exploitera toute la gamme des bruns :

souliers (marron) _____, pantalons (kaki) _____
ou (havane) _____ chemisiers et chandails (chocolat)
_____ ou (tabac) _____, foulards (mordoré)
_____, rouges à lèvres (or) _____ ou (bronze)
_____.

3 Vous trouverez ce que vous cherchez dans un magasin de pièces (détaché)
_____.

4 (Satisfait) _____ de leurs achats, la mère et sa fille sont allées manger avant de rentrer.

5 On paie tous des impôts aux gouvernements (fédéral) _____ et (provincial) _____.

Quelques cas particuliers

Il existe plusieurs cas particuliers d'accord de l'adjectif, par exemple l'accord de l'adjectif *demi*. Cet adjectif s'accorde en genre seulement, et uniquement si l'adjectif suit le nom, auquel il est joint par *et*.

> deux litres et **demi** (Le nom *litre* est masculin, *demi* reste masculin singulier.)
>
> quatre pièces et **demie** (Le nom *pièce* est féminin, *demie* est donc féminin singulier.)

S'il précède un adjectif ou un nom, *demi* est invariable et se joint au nom ou à l'adjectif par un trait d'union. L'adjectif *semi* suit la même règle.

> une **demi**-heure
>
> des vins **demi**-doux
>
> des **semi**-remorques
>
> des métiers **semi**-spécialisés

En cas de doute, il vaut cependant mieux consulter une grammaire ou un dictionnaire plutôt que de mémoriser les règles de ces cas somme toute peu fréquents.

Exercice 6.36

En vous aidant des informations données à la fin de chacune des phrases, faites l'accord des adjectifs entre parenthèses.

1 Pourriez-vous commander trois douzaines et (demi) _____ de bas? (*Voir l'article « Demi » dans le* Multi.)

2 La lettre Y est une (semi) _____ -voyelle. (*Voir l'article « Semi- » dans le* Multi.)

3 Nous avons examiné toutes les solutions (possible) _____. (*Voir l'article « Possible » dans le* Multi.)

4 Où pourrais-je trouver des valises (bon marché) _____? (*Voir l'article « Marché » dans le* Multi.)

5 Il faudrait que vous vous adressiez à une personne (haut placé) _____. (*Voir l'article « Haut » dans le* Multi.)

D'autres cas particuliers

- *Attendu, vu, supposé, compris, entendu, excepté* et *ôté* sont adjectifs; ils sont donc variables quand ils suivent le nom ou le pronom qu'ils complètent.

  > Les enfants **exceptés**, tout le monde s'est amusé.
  >
  > (*Exceptés* est adjectif et s'accorde avec *enfants*.)

Toutefois, ils sont invariables lorsqu'ils précèdent un GN ou un pronom, car ils ont alors valeur de préposition introduisant un complément.

Excepté les enfants, tout le monde s'est amusé.

(*Excepté* est une préposition [synonyme de *sauf*]. *Excepté les enfants* est ici un GPrép complément de phrase.)

- *Ci-joint, ci-inclus* et *ci-annexé* sont invariables quand on leur donne une valeur adverbiale ; ils sont alors placés en tête de phrase averbale. Ils sont aussi invariables quand ils se trouvent à l'intérieur d'une phrase devant un nom sans déterminant.

Ci-join**t** les documents que vous avez demandés.

Vous trouverez ci-join**t** copie de mon curriculum vitæ.

L'accord est facultatif lorsqu'ils sont placés à l'intérieur de la phrase devant un nom précédé d'un déterminant.

Vous trouverez ci-join**t(s)** les documents que vous avez demandés.

Ils sont variables quand ils sont placés après le nom ou le pronom auquel ils se rapportent, car ils sont alors de purs adjectifs qui complètent le noyau du GN dont ils font partie.

Veuillez consulter les documents ci-join**ts**.

(Dans le GN *les documents ci-joints, ci-joints* est un GAdj complément du noyau *documents*.)

- Pour *étant donné, mis à part, passé* et *fini*, l'usage admet l'accord ou l'absence d'accord avec le noyau du GN qu'il introduit.

Étant donn**é** (donn**ées**) les circonstances, on a décidé de fermer l'école pour la journée.

Fin**i** (Fin**ies**) les vacances !

Exercice 6.37

Accordez, s'il y a lieu, les adjectifs contenus dans les phrases suivantes.

1 La note ci-joint _____ contient les informations nécessaires.

2 Les enfants excepté _____, tout le monde s'est couché très tard.

3 Étant donné _____ les faits rapportés par les témoins, le juge a condamné Claude à 10 jours de prison.

4 Vu _____ la grande compétence de cette candidate, nous avons décidé de l'embaucher.

5 Veuillez trouver ci-joint _____ les rapports des évaluateurs.

L'adjectif et le participe présent

L'adjectif issu d'un participe présent est variable. Il reçoit les traits de genre et de nombre du nom ou du pronom avec lequel il est en relation. Son orthographe se termine parfois par *-ant*, parfois par *-ent*, et est rarement identique à celle du participe présent. Le participe présent, quant à lui, est un verbe ; il est invariable et se termine toujours par *-ant*.

Nous sommes arrivés la journée **précédente**.

(L'adjectif *précédente* est le noyau du GAdj complément du nom *journée*.)

Nous sommes arrivés la journée **précédant** le concours.

(Le mot *précédant* est un verbe : un participe présent invariable.)

Le participe présent étant un verbe, on peut l'employer avec la négation *ne... pas*. On peut ainsi le distinguer de l'adjectif issu d'un participe présent.

Adjectif	Participe présent
^X*Nous sommes arrivés la journée* **ne** *précédente* **pas**.	*Nous sommes arrivés la journée* **ne** *précédant* **pas** *le concours*.

Exercice 6.38

Complétez les phrases suivantes avec le participe présent du verbe entre parenthèses ou avec l'adjectif qui en est dérivé, et accordez-le s'il y a lieu.

1 À un certain âge, nombreux sont les élèves qui suivent leurs cours en (somnoler) _____ un peu.

2 Quelle journée (fatiguer) _____ !

3 Le lundi matin, elle faisait le tour du bureau, réprimandant l'un, secouant l'autre, et (fatiguer) _____ tout le monde dès le début de la semaine.

4 Il avait complètement perdu le gout de la vie, (négliger) _____ jusqu'à sa précieuse collection de timbres.

5 Chaque automne le ramenait inchangé, toujours aussi nonchalant, toujours aussi (négliger) _____ de sa femme.

6.3.2 L'accord du déterminant

Comme l'adjectif, le déterminant reçoit les traits de genre et de nombre du nom qu'il détermine.

> **Le** potager, **la** citrouille, **les** petits pois (Déterminants définis)
>
> **Son** ordinateur, **sa** voiture, **ses** dossiers (Déterminants possessifs)
>
> **Ce** temps-là, **cette** fois-là, **ces** temps-ci (Déterminants démonstratifs)
>
> **Quel** homme! **Quelle** femme! **Quels** beaux enfants! (Déterminants exclamatifs)
>
> **Aucun** garçon, **aucune** fille, **aucuns** frais, **aucunes** archives, **chaque** crayon, **chaque** clé, **certains** jours, **certaines** amies, **différents** plateaux, **différentes** enveloppes, **plusieurs** villes, **divers** problèmes, **diverses** solutions (Déterminants indéfinis)

Le déterminant numéral

• Les déterminants numéraux sont invariables à l'exception des déterminants *un*, *vingt* et *cent*.

> Ce livre coute **quinze** dollars.
>
> Le chat est retombé sur ses **quatre** pattes.

– Le déterminant numéral *un* varie en genre.

> Quarante-et-un**e** jeunes femmes faisaient partie du groupe.

– On ajoute un *-s* à *vingt* et à *cent* s'ils sont multipliés par un nombre et s'ils ne sont pas suivis d'un autre déterminant numéral ou des noms *million* ou *milliard*.

> À quatre-vingt**s** ans, elle avait vingt petits-enfants.
>
> À quatre-vingt-un ans, elle en avait vingt-et-un.
>
> J'ai gagné deux-cent**s** dollars à la loterie.

L'entreprise a perdu deux-cent-millions de dollars.

L'entreprise a perdu quatre-vingt-milliards de dollars.

- Le nombre *mille* est invariable.

    trois-mille ans

- Les mots *million* et *milliard* sont à l'origine des noms. Ils ne suivent donc pas la règle d'écriture particulière de *vingt* et *cent* : ils prennent toujours un *-s* s'ils sont multipliés par un nombre.

    trois-million**s**-deux-cent-quatre-vingt-mille dollars

    quatre-milliard**s**-cinq-cent-million**s** de personnes

À NOTER

L'écriture des déterminants numéraux a fait l'objet de rectifications orthographiques. Tous les éléments des déterminants numéraux composés, y compris les noms *million* et *milliard*, doivent désormais être liés par un trait d'union.

À CONSULTER

Pour connaitre les règles traditionnelles concernant les déterminants numéraux, voir le tableau « Nombres » dans le *Multi* ou les différentes sections portant sur les nombres dans la *Banque de dépannage linguistique* (*BDL*) de l'Office québécois de la langue française (OQLF).

Exercice 6.39

Transcrivez les nombres suivants en lettres.

1 21 ans _____

2 80 jours _____

3 85 jeux _____

4 200 personnes _____

5 320 invités _____

6.4 L'accord de *tout, même, quelque* et *tel*

Certains mots présentent des difficultés d'accord parce qu'ils peuvent appartenir à plus d'une classe. Le scripteur doit d'abord reconnaitre la classe grammaticale à laquelle ces mots appartiennent avant de décider s'il doit ou non les accorder. C'est le cas notamment des mots *tout, même, quelque* et *tel*.

6.4.1 L'accord de *tout*

Tout déterminant

Quand il est déterminant, *tout* fait partie d'un GN et reçoit les traits de genre et de nombre du nom avec lequel il est en relation. Au singulier, il peut prendre le sens de « chaque » ou de « en entier », alors qu'au pluriel, il exprime la totalité du nombre.

Il peut précéder immédiatement le nom.

> **Tout** *effort mérite une récompense.*
>
> *Dans un contrat, on écrit chaque montant en* **toutes** *lettres.*

Il peut aussi être séparé du nom par un autre déterminant.

> **Tous mes** *espoirs ont été anéantis.*
>
> *J'ai lu* **toute la** *collection.*

À NOTER

Le déterminant *tout* reste invariable devant un nom d'auteur ou un nom de ville lorsque le GN désigne l'ensemble des œuvres ou des habitants. Notez bien que ces cas sont rares.

> *Il a lu* **tout** Anne Hébert. (**Tout** *Anne Hébert* = toutes ses œuvres)
>
> **Tout** Montréal était au rendez-vous. (**Tout** *Montréal* = tous les Montréalais)

Tout adverbe

Tout est adverbe, et donc en principe invariable, lorsqu'il modifie un adjectif. Il fait alors partie d'un GAdj et on peut l'effacer (l'adverbe *tout* est une expansion du noyau du GAdj). Il exprime alors l'intensité ou la totalité de la qualité exprimée.

> *Jean et Nicole étaient* **tout** *heureux de mon bonheur.*
>
> *Françoise est* **tout** *étonnée de la lettre qu'elle a reçue.*

Cependant, et c'est là la **seule** exception à l'invariabilité des adverbes, *tout* est variable lorsqu'il modifie un adjectif féminin commençant par une consonne ou un *h* aspiré.

> *Elles étaient* **toutes** *honteuses de leur résultat.*
>
> *Sylvie était* **toute** *consternée.*

À NOTER

Le *h* est-il aspiré ou muet ?

Pour vérifier si un *h* est aspiré ou non, il faut consulter un dictionnaire.

Par exemple, le *Petit Robert* indique qu'un mot commence par un *h* aspiré en ajoutant une apostrophe devant la transcription phonétique de ce mot. Le *Multi*, pour sa part, ajoute la mention (*h* aspiré) après le mot. Le *h* dit « aspiré » est l'équivalent d'une consonne, alors que le *h* muet correspond à une voyelle. Si vous n'avez pas de dictionnaire sous la main, il suffit de faire le test suivant en employant le déterminant *le/la* devant le nom de même famille que l'adjectif.

Si le déterminant s'élide, comme il le ferait devant une voyelle, le *h* est **muet**.

> *l'habit (non pas* [X]*le habit)*

On écrira donc l'adverbe *tout* de façon invariable.

> *Elle dort* **tout** *habillée.*

Si le déterminant ne s'élide pas, comme devant une consonne, le *h* est **aspiré**.

> *la honte (et non* [X]*l'honte)*

On écrira donc *tout* au féminin devant l'adjectif féminin.

> *des petites filles* **toutes** *honteuses*

L'adverbe *tout* peut également modifier un adverbe. Il est toujours invariable dans ce cas.

> *Elles nous ont serrés dans leurs bras **tout** doucement, **tout** affectueusement.*

Tout devant *autre*

Tout devant *autre* peut être déterminant ou adverbe. Lorsque l'expression *tout autre* a le sens de « n'importe quel autre », *tout* est déterminant ; on peut d'ailleurs le remplacer par le déterminant indéfini *un* ou *une*. Il s'accorde avec le nom avec lequel il est en relation.

> ***Toute** autre personne (**Une** autre personne) aurait agi différemment.*

> *Pour accompagner ce plat, **tout** autre légume (**un** autre légume) peut remplacer les pommes de terre.*

Lorsque l'expression *tout autre* signifie « tout à fait autre », « tout à fait différent », *tout* est adverbe et invariable. On peut donc l'effacer.

> *Il m'a donné une **tout** autre raison.*

> *Il m'a donné une ø autre raison.*

Tout pronom

Comme pronom, *tout* prend le genre et le nombre du mot ou du groupe de mots qu'il représente.

> *Les syndiqués se sont-ils réunis hier ? Oui, **tous** étaient présents.*

> *Ces femmes ont du courage. **Toutes** ont la charge d'une famille nombreuse.*

> *Les étudiants voulaient **tous** faire un stage dans un autre pays.*

À CONSULTER

Voir le tableau « Tout, accord de » dans le *Multi*.

Au singulier, il est surtout employé nominalement, c'est-à-dire qu'il ne rappelle pas quelque chose que l'on a évoqué auparavant. Il est toujours masculin.

> ***Tout** est parfait.*

> *Chez lui, **tout** respire la joie de vivre.*

Exercice 6.40

Dites à quelle classe appartient le mot *tout* dans les phrases suivantes.

1 **Tout** le groupe était en colère contre moi.

_____

2 Elles étaient **tout** époustouflées de mon audace.

_____

3 **Tout** doit être payé la semaine prochaine.

_____

4 Cet enfant est **tout** pour moi.

_____

5 **Tout** autre que lui m'aurait invitée à danser.

_____

Complétez les phrases suivantes à l'aide du mot *tout* et faites les accords qui s'imposent.

1 _____ restèrent médusés devant son accoutrement.

2 Si elle remplit _____ les conditions, je la rappellerai.

3 Au début, elle me parlait _____ gentiment, maintenant, elle est _____ autre.

4 _____ les livres ont volé dans les airs. J'en suis encore _____ remuée.

5 D'où arrivent Claire et Lucie ? Elles sont _____ halées !

6.4.2 L'accord de *même*

Même adjectif

Même est adjectif et variable lorsqu'il est en relation avec un nom ou un pronom (auquel il est joint par un trait d'union) et qu'il désigne l'identité ou la ressemblance.

> Elle portait les **mêmes** vêtements que sa sœur.
>
> Elles se fient trop à elles-**mêmes**.
>
> Ne vous fiez qu'à vous-**mêmes**, chers étudiants.
>
> Ne vous fiez qu'à vous-**même**, Philippe.

À NOTER

Voici la liste des pronoms personnels qui prennent un trait d'union avec *même* : *moi-même, toi-même, lui-même, elle-même, soi-même, nous-mêmes* (parfois sans *-s* s'il s'agit du *nous* dit de modestie, mais c'est rare : *Nous avons nous-même fait la révision de notre manuel*), *vous-mêmes* (sans *s*, s'il s'agit d'un vouvoiement : *Vous pouvez faire cette démarche vous-même, Sylvie*), *eux-mêmes, elles-mêmes*.

Même adverbe

Même est adverbe et invariable lorsqu'il a le sens de « aussi », « de plus », « jusqu'à ». Il peut modifier :

• un GN qui le suit (contenant, par exemple, un déterminant et un nom, ou un pronom)

> **Même** les histoires de fantômes ne lui faisaient pas peur.

• un adjectif

> **Même** épuisés, les soldats n'arrivaient pas à dormir.

• un verbe

> Ils hurlaient, piaffaient **même**.

• une phrase

> Et **même**, il avait encore le temps d'aller au cinéma.

Les grammairiens ne s'entendent pas sur la classe de *même* lorsqu'il suit un nom précédé d'un déterminant. Certains le considèrent comme adjectif et conseillent l'accord, d'autres lui donnent une valeur adverbiale et recommandent l'invariabilité. C'est l'intention de l'auteur qui doit guider l'accord, qui est facultatif.

> Ces enfants même**s** racontaient les évènements.
>
> (= *Ces enfants eux-mêmes*: *mêmes* est adjectif.)

Cependant, quand on peut placer le mot *même* devant le déterminant et le nom, il s'agit de l'adverbe et *même* reste invariable.

> Les hommes, les femmes, les enfants même furent massacrés.
>
> (= *même les enfants*: *même* est adverbe.)

À CONSULTER

Voir l'article «Même» dans le *Multi*.

Même pronom

Même pronom ne se rencontre qu'avec le déterminant défini *le/la/les*.

> Ce sont **les mêmes** qui ont engagé mon père.

Exercice 6.42

Dites à quelle classe appartient le mot *même* dans les phrases suivantes.

1 **Même** le couronnement de la reine ne l'a pas intéressé.

_____

2 Il raconte toujours la **même** histoire.

_____

3 Il tiendra probablement à faire le travail lui-**même**.

_____

4 Et **même**, elle a réussi à déjeuner avec lui.

_____

5 **Même** les chiens ne voudraient pas y gouter.

_____

Exercice 6.43

Complétez les phrases suivantes à l'aide du mot *même* et faites les accords qui s'imposent.

1 _____ déchainés, la mer et le fleuve étaient pour lui des alliés.

2 Parfois, ils arrivaient _____ à faire des profits.

3 J'éprouvais envers elle les _____ sentiments qu'envers ma mère.

4 _____ vos chaussettes sont boueuses.

5 Madame, c'est vous-_____ qui me l'avez proposé.

6.4.3 L'accord de *quelque*, *quel que* et *quelque... que*

Quelque déterminant

L'orthographe de *quelque* présente des difficultés particulières du fait qu'à l'oral, il se confond avec l'adjectif *quel* suivi de *que*.

Quelque est déterminant et s'écrit en un seul mot lorsqu'il a le sens de «un certain» au singulier et de «un petit nombre» au pluriel. Comme tout déterminant, il reçoit les traits de genre et de nombre du nom avec lequel il est en relation. On peut le remplacer par un autre déterminant (*plusieurs*, *des*, *ces*, *parfois*, *un*, etc.).

> Il a joué **quelque** personnage (**un** personnage) ténébreux dans cette pièce.
>
> (Le mot *quelque* a ici le sens de «un quelconque»; c'est un emploi plutôt littéraire et assez rare.)

> J'ai apporté **quelques** fruits (**des** fruits) pour le dessert.

Quelque est un déterminant pluriel dans un certain nombre de constructions: *ces quelques* + nom, *les quelques* + nom, *mes/tes/ses/nos/vos* ou *leurs quelques* + nom. Dans ces combinaisons, on ne peut pas remplacer *quelques* par un autre déterminant, sauf s'il s'agit d'un déterminant numéral.

> Il faudrait corriger **vos quelques** fautes.
>
> Il faudrait corriger **vos vingt** fautes.
>
> ˣIl faudrait corriger **vos des** fautes.

Quelque adverbe

Placé devant un déterminant numéral, *quelque* est un adverbe qu'on peut effacer ou remplacer par l'adverbe *environ*. Il est par conséquent invariable.

> Ils ont invité **quelque** deux-cents personnes à leur mariage.
>
> Ils ont invité **Ø** deux-cents personnes à leur mariage.
>
> Ils ont invité **environ** deux-cents personnes à leur mariage.

Un cas particulier: *Quel* + *que*

Quel que s'écrit en deux mots lorsqu'il est suivi d'un verbe attributif au subjonctif (*être*, *paraitre*, *sembler*, *devenir*, *demeurer*, *rester*, et parfois *devoir être*, *pouvoir être*, *sembler être*). Il signifie alors «n'importe quel» ou «peu importe», et *quel* est attribut du sujet. *Quel* reçoit donc le genre et le nombre du sujet.

> **Quelles que** soient les difficultés, j'y arriverai.
>
> (*Quelles* est attribut du sujet *les difficultés*, féminin pluriel.)

> **Quel que** puisse être votre problème, n'hésitez pas à m'appeler.
>
> (*Quel* est attribut du sujet *votre problème*, masculin singulier.)

À CONSULTER

Voir les tableaux «Quel» et «Quelque» dans le *Multi*.

À NOTER

Il ne faut jamais écrire *quelque* en un mot immédiatement devant les verbes attributifs au subjonctif énumérés ci-dessus.

> ˣNous l'aiderons, **quelque soient** ses projets.
>
> = Nous l'aiderons, **quels que soient** ses projets.
>
> ˣNous irons jusqu'au bout de la démarche, **quelque doivent être** les difficultés.
>
> = Nous irons jusqu'au bout de la démarche, **quelles que doivent être** les difficultés.

Complétez les phrases suivantes avec *quelque* ou *quel que* et faites les accords qui s'imposent.

1 Rendez-vous dans _____ heures devant le chalet des Poulin !

2 J'aime les enfants, _____ ils soient.

3 Il y aura _____ cent questions à l'examen.

4 Nous avons reçu _____ centaines de lettres.

5 _____ fillettes s'amusaient sur la plage.

L'expression *quelque... que*

Dans l'expression *quelque... que*, toujours suivie du subjonctif, *quelque* s'écrit en un seul mot. Cette construction avec *quelque... que* est plutôt littéraire, donc moins fréquente dans l'usage courant.

Quelque est adverbe et invariable dans cette construction s'il est devant un adjectif ou un autre adverbe. On peut le remplacer alors par *si* ou *aussi*.

> **Quelque** repentis **qu'**ils soient, je ne leur ferai plus confiance.
>
> **Si** repentis **qu'**ils soient, je ne leur ferai plus confiance.
>
> **Quelque** prudemment **qu'**il conduise, je m'en méfie.
>
> **Aussi** prudemment **qu'**il conduise, je m'en méfie.

Il est déterminant et variable s'il est devant un nom ; il a alors le sens de « peu importe ».

> **Quelques** vêtements **qu'**il porte, il a toujours l'air ridicule.

Complétez les phrases suivantes avec l'expression *quelque... que* et faites les accords qui s'imposent.

1 _____ importantes _____ soient vos raisons, vous resterez jusqu'à la fermeture.

2 _____ raisons _____ vous évoquiez, vous resterez jusqu'à la fermeture.

3 _____ agréables _____ soient vos manières, vous n'en faites toujours qu'à votre tête.

4 _____ joliment _____ vous vous habilliez, il n'en demeure pas moins que vous dilapidez mon argent.

5 _____ sentiments _____ vous ressentiez à son égard, ne les laissez jamais paraitre.

Complétez les phrases suivantes avec le mot ou l'expression qui convient (*quelque, quel que, quelque... que*), et faites les accords qui s'imposent.

1 Il ne reste plus que _____ centaines de personnes dans cette communauté.

2 _____ soient les bénéfices que me procurera cette affaire, j'en subirai aussi _____ ennuis.

3 Il a accumulé _____ cent-cinquante points à la dernière compétition.

4 Il faut s'attendre à _____ bêtise de sa part.

5 _____ fragiles _____ elles paraissent, les femmes sont souvent plus résistantes que les hommes.

6.4.4 L'accord de *tel, tel que* et *tel quel*

C'est seulement lorsque *tel* et *tel que* établissent une comparaison entre deux termes que l'on peut hésiter pour leur accord : avec lequel des deux termes s'accordent-ils ? Avec celui qui précède ou avec celui qui suit ?

En fait, la règle est simple : *tel* s'accorde avec le nom qui le suit et *tel que* s'accorde avec celui qui le précède.

> **Telle** une hirondelle, le petit Nicolas s'envola sous les yeux de sa mère.
>
> Hélène ondulait dans l'eau salée **tel** un serpent de mer.
>
> Il n'attrapait que de grands insectes **tels que** les libellules géantes.
>
> Des chances **telles que** celle qu'on vous offre sont rares. Profitez-en !

Autrement, c'est-à-dire lorsque *tel* caractérise un seul objet, il s'accorde avec le nom ou le pronom qui désigne cet objet.

> **Telle** avait été ma destinée. (Attribut du sujet)
>
> Je la croyais **telle**. (Attribut du CD)
>
> Ils ont rapporté ses paroles **telles quelles**. (Complément du nom)

À CONSULTER

Voir le tableau «Tel» dans le *Multi*.

Exercice 6.47

Complétez les phrases suivantes à l'aide de *tel* ou *tel quel*, et faites les accords qui s'imposent.

1 Il adore les petits mollusques _____ que les moules marinières et les huitres fraiches.

2 Je t'avais pourtant demandé de laisser mes crayons _____.

3 Lucie sautait de roche en roche _____ un crapaud.

4 _____ sont les recommandations de votre oncle.

5 Le ballon monta au ciel _____ une fusée.

Exercice 6.48

Complétez les phrases suivantes à l'aide du mot *tout* et faites les accords qui s'imposent.

1 Essayez de relever _____ les erreurs.

2 _____ endimanchée, Suzanne trottinait derrière ses parents.

3 Nous avons atteint notre objectif : ils ont _____ répondu à notre appel.

4 _____ générosité cache un sentiment de culpabilité.

5 _____ autre employée aurait profité de l'occasion.

Exercice 6.49

Complétez les phrases suivantes à l'aide du mot *même* et faites les accords qui s'imposent.

1 _____ timides, les enfants sont toujours spontanés.

2 Il nous a servi les _____ balivernes qu'à toi.

3 Ils ont protesté et sont _____ allés jusqu'à prétendre que vous aviez monté toute l'affaire.

4 Ils vous diront eux _____ ce qui ne va pas.

5 _____ ses proches souhaitent son départ.

Exercice 6.50

Quelque, quel que et *quelque… que* : utilisez la locution ou le mot qui convient dans les phrases qui suivent, et faites les accords qui s'imposent.

1 _____ soit la subvention que l'on m'accordera, j'irai au colloque l'été prochain.

2 Venez vers les sept heures ; je reçois _____ collègues à souper.

3 Ajoutez _____ pruneaux à l'armagnac et le menu sera complet.

4 Il a fait _____ trente degrés Celsius cette nuit.

5 _____ soit son ambition, elle ne réussit pas à terminer ce doctorat.

Exercice 6.51

Complétez les phrases suivantes à l'aide de *tel* ou *tel quel*, et faites les accords qui s'imposent.

1 Il est certain que les patients qui ont subi des interventions chirurgicales rapprochées développent une accoutumance à des drogues _____ que la morphine.

2 J'ai levé les yeux et j'ai aperçu Marie et Lise suspendues, _____ de petits singes, aux branches du peuplier.

3 Si vous n'acceptez pas cette marchandise _____, je vous poursuis pour n'avoir pas respecté les clauses de votre contrat.

4 À 85 ans, ma mère était restée _____ qu'elle avait toujours été : enthousiaste, optimiste et débordante d'énergie.

5 Des surprises _____ que ton arrivée à l'improviste, je m'en passerais bien !

Le lexique

Chapitre 7   L'origine et la formation des mots

7.1   L'évolution du français
7.2   La formation des mots

Chapitre 8   L'emploi du mot juste

8.1   La synonymie
8.2   L'antonymie
8.3   Les mots passepartouts
8.4   La concision

Chapitre 9   Les normes et les usages

9.1   La qualité de la langue et les variations de l'usage

Chapitre 10   Les écarts lexicaux

10.1   Les pièges de l'emprunt
10.2   Les impropriétés
10.3   L'incompatibilité sémantique (les cooccurrences erronées)
10.4   Les barbarismes et les solécismes

CHAPITRE 7

L'origine et la formation des mots

Le lexique, c'est l'ensemble des mots d'une langue donnée, la banque des mots existant dans cette langue, en quelque sorte. Les mots décrivent la réalité et, comme celle-ci évolue, le lexique français, comme celui de toutes les langues, est en perpétuelle évolution. Tout mot est en effet susceptible de se charger de sens nouveaux; certains disparaissent de l'usage, d'autres apparaissent…

L'histoire du vocabulaire, c'est en fait celle de l'adaptation constante des outils d'expression à la pensée. Les mots vieillissent, s'usent, ce qui provoque parfois leur remplacement par des termes nouveaux, décrivant mieux les réalités nouvelles qu'on cherche à désigner. Ainsi, les *femmes* et les *hommes de ménage*, les *gardiens* et les *gardiennes* ont remplacé les *chambrières*, les *valets de pied* et autres *majordomes* et *gouvernantes* de la domesticité d'antan. Le lexique de l'habillement a aussi vu bien des termes tomber en désuétude, comme les vêtements qu'ils désignent : si l'on peut deviner que des *chausses* se portaient sur le bas du corps et des *coiffes* sur la tête, à moins d'être historien du vêtement, on ne sait sans doute pas ce qu'était un *canezou* ni même un *surtout*.

C'est avant tout la nécessité d'exprimer des idées nouvelles ou de décrire des objets nouveaux qui sert de moteur à l'évolution du lexique et contribue à son « rajeunissement », soit par la création de mots, soit par l'adaptation de mots existants. Plus un domaine évolue rapidement, plus on y voit apparaitre des mots nouveaux : pensons par exemple à l'informatique et aux technologies de pointe.

Personne ne peut prétendre posséder tout le lexique français. Chacun puise dans cette banque les mots dont il a besoin et, de ce fait, en maitrise une partie seulement. Il suffit d'ouvrir un dictionnaire et d'en lire ne serait-ce qu'une page pour mesurer son ignorance (mais aussi pour se rassurer sur ses compétences !). L'apprentissage du lexique n'est de toute façon jamais terminé : toute sa vie, on apprendra de nouveaux mots et on butera sur des mots inconnus qu'on apprendra à connaitre et à utiliser.

Il faut par ailleurs faire la distinction entre le vocabulaire actif et le vocabulaire passif. Le vocabulaire actif, c'est le vocabulaire qu'on utilise régulièrement et qu'on maitrise donc bien. Tout le monde possède aussi ce qu'on appelle un vocabulaire passif, c'est-à-dire des mots qu'on connait, qu'on reconnait lorsqu'on les voit écrits, dont on peut expliquer le sens, mais qu'on n'utilise pas forcément. C'est souvent le vocabulaire qu'on acquiert en lisant. Ne dit-on pas que les gens qui lisent beaucoup ont en général un vocabulaire plus étendu que ceux qui lisent moins ?

En matière de vocabulaire, ce qui compte, c'est bien sûr de connaitre un grand nombre de mots, mais ce n'est pas tout ! Il faut aussi savoir que les mots ont souvent plusieurs sens, plusieurs utilisations possibles. Combien, par exemple, connaissent toute la richesse du simple verbe *faire*, qui occupe près de deux pages dans le *Petit Robert* ? Ou encore le sens du déterminant indéfini *quelque* au singulier ? Comme vous le verrez dans les chapitres suivants, on doit également savoir que le vocabulaire est marqué par des registres, des variations régionales, des variations dans le temps et que l'emploi d'un mot est conditionné non seulement par son sens, mais aussi par le contexte dans lequel il est utilisé.

Dans ce chapitre, nous ferons le tour des différents modes de formation des mots. Cet apprentissage n'est pas une fin en soi ; au contraire, il vise à vous aider à comprendre des mots que vous voyez ou entendez pour la première fois, ou encore que vous connaissez mal. Il vous aidera aussi à trouver par raisonnement le mot que vous cherchez ; en somme, il vous mettra en position de force face au lexique français. Mais d'abord, rappelons brièvement d'où vient le français et comment son vocabulaire s'est constitué.

7.1 L'évolution du français

Depuis quand la langue française existe-t-elle ? Ou depuis quand parle-t-on d'une langue française, puisqu'elle n'est pas apparue d'un seul coup ? On sait qu'elle est née sur le territoire français, autrefois la Gaule. Remontons un peu le cours des siècles.

7.1.1 Les origines

Tous ceux qui connaissent *Astérix* ont déjà entendu parler de la Gaule, des Gaulois et de la présence des Romains en Gaule. Tout cela est vrai : aux environs de l'an 50 avant l'ère chrétienne, les Romains conquirent la Gaule et y introduisirent le latin. Conséquence de la colonisation romaine, les villes, où affluaient colons, commerçants et fonctionnaires, devinrent avec le temps toutes latines. À partir des villes, l'usage de la langue des conquérants se diffusa peu à peu dans toute la Gaule. Si la romanisation de la Gaule fut progressive, elle n'en fut pas moins efficace : au ve siècle de notre ère, le latin avait complètement supplanté les anciens dialectes gaulois.

Le latin dont est issu le français était le latin parlé par la population, latin dit « vulgaire ». Le latin ne survécut cependant pas longtemps tel quel sur le territoire gaulois. Par suite de la désintégration de l'Empire romain à la fin du ve siècle, le latin se scinda en plusieurs idiomes (dont le roman, ancêtre du français) qui sont devenus les langues romanes qu'on connait aujourd'hui : le français, l'italien, l'espagnol, le roumain et le portugais.

Issu, donc, de cette « décomposition » du latin vulgaire à la fin du ve siècle, le français s'élabora ensuite lentement, aux temps troubles des monarchies françaises. Le dialecte de l'Île-de-France (la région parisienne), qui était le français parlé par la royauté, devint la langue dominante. Au fil des siècles, le français continua de se transformer pour devenir la langue que nous connaissons aujourd'hui. Cette évolution se poursuit et ne cessera jamais : si, aujourd'hui, on lit avec peine le français du xvie siècle, consolons-nous en nous disant que, dans cinq siècles, nos descendants ne nous liront sans doute pas plus facilement…

7.1.2 Le fonds primitif

Le français étant une langue romane, c'est-à-dire résultant de l'évolution et de la transformation phonétique graduelle du latin introduit en Gaule par les Romains, l'essentiel de son lexique est d'origine latine. C'est le cas, entre autres, de la majorité des déterminants, pronoms, prépositions et conjonctions, et des mots les plus courants.

Un petit nombre de mots gaulois (environ 450) ont survécu à l'invasion romaine, se sont intégrés à ce fonds primitif latin et ont évolué avec lui : *chêne*, *bouleau*, *ruche* et *charrue*, par exemple, nous viennent du gaulois.

À ce fonds primitif latin se sont également ajoutés des mots d'origine germanique empruntés soit par le latin vulgaire, avant les invasions germaniques, soit par le latin parlé en Gaule au moment de ces invasions, au ve siècle. *Balle*, *barrière*, *gibier*, *gagner* et *brochet* sont quelques-uns des mots d'origine germanique qui ont ainsi contribué à la formation du lexique primitif.

7.1.3 Les emprunts du passé

Tous les mots du lexique français ne sont pas d'origine gauloise, latine ou germanique. Le français s'est aussi annexé des termes empruntés à d'autres langues avec lesquelles il s'est trouvé en contact au cours de son histoire.

Les langues classiques (latin et grec)

À partir du XIIᵉ siècle, le français a emprunté des mots au latin écrit, dit « savant » ou « classique ». Ces mots ont ceci de particulier qu'ils n'ont pas suivi l'évolution phonétique des mots empruntés au latin vulgaire (ou populaire) et qui constituent le fonds primitif. On les a en effet transposés directement dans la langue française en se contentant de franciser leurs terminaisons. *Naviguer, fragile, priorité* sont des exemples de ce type d'emprunts.

L'influence du latin a été particulièrement forte aux XVᵉ et XVIᵉ siècles, époque où le latin classique était très prestigieux ; cette influence ne s'est toutefois jamais démentie, notamment dans le domaine des sciences.

Le grec a lui aussi beaucoup influencé le français, surtout à partir du XIVᵉ siècle, époque où ont été traduites de nombreuses œuvres de philosophes grecs, notamment Aristote. À partir du XVIIIᵉ siècle, l'influence du grec s'est particulièrement fait sentir dans le domaine des sciences naturelles, à commencer par la botanique. Puis le développement de la terminologie médicale s'est essentiellement appuyé sur le grec, dont les racines permettent facilement de combiner des éléments. Voici quelques exemples d'emprunts faits au grec : *démocratie, hypothèse, hygiène, philosophie, taxinomie, sophisme* et *symptôme*.

Encore aujourd'hui, des préfixes et des suffixes empruntés au grec et au latin servent à la formation de mots nouveaux. Ainsi, les suffixes *-al, -ation* et *-ateur* sont d'origine latine ; *télé-, -graphie* et *-logie* viennent du grec. Nous étudierons les éléments de formation grecs et latins en détail un peu plus loin dans ce chapitre.

Les langues vivantes

Les contacts entre peuples, entre pays, qu'ils résultent de guerres, d'échanges commerciaux, d'influences culturelles, sont des sources d'emprunts lexicaux. Ainsi, le grand mouvement de renouveau des arts qui s'étend en Europe du XIVᵉ au XVIᵉ siècle et qu'on a appelé Renaissance est apparu en Italie : c'est donc en puisant dans l'italien que le français a créé des mots comme *balcon, baldaquin, balustrade* ou *corniche*. À partir du XVIIIᵉ et surtout du XIXᵉ siècle, la Grande-Bretagne est dominante sur les plans économique et industriel, et l'anglais exerce son influence sur le français, où on voit apparaitre des mots comme *rail, tunnel, wagon*. Le développement des sports en Grande-Bretagne suscite aussi de nombreux emprunts de termes de sport comme *golf, rugby, hockey* ou *tennis*, les deux derniers formés à l'origine à partir de mots français (*hoquet* et *tenez*).

Au fil du temps, le français a également emprunté à l'allemand (*choucroute, fauteuil*), à l'espagnol (*guitare, moustique*), à l'arabe, particulièrement à l'époque des croisades du Moyen-Âge (*alcool, chiffre*), au flamand et au néerlandais (*boulevard, matelot*), au portugais (*banane, acajou*), etc.

7.1.4 Les emprunts contemporains

Comme nous venons de le voir, le français a emprunté des mots à plusieurs langues au cours des siècles. Ces emprunts sont légitimes et utiles, puisqu'ils permettent à notre langue d'évoluer. Par le passé, les langues occidentales ont emprunté au grec et au latin, puis au français, lequel a longtemps été la langue dominante dans le monde occidental.

Aujourd'hui, c'est l'anglo-américain, langue de la finance, du commerce et des sciences, qui domine, et prédomine même en cette ère de mondialisation et de cyberespace. Il est donc normal que le français moderne emprunte à l'anglais, comme autrefois l'anglais a emprunté au français à la suite de la conquête de l'Angleterre par les Normands au XIe siècle. Mais alors pourquoi parle-t-on tellement d'anglicismes si emprunter ne représente pas une faute en soi? Jusqu'où et dans quelles circonstances l'emprunt est-il justifiable? Abordons la question sous l'angle pratique.

Faites-vous une différence entre les deux phrases suivantes?

> Hier soir, j'ai écouté un excellent concert de **jazz**.
>
> Lili a passé un ^X **casting** à Montréal pour tourner dans une production sino-canadienne.

Jazz est un mot anglais qui désigne une réalité, à l'origine, américaine. *Jazz* est donc venu enrichir la langue française en exprimant une réalité nouvelle qu'aucun mot ne représentait encore. ^X*Casting,* au contraire, est emprunté indûment, puisque son équivalent, *audition,* existe dans notre langue. Il faut donc bien faire la distinction entre emprunts légitimes (mots français d'origine anglaise) et anglicismes (emprunts non justifiés).

Quand un Français dit qu'un chanteur fait son ^X*come-back* en sortant un tout nouveau ^X*single,* il commet des anglicismes de la même manière que le Québécois ou le Canadien français qui est ^X*down* parce qu'il a été ^X*slacké* par son ^X*boss.* En Amérique du Nord, comme nous sommes entourés d'anglophones, nous risquons davantage d'utiliser à notre insu des anglicismes. En effet, les anglicismes se trouvent un peu partout et prennent plusieurs formes: outre les anglicismes lexicaux vus plus haut, il existe des anglicismes orthographiques (^X*exercise* au lieu d'*exercice*), des anglicismes de prononciation (le mot *zoo* prononcé ^X[zu] comme dans *genou* plutôt que [zo] comme dans *eau*), des calques de structure (^X*être en charge de* au lieu d'*être chargé de*), des anglicismes de sens (^X*éventuellement* utilisé dans le sens de *ultimement*). Dans le chapitre 10, consacré aux écarts lexicaux, vous verrez ces différents problèmes dans le détail. Pour l'instant, revenons à l'histoire des mots dans notre langue et étudions la façon dont ils se forment.

7.2 La formation des mots

Quand apparait une nouvelle réalité, quand on crée de nouveaux concepts, de nouveaux objets, on a besoin de les nommer. On peut le faire de deux façons: en créant un mot totalement nouveau (néologisme lexical) ou en donnant un nouveau sens à un mot existant (néologisme sémantique). *Altermondialisation* est un néologisme lexical; *baladeur,* un néologisme sémantique. Les néologismes sont un phénomène tout à fait normal dans l'évolution d'une langue: ils témoignent de sa vitalité et assurent sa survie. Car, si des mots nouveaux apparaissent (*blogue, courriel, numériseur, baladodiffusion*), d'autres disparaissent ou tombent en désuétude (*gramophone, moult, sourdre*), notamment quand les réalités auxquelles ils renvoient n'existent plus. On ne doit pas cependant tomber dans le travers qui consiste à créer des mots nouveaux par inflation verbale: lorsqu'un terme existe déjà pour exprimer une réalité donnée, il n'y a pas de raison de créer un nouveau mot.

Toute création de mots nouveaux doit obéir à des règles de formation bien établies. Quelles sont ces règles? Outre les emprunts faits à d'autres langues, que nous venons de mentionner, les principaux modes de formation des mots sont la **dérivation** et la **composition**. Ces deux procédés sont à la base de la formation de nombreux mots en français, particulièrement dans le domaine des sciences et de la technologie, secteur très productif dans la création de néologismes.

La **dérivation** est le procédé qui consiste à former un mot nouveau en ajoutant à un mot un élément qui n'est pas lui-même un mot et qui en modifie le sens. On appelle cet élément **préfixe** lorsqu'il se place au début du mot et **suffixe** lorsqu'il se place à la fin du mot. Au verbe *fermer*, par exemple, on peut ajouter le préfixe *re-* pour former *refermer* ; au nom *accident*, on peut ajouter le suffixe *-el* pour former l'adjectif *accidentel*.

On parle aussi de dérivation quand on forme un mot nouveau par simple changement de classe grammaticale d'un mot existant. L'adjectif *beau* et le verbe *manger*, par exemple, ont donné *le beau* et *le manger* par dérivation.

La **composition**, quant à elle, est le procédé qui consiste à créer un mot nouveau en combinant des mots existant déjà. Le résultat donne ce qu'on appelle les mots composés. Par exemple, *porte-bonheur* résulte de la combinaison du verbe *porter* et du nom *bonheur*, et *pomme de terre* résulte de la combinaison des noms *pomme* et *terre*, et de la préposition *de*.

Il existe une autre forme de composition, qu'on appelle savante parce qu'elle consiste à combiner des mots (ou racines) grecs ou latins pour obtenir un mot nouveau. Le mot *vermifuge*, par exemple, se décompose en *vermi-* et *-fuge*, qui viennent de deux mots latins *vermis* (ver) et *fugare* (éloigner). Le sens du mot *vermifuge* résulte de cette combinaison ; *vermifuge* signifie donc « qui éloigne les vers ».

Dans les deux sections qui suivent, vous allez vous familiariser davantage avec les deux principaux modes de formation des mots, la dérivation et la composition, qui sont à la base d'une grande partie du lexique français ; vous approfondirez entre autres votre connaissance des éléments grecs et latins. Les autres modes de formation (mots-valises, mots tronqués, sigles et acronymes) font l'objet d'une autre section.

7.2.1 La dérivation

Un mot formé par dérivation peut se décomposer en plusieurs éléments : la **base** (aussi appelée **racine** ou **radical**) ; le ou les **préfixes** et le ou les **suffixes**.

La base

La base, c'est l'élément fondamental du mot ; elle contient l'idée générale commune à toute une famille de mots. Considérez les mots suivants :

> **fin**, **fin**al, **fin**ale, **fin**alement, **fin**aliste, **fin**ir, **fin**alité, **fin**ition, **fin**issant

On sent bien qu'il y a un élément commun à tous ces mots, une sorte de parenté entre eux. Ce qu'il y a de commun entre ces mots, c'est la base *fin* : elle crée la parenté de sens entre les mots et est, de ce fait, l'élément de base de cette famille de mots. On appelle d'ailleurs *famille de mots* l'ensemble des mots formés à partir d'un même mot, d'une même base. En voici un exemple :

> **arm**e, **arm**er, **arm**ée, **arm**ement, **arm**ure, **arm**urier, **arm**et, **arm**oiries, **arm**orial, **arm**ateur, **arm**ature, dés**arm**er, dés**arm**ement, al**arm**e, al**arm**er, al**arm**ant, al**arm**iste, **arm**istice, etc.

Vous connaissez beaucoup de ces mots, sans pour autant savoir que *alarme* et *armoiries*, par exemple, appartiennent à la même famille de mots. C'est pourtant le cas, car tous ces mots viennent du latin *arma* qui a donné *arme*, base de cette famille de mots.

Dans les deux exemples précédents, les bases *fin* et *arm* ne subissent pas d'altérations dans les mots de la famille. Souvent, cependant, la base prendra des formes différentes à l'intérieur de la famille de mots. Examinez, par exemple, la famille de mots suivante :

> **éco**le, **éco**lier, **scol**aire, **scol**arité, **scol**ariser, **scol**arisation, **scol**astique, etc.

Certains dès mots de cette famille ont *écol* pour base, d'autres *scol*. En fait, *scol* n'est qu'une forme différente de *écol(e)* ; l'élément *scol* signifie en effet « école ».

Prenons un autre exemple :

> **peuple, population, peuplade, populari**té, **populaire, peupler, dépeupler, peuplement, public,** etc.

On trouve dans cette famille trois bases, différentes par la forme mais équivalentes sur le plan du sens : *peupl, popul, publ*. Une famille de mots (ou famille étymologique) est formée de dérivés et de composés issus d'une base commune, ayant la même origine. Ainsi, les mots

> **cœur, écœur**er, **écœur**ement ; **cord**ial, **cord**ialité, **cord**ialement ; ac**cord,** ac**cord**er, ac**cord**éon, ac**cord**eur, ac**cord**ailles ; con**cord**e, con**cord**er, con**cord**ance, con**cord**ant, con**cord**at, con**cord**ataire ; dis**cord**e, dis**cord**ant, dis**cord**ance ; miséri**cord**e, miséri**cord**ieux ; rac**cord,** rac**cord**er, rac**cord**ement ; **cour**age, **cour**ageux, **cour**ageusement ; dé**cour**ager, dé**cour**ageant, en**cour**ager, en**cour**ageant, en**cour**agement, etc.

appartiennent tous à la même famille de mots, ou famille étymologique. La base de la famille prend trois formes, *cœur, cord* et *cour*, toutes trois issues du latin *cor* et signifiant « cœur ». L'origine *cor* est donc la même pour tous ces mots, et c'est pourquoi on dit qu'ils forment une famille.

Si on cherche maintenant l'origine des mots

> **card**iaque, **cardio**gramme, **cardio**graphie, **cardio**logie, **cardio**logue, électro**cardio**gramme, endo**card**e, myo**card**e, péri**card**e, tachy**card**ie, etc.

on découvrira que la base *card* ou *cardio* est issue celle-là du grec *kardia*, qui signifie « cœur ». Ces mots ne peuvent donc se rattacher à la famille étymologique précédente puisque leur origine n'est plus la même. Ils forment donc une famille étymologique indépendante de celle de *cœur*.

Cependant, si ces deux familles sont différentes du point de vue de l'étymologie (origine), on peut dire qu'elles sont apparentées par le sens, le latin *cor* et le grec *kardia* signifiant tous deux « cœur ». Les deux familles étymologiques forment ensemble une **famille de sens.** En voici un autre exemple. Les quatre familles étymologiques suivantes renvoient toutes au concept d'« enfant » :

1. *enfant, enfance, enfantin, enfantillage, infantile, infanticide*, etc. (base *enfan* ou *infant*, du latin *infans, infantis*, qui signifie « enfant ») ;

2. *puerpéral, puéril, puérilité, puériculture, puérilement*, etc. (base *puer* ou *puéri*, du latin *puer, pueris*, qui signifie « enfant ») ;

3. *poupon, poupée, pouponner, pouponnière*, etc. (base *poup*, du latin *pupa* ou *pupus*, qui signifie « petit enfant ») ;

4. *pédagogie, pédiatrie, psychopédagogie, orthopédie, orthopédiste, pédéraste, pédologie, pédophile, pédopsychiatre*, etc. (base *péd* ou *pédo*, du grec *pais* ou *paidos*, qui signifie « enfant, jeune garçon »).

Les préfixes

Les préfixes sont des éléments qu'on place devant un mot pour en modifier le sens. Si, par exemple, on cherche à dire le contraire de *acceptable*, on ajoutera le préfixe *in-* pour obtenir *inacceptable*. Le préfixe *in-* ajoute donc une idée de négation, de contraire, au mot *acceptable*. De même, on pourra modifier le sens du verbe *coudre* en utilisant des préfixes : *découdre, recoudre.*

Les préfixes français sont d'origine latine ou grecque. Vous trouverez une liste des principaux préfixes dans la plupart des ouvrages de référence généraux, comme la *Banque de dépannage linguistique* (*BDL*) de l'Office québécois de la langue française (OQLF) ou le *Multidictionnaire des difficultés de la langue française* (*Multi*). Dans le *Petit Robert* (*PR*) et dans *Usito*, les préfixes figurent avec les mots de la langue dans la liste des entrées et ils sont définis comme toutes les autres entrées. Ce qu'il faut retenir, c'est que les préfixes ont un **sens**, qui s'ajoute au sens donné par la base du mot.

Il faut bien voir également que le même préfixe peut prendre différentes formes tout en gardant le même sens. Dans les mots

> **ir**réalisable, **in**compétent, **il**lisible, **im**moral

les préfixes *ir-*, *in-*, *il-* et *im-* ajoutent tous aux adjectifs une idée de négation : qui « n'est pas » réalisable, compétent, lisible, moral. Ces quatre formes différentes ne sont que des variantes du même préfixe de négation.

De même, si on examine les mots

> **re**dire, **ré**organiser, **r**allumer

on se rend compte que *re-*, *ré-* et *r-* sont trois formes différentes du même préfixe. *Re-*, *ré-* et *r-* ajoutent le même sens, la même idée de répétition : *redire*, c'est « dire de nouveau » ; *réorganiser*, c'est « organiser de nouveau » ; *rallumer*, c'est « allumer de nouveau ».

Cependant, il ne faut pas se fier uniquement à la forme du mot. Si on sait, par exemple, que *in-* est un préfixe de négation dans **in**actif et **in**certain, il ne faut pas en déduire que *in-* est toujours un préfixe de négation ! Dans *intelligent*, par exemple, le segment *in-* n'amène aucune idée de négation ; en fait, ce n'est pas un préfixe. Dans **in**intelligent, cependant, le premier *in-* est un préfixe puisqu'il signifie « qui n'est pas » ; il a un sens qu'on peut isoler dans le mot.

Par ailleurs, une même forme peut aussi correspondre à deux préfixes distincts. Par exemple, les mots

> **anti**ciper, **anti**dater, **anti**vol, **anti**conformisme

contiennent tous le préfixe *anti-*. Dans *anticiper* et *antidater*, *anti-* signifie « avant », alors que dans *antivol* et *anticonformisme*, *anti-* signifie plutôt « contre ». Le premier est d'origine latine et le deuxième, d'origine grecque ; ce sont deux préfixes distincts, ayant chacun leur sens propre.

Les suffixes

Les suffixes sont des éléments qu'on ajoute à la fin d'un mot ou d'une base, soit pour en changer ou en modifier le sens, soit pour le faire passer d'une classe de mots à une autre.

Le suffixe change le sens quand il permet de créer un mot nouveau à l'intérieur d'une même catégorie grammaticale. Ainsi, en ajoutant des suffixes à la base des noms *peuple*, *feuille* ou *lait*, on peut créer de nouveaux noms : *peuplade*, *peuplement*, *feuillage*, *feuillet*, *laiterie*, *laitier*, etc.

Le suffixe modifie le sens du mot quand il ne fait qu'apporter une nuance sémantique au mot de base, par exemple une idée de petitesse (*maisonnette*, *jardinet*) ou une nuance péjorative (*ferraille*, *blondasse*).

Enfin, les suffixes permettent de faire passer un mot d'une classe de mots à une autre, chose que les préfixes ne font pas. On peut ainsi, en ajoutant un ou des suffixes à un mot, transformer un nom en verbe ou en adjectif, un verbe en nom ou en adjectif, un adjectif en nom, en verbe ou en adverbe, etc. Par exemple, à partir du nom *paresse*, on peut former le verbe *paresser* et l'adjectif *paresseux*; à partir du verbe *exploser*, on peut former le nom *explosion* et l'adjectif *explosif*; à partir de l'adjectif *brave*, on peut former le nom *bravoure*, le verbe *braver* et l'adverbe *bravement*.

Comme pour les préfixes, la forme des suffixes peut varier. Ainsi, les mots

> *évolu**tion**, isol**ation**, répé**tition***

présentent trois formes différentes du suffixe *-tion*, qui signifie « action » ou « résultat de l'action ».

Par ailleurs, des suffixes différents peuvent exprimer exactement le même sens. Dans les mots

> noy**ade**, dress**age**, contribu**tion**, prolonge**ment**, bless**ure**

les suffixes *-ade*, *-age*, *-tion*, *-ment* et *-ure* ajoutent tous le sens d'« action » ou de « résultat de l'action » au sens du verbe ayant cette base (action ou résultat de l'action de noyer, de dresser, de contribuer, de prolonger et de blesser).

De même, les suffixes servant à former les mots *tartelette*, *brindille*, *chaton*, *lionceau*, *bâton-net*, etc. ont tous une valeur diminutive.

Pour faire les exercices qui suivent, vous aurez besoin d'un dictionnaire, par exemple le *PR*, *Usito* ou le dictionnaire des définitions d'Antidote (si vous vous servez du *PR*, notez que les suffixes y sont traités dans une annexe; les préfixes, eux, figurent avec les mots de la langue, à l'ordre alphabétique des entrées). Vous pouvez aussi vous servir des listes de préfixes et de suffixes que vous trouverez dans la *BDL* ou dans le *Multi*.

Exercice **7.1**

Dans les familles de mots suivantes, dégagez la base commune à tous les mots et précisez-en le sens. Consultez le dictionnaire au besoin. (Le *PR* vous permet de dégager le sens de la base d'un mot à partir de son étymologie, donnée au début de l'article, après l'entrée.)

1 ludique, ludion, interlude, prélude, préluder

_____

_____

2 certain, certainement, certes, certificat, certitude, incertain, incertitude

_____

_____

3 noblesse, anoblir, nobliau, noblaillon, noblement, anoblissement, ennoblir, ignoble, ignoblement

_____

_____

4 célérité, accélération, accélérer, accélérateur, accéléré, décélération

_____

_____

5 manette, manier, maniement, maniable, maniabilité, manipuler, manipulation, manivelle, manœuvrer, manœuvrabilité, manucure, manuel, manuellement, manufacture, manuscrit, manutention

_____

_____

Exercice 7.2

Trouvez des noms, des adjectifs et des verbes de la même famille que les mots suivants ; limitez-vous aux mots dérivés qui ont la même base.

1 hiver

Noms : _____

Adjectifs : _____

Verbes : _____

2 vin

Noms : _____

Adjectifs : _____

Verbes : _____

3 vent

Noms : _____

Adjectifs : _____

Verbes : _____

4 apprécier

Noms : _____

Adjectifs : _____

Verbes : _____

5 doctrine

Noms : _____

Adjectifs : _____

Verbes : _____

Exercice 7.3

Quels noms appartiennent à la même famille que les verbes et adjectifs suivants ?

1 précaire : _____

2 céleste : _____

3 favoriser : _____

4 comprimer : _____

5 évincer : _____

Voici quelques préfixes courants. Donnez deux exemples de mots formés avec ces préfixes. Déduisez le sens des préfixes à partir de vos exemples.

	Préfixe	Mots		Sens du préfixe
1	a-			
2	co-			
3	con-			
4	dé- (des-, dés-)			
5	dis-			
6	in-			
7	mé- (més-)			
8	para-			
9	pré-			
10	re-			

Exercice 7.5

Plusieurs préfixes servent à **nier** ou à **dire le contraire** :

a-, an-	in-, im-, il-, ir-
anti-, anté-	mal-, mau-, malé-
dé-, des-, dis-, di-	mé-, mes-

D'autres préfixes peuvent aussi s'opposer : par exemple, *anté-*, « avant », et *post-*, « après », comme dans ***anti**dater* et ***post**dater*.

Donnez, pour chacun des mots suivants, un antonyme (mot de sens contraire) que vous formerez avec un préfixe (en remplaçant parfois le préfixe existant).

1 patient : _____

2 concordance : _____

3 inculper : _____

4 habile : _____

5 content : _____

Exercice 7.6

Les mots suivants contiennent tous deux préfixes. Dégagez chacun des préfixes et précisez-en le sens.

1 anticonformiste : _____

_____

2 asymétrie : _____

_____

3 indissoluble : _____

_____

4 déconcentrer : _____

_____

5 insurpassable : _____

_____

6 surexposer : _____

_____

7 redécouvrir : _____

_____

8 inconsciemment : _____

_____

9 retransmettre : _____

_____

10 interrelier : _____

_____

Exercice 7.7

Les suffixes désignant l'action ou le résultat de l'action sont les suivants :

-ade	-faction, -fication	-on, -ion
-ance	-is	-son, -aison
-age	-ise	-tion, -ation, -ition
-ence, -escence	-ment, -ement	-ure, -ature

Avec chacun des verbes suivants, formez un nom exprimant l'action ou le résultat de l'action.

1 abolir : _____

2 allier : _____

3 amorcer : _____

4 convoiter : _____

5 courber : _____

6 dégénérer : _____

7 exiger : _____

8 filer : _____

9 glisser : _____

10 trahir : _____

Plusieurs suffixes permettent de former des noms exprimant des qualités (dans le sens large de « caractère », de « propriété », et non dans le sens de « bonne qualité »), généralement à partir d'adjectifs. Les principaux suffixes de **qualité** sont :

-ance, -ence	-eur	-té, -ité, -eté, -tié
-erie	-ie	-ude, -itude
-esse	-ise	

Trouvez un nom de qualité dérivé des adjectifs suivants.

1 habile : _____

2 adroit : _____

3 lourd : _____

4 diplomate : _____

5 apte : _____

Les principaux suffixes servant à former des **noms de personnes** (agents, métiers, etc.) sont les suivants :

-aire	-eron (féminin rare)	-ier, -ière
-ard, -arde (suffixes dépréciatifs)	-eur, -euse/-eure	-iste
-ateur, -atrice	-icien, -icienne	-on, -onne
-er, -ère	-ien, -ienne	

Complétez les phrases suivantes avec un nom de personne dérivé du mot en caractères gras.

1 Je vais au magasin de **disques**, je vais chez le _____.

2 Il faut l'assentiment de toutes les personnes qui ont des **actions** dans la compagnie, il faut avoir l'assentiment de tous les _____.

3 Elle a le **blogue** le plus lu du pays, c'est une _____ exceptionnelle.

4 Les amateurs de mots **croisés** s'appellent des _____.

5 Cette femme consacre tout son temps à la **recherche** scientifique, c'est une _____ renommée.

Plusieurs suffixes servent à former des noms désignant des **instruments**, des **outils** ou des **appareils**. Pour arroser, on se sert d'un *arrosoir*. Ces principaux suffixes sont :

-ail	-ateur	-eur	-ier	-oir
-aille	-atrice	-euse	-ière	-oire

Formez, à partir des mots suivants, des noms désignant des instruments. (Vous pouvez vous aider du dictionnaire des familles de mots d'Antidote si le nom dérivé ne vous vient pas à l'esprit.)

1 vaporiser : _____

2 tondre : _____

3 tenir : _____

4 démarrer : _____

5 gouverner (une embarcation) : _____

À NOTER

Le suffixe *-oir* sert également à former des noms désignant des **endroits** : un *abattoir* est un endroit où on abat les animaux de boucherie. Pensez aussi à *fumoir*, *isoloir*, *parloir*, *trottoir*, etc.

Exercice 7.11

Voici des suffixes qui, combinés avec une base verbale, permettent de former des adjectifs exprimant une **capacité**, une **possibilité** :

-able | -ible | -uble

Par exemple : *épouvantable*, qui peut épouvanter ; *lisible*, qu'on peut lire, qui peut être lu ; *résoluble*, qu'on peut résoudre, qui peut être résolu. Pour certains de ces adjectifs, il existe des antonymes formés par préfixation : *lisible*, *illisible* ; *variable*, *invariable*.

Les suffixes *-able* et *-ible* peuvent aussi se combiner avec des noms pour former des adjectifs exprimant une **qualité**, une **caractéristique** : une décision prise avec équité, une décision *équitable* ; un endroit où règne la paix, un endroit *paisible*.

Complétez les phrases suivantes avec des adjectifs de capacité ou de possibilité dérivés des mots en caractères gras.

1 En quittant le chalet, assurez-vous que vous n'y laissez aucune denrée (**périr**)

_____.

2 Un développement qui doit **durer** longtemps est un développement

_____.

3 La députée réunit les conditions nécessaires pour être **élue** ; elle est

_____.

4 L'amour-passion est une force à laquelle on ne peut pas **résister** ; c'est une force

_____.

5 Une erreur à laquelle on ne peut apporter aucun **remède** est une erreur

_____.

Les principaux suffixes à valeur **dépréciative** ou diminutive sont les suivants :

-ard	-aud	-in
-asse	-elet	-ot
-âtre	-et	

Certains de ces suffixes ont une valeur nettement dépréciative : *grisâtre*, *brunâtre*, *blanchâtre* ne sont pas des couleurs particulièrement attrayantes. Il existe trois autres suffixes adjectivaux à valeur dépréciative assez courants : *-ard* (*vantard*), *-asse* (*bonasse*), *-aud* (*courtaud*).

D'autres suffixes ont une valeur diminutive : *-elet* (*maigrelet*), *-et* (*longuet*), *-in* (*enfantin*), *-ot* (*vieillot*). Sans être à proprement parler péjoratifs, ils sont souvent un peu dépréciatifs : si on parle d'une installation *vieillotte*, par exemple, on imaginera une installation vieillie, voire désuète, hors d'usage.

Formez, à partir des mots suivants, un adjectif à valeur dépréciative ou diminutive.

1 aigre : _____

2 pâle : _____

3 nasiller : _____

4 propre : _____

5 rouge : _____

Dégagez le suffixe de chacun des mots suivants et précisez-en le sens à l'aide de la liste ci-dessous.

A Action ou résultat de l'action
B Contenu
C Diminutif
D Métier, profession

E Maladie, infection
F Péjoratif
G Qualité ou défaut

	Suffixe	Sens
■ fourchette	-ette	C
1 franchise		
2 piqure		
3 lavage		
4 ourson		
5 chirurgien		
6 baleineau		
7 bronchite		
8 bouchée		
9 honnêteté		
10 rustaud		

7.2.2 La composition

La composition est le procédé qui consiste, rappelons-le, à former un mot nouveau en combinant des mots existant déjà dans la langue; on obtient alors des mots composés: *après-midi*, *grand-père*, *sous-sol*. Avec les rectifications de l'orthographe, le trait d'union disparait dans certains mots composés. C'est le cas des mots composés avec les prépositions *contre* et *entre*, dont certains s'écrivent traditionnellement avec trait d'union (*contre-courant*, *entre-deux*) et qu'on soude dans l'orthographe rectifiée (*contrecourant*, *entredeux*), uniformisant ainsi l'orthographe de tous les mots composés commençant par *contre* ou *entre*. C'est le cas aussi pour quelques autres séries, par exemple les mots composés avec *tout*: *mangetout*, *essuietout*, et pour un certain nombre d'autres mots composés de formation diverse: *en-tête* devient *entête*, *tire-bouchon* devient *tirebouchon*, *rond-point* devient *rondpoint*, etc.

On peut aussi former des mots en combinant des racines grecques ou latines; on parle alors de **composition savante**: *photographie* (de *photo-* et *-graphie*, éléments grecs) et *agriculture* (de *agri-* et *-culture*, éléments latins) sont des exemples de ce type de composés. L'évolution de la société, de la science et des techniques impose la création de mots nouveaux. Dans les domaines scientifique et technique, la composition savante (gréco-latine) est le procédé privilégié pour la création de mots nouveaux. C'est pourquoi une connaissance sommaire des éléments grecs et latins entrant dans la composition des mots peut vous aider à décoder des mots nouveaux, que vous n'aviez jamais vus auparavant. La logique voudrait peut-être qu'on évite d'accoupler une racine grecque à une racine latine, mais, dans la pratique, de telles combinaisons sont nombreuses: *automobile* (*auto-*, grec et *mobile*, latin), *hydrofuge* (*hydro-*, grec et *-fuge*, latin), etc.

Exercice 7.14

Trouvez le sens des éléments ayant servi à composer les mots suivants. Assurez-vous que votre réponse s'applique à tous les mots de l'énumération. Comparez ensuite votre réponse avec la signification donnée dans vos ouvrages de référence. Vous pouvez vous servir de votre dictionnaire, des listes de préfixes et de suffixes que vous trouverez sous forme de tableaux dans le *Multi*, ou encore, recourir à la *BDL* ou à Antidote.

1 chronologie, chronomètre

chrono-: _____

2 dynamite, dynamique, dynamomètre

dynam(o)-: _____

3 tétraplégie, tétralogie, tétrasyllabe

tétra-: _____

4 manipuler, manutention, manucure

mani-, manu-: _____

5 aquarium, aquarelle, aquatique, aquifère

aqua-, aqui-: _____

6 similitude, similicuir

simili-: _____

7 quadragénaire, quadrilatère, quadriplégie, quadrupède

quadra-, quadri-, quadru-: _____

8 calorie, calorifère, calorimétrie

calor- : _____

9 anthropologie, misanthrope, anthropophage

anthropo-, -anthrope : _____

10 chiromancie, chiropratique/chiropractie/chiropraxie, chirurgien

chir(o)- : _____

Exercice 7.15

En vous aidant de votre dictionnaire et des listes d'éléments latins et grecs que proposent Antidote ou différents sites Internet, trouvez le mot correspondant à la définition entre parenthèses.

1 Pourriez-vous me recommander une bonne pommade (*qui **tue** les **champignons** parasites*) _____ ?

2 Le fondement de notre gouvernement est la (*forme de **gouvernement** dans laquelle la souveraineté appartient au **peuple**, aux citoyens*) _____.

3 Donnez-moi un (***mot** de sens **contraire***) _____, un (***mot** de prononciation **identique** et de sens différent*) _____ et un (***mot** qui a un sens **très voisin***) _____ de chaud.

4 La (*science des **noms** de **lieux**, de leur étymologie*) _____ fait partie de l'onomastique, qui est la branche de la linguistique qui étudie les noms propres.

5 Elle aurait besoin d'une cure d'(***traitement** par usage externe de l'**eau**, bains, douches, etc.*) _____ ou, mieux encore, de (*usage **thérapeutique** des bains de **mer**, du climat marin*) _____.

6 Dans la dialectique de Hegel, l'(*seconde démarche de l'esprit, **niant** ce qui était affirmé dans la **thèse***) _____ précède la synthèse.

7 Le mélange des bruits de la rue et des cris des enfants crée une (*assemblage **discordant** ou **confus** de voix, de **sons***) _____.

8 On appelle la France l'(*polygone à **six angles** et, par conséquent, à six côtés*) _____ à cause de la forme de sa carte géographique.

9 Le sapin est un (*arbre dont les organes reproducteurs femelles sont le plus souvent en forme de **cônes***) _____.

10 Voici un (***dix litres***) _____ d'eau et un (***dixième** de **litre***) _____ d'eau de Javel.

7.2.3 Les autres modes de formation

Aux deux principaux modes de formation des mots que sont la dérivation et la composition s'ajoutent la formation de mots-valises (parfois appelée télescopage), la troncation et la formation de sigles et d'acronymes.

Les mots-valises

Le mot-valise s'apparente au mot composé à ceci près qu'il est formé à partir d'éléments empruntés à deux ou plusieurs mots (et non à partir de mots existant déjà dans la langue ou de racines). Par exemple, **franglais**, vient de **français** et **anglais** ; *informatique* vient de **information** et **automatique**. La terminaison *-tique* du mot-valise *informatique* est même devenue un suffixe à part entière, comme l'illustrent les mots *bureautique*, *robotique*.

Les mots ainsi formés par « collage » de la partie initiale d'un mot avec la partie finale d'un autre mot sont parfois critiqués en raison de leur construction « sauvage ». En effet, si des mots comme *publireportage* combinent des éléments signifiants (*publi[cité]* + *reportage*), ce n'est pas le cas pour des mots comme *didacticiel* (*didacti[que]* + *[logi]ciel*), *courriel* (*courri[er]* + *él[ectronique]*), etc.

Les mots-valises ont cependant une forte valeur ludique ; l'utilisation débridée qu'en faisait Marc Favreau, alias Sol, dans ses monologues, donne à voir toutes sortes de travers sociaux ou de misères humaines, comme l'illustrent des mots comme *minustrateur* ou *ostéomorose*. Le pouvoir d'évocation des mots-valises en fait un procédé prisé en publicité.

Exercice 7.16

En vous aidant du *Grand dictionnaire terminologique* (*GDT*) de l'OQLF, trouvez les éléments composant les mots-valises suivants et donnez-en une définition.

1 clavardage : _____

_____

2 cognitique : _____

_____

3 progiciel : _____

_____

4 motel : _____

_____

5 webzine : _____

_____

6 adulescent : _____

_____

7 vidéaste : _____

_____

8 pourriel : _____

_____

9 smog : _____

_____

10 brunch : _____

_____

La troncation

Qui aujourd'hui considèrerait les mots *métro* ou *cinéma* comme des troncations de *métropolitain* ou *cinématographe*? Il y a belle lurette qu'on n'utilise plus du tout les formes longues, mais seulement les formes raccourcies, «tronquées» de ces mots. En fait, certaines personnes aujourd'hui tronquent même *cinéma* en *ciné* dans la langue familière. Ce raccourcissement des mots qu'est la troncation répond à un souci d'économie.

Les sigles et les acronymes

Un sigle est une unité formée à partir de la première lettre de chaque mot d'une désignation : si on comprend spontanément le sens des sigles courants (ceux des partis politiques, par exemple), on peut avoir à réfléchir ou à chercher pour trouver le sens de sigles comme *OCDE* (Organisation de coopération et de développement économiques), *UE* (Union européenne), etc., qui désignent des institutions dont on ne parle pas tous les jours. À l'inverse, certains sigles passent dans la langue courante ou même n'existent que dans la langue courante : pensons au mot *BS* (bienêtre social) qui s'emploie encore au Québec (*être au BS*, voire *être «sur»* le BS), même si les prestations se nomment prestations d'aide sociale ou prestations de solidarité sociale.

L'acronyme est pour sa part un sigle qui se prononce comme un mot : *ONU* (Organisation des Nations Unies), *OTAN* (Organisation du traité de l'Atlantique Nord). Certains acronymes ne désignent pas des institutions uniques et deviennent des mots de la langue courante, qui s'écrivent donc sans majuscule : le cas le plus manifeste au Québec est le mot *cégep* (issu de Collège d'enseignement général et professionnel), qui a même donné lieu au dérivé *cégépien*.

Exercice 7.17

Répondez aux questions suivantes portant sur les sigles et les acronymes. Dites aussi s'il s'agit d'un sigle ou d'un acronyme.

1 Qu'est-ce qu'une **ZEC** (ou **zec**)? _____

2 Qu'est-ce qu'un **NAS**? _____

3 Qu'est-ce qu'un **CSSS**? Comment prononce-t-on ce sigle? _____

_____

4 Qu'est-ce qu'une **ONG**? _____

_____

5 Qu'est-ce qu'une **BD** (ou **bédé**)? Et un **bédéiste**? _____

_____

La formation des mots repose sur un principe d'économie : c'était le cas dès les débuts du français ; c'est le cas aussi pour les **néologismes** (mots nouveaux) d'aujourd'hui. **Emprunt, dérivation, composition, formation de mots-valises, troncation, sigles, acronymes,** etc. : il s'agit toujours en quelque sorte d'une réutilisation.

La compréhension des modes de formation des mots et la connaissance des préfixes, des suffixes et des racines grecques et latines constituent des éléments centraux de l'enrichissement du vocabulaire.

CHAPITRE 8

L'emploi du mot juste

Trouver le mot juste permet d'éliminer les ambigüités, de préciser sa pensée, de rendre son texte concis et d'éviter la monotonie. Comme les mots peuvent avoir plusieurs sens, qu'ils n'ont pas ou rarement de synonymes parfaits et que certaines associations de mots sont plus courantes, plus usuelles (ou idiomatiques) que d'autres, il faut prêter une attention soutenue au choix des mots et à leur combinaison. Dans ce chapitre, qui vise essentiellement l'enrichissement du vocabulaire, nous nous pencherons sur le choix des mots en présentant les principales difficultés auxquelles il faut être attentif.

Pour chercher le sens d'un mot ou pour trouver les meilleures associations possibles, on peut consulter des dictionnaires de cooccurrences, qui indiquent les associations habituelles d'un mot à un autre au sein d'une phrase (**trancher** *la question*, **couper** *la poire en deux*) ou des dictionnaires de synonymes, qui donnent des mots ou expressions dont la signification est très proche (*fatigué, épuisé*) ou encore des dictionnaires analogiques, comme le *Petit Robert* (*PR*) ou *Usito*, qui présentent pour chaque mot ceux qui lui sont apparentés (**prédominer** → *emporter, prévaloir, primer, dominer*). Vous trouverez de nombreux dictionnaires en ligne, mais, pour distinguer des mots de sens proche, l'outil le plus efficace est sans doute le logiciel Antidote, qui comprend – outre les définitions – de nombreux autres « sous-dictionnaires », ou sections, notamment sur les synonymes et les cooccurrences.

8.1   La synonymie

Si, pour gagner en précision et en variété sur le plan lexical, on doit savoir recourir aux synonymes, il faut se garder de croire que les synonymes sont nécessairement interchangeables. En réalité, il n'existe à peu près pas de synonymes absolus, mais bien plutôt des mots de sens très proches, qui diffèrent cependant par une nuance, une valeur ou résonance particulière, le registre de langue, le contexte d'emploi (par exemple, *véhicule, voiture, automobile, auto, char, bagnole*, etc.).

8.1.1   Les synonymes et les nuances de sens

De façon rapide, on peut dire que les synonymes partagent un **noyau sémantique commun** et se différencient par **un ou des traits secondaires**. Comment déterminer cette différence ? En délimitant premièrement le noyau sémantique commun, puis en déterminant les traits différenciateurs. Faisons un exercice. Qu'ont en commun les mots *pédant* et *prétentieux* ? Et qu'est-ce qui les distingue ? Voyons ce que dit le *PR* de *pédant* : « Qui manifeste prétentieusement une affectation de savoir, d'érudition. » Sous *prétentieux*, on lit : « Qui estime avoir de nombreuses qualités, des mérites, qui affiche des prétentions excessives. » Dans le premier cas, c'est l'accent sur la connaissance, la culture, qui restreint le sens ; dans le second, c'est l'idée d'excès, de surabondance qui domine. La définition d'Antidote, « Qui fait étalage de son savoir livresque d'une manière affectée et vaniteuse », met encore plus en évidence la relation avec les connaissances par l'ajout du mot « livresque » ; les cooccurrences relevées confirment cette dimension : ce sont en particulier le *professeur*, l'*intellectuel*, le *vocabulaire*, le *ton* qui sont qualifiés de « pédant ».

À vous maintenant de mettre en pratique ce que nous venons de voir. Aidez-vous des dictionnaires cités plus haut.

Exercice 8.1

Trouvez la définition qui se rapporte à chacun des verbes en gras dans les phrases ci-dessous.

a) Observer attentivement et secrètement.

b) Considérer attentivement ; s'absorber dans l'observation de.

c) Examiner attentivement par la vue ; fouiller du regard.

d) Regarder avec défi, ou plus souvent, avec dédain, mépris.

e) Regarder quelqu'un avec attention, avec insistance.

1 Appuyée au bastingage, à la proue du bateau, l'espionne **scrutait** l'horizon. _____

2 Le malheureux écrivait son billet doux sans se douter que le mari l'**épiait**. _____

3 Du haut du promontoire, la vieille femme **contemplait** l'océan. _____

4 Le poisson **dévisagea** la plongeuse de ses gros yeux. _____

5 Le policier attrapa le voleur et le **toisa** de la tête aux pieds. _____

Exercice 8.2

Trouvez la définition qui se rapporte à chacun des adjectifs en gras dans les phrases ci-dessous.

a) Qui se comporte ou se manifeste sans retenue.

b) Qui aime à communiquer ses idées, ses sentiments.

c) Qui manifeste vivement les sentiments qu'elle éprouve ou veut paraitre éprouver.

1 une camarade de classe **communicative** _____

2 une camarade de classe **exubérante** _____

3 une camarade de classe **démonstrative** _____

Exercice 8.3

Lequel des synonymes suivants convient à chacun des faits énoncés ci-dessous ?

Accident, calamité, catastrophe, incident, malheur

1 une collision entre deux automobiles _____

2 une panne d'électricité _____

3 un raz de marée _____

4 une épidémie d'Ebola _____

5 une mort en mer _____

Complétez les phrases suivantes à l'aide des synonymes proposés ci-dessous.

Célébrité, notoriété, popularité, renommée, réputation

1 Les médias ont donné à cet évènement une _____ qu'il ne méritait pas.

2 Ce premier ministre jouit d'une grande _____ dans son pays.

3 Bien des artistes n'ont connu la _____ qu'à titre posthume.

4 La _____ de notre sirop d'érable a franchi les frontières.

5 Sa _____ n'est plus à faire. Il est estimé de tous.

Complétez les phrases suivantes à l'aide des synonymes proposés et faites
les accords qui s'imposent. Vérifiez les nuances de sens dans le dictionnaire.

Affronter, braver, défier, provoquer

1 Les pêcheurs commerciaux doivent souvent _____ la tempête.

2 Il m'a _____ de trouver la moindre erreur dans son travail écrit.

3 À force de se/s' _____, ils vont finir par se/s' _____.

Barrer, barricader, calfeutrer

4 Pendant le festival d'été, certaines rues sont _____.

5 Les manifestants ont réussi à _____ la rue Saint-Denis.

6 Avant l'hiver, il vaudrait mieux _____ cette fenêtre.

Adopter, choisir, épouser, opter

7 De deux maux, il faut _____ le moindre. (Proverbe)

8 À sa majorité, elle a _____ pour la nationalité canadienne.

9 L'assemblée a _____ le projet de loi.

10 En se joignant au parti, il en a _____ toutes les causes.

Trouvez à quelle(s) catégorie(s) de travailleurs (par exemple, militaires, artistes,
domestiques, etc.) s'applique chacun des mots suivants et déterminez lesquels de
ces mots sont génériques, c'est-à-dire s'emploient de façon générale.

1 cachet _____

2 émoluments _____

3 gages _____

4 gain(s) _____

5 honoraires _____

6 rémunération _____

7 rétribution _____

8 salaire _____

9 solde (n. fém.) _____

10 traitement _____

8.1.2 Les synonymes et les cooccurrences

Le choix d'un mot ou d'un autre de sens proche repose sur les nuances de sens entre l'un et l'autre, mais aussi, très fortement, sur le contexte textuel immédiat, c'est-à-dire les mots avec lesquels il se combine, bref son ou ses « cooccurrents ». C'est ainsi qu'on **brave** la **tempête** (*voir l'exercice 8.5*), qu'on **scrute** l'**horizon** (*voir l'exercice 8.1*) et qu'une **réputation** n'est **plus à faire** (*voir l'exercice 8.4*). Les dictionnaires nous aident à trouver ces cooccurrences quand elles ne nous viennent pas spontanément à l'esprit. Par exemple, on pourrait écrire la phrase :

> Il cherche par tous les moyens à éviter ma question.

Existe-t-il un verbe plus idiomatique qu'*éviter* à combiner avec *question* ? Comment le chercher efficacement dans les dictionnaires ? On peut mener la recherche à partir d'*éviter* ou à partir de *question*.

À l'article « éviter » dans le *PR*, on trouve *éluder* comme mot analogue pour le sens « écarter, ne pas subir (ce qui menace), se préserver de » et en se rendant à l'article « éluder », on trouve l'exemple *éluder une question*. Mais pour décider d'aller voir l'article « éluder », il faut évidemment avoir la puce à l'oreille quand on lit le mot *éluder* dans la liste des analogues (*conjurer, écarter, éluder, empêcher, prévenir, fuir*, etc.) proposés dans cette section de l'article « éviter ».

Antidote permet une recherche plus structurée. Dans sa section « Synonymes », les synonymes d'*éviter* sont divisés en quatre sens, dont le sens d'« éluder » :

> **Éluder** — contourner, éluder, escamoter, esquiver, fuir, se dérober à, tourner.

En choisissant *éluder* dans cette série, on obtient immédiatement dans l'article « éluder » (qui apparait dans le cadre de droite) l'expression *éluder une question* après la définition du verbe. L'article « esquiver » ne propose pas l'expression *esquiver une question*, mais si on consulte la section « Cooccurrences » pour *éluder* et *esquiver*, on trouve les deux verbes associés à *question* comme cooccurrences les plus fréquentes en complément direct (avec une multitude d'exemples).

En partant du mot *question* dans Antidote, on peut aller directement dans les cooccurrences de *question* comme complément direct du verbe, et *éluder une question* apparait en 9e position sur 108 cooccurrences (le classement étant fait par fréquence décroissante) ; il s'agit donc d'une cooccurrence normale, conventionnelle et tout à fait idiomatique.

Chercher le bon synonyme, c'est donc chercher celui dont le sens rend le plus exactement ce qu'on veut dire, mais c'est aussi chercher celui qui s'intègre le mieux, celui qui crée une cooccurrence privilégiée. Le but est de trouver le synonyme qui convient au contexte et qui permettra au lecteur de bien saisir notre pensée. Notre mémoire engrange un certain nombre de ces cooccurrences idiomatiques ; pour celles qui nous échappent, les dictionnaires viennent à la rescousse.

Exercice 8.7

En vous aidant du *PR* ou d'*Usito* et, si possible, d'Antidote (sections « Synonymes » et « Cooccurrences »), trouvez un synonyme plus idiomatique pour chacun des verbes en gras et faites les modifications qui s'imposent.

1 Il **a accepté** _____ ma proposition d'un hochement de tête.

2 Les journalistes doivent **signaler** _____ les injustices.

3 Un badaud interrogé sur l'affaire **a dit** _____ son ignorance.

4 Les heures passant, la discussion **se transforma** _____ en lutte ouverte.

5 Grâce à l'aide de nombreux bénévoles, on a pu **réparer [en respectant son style]** _____ la chapelle.

8.1.3 Les synonymes et les degrés d'intensité

Ce qui différencie aussi des synonymes, c'est le **degré d'intensité**. Ainsi, appliqué à un spectacle, *beau* a pour synonymes *admirable* ou *magnifique*, qui ajoutent cependant le trait de « degré supérieur ». L'expression du degré peut se faire au moyen d'adverbes (*assez, beaucoup, très, fort, peu*, etc.) ou par un synonyme marquant une différence d'intensité par rapport au mot de référence : *je regrette son échec* peut devenir *je regrette profondément son échec* ou *je déplore son échec*. Il va sans dire qu'on peut diminuer le degré d'intensité comme on peut l'augmenter : un texte *confus* est à moindre intensité *imprécis* et à plus forte intensité *obscur*.

Exercice 8.8

Remplacez l'adjectif en gras par un synonyme plus fort. N'hésitez pas à consulter votre dictionnaire !

1 une eau **claire** _____

2 une loi **sévère** _____

3 un accueil **froid** _____

4 un accueil **chaleureux** _____

5 une décision **injuste** _____

Exercice 8.9

Trouvez un synonyme plus fort et un autre plus faible pour remplacer le mot en gras, et faites les accords qui s'imposent.

1 Elle est **tiraillée** _____ / _____ entre ses deux passions.

2 Il **détestait** _____ / _____ cette ville de banlieue.

3 Son audace nous **stupéfie** _____ / _____ .

4 L'orateur a **condamné** _____ / _____ l'attitude du maire dans cette affaire.

5 Je n'arrive pas encore à croire qu'il ait **gaspillé** _____ / _____ autant d'argent.

8.1.4 Les synonymes de sens péjoratif

Certains mots sont connotés péjorativement, c'est-à-dire qu'ils transmettent une **valeur dépréciative**. Prenons des mots courants comme *chauffeur* et *chauffard*. Comme francophones, nous connaissons bien la différence entre les deux : un *chauffard*, c'est un mauvais conducteur. Mais quand il s'agit de mots qui ne nous sont pas familiers, nous ne saisissons pas toujours la valeur péjorative. Prenons, par exemple, les mots *maison* et *masure* : l'un et l'autre désignent des habitations, mais la maison est définie comme un bâtiment d'habitation, tandis que la masure a comme caractéristiques d'être petite, misérable, vétuste et délabrée.

Exercice 8.10

Choisissez, dans la liste suivante, le synonyme de sens péjoratif qui correspond à chacun des noms en gras. Accordez-le au besoin.

Cohue, racontar, sarcasme, sensiblerie, utopie

1 Il me fallut supporter ces **plaisanteries** _____ toute la soirée.

2 Elle parvint à se frayer un chemin dans la **foule** _____.

3 Ces films à l'eau de rose répondaient alors à la **sensibilité** _____ du public.

4 Croire à un monde sans violence est une grande **illusion** _____.

5 Comment pouvez-vous croire de tels **propos** _____ ?

8.1.5 Les synonymes et les euphémismes

Au cours des dernières décennies, notre société a adopté des formulations « politiquement correctes » pour éviter certaines expressions jugées trop directes. Les interdits touchent tout ce qui risque d'être marginalisé, infériorisé, exclu, mal vu. On évitera ainsi les mots qui conduisent à la discrimination, qu'elle soit liée au sexe, à la race, à la classe sociale, aux revenus, à la confession, à l'âge, à l'orientation sexuelle, aux handicaps, etc. L'euphémisme est une formulation qui adoucit une réalité dont l'expression directe est perçue comme choquante. On remplace alors les tournures jugées trop dures, les mots trop crus par des détours, sortes de synonymes édulcorés, qui masquent le tabou. Un aveugle devient un non-voyant ; un sourd, un malentendant ; et un bègue, une personne atteinte d'un dysfonctionnement de l'appareil élocutoire. Les euphémismes servent aussi à valoriser ou à rendre plus techniques des réalités qui ne le seraient pas assez : un dépotoir est ainsi devenu un site d'enfouissement sanitaire et un éboueur, un préposé à la collecte des ordures ménagères.

Exercice 8.11

Trouvez un terme plus neutre ou un euphémisme pour remplacer les mots et expressions en gras dans les phrases ci-dessous.

1 Les métropoles comptent de plus en plus de **clochards** _____.

2 Nos sociétés ne laissent pas assez de place aux **vieillards** _____.

3 Les deux échecs référendaires n'ont pas réussi à décourager les **séparatistes** _____ québécois, qui continuent leur action politique pour obtenir l'indépendance.

4 Certaines personnes sont contre l'**avortement** _____.

5 Dans certains organismes communautaires, les **drogués** _____ peuvent venir échanger leurs seringues souillées contre des seringues stérilisées.

6 Ce sont les **pauvres** _____ qui subissent le plus durement la crise du logement.

7 Jadis, on parlait d'**infirmes**, hier, on parlait de **handicapés** et aujourd'hui, on parle de _____.

8 À la une, un article consacré aux **sourds** _____ titrait « Ils sont sourds et sans parole ».

9 La ville a subi plusieurs **bombardements** _____ malgré le cessez-le-feu.

10 Les frappes aériennes ont fait des **victimes chez les civils** _____.

Exercice 8.12

Retrouvez le mot ou l'expression que masque l'euphémisme en gras dans les phrases ci-dessous et faites les modifications qui s'imposent.

1 Les **exploitants d'entreprises agricoles** _____ sont durement touchés par la sécheresse qui sévit depuis un mois.

2 Cette entreprise a **remercié** _____ plusieurs de ses employés.

3 Nombreuses sont les personnes souffrant de **surcharge pondérale** _____.

4 Ce médicament est utilisé pour traiter les cas de **dysfonctionnement érectile** _____.

5 Sans les **aidants naturels** _____, le **milieu sociosanitaire** _____ ne pourrait pas répondre à toutes les demandes des **bénéficiaires** _____.

8.1.6 Les synonymes et les registres (ou niveaux) de langue

Les synonymes peuvent aussi se distinguer les uns des autres par leur registre. La différence de registre recoupe la différence de degré, le jugement dépréciatif (ou mélioratif), les variations dans le temps et dans l'espace, et même les euphémismes. En effet, l'intensité n'est pas indépendante du registre de langue : _c'est sublime_ n'est pas vraiment du même ordre que _c'est beau_. _Il conduit le bazou de sa sœur_ comporte un jugement négatif absent dans _il conduit l'auto de sa sœur_. Le mot _bouquin_ est aujourd'hui plus neutre qu'il y a 50 ans ; le mot _bouffe_ est moins familier au Canada qu'il ne l'est en France. Quant aux euphémismes, ils deviennent, dans certains cas, des termes techniques et sont alors d'un registre différent des mots ou expressions qu'ils remplacent. Le syntagme _assisté social_ a aujourd'hui un sens péjoratif ; cherchant à rejeter toute connotation négative, la langue technique du travail social a ainsi créé le terme _prestataire de la sécurité du revenu_ ou _de l'aide de dernier recours_. Ce changement de terme révèle également une nouvelle orientation politique : il indique, entre autres, que les gens doivent utiliser tous les autres recours avant de demander de l'aide.

Exercice 8.13

Essayez de classer les synonymes suivants selon leur registre de langue. Fiez-vous à votre sens linguistique dans un premier temps et vérifiez ensuite quelles marques d'usage (LITT., FAM., VULG., PÉJ., etc.) leur ont été attribuées dans les dictionnaires. Ne vous étonnez pas de ne pas connaitre certains de ces mots : les plus littéraires sont parfois un peu vieillis, et les plus péjoratifs sont parfois régionaux.

1 prostituée _____

2 putain _____

3 pute _____

4 fille _____

5 femme de mauvaise vie _____

6 tapineuse _____

7 guidoune _____

8 pétasse _____

9 courtisane _____

10 professionnelle _____

11 femme de mœurs légères _____

12 femme facile _____

13 péripatéticienne _____

14 catin _____

15 amazone _____

16 callgirl _____

17 hétaïre _____

18 escorte _____

8.2 L'antonymie

Les antonymes sont des mots de sens **contraire**, comme l'exprime la paire *petit* et *grand*. Souvent, passer par l'antonyme aide à préciser ou à fixer le sens d'un mot, et à enrichir ainsi son vocabulaire : le sens d'*arbitraire* se retient peut-être mieux si le mot est opposé à *équitable* que s'il est comparé à *injuste* ou à *inique*. Passer par le détour de l'antonyme peut aussi permettre de trouver un mot qui ne vient pas à l'esprit spontanément.

Exercice 8.14

Trouvez un antonyme (contraire) des mots en gras dans les phrases ci-dessous en vous aidant de vos dictionnaires.

1 Il tient de ses parents une santé **précaire** _____.

2 À Noël, elle était toujours d'humeur **enjouée** _____.

3 Son caractère **impulsif** _____ ne le sert pas toujours.

4 Le directeur a souligné les **convergences** _____ de vues entre les enseignants.

5 Ce qui frappe, au premier abord, c'est la **concision** _____ de son style.

6 Elle était l'**égoïsme** _____ incarné.

7 La **réalité** dépasse parfois la _____.

8 Le monde est bien mal fait : **surabondance** ici, _____ ailleurs.

9 Il a fait preuve, à cette occasion, de **largeur** _____ d'esprit.

10 Ce texte contient trop d'**archaïsmes** _____.

8.3 Les mots passepartouts

Nous avons observé les nuances de sens et d'emploi qui distinguent les synonymes. Nous allons maintenant poursuivre notre recherche du mot juste en nous penchant sur l'utilisation abusive des mots les plus courants : les verbes *être*, *avoir*, *faire*, *dire*, *mettre*, *voir*, la tournure *il y a*, les noms *problème*, *chose*, etc. Si ces mots ont des emplois très idiomatiques, on tend facilement à les employer à « toutes les sauces », comme « passepartouts ». Or, à force de servir à exprimer des idées trop larges ou à désigner des choses imprécises, ces mots se vident de leur sens, perdent leur valeur propre. Aussi faut-il chercher à les remplacer par des termes plus appropriés chaque fois qu'ils ne sont pas indispensables. Nos textes y gagneront en précision et en variété.

Ne tombez pas pour autant dans l'abus inverse : il faut respecter les règles de la cooccurrence avant tout. On **fait** *ses* **devoirs** (on ne les *effectue* pas), *ce sont des* **choses** *qui arrivent* (et non *ce sont des évènements qui arrivent*) et **il y a** *longtemps que je t'aime*, comme le dit la chanson.

Exercice 8.15

Remplacez *être*, ou l'expression construite avec *être*, par un verbe plus précis et faites les modifications qui s'imposent. Pour réussir cette tâche, consultez les exemples et les citations qui suivent la définition d'un mot dans le *PR*, ou ayez recours aux cooccurrences dans Antidote. Par exemple, pour remplacer « est de plus en plus grande » par un verbe seul dans la phrase *Sa renommée est de plus en plus grande*, on peut consulter les cooccurrences de *renommée* proposées par Antidote : *renommée*, en sujet, s'associe, entre autres, aux verbes *s'étendre*, *grandir*, *s'accroitre*, *grossir*.

1 Les pertes de la compagnie **seraient proches** _____ du milliard de dollars.

2 Comme ses relations avec le conseil d'administration **sont de plus en plus mauvaises** _____, le représentant municipal devra sans doute se retirer avant la fin de son mandat.

3 Cette comédienne **est trop sure** _____ de son talent.

4 Rentrons vite, les nuages **sont de plus en plus nombreux** _____.

5 Depuis qu'elle a rencontré son amoureux, elle **est lumineuse** _____.

Exercice 8.16

Remplacez *avoir*, ou l'expression construite avec *avoir*, par un verbe plus précis et faites les modifications qui s'imposent.

1 Les violations du cessez-le-feu pourraient **avoir pour résultat** _____ la fin des pourparlers.

2 Cette équipe de rédaction **a à la fois** _____ de l'expérience et du talent.

3 La firme Zika **a** _____ une bonne réputation.

4 Souhaitons que ce reportage **ait** _____ une diffusion plus large.

5 Cette femme **a** _____ un courage indescriptible.

Exercice 8.17

Remplacez *il y a* par un verbe de la liste suivante et faites les modifications qui s'imposent. (Plusieurs verbes peuvent convenir à une même phrase.)

Couvrir, déambuler, déceler, dénoter, embellir, encombrer, enrichir, errer, orner, peser, planer, révéler, témoigner (de)

1 **Il y a** des piles de dossiers sur son bureau.

Des piles de dossiers _____ son bureau.

2 **Il y a** une menace sur l'usine.

Une menace _____ sur l'usine.

3 **Il y a** de magnifiques dessins dans l'ouvrage.

De magnifiques dessins _____ l'ouvrage.

4 **Il y a** une certaine pudeur dans ses paroles.

Ses paroles _____ (d')une certaine pudeur.

5 **Il y a** beaucoup de gens qui sont dans la rue après les matchs de hockey.

Beaucoup de gens _____ dans la rue après les matchs de hockey.

Exercice 8.18

Employez un verbe plus précis que *faire* pour compléter les expressions suivantes.

1 _____ une erreur

2 _____ des excuses

3 _____ un métier

4 _____ des menaces

5 _____ des dégâts

Exercice 8.19

Remplacez *voir* par un verbe de la liste suivante et faites les modifications qui s'imposent. (Un même verbe peut convenir à plusieurs phrases, et plusieurs verbes peuvent convenir à une même phrase.)

Déceler, observer, prédire, prévoir, produire, remarquer, rencontrer, visiter

1 J'ai **vu** _____ des aurores boréales. C'est un phénomène qui ne se **voit**

_____ pas souvent.

2 Elle prétend être capable de **voir** _____ l'avenir.

3 Je n'ai rien **vu** _____ de particulier dans son comportement.

4 En une journée, ils ont **vu** _____ tout le quartier des antiquaires.

5 J'ai l'impression d'avoir déjà **vu** _____ cette femme quelque part.

Exercice 8.20

Remplacez *dire* par un verbe plus précis et faites les modifications qui s'imposent.

1 Il est passé chez elle pour lui **dire** _____ bon anniversaire.

2 La PDG ne tient pas à **dire** _____ ses projets aux employés pour l'instant.

3 Veux-tu me **dire** _____ pourquoi tu étais absent hier?

4 Après deux heures de discussion, Pierre-André a fini par **dire** _____ qu'il avait tort.

5 Je me suis bornée à lui **dire** _____ quelques mots d'encouragement.

Exercice 8.21

Remplacez *mettre*, ou l'expression construite avec *mettre*, par un verbe plus précis et faites les modifications qui s'imposent.

1 Des manifestants ont **mis le feu à** _____ des voitures de police.

2 L'ordinateur, hors d'usage, avait été **mis** _____ au grenier.

3 Des agents de police furent **mis** _____ à toutes les issues.

4 L'étudiant a **mis** _____ un mot sous la porte du bureau du professeur.

5 Son nom avait été **mis** _____ sur la liste des bénévoles.

8.4   La concision

Bien écrire, c'est être clair, précis et concis. Et pour être concis, il faut savoir utiliser un minimum de mots pour obtenir un maximum de sens. Un mot seul – mais juste! – peut souvent remplacer avec bonheur un long syntagme (groupe de mots qui se suivent et forment une unité). Viser la concision, c'est éviter les circonvolutions, les détours, les périphrases; c'est aller droit au but.

8.4.1   La suppression de l'adverbe *très*

Autant l'adverbe *très* a sa place pour marquer l'intensité, autant il ne sert parfois qu'à masquer une imprécision lexicale. On dit naturellement d'une personne qu'elle est *très aimable*, mais un plat est-il *très mauvais* ou *infect*? Comme il a été vu à la section 8.1.3 sur les synonymes et les degrés d'intensité, il est souvent préférable d'employer un autre mot plutôt qu'un modificateur pour changer le degré d'intensité.

Exercice 8.22

Remplacez les groupes de mots en gras construits avec *très* par l'adjectif qui convient en vous aidant de vos dictionnaires et faites les modifications qui s'imposent.

1 La nourriture était abondante, mais plusieurs mets étaient **très fades** _____ .

2 Son spectacle s'attira des critiques **très élogieuses** _____ .

3 Malheureusement pour elle, sa carrière n'a connu qu'un succès **très court** _____ .

4 J'ai lu des écrivains **très médiocres** _____ et j'en ai lu de **très bons** _____ .

5 Ces sportifs d'élite ont parfois des mœurs **très relâchées** _____ .

8.4.2 La suppression des adverbes de manière

Les adverbes de manière ont leur place, sinon pourquoi existeraient-ils? Alors comment distinguer l'emploi judicieux d'un adverbe d'un emploi inutile? En premier lieu, c'est une question de fréquence : on n'enfile pas les adverbes, particulièrement les adverbes en *-ment*, comme les perles d'un collier. En second lieu, il y a, encore une fois, le caractère idiomatique d'une combinaison : là où l'un *mène ses affaires rondement*, l'autre *tergiverse* plutôt que de les *mener lentement*.

Exercice 8.23

Remplacez le verbe et l'adverbe de manière en gras par un verbe seul en vous aidant de vos dictionnaires et faites les modifications qui s'imposent.

1 Cette politicienne **choisit soigneusement** _____ ses mots.

2 Elle est si peu sure d'elle qu'elle sent le besoin de **montrer publiquement** _____ sa richesse.

3 Pendant l'entrevue, elle a **évité habilement de répondre à** _____ certaines questions.

4 Il **avalait rapidement** _____ son repas.

5 Elle **distribue généreusement** _____ des conseils à qui veut l'entendre.

8.4.3 La suppression des subordonnées relatives

On appelle parfois les subordonnées relatives complétant des noms des «subordonnées adjectives». C'est dire qu'on peut, dans certains cas, les remplacer avantageusement par des adjectifs. Lorsqu'une subordonnée relative s'apparente à une périphrase, à une définition, cela signale souvent une faiblesse d'expression : une personne *qui ne sait ni lire ni écrire* est tout simplement une personne *analphabète*; et une personne *qui pense beaucoup aux autres*, une personne *altruiste*.

Remplacez la subordonnée relative en gras par l'un des adjectifs suivants et faites les accords qui s'imposent.

> Éloquent, équivoque, impardonnable, inaudible, incendiaire, incessant, inédit, inepte, infaillible, tenace

1 C'est vraiment un passage **qui peut être interprété de diverses manières** _____ .

2 Elle a inclus dans son spectacle une chanson **que personne n'avait encore entendue** _____ .

3 J'ai attrapé un rhume **dont je n'arrive pas à me défaire** _____ .

4 Il raconte toujours des histoires **qui ne tiennent pas debout** _____ .

5 L'étudiant a fait sa présentation d'une voix **qu'on avait de la peine à entendre** _____ .

6 Le ministre s'est réfugié dans un silence **qui en disait long** _____ .

7 Le commissaire Maigret est renommé pour son instinct **qui ne le trompe jamais** _____ .

8 Il a lancé des paroles **que je ne peux pas pardonner** _____ .

9 Ses récriminations **qui durent sans interruption** _____ me tuent.

10 Les déclarations **qui enflamment les esprits** _____ sont proscrites.

8.4.4 La suppression des subordonnées complétives

Les subordonnées complétives sont généralement compléments directs ou indirects du verbe, fonction que peuvent aussi occuper les groupes nominaux. Dans bien des cas, la structure syntaxique s'impose d'elle-même : si on dit aussi bien _je souhaite sa réussite_ que _je souhaite qu'il réussisse_, on ne peut substituer de groupe nominal à la subordonnée complétive dans _je veux qu'il mange_. Lorsqu'on a le choix, la subordonnée donne souvent à la phrase une valeur plus active, le nom, une valeur plus abstraite. Ainsi, choisir le groupe nominal n'est pas toujours mieux : _je veux qu'il réussisse_ exprime un désir plus ressenti que _je veux sa réussite_. Cependant, lorsque le recours à la subordonnée ne fait que repousser plus loin dans la phrase l'idée centrale du complément, la forme nominale est probablement préférable, notamment dans la langue administrative. Plutôt que d'écrire :

> _La ministre a annoncé_ **que le contrat était octroyé** _à la firme XYZ._

on préférera la nominalisation, qui est plus concise et qui met en évidence l'action en cause.

> _La ministre_ **a annoncé l'octroi** _du contrat à la firme XYZ._

Remplacez la subordonnée complétive en gras par un groupe nominal. Lorsqu'il n'y a pas de nominalisation directe possible du verbe de la subordonnée, cherchez un autre mot dans le champ synonymique de ce verbe.

■ Le trésorier regrette **qu'il n'existe pas** de ligne de conduite cohérente au sein du Conseil.

Le trésorier regrette l'**absence** d'une ligne de conduite cohérente au sein du Conseil.

1 Le directeur a annoncé **que certains frais seraient abolis.**

_____

2 La ministre a réitéré **qu'elle ne voulait pas augmenter les droits de scolarité.**

_____

3 Le procès a révélé **combien la fraude avait été grande.**

_____

4 Ils avaient prévenu le président **qu'il y aurait très prochainement une nouvelle vague d'attentats.**

_____

5 Les météorologues ont annoncé **que le froid réapparaitrait et s'intensifierait.**

_____

8.4.5 La suppression des périphrases

Une périphrase est une formulation qui peut servir à définir ou à expliquer un mot, un concept. Mais parfois, on y recourt seulement parce qu'on ne trouve pas le mot exact. Autant il est astucieux de recourir à la périphrase pour faire comprendre une idée, autant on doit chercher à l'éliminer lorsqu'elle est utilisée à la place d'un mot qui nous échappe.

Exercice 8.26

Les expressions en gras dans les phrases ci-dessous sont des périphrases inutiles. Remplacez-les par un mot simple ou une expression plus concise et faites les modifications qui s'imposent.

1 Les alpinistes atteignirent **le point le plus élevé** _____ de l'Everest après des jours d'efforts surhumains.

2 Il a **modifié** _____ son permis de conduire **de façon trompeuse.**

3 Il **est retombé dans le même crime** _____.

4 À partir de quel moment l'idée de fonder une compagnie **a-t-elle commencé à se développer** _____ dans son esprit ?

5 Si vous voulez connaitre **les meilleures routes à suivre** _____ lors de vos voyages, consultez notre site Web.

6 La naïveté de la question a **mis** _____ l'orateur **dans l'impossibilité de répondre.**

7 **Devant son refus de répondre** _____, elle soupira et partit.

8 Il déteste **les personnes ambitieuses qui cherchent à tout prix l'avancement professionnel et la réussite sociale** _____.

9 On lui reproche son **patriotisme fanatique** _____.

10 **En proie à des remords indescriptibles** _____, il mit fin à ses jours.

Les normes et les usages

Quand on consulte un dictionnaire, c'est en général pour chercher le sens d'un mot, pour vérifier son orthographe ou encore pour voir si son emploi est « permis ». La plupart des dictionnaires indiquent en effet une norme à suivre. La norme linguistique est en quelque sorte l'ensemble des prescriptions consignées dans un dictionnaire en fonction d'un modèle de langue choisi comme étalon. Dans les faits, il existe deux types de normes : une norme **descriptive**, dont le but est de décrire la réalité sans porter de jugement, et une norme **prescriptive**, qui régit les emplois en se fondant sur un modèle socialement valorisé.

Ainsi, un dictionnaire ou un glossaire descriptif rendra compte de l'usage d'un groupe particulier d'individus. Il peut s'agir du parler d'une population donnée (les Québécois, les Acadiens, les Franco-Manitobains, les Wallons [Belgique], les Romands [Suisse], etc.) ou d'un petit groupe d'individus (les débardeurs, les slameurs, etc.). Dans la préface d'un ouvrage consacré au français parlé en Suisse romande, *Le langage des Romands*, le journaliste Jean-Marie Vodoz écrit :

> Que l'Africain patauge dans le poto-poto, que le Québécois affronte la poudrerie, le Wallon la drache ou le Romand la roille, leurs mots naissent de leur climat, de leur expérience et de leur invention. Leurs mots ont beaucoup plus d'importance que de pittoresques régionalismes. Leurs mots sont, dans des terrains si divers, les petites, les nombreuses, les solides racines du français[1].

Les dictionnaires prescriptifs, pour leur part, présentent une hiérarchisation des usages, qui vise à régir les emplois en fonction d'un point de référence correspondant à un certain idéal socioculturel au sein d'une communauté : c'est le **bon usage**. Il faut bien voir cependant que l'assignation des marques d'usage est subjective, puisqu'elles tiennent pour beaucoup à des conventions sociales. Voilà pourquoi il est important d'aborder la question de la norme et de l'usage dans toutes ses variantes si on veut bien utiliser les dictionnaires.

9.1   La qualité de la langue et les variations de l'usage

Lorsqu'il est question de la norme, les positions sont souvent tranchées. À un pôle, il y a les tenants d'une norme unique, imposée par la France, pour lesquels toutes les autres variantes sont jugées marginales et inférieures. À l'autre pôle, il y a ceux qui, s'opposant à la notion élitiste de « qualité de langue », favorisent l'usage spontané, sans balises. Entre ces deux extrêmes, il existe une conception médiane, et c'est celle qui est présentée ici : selon cette position, chaque personne devrait pouvoir maitriser une langue de qualité et être en mesure de reconnaitre ses différentes variantes. Chaque situation de communication oblige en effet à un choix singulier : on n'écrit pas à un employeur comme on écrit à un ami ; on n'écrit pas un texte d'opinion comme un article encyclopédique ; on n'écrit pas

---

1. Vodoz, Jean-Marie. « Avant-propos », dans Edmond Pidoux, *Le langage des Romands*, Lausanne, Ensemble, 1984, p. 10-11.

non plus comme on parle, et on parle différemment selon qu'on s'amuse entre amis ou qu'on plaide en public.

Par analogie, on peut dire que la façon de s'exprimer correspond à la façon de s'habiller. Qui penserait planter des tomates en robe du soir ou en veston cravate ? Et qui imaginerait aller danser dans sa vieille salopette de jardinier ? Un jour bergère, un jour princesse, la langue révèle ce que nous sommes de plusieurs façons : dans l'espace, quand on utilise des mots « bien de chez nous » ; dans le temps, quand on utilise des mots surannés ou les dernières expressions à la mode ; dans la hiérarchie sociale, quand on utilise des mots savants ou des mots populaires.

Donner une chance égale à tous suppose qu'on enseigne à l'école la langue qui permet d'accéder aux postes de pouvoir, sans pour autant juger les autres variétés de langue. Les condamner signifierait que quiconque n'accède pas à la langue de l'élite perdrait son droit de parole comme citoyen. Le handicap dans la vie de tous les jours, ce n'est pas de parler d'une façon ou d'une autre, c'est de ne pas pouvoir choisir le bon registre dans la bonne circonstance.

Les dictionnaires prescriptifs comme le *Petit Robert* (PR), le *Multidictionnaire de la langue française* (Multi), *Usito* ou encore le dictionnaire de définitions du correcteur Antidote décrivent ces variations par des **marques d'usage** qui rendent compte des variations ou des modifications que connaissent les mots dans l'espace, dans le temps et sur le plan social. Pour bien utiliser ces ouvrages, il est important de comprendre et même de juger ces marques, ou étiquettes, accolées aux mots, aux expressions et aux emplois particuliers.

9.1.1 La variation dans l'espace

On trouve des francophones aux quatre coins du monde : en Europe, en Afrique, en Amérique, en Asie et en Océanie. Si toutes les variétés de français se valent sur le plan linguistique, l'une d'entre elles est dominante. Il s'agit du français de France, qui a un fort ascendant sur les autres variétés de français, en raison, notamment, de l'importance historique, démographique, économique et culturelle de la communauté qui le parle. Le tableau 9.1 indique où est parlé le français dans le monde.

Dans les échanges internationaux, les francophones du monde entier se sont alignés sur la variété parlée en France, étant donné que c'est cette variété que décrivent majoritairement les grammaires et les dictionnaires. Certains l'appellent « le français international », ce qui est un non-sens, parce qu'une langue ne peut exprimer que la réalité de la communauté qui la parle. Derrière le français parlé en Suisse, il y a les Romands ; derrière le français parlé en Acadie, il y a les Acadiens ; mais derrière le « français international », aucun groupe culturel n'est incarné. Or, on ne peut pas extraire la langue de la situation de communication dans laquelle elle s'inscrit. Bien sûr, les différences grammaticales entre les variétés sont moins grandes que les différences lexicales : si tous s'entendent pour accorder le participe passé *arrivé* avec le sujet dans *Isabelle est **arrivée***, les termes familiers pour désigner celui qu'on aime varient d'une région à l'autre : le *chum* d'une Canadienne sera le *mec* d'une Française.

On utilise aussi parfois l'expression « français standard » pour désigner le français de France. Cette expression n'est pas plus heureuse que celle de « français international », car, comme chacun le sait, le français parlé en France renferme lui aussi des mots grossiers, vulgaires, qu'on ne saurait recommander. Voilà pourquoi il vaut mieux réserver l'expression « français standard » (ou « français normé ») au registre de langue soigné qu'on utilise dans des échanges officiels, où qu'on soit dans le monde.

Notons par ailleurs que le « standard » d'une communauté donnée n'est pas nécessairement le « standard » d'une autre. Prenons l'ensemble que forment la fourchette, le couteau et la cuillère dans trois pays francophones : en France, on les nomme *couverts* ; en Suisse, *services* ; au Québec, *ustensiles*. Pour tenir compte de cette variation, l'Office québécois de la langue française (OQLF) définit le français standard comme une forme comprenant à la fois « les usages généraux et les usages régionaux qui ne sont assortis d'aucune autre marque d'usage associée à un registre de langue moins soigné ». (*Politique de l'officialisation linguistique*, texte approuvé par l'OQLF le 15 juin 2001 et mis à jour le 5 mars 2004.)

TABLEAU 9.1 **Où parle-t-on français ?**

Aires géographiques	États et régions administratives où le français est langue officielle[1]
Amérique	Canada*[2][3] ; Haïti*, Guadeloupe, Guyane, Martinique, Saint-Barthélemy, Saint-Martin, Saint-Pierre-et-Miquelon (collectivités ou départements français d'outre-mer)
Europe	Belgique*, France, Luxembourg*, Monaco, Suisse* Îles Anglo-Normandes [seulement Jersey*] (dépendance de la Couronne britannique), Val-d'Aoste* (région autonome d'Italie)
Afrique	Bénin, Burkina Faso, Burundi*, Cameroun*, Centrafrique*, Congo, Côte-d'Ivoire, Djibouti*, Gabon, Guinée, Guinée équatoriale*, Mali, Niger, Rwanda*[4], Sénégal, Tchad*, Togo, République démocratique du Congo (ancien Zaïre)
Océan Indien et Asie	Comores*, Madagascar*, Seychelles*, Mayotte, La Réunion (départements français d'outre-mer), Poudouchéry* (union territoriale au sein de l'Union indienne)
Océanie	Vanuatu*, Nouvelle-Calédonie, Polynésie française (pays d'outre-mer au sein de la République française), Wallis-et-Futuna (collectivité française d'outre-mer)

1. Le français est d'usage courant dans plusieurs autres pays, comme l'île Maurice ou la Mauritanie, sans être langue officielle. Pour en savoir plus, voir le site *L'aménagement linguistique dans le monde* de Jacques Leclerc, chercheur associé à la Chaire pour le développement de la recherche sur la culture d'expression française en Amérique du Nord, à l'adresse : www.axl.cefan.ulaval.ca/.

2. L'astérisque indique qu'un État possède plusieurs langues officielles.

3. Au niveau des provinces, le Québec a le français comme langue officielle ; le Nouveau-Brunswick, pour sa part, a deux langues officielles, le français et l'anglais. Les trois territoires (Territoires du Nord-Ouest, Yukon et Nunavut) ont l'anglais et le français comme langues officielles ; le Nunavut a aussi l'inuktituk comme langue officielle *de facto*.

4. Depuis 2010, l'anglais est la seule langue de l'enseignement et de l'administration au Rwanda.

Exercice 9.1

Dans un premier temps, cherchez dans deux dictionnaires prescriptifs de langue ou de difficultés (le *PR* et le *Multi*, par exemple) les marques d'usage qui sont accolées aux mots ou expressions de la liste ci-après. Dans un deuxième temps, dites si vous jugez que ces termes devraient être considérés comme du français standard ou non selon la définition du français standard de l'OQLF donnée ci-dessus. Vous pouvez également consulter Antidote, *Usito*, ou le *Grand dictionnaire terminologique* (GDT) de l'OQLF.

1 truite mouchetée : _____

ombre de fontaine : _____

2 bain-tourbillon : _____

baignoire à remous : _____

bain à remous : _____

baignoire à jets : _____

jacuzzi : _____

spa : _____

3 airelle : _____

ataca : _____

atoca : _____

canneberge : _____

4 banc de neige : _____

congère : _____

5 cerf de Virginie : _____

chevreuil : _____

6 traversier : _____

ferryboat : _____

transbordeur : _____

bac : _____

Exercice 9.2

1 Trouvez quel vêtement on ira mettre au Canada, en France et en Suisse en réponse à la demande suivante : *Mets ta jaquette.*

_____

_____

_____

2 Les dictionnaires rendent-ils compte de cette variation géographique du sens de *jaquette* ?

_____

_____

_____

Exercice 9.3

1 Nommez trois pays ou régions francophones où l'on parle d'*école secondaire* pour désigner l'établissement d'enseignement qui donne la formation de second degré (celle qui suit le primaire) et nommez trois pays ou régions où l'on utilise le mot *lycée*. (Vous pouvez vous référer au tableau 9.1 présentant le français dans le monde.)

_____

_____

2 Les deux termes expriment-ils la même réalité ?

_____

_____

_____

3 Comment peut-on expliquer cette répartition géographique ?

_____

_____

_____

Exercice 9.4

Vous êtes rédacteur professionnel. On vous demande de réviser un dépliant sur la conduite automobile en hiver au Canada. Vous lisez les phrases suivantes :

Méfiez-vous de la poudrerie : elle réduit de beaucoup la visibilité.

Méfiez-vous des congères : elles bloquent votre visibilité latérale.

Consultez le *PR* et le *Multi* et voyez ce que ces dictionnaires disent à propos de *poudrerie* et de *congère*. Demandez-vous ensuite ce que les gens autour de vous utilisent comme mots ou expressions pour exprimer ces deux réalités. Que décidez-vous au bout du compte : garderez-vous les deux termes ? Justifiez vos choix. Consultez au besoin d'autres dictionnaires en ligne, notamment le *GDT*.

_____

_____

_____

_____

_____

9.1.2 La variation temporelle

La langue, à l'image de l'humanité, est bien vivante : les mots naissent, murissent, vieillissent et meurent. La vie de certains mots est éphémère ; ils apparaissent et disparaissent au gré des modes et des innovations technologiques. Les *tourne-disques* des années 1960 ont été remplacés par des *chaines hautefidélités* et des *lecteurs* de toutes sortes. Mais, en même temps, certains mots désignant des réalités disparues restent présents dans la mémoire collective : qui ne connait pas le *télégramme* et son mode de communication, le *morse*, même si la téléphonie moderne et le courriel les ont remplacés ?

Parfois, des mots ou expressions deviennent indéracinables même s'ils ont perdu leur signification première : plus personne n'utilise une barre de bois ou de métal pour fermer sa porte, et, pourtant, l'expression *barrer sa porte* est demeurée bien vivante au Canada. Les francophones d'Amérique du Nord ont gardé vivantes de nombreuses expressions aujourd'hui vieillies ou dont l'usage n'a plus cours en Europe : c'est le cas de *piquer une jasette*, *s'enfarger*, *chicaner quelqu'un*, *barguigner*, etc. Certains mots, au contraire, sont abandonnés et remplacés par d'autres : *Inuit* (parfois *Inuk* au singulier) a remplacé *Esquimau* et *Innu* a remplacé *Montagnais*. Les unités de mesure anglo-saxonnes comme *pied*, *once*, *pinte* ont pratiquement cédé la place à celles du système métrique.

L'évolution de la société oblige aussi à désigner de nouvelles réalités : les Pierrot d'*Au clair de la lune* ne prêtent plus leur *plume*, mais leur téléphone intelligent. On n'envoie plus de *lettres*, mais des *SMS* ou des *textos*. Les nouvelles technologies de l'information ont en fait donné naissance à un lexique très riche, qui a gagné la langue générale au même rythme que leur taux de pénétration auprès de la population. Les médias jouent également un grand rôle dans la diffusion des mots nouveaux parmi la population.

Exercice 9.5

Comparez la valeur du mot *bicycle* au Canada et dans le reste de la francophonie à partir du *PR* et du *Multi* ou du *GDT*. A-t-il partout le même sens ?

_____

_____

_____

_____

_____

Exercice 9.6

Selon vous, lequel des deux termes suivants est le plus récent : *antimondialisation* ou *altermondialisation* ? Pourquoi ?

_____

_____

9.1.3 La variation sociale (ou sociostylistique)

Si tous les mots qu'on trouve dans le dictionnaire sont du français, ils n'ont pas tous la même valeur d'emploi. On ne dira pas *Salut!* en quittant le pape et on n'écrira pas *Recevez mes salutations distinguées* à la fin d'une lettre destinée à l'élu de son cœur. Voilà pourquoi les dictionnaires de langue donnent une marque d'usage en ce qui concerne le registre (ou niveau) de langue devant certaines définitions ou certaines expressions. Cette marque, qui indique la valeur d'emploi du mot en fonction du cadre social et de la situation de communication, est particulièrement utile pour les non-francophones : elle leur permet par exemple de savoir que *je fiche le camp* et *je me retire* ne sont pas des expressions équivalentes. Mais, même comme francophone, on a souvent besoin de vérifier le registre d'un mot ou d'une expression.

Si le nombre de niveaux de langue et leur définition varient d'un dictionnaire à l'autre, tout le monde s'entend pour dire qu'il existe un registre courant ou standard, au-dessus duquel se situent les registres plus soutenus et au-dessous duquel se trouvent les registres plus relâchés. On s'entend aussi pour dire que les marques de registre attribuées par les dictionnaires sont parfois discutables. Situer les mots et les expressions sur un axe vertical suppose en effet un jugement d'appréciation. Or, qui dit jugement dit forcément subjectivité.

Les marques d'usage n'en sont pas moins un instrument essentiel pour aider les locuteurs à respecter le registre convenant à une situation de communication donnée. Les explications ci-dessous concernant les différents registres suivent celles qui sont données dans le *PR* et s'appliquent donc particulièrement à ce dictionnaire.

La marque **populaire** (*pop.*) qualifie dans le *PR* un mot, un sens ou une expression qui vient des milieux populaires. Très peu de mots sont ainsi classés ; il s'agit, dans bien des cas, d'anciens mots d'argot parisien (donc très européens et souvent méconnus ici) désignant des personnes, des parties du corps ou des activités usuelles : *ciboulot* (tête), *paluche* (main), *boustifaille* (nourriture), etc.

Le niveau **familier** (*fam.*) est assigné à des mots et à des emplois qui relèvent de la langue quotidienne, surtout parlée : *placoter, jaser, mémérer* sont des mots généralement bien perçus comme étant familiers. Le niveau familier constitue une classe très vaste, qui, dans le *PR*, englobe autant des mots et des emplois plutôt populaires : *fric, pognon, mec, gonzesse, mioche*, que des mots perçus par beaucoup de gens comme neutres : *bouquin, bouffe, bambin, siroter* ; il est souvent attribué à des expressions figurées très concrètes : *se faire arranger le portrait*, mais aussi à d'autres beaucoup plus sobres : *accuser le coup, mettre un bémol*.

La marque **littéraire** (*littér.*) s'applique à des emplois qu'on ne rencontre pas dans la langue courante et qu'on associe souvent à la langue écrite élégante : les *oaristys*, de registre littéraire, désignent ainsi les « ébats amoureux ». Bon nombre de mots ou d'emplois littéraires sont en fait vieillis et se rencontrent peu. Les registres de langue populaire, familier et littéraire s'appliquent également à des constructions : *quossa donne ?* est manifestement une construction populaire, alors que *j'aime à lire* (plutôt que *j'aime lire*) est une construction rare, qualifiée de littéraire dans le *PR*.

Le registre **technique** ou **scientifique** correspond pour sa part au langage des domaines spécialisés, indiqués dans le *PR* par des abréviations comme *méd., chim., bot., photogr.*, etc. Ce niveau indique que l'emploi du mot, normal dans un traité, un cours ou entre spécialistes, ne le serait pas dans l'usage courant. Entre eux, les médecins parleront de *céphalées* et non de *maux de tête*. Il existe également des marques telles **vulgaire** (*vulg.*) et **péjoratif** (*péj.*). La première s'applique à des mots crus qui risquent de choquer (*dégueuler, lèche-cul*, etc.) ; la seconde, à des mots qui manifestent une attitude hostile ou méprisante (*avocaillon, cabot, nabot*, etc.). La marque **argot** (*arg.*) révèle, quant à elle, une appartenance à un milieu professionnel donné ou encore à un groupe d'initiés. Quel Français est capable de suivre une conversation en verlan (argot consistant à inverser les syllabes, comme *ripou* pour *pourri*), s'il n'a pas un interprète à ses côtés ?

À la marque **populaire**, les dictionnaires canadiens préfèrent la marque **très familier**, qu'on trouve le plus souvent associée à des jurons, injures et insultes en tout genre : *gosser* (perdre son temps) est ainsi marqué comme étant très familier dans *Usito* (mais seulement comme familier dans Antidote). De même, plutôt que la marque **littéraire**, on trouvera la marque **soutenu**, sauf dans *Usito* : le verbe *aveulir* (rendre veule), par exemple, est marqué comme étant soutenu dans Antidote et littéraire dans *Usito*.

Exercice 9.7

Demandez autour de vous comment les gens nomment les chaussures à semelle de caoutchouc qui se portent notamment pour faire du sport. Une fois votre liste dressée, attribuez aux noms un registre de langue sans consulter d'ouvrages de référence. Enfin, comparez ce qu'en disent plusieurs dictionnaires de langue ou de difficultés (PR, *Multi*, GDT).

_____

_____

_____

_____

_____

Exercice 9.8

Soulignez, dans chaque série synonymique, les mots ou expressions qui appartiennent à la langue familière ou populaire.

1 visage, frimousse, face, figure, minois, gueule, binette

2 bagnole, char, voiture, automobile, auto, bazou, minoune, tacot

3 peur, frousse, crainte, trouille, phobie, trac, (avoir la) chienne

4 partir, s'en aller, lever le camp, se barrer, se tirer, mettre les voiles, se retirer, ficher le camp

5 naïf, niais, niaiseux, nigaud, sot, godiche, bêta, débile, nono, con, corniaud, cave, benêt, bébête, simplet, épais

Exercice 9.9

Indiquez le registre auquel appartiennent les mots et expressions en caractères gras selon les catégories suivantes : langue technique (_techn._) ou scientifique (_sc._), littéraire (_litt._), courante (_cour._), familière (_fam._) et populaire (_pop._). Remplacez les mots ou expressions ne correspondant pas à l'usage courant.

1 Ce musée est un vrai fourretout. Les objets les plus **moches** (_____) _____ y côtoient des chefs-d'œuvre.

2 L'**onychophagie** (_____) _____ est une manie dont il faut se défaire.

3 Un conducteur dans la lune a **embouti** (_____) _____ notre voiture neuve.

4 Tiens, voilà notre amie Jeanne qui **s'amène** (_____) _____.

5 Quel bon vent l'**amène** (_____) _____ ?

Comme nous l'avons vu dans ce chapitre, nous révélons beaucoup de nous-mêmes quand nous parlons. Nous dévoilons notre origine géographique, notre degré de scolarisation, le milieu social dont nous venons. Le choix de nos mots révèle aussi nos valeurs, nos préjugés.

Reflets de la société, les dictionnaires évoluent : les fautes d'hier deviennent souvent l'usage d'aujourd'hui. Un regard sur les éditions passées des ouvrages de référence permet de suivre l'évolution normative de certains mots. Il faut donc garder un esprit critique lorsqu'on se sert des dictionnaires. Prendre Paris comme point de référence peut conduire à des situations cocasses ou à des choix déplorables : aujourd'hui, à Montréal, l'inscription _Carré Saint-Louis_ a été biffée et remplacée par _Square Saint-Louis_. Pourtant, le « carré » Saint-Louis fait partie de l'imaginaire québécois pour avoir abrité, entre autres, les Nelligan, Miron, Pauline Julien et Gérald Godin, et pour avoir occupé une place importante dans la littérature québécoise. Cette réalité n'a pas empêché les terminologues québécois de pencher pour l'usage de la France…

CHAPITRE 10

Les écarts lexicaux

Comme vous l'avez vu dans les trois chapitres précédents, le lexique est un champ d'études fort complexe, aux ramifications nombreuses. Vous avez constaté que notre langue est bien vivante, créant au fur et à mesure de l'évolution de la société les mots nécessaires pour exprimer de nouvelles réalités ; vous avez découvert à quel point les dictionnaires sont des alliés précieux pour trouver le mot juste ; et vous avez noté aussi que, lorsqu'on écrit, il est essentiel de distinguer la norme de l'usage pour faire des choix éclairés. Vous avez maintenant tout le bagage de connaissances nécessaire pour éviter de commettre des impropriétés et maladresses lexicales de toutes sortes : anglicismes, choix du mauvais mot dans une paire de paronymes (*stade/stage*), pléonasmes, barbarismes et solécismes, etc. Chaque fois qu'on doute du sens exact d'un mot ou de sa « légitimité », il faut recourir au dictionnaire et vérifier s'il est utilisé dans la bonne acception, avec un sens propre à la langue française et dans une structure bien idiomatique. Une fois les impropriétés décelées, il reste tout simplement à les corriger.

10.1 Les pièges de l'emprunt

Toutes les langues, nous l'avons vu, empruntent des mots à d'autres langues. Le français n'échappe pas à cette tendance, et encore moins aujourd'hui avec l'apport d'Internet. Le français, comme la plupart des langues, emprunte surtout à l'anglais. Les mots et les expressions qui s'introduisent ainsi dans la langue se substituent au vocabulaire existant, remplacent une expression française qui désigne ces notions ou bloquent la voie à une traduction qui se substituerait avantageusement au mot emprunté. Dans ce chapitre, nous appelons « anglicismes » les **emprunts critiqués** ; nous réservons « emprunts » aux termes anglais acceptés et entrés dans l'usage (*tennis, jazz, steak, harmonica, gin*, etc.).

On distingue principalement trois sortes d'anglicismes : les anglicismes lexicaux, qui sont des emprunts inopportuns puisque le français possède déjà les mots pour exprimer ces entités (ˣ*charter* pour *vol nolisé*) ; les anglicismes de sens, ou sémantiques, qui sont plus « pervers » parce qu'ils donnent à un mot français un sens qu'il ne possède pas (ˣ*quitter* au sens de *démissionner*) ; et les calques, qui sont une traduction littérale soit d'une expression anglaise (calque sémantique), soit d'une construction syntaxique anglaise (calque syntaxique). Ainsi, ˣ*certificat de naissance* est la traduction littérale de *birth certificate* et constitue un calque sémantique ; le terme français est **acte** *de naissance* ou **extrait** *de naissance*. Par ailleurs, la construction ˣ*participer dans* vient de *participate in* et constitue un calque syntaxique, la construction correcte étant *participer* **à** ; les prépositions sont une source fréquente de calques syntaxiques.

Dans cet ouvrage, nous avons choisi de traiter les anglicismes de sens, avec tous les autres problèmes de sens, à la section 10.2. Les anglicismes syntaxiques, quant à eux, sont traités avec les autres solécismes (problèmes de structure) à la section 10.4.

10.1.1 Les anglicismes de prononciation

Rappelons-nous que, lorsqu'il emprunte un mot à l'anglais, le français ne doit emprunter ni sa prononciation ni son orthographe. Si vous voulez vous assurer de prononcer correctement un mot, consultez *Usito* ou le *Petit Robert* (*PR*) : la transcription phonétique, entre crochets, suit immédiatement l'entrée de l'article. Dans la version électronique du *PR*, elle est doublée d'une émission sonore pour les mots présentant des difficultés. Pour trouver des explications concernant le code de transcription phonétique utilisé, consultez l'annexe sur le sujet ou cliquez sur la transcription entre crochets.

Exercice 10.1

Vérifiez la prononciation des mots suivants en vous servant de la transcription phonétique donnée dans le *PR* (ou de l'émission sonore, le cas échéant, si vous utilisez la version électronique). Vous pouvez aussi comparer avec la prononciation donnée dans Antidote ou *Usito*.

1 camping _____

2 alcool _____

3 cantaloup _____

4 chaos _____

5 sculpture _____

6 chèque _____

7 pyjama _____

8 zoo _____

9 cents _____

10 révolver _____

10.1.2 Les anglicismes orthographiques

Rappelons-nous également qu'un mot peut s'écrire différemment en français et en anglais. *Danse* s'écrit avec un *s* en français. L'écrire avec un *c* serait commettre un « anglicisme orthographique ». L'exercice suivant vous fera découvrir certains des anglicismes orthographiques les plus répandus en Amérique du Nord.

Exercice 10.2

Ajoutez la ou les lettres nécessaires pour compléter les mots suivants en vérifiant au besoin leur orthographe dans le dictionnaire.

1 un bon exerci _____ e

2 un enfant a _____ ressif

3 un ex _____ mple

4 le lang _____ ge

5 la li _____ érature

6 une conne _____ ion

7 le tra _____ ic

8 une recomm _____ ndation

9 un a _____ artement

10 le service du perso _____ el

10.1.3 Les anglicismes lexicaux

L'anglicisme lexical est un emprunt critiquable puisque son équivalent existe en français. L'emprunt peut être direct (on l'appelle aussi « anglicisme intégral ») ou francisé (on l'appelle aussi « anglicisme hybride »). Un ˣ*hit-and-run* est un emprunt direct ; *zoomer*, pour sa part, est une forme francisée du verbe anglais *to zoom*.

Exercice 10.3

Remplacez les anglicismes lexicaux en caractères gras par des mots français et faites les modifications qui s'imposent. Aidez-vous de vos dictionnaires et autres outils, notamment du *Multi*, d'Antidote ainsi que de la *Banque de dépannage linguistique* (BDL), de l'Office québécois de la langue française (sections « Anglicismes intégraux » et « Anglicismes hybrides »).

1 Les réservations ne peuvent être ˣ**cancellées** _____ .

2 Elle sera encore en retard à force d'appuyer sur le ˣ**snooze** _____ de son radioréveil.

3 On voit de plus en plus de ˣ**startup** _____ dans le monde des jeux vidéos.

4 J'ai réparé deux ˣ**flats** _____ , coup sur coup, le mois dernier.

5 Il a fait appel à un ˣ**contracteur** _____ extrêmement compétent pour rénover sa cuisine.

6 Pour économiser de l'argent, il a acheté un moteur ˣ**reconditionné** _____ .

7 On prend un ˣ**break** _____ à 10 h ?

8 Je lui ai dit de ˣ**focuser** _____ sur un seul objectif à la fois. Sinon, il n'y parviendra jamais.

9 Un ˣ**freelance** _____ est à la fois l'entrepreneur, le propriétaire et son propre employé.

10 Je suis allée voir un spectacle de ˣ**dragqueens** _____ samedi dernier.

10.2 Les impropriétés

Le terme **impropriété** recoupe différents problèmes lexicaux dont le dénominateur commun est le sens : faux-sens, anglicismes sémantiques (faux-amis), confusion entre des homonymes ou des paronymes, pléonasmes et redondances sont autant de fautes de sens. Dans *Le français apprivoisé*, nous appelons « impropriété » toute altération du sens, que celle-ci touche un mot ou un groupe de mots. Quand le problème de sens concerne strictement la relation sémantique entre deux mots ou deux groupes (le verbe et son complément, par exemple), on parlera plutôt d'incompatibilité sémantique ou de cooccurrence erronée ; nous reviendrons sur ce point à la section 10.3 de ce chapitre.

10.2.1 Les faux-sens

Les **faux-sens** sont des fautes de sens qui consistent à attribuer à un mot un sens qu'il n'a pas (sans que cette erreur soit due à une influence de l'anglais). Ils sont fort nombreux dans les textes et résultent parfois d'une certaine négligence. Recourir à des termes justes pour décrire des réalités diverses exige en effet rigueur et précision, ce qui suppose que l'on consulte les dictionnaires.

L'exemple suivant est éclairant à ce sujet.

> L'ajout de ces compléments rend la ˣ**lisibilité** complexe.

La *lisibilité* ne peut être complexe ; c'est plutôt la *lecture* qui devient complexe, au fur et à mesure que la lisibilité du texte diminue.

> L'ajout de ces compléments rend la **lecture** complexe.

Exercice 10.4

Vérifiez dans votre dictionnaire le sens des mots en caractères gras, puis remplacez-les par des expressions plus justes.

1 La réforme de l'éducation ˣ**entraine** quelques enjeux majeurs dont certains sont d'ordre politique et juridique.

_____

2 La question des bulletins scolaires ramène ˣ**l'emphase** sur les enjeux de la réforme de l'éducation en cours.

_____

3 Les bouleversements causés par la ˣ**déconcentration** du pouvoir sont à l'origine de conflits ethniques.

_____

4 Les écologistes et les chercheurs désapprouvent ˣ**farouchement** le projet de loi qui modifie les règles d'exploitation des forêts.

_____

5 À moins que leurs propriétaires ne ˣ**se révisent**, ces entreprises vont fusionner.

_____

6 Ce remède a des effets positifs sur le malade : il ˣ**apporte** un état de bienêtre et facilite la guérison.

_____

7 Les rares cas de méningite prouvent que les personnes atteintes de cette maladie n'ont pas ˣ**affecté** le reste de la population.

_____

8 Grâce aux effets spéciaux et au montage, le réalisateur ^X**inculque** au film un rythme soutenu qui tient le spectateur en haleine.

_____

9 La comparaison du taux de décrochage déprécie les écoles en milieu défavorisé et ^X**considère** fortement les écoles en milieu aisé.

_____

10 Le milieu de l'enseignement tente de réviser ses priorités, mais il nie du même coup sa mission ^X**primaire** : l'éducation pour tous.

_____

10.2.2 Les anglicismes sémantiques et les calques d'expressions

Les **anglicismes sémantiques** font également partie des fautes de sens. Ils sont généralement difficiles à dépister puisque les mots posant problème existent bel et bien en français. En effet, certains mots ou certaines expressions existent dans les deux langues, mais avec des sens plus ou moins différents. On les appelle aussi des « faux-amis ». Pensons au mot _versatile_. En français, il signifie « inconstant » ou « lunatique » ; il n'a pas le sens de « polyvalent » comme le mot anglais _versatile_. Quand on utilise des mots en français dans leur acception anglaise, on commet des anglicismes sémantiques (de sens). Il faut, par exemple, faire attention à l'emploi d'_éligible_, un mot français qui appartient à la même famille que _élire_ et _élection_. Par conséquent, _être éligible_, c'est satisfaire aux conditions pour être élu et rien de plus. Ainsi, pour être _éligible_ au Parlement canadien, il faut avoir la nationalité canadienne, mais pour être _admissible_ (et non ^X_éligible_) au cégep, il faut avoir obtenu son diplôme d'études secondaires.

Les **calques d'expressions** s'apparentent aux anglicismes sémantiques. Ce sont des traductions littérales d'« idiotismes », c'est-à-dire d'expressions figées propres à une langue. Ainsi, en français, _quelque chose **a** du sens_, alors qu'en anglais, _something **makes** sense_. Beaucoup d'expressions calquées sont figurées et souvent intraduisibles mot à mot : imaginez un anglophone traduire mot à mot l'expression _se faire couper l'herbe sous le pied_ ! Ces calques sont souvent critiqués parce qu'ils traduisent la lettre et non l'esprit d'une locution, et que la langue hôte possède d'autres expressions pour exprimer les réalités décrites. Néanmoins, les langues s'empruntent bel et bien des expressions, en particulier des expressions colorées, comme celles-ci que le français a empruntées à l'anglais : _jeter le bébé avec l'eau du bain_ (que l'anglais a lui-même emprunté de l'allemand), _ce n'est pas ma tasse de thé_ (plus populaire en France qu'au Canada), _parler à travers son chapeau_ (qui semble tomber en désuétude), _parler à un mur_.

Exercice 10.5

Vérifiez dans vos dictionnaires le sens des mots ou expressions en caractères gras, puis remplacez-les par des formes plus françaises et faites les modifications qui s'imposent. (Dans la _BDL_, les calques sont classés sous « Anglicismes phraséologiques ».)

1 C'est la visite du ^X**sanctuaire d'oiseaux** qui a le plus impressionné Louis au cours de son voyage.

_____

2 ^X**Jusqu'à date**, personne n'est venu se plaindre.

_____

3 Tous les vols ^X**domestiques** sont annulés. Les vols internationaux sont maintenus.

_____

4 La mairesse devra ^X**adresser** les préoccupations des citoyens dans un avenir proche.

_____

5 On dénonce partout l'obésité infantile, mais, ^X**à la fin de la journée**, qu'est-ce que proposent les gouvernements et les écoles pour changer la situation?

_____

6 La musique country, c'est ^X**le plus gros vendeur** aux États-Unis.

_____

7 Ce candidat ne ^X**rencontre** pas toutes les exigences.

_____

8 Les jeunes veulent ^X**faire une différence** en matière d'environnement.

_____

9 Il a perdu ses ^X**licences** à la suite d'un alcootest.

_____

10 Elle a ^X**collecté** les loyers puisque nous sommes le premier du mois.

_____

10.2.3 Les homonymes

Les **homonymes** (du grec _homo_, «semblable», et _onoma_, «nom») sont des mots qui se prononcent de la même manière (ils sont homophones), mais qui ont des sens différents et s'écrivent, le plus souvent, différemment (_ver/vers/verre/vert_). Ils sont une source fréquente d'erreurs orthographiques et posent, à leur façon, des problèmes de sens puisqu'on les confond souvent: ainsi, on peut être _sceptique_ devant les déclarations d'un député, mais on fait vidanger sa fosse _septique_!

Exercice 10.6

Complétez les phrases suivantes en employant le mot qui convient, à la forme appropriée. Aidez-vous du _PR_ pour trouver le mot juste.

acquis / acquit

1 Relisons une dernière fois, par _____ de conscience.

2 Il n'est pas question de remettre en cause les droits _____.

3 Il est maintenant _____ à nos vues, mais cela n'a pas été sans peine.

4 J'ai _____ beaucoup d'expérience dans ce bureau.

      censé / sensé

5 Nul n'est _____ ignorer la loi.

6 N'étiez-vous pas _____ me remettre ce travail hier ?

7 Je le croyais plus _____ que ça.

8 Il m'a fait quelques remarques très _____.

      chair / chère / chaire

9 Tous les quotidiens ont leur chronique de bonne _____.

10 Si on fait trop bonne _____, on risque d'être bien en
_____.

11 Elle est titulaire d'une _____ de recherche en biologie moléculaire.

      dessein / dessin

12 Les enfants aiment faire des _____.

13 Il formait le _____ de renverser le gouvernement.

14 Je suis sûr qu'il l'a fait à _____.

      pair / paire

15 C'est une étudiante hors _____.

16 Il n'a jamais été reconnu par ses _____.

17 Deuxième _____ de lunettes gratuite !

      pause / pose

18 Ah, la journée d'un mannequin ! Des _____,
des _____, et jamais de _____.

      voir / voire

19 Cela reste à _____.

20 La France accepte mal d'être devenue une puissance de deuxième,
_____ de troisième rang.

10.2.4 Les paronymes

Les **paronymes** (du grec *para*, « à côté de », et *onoma*, « nom ») sont des mots qui présentent une ressemblance d'orthographe ou de prononciation, mais qui n'ont absolument pas la même signification. Il en existe de très nombreuses paires en français. Ainsi, on dira qu'un mot a plusieurs *acceptions* (sens d'un mot), mais on parlera de l'*acceptation* (le fait d'accepter) d'une offre.

Complétez les phrases suivantes en employant le mot qui convient, après avoir vérifié le sens de chacun dans un dictionnaire, et faites les accords qui s'imposent.

adhésion / adhérence

1 Son _____ au Parti québécois a fait beaucoup de vagues.

2 Ces pneus ont beaucoup d' _____ au sol.

isolement / isolation

3 Les gardiens de phare souffraient parfois de leur _____.

4 J'ai confié l' _____ de mon chalet à un expert.

juré / jury

5 Mon frère faisait partie du _____.

6 J'ai été convoqué comme _____.

stage / stade

7 L'affaire n'est encore qu'au _____ de projet.

8 Il fera son _____ dans une école secondaire.

compréhensible / compréhensif; incompréhensible / incompréhensif

9 Tout le monde n'a pas la chance d'avoir des parents _____.

10 C'est _____! Comment cela a-t-il pu arriver?

11 Fernand Seguin était un grand vulgarisateur scientifique. Il réussissait à rendre _____ pour les profanes les choses les plus compliquées.

12 Elle a gardé un mauvais souvenir de son premier emploi: son supérieur immédiat était _____ et intolérant.

de plus / en plus

13 _____, nous croyons que ces mesures stimuleront la recherche.

14 Et elle veut nous faire travailler le samedi matin _____!

éminent / imminent

15 C'est un _____ savant.

16 La pluie est _____.

17 Elle a occupé des fonctions _____ au sein du gouvernement.

18 Aujourd'hui, nous tenons à remercier notre _____ collègue pour son dévouement à notre institution.

19 Dès octobre, on a parfois l'impression que l'hiver est _____.

20 Elle a rendu d' _____ services à notre institution.

10.2.5 Les pléonasmes et les redondances

Un **pléonasme**, c'est une répétition fautive. Il en existe de célèbres : *ˣpremière priorité*, *ˣpanacée universelle*, *ˣmonter en haut*, *ˣdescendre en bas*. Ces expressions ou cooccurrences qui véhiculent deux fois le même sens doivent être évitées : une priorité passe forcément en premier, une panacée est par définition universelle, on monte toujours vers le haut et on descend toujours vers le bas. Si certains pléonasmes sont parfois voulus, pour leur effet comique, c'est plus souvent par mégarde qu'on les utilise.

Le mot *redondance* peut être pris comme synonyme de *pléonasme*, mais il s'applique aussi à des répétitions plus diffuses. Les **redondances** ne sont pas par nature fautives : on peut répéter quelque chose intentionnellement, pour le faire mieux comprendre ou mieux retenir. Dans l'exercice qui suit, nous ne nous intéresserons qu'aux tours vraiment pléonastiques, donc fautifs.

Exercice 10.8

Éliminez les répétitions inutiles dans les phrases suivantes, soit en les retirant complètement, soit en les remplaçant par autre chose.

1 « Reculez en arrière ! » cria le chauffeur d'autobus.

_____

2 Dans certains pays, à cause de l'alcoolisme, un enfant sur six qui nait est atteint du syndrome d'alcoolisme fœtal à la naissance.

_____

3 L'état de la situation est critique.

_____

4 Les offres d'emploi qui requièrent de telles exigences sont rares.

_____

5 Suzanne et Anne-Marie ont souvent collaboré ensemble pour préparer leurs cours.

_____

6 Nous avons marché au moins 15 kilomètres à pied.

_____

7 Il a inventé toutes sortes de faux prétextes pour éviter de se faire gronder.

_____

8 Il est indispensable de s'entraider mutuellement.

_____

9 Prière de réserver vos billets à l'avance.

---

10 Notre compagnie a le monopole exclusif de la formation continue pour la région de Québec.

10.3 L'incompatibilité sémantique (les cooccurrences erronées)

Quand deux personnes ne s'entendent pas, c'est souvent par incompatibilité de caractère ; des différences de tempérament majeures les rendent incapables de s'accorder, de vivre ensemble. Il en va de même pour les mots. Souvent, on combine un verbe avec un sujet ou un complément direct ou indirect qui ne convient pas à son sémantisme. Par exemple, certains verbes ont un sens résolument positif et d'autres, un sens résolument négatif. Leur cooccurrence avec des mots ou des expressions dont le sens est contraire au leur est de ce fait inadéquate. Prenons la phrase suivante : *˟Le projet de loi a recueilli l'hostilité des milieux de l'enseignement.* Comme le verbe *recueillir* impose une idée positive, sa combinaison avec *hostilité* est mauvaise. On peut *recueillir l'assentiment* de tous, *recueillir des votes*, etc., mais non *l'hostilité*, sauf, bien sûr, si l'intention est ironique.

Corriger les fautes et les maladresses de cooccurrence exige beaucoup d'attention lorsqu'on écrit et lorsqu'on se relit.

> La dernière étape fut celle de nous ˟**pencher sur l'étude** de solutions de rechange.

Si on peut *se pencher sur* **un problème**, **une question**, on ne peut certainement pas ˟*se pencher sur* **l'étude** d'une question.

Les erreurs de cooccurrence touchent toutes les combinaisons, par exemple celle entre le sujet et l'attribut.

> La *Révolution tranquille*, que le Québec a connue au début des années 1960, a été ˟**synonyme** de grands changements.

La *Révolution tranquille* est un phénomène abstrait, qui ne peut être *synonyme* de quoi que ce soit. Elle a plutôt *entrainé*, *causé* de grands changements.

La combinaison entre le nom et son complément est également le lieu de nombreuses erreurs et maladresses.

> Leur ˟**différence** de vues les a éloignés l'un de l'autre.

Idiomatiquement, on parle de *divergence* et non de ˟*différence de vues*.

Grâce au découpage très détaillé des emplois, à ses nombreux exemples et citations, ainsi qu'à ses renvois analogiques, le *PR* nous aide à éviter les combinaisons fautives. On peut aussi utiliser le *Dictionnaire des cooccurrences* (en accès libre, dans *Termium Plus*, sur Internet), de Jacques Beauchesne, qui compile les adjectifs et les verbes à utiliser avec chaque nom. Antidote, lui, va encore plus loin et traite les cooccurrents tant des verbes, des adjectifs et des adverbes que ceux des noms : pour les verbes, par exemple, la rubrique sur les cooccurrences donne, par ordre de fréquence, les combinaisons sujet + verbe, verbe + complément direct, verbe + autres compléments, etc. ; pour un adjectif, on aura les combinaisons nom + adjectif complément, mais aussi adverbe + adjectif, adjectif + complément de l'adjectif, etc.

Trouvez des expressions idiomatiques pour remplacer les combinaisons incompatibles, qui sont marquées en caractères gras. Servez-vous d'un dictionnaire de cooccurrences ou du *PR*.

1 Lorsque la **coopération** entre parents et enseignants est **présente**, l'élève réussit plus facilement à surmonter ses difficultés à l'école.

_____

2 Ces mesures doivent faciliter le commerce international des produits forestiers en **clarifiant les controverses** touchant la certification environnementale.

_____

3 Il n'existe aucun médicament pour traiter la méningite virale ; toutefois, cette **maladie rentre heureusement dans l'ordre** la plupart du temps.

_____

4 Nous ne comprenons pas pourquoi le gouvernement adopte une **attitude inactive** dans ce dossier.

_____

5 Encore faut-il être sûr que les **efforts** qui sont actuellement **pris** sont suffisants pour protéger l'environnement.

_____

6 La réforme de l'éducation devrait permettre aux élèves **d'atteindre certaines exigences** et d'évoluer dans un environnement motivant.

_____

7 Les gens qui vont **réaliser des achats** sur Internet doivent prendre au préalable des renseignements sur les fournisseurs.

_____

8 Quand un parent est souffrant et que les médecins prétendent qu'il n'existe pas de médicaments pour **atténuer le malade**, la situation est difficile pour tout le monde.

_____

9 Nous nous **demandons la question suivante** : pourquoi n'avez-vous pas pris les mesures qui s'imposaient pour éviter de vous retrouver dans une situation aussi délicate ?

_____

10 Malgré toute notre bonne volonté pour résoudre cette énigme, **nous nageons toujours en plein désert**.

_____

Dans les phrases suivantes, corrigez les formulations fautives, qui proviennent, dans la plupart des cas, d'une mauvaise connaissance des expressions figées.

1 Le ministre avait montré ses couleurs en brandissant la menace d'agir sans consulter la population.

_____

2 Dans une pièce théâtrale, l'imagination du spectateur est constamment mise à contribution ; on ne peut pas en dire autant dans un film, où, bien souvent, tout est montré.

_____

3 Grâce à mon nouvel emploi de cuisinière dans un grand hôtel, je pourrai plus facilement rejoindre les deux bouts.

_____

4 Il était temps qu'on rénove ce théâtre et qu'on lui refasse une fraicheur, car c'est un bâtiment historique.

_____

5 Pour tirer l'affaire au clair, les deux animateurs poseront les cartes sur la table en fin de journée.

_____

6 Tant qu'à moi, un élève qui quitte le secondaire sans diplôme se ferme de nombreuses portes, à moins qu'il ne reprenne ses études plus tard.

_____

7 Pour faciliter l'intégration des nouveaux étudiants, la plupart des facultés mettent sur place une journée d'information et un rite d'initiation.

_____

8 L'entrée en scène d'un nouveau suspect dans cette intrigue policière déjà compliquée ne fait qu'embrouiller les pistes.

_____

9 Depuis qu'elle a fait sa connaissance dans un bar de la vieille ville, elle n'a d'ouïe que pour lui.

_____

10 Être riche et célèbre comporte bien des avantages ; toutefois, le revers du pendentif, c'est qu'on ne peut aller nulle part sans être importuné.

_____

10.4 Les barbarismes et les solécismes

Le **barbarisme** est une faute de langage qui consiste à se servir de mots déformés. Ainsi, on se rend à l'*aéroport* et non à l'ˣ*aréoport*. Par extension, les barbarismes incluent les mots forgés (ˣ*s'assir* pour *s'asseoir*). L'invention de mots qui ne répondent pas à des besoins néologiques s'inscrit dans la même ligne.

Le **solécisme**, quant à lui, est une faute contre la syntaxe. Si nous en traitons dans cette partie consacrée au lexique, c'est parce que leur solution se trouve la plupart du temps dans le dictionnaire. C'est le cas, notamment, des fautes de prépositions : *Ils se sont empressés* ˣ*à faire connaitre les avantages de leur produit.* Le *PR* indique que le verbe pronominal *s'empresser* se construit avec la préposition **de**.

Les fautes de construction que sont les solécismes peuvent provenir de sources diverses. Quand elles proviennent de l'influence de l'anglais, on les appelle des «calques syntaxiques» ou «anglicismes syntaxiques». Par exemple, on n'est pas ˣ*sur un comité* mais **membre d'un** *comité.* On ne *se fie* pas ˣ*sur quelqu'un* mais *à quelqu'un.*

Exercice 10.11

Complétez les phrases suivantes avec la préposition qui convient et, s'il y a lieu, faites les modifications qui s'imposent (notamment l'ajout d'un déterminant au besoin).

1. Elle joue de la guitare _____ l'oreille.

2. Pascal a fait une commande _____ 100 cartables.

3. Tu as vu la foule qu'il y avait _____ la rue à cinq heures ?

4. Cette fois-ci, j'ai voyagé _____ un Airbus A380.

5. Si vous en doutez, vérifiez _____ le Service aux abonnés.

6. Il fait 15 °C _____ zéro.

7. C'est _____ regret que nous devons vous quitter aujourd'hui.

8. Elle a décidé de vivre _____ campagne après son infarctus.

9. Veuillez payer _____ serveur SVP.

10. La question _____ étude est particulière.

Exercice 10.12

Corrigez les constructions en caractères gras, calquées de l'anglais, et faites les modifications qui s'imposent.

1. Ça lui a pris ˣ**un bon 20 minutes** pour effectuer le parcours.

   _____

2. La nouvelle ˣ**à l'effet que** le dollar serait en chute libre s'est révélée fausse.

   _____

3. Elle a fait ses courses ˣ**en dedans d'**une heure.

   _____

4. Je ˣ**suis familier avec** ce programme.

   _____

5. ˣ**Vérifiez avec** M. Tremblay l'horaire des trains.

   _____

6 Ils ont acheté trois surligneurs ˣ**chaque**.

7 Les ˣ**dernières 10 années**, j'ai habité à Toronto.

8 Le programme de la soirée n'a pas changé ˣ**à date**.

9 Combien as-tu ˣ**payé pour cela**?

10 Aujourd'hui, ˣ**c'est plus 18 °C** : il s'agit d'un record pour le mois de mars.

Exercice 10.13

Corrigez les erreurs mises en relief par les caractères gras dans les phrases suivantes.

1 Je me ˣ**rappellerai de** cette soirée toute ma vie.

2 Il y a assez de vin pour deux ˣ**à** trois personnes.

3 Il a réagi ˣ**pareil que** vous quand je lui ai annoncé la nouvelle.

4 Je préfère rester à la maison ˣ**que** sortir.

5 Une soixantaine d'organismes et de clubs divers ˣ**se sont objectés** à tout nouveau développement hydroélectrique.

6 Faute de moyens ˣ**pécuniers**, il a dû renoncer à ses vacances.

7 Il ˣ**s'est accaparé** l'auditoire pendant toute la soirée.

8 Elle a ˣ**démontré** de l'intérêt quand je lui ai parlé de Venise.

9 Les outardes ˣ**quittent** pour un ciel plus clément.

10 ˣ**J'haïs** le pâté chinois maintenant : j'en ai mangé trop souvent durant ma jeunesse.

Dans les phrases qui suivent, relevez les fautes de sens et corrigez-les en vous aidant du *PR*, d'Antidote, du *Multi* et de votre sens linguistique !

1 Elle a longuement parlé de l'incohérence budgétaire du gouvernement.

_____

_____

2 Des groupes s'inquiètent du pouvoir des citoyens dans la nouvelle ville.

_____

_____

3 On a clos la semaine avec une question touchant toute la population : le suicide chez les jeunes. Ce problème a augmenté depuis les dernières années.

_____

_____

4 Cette redondance nuit aux règles du style.

_____

_____

5 Dans son article, la journaliste aborde dans le même sens.

_____

_____

6 La base du concept réside dans l'interprétation et la mise en application de critères.

_____

_____

7 Pour l'instant, le syndicat adhère à la position qu'il a déjà fait connaitre.

_____

_____

8 « Depuis toujours, la langue et la culture sont au cœur de la vie des Québécoises et des Québécois », énonce le ministre.

_____

_____

9 Ce projet de loi favorisera les industries forestières, et celles-ci vantent une création d'emplois et des retombées économiques que les statistiques ne prédisent pas.

_____

_____

10 Le point de ce débat est de savoir quelle forme prendront les relevés de notes destinés aux enfants du primaire et du secondaire, ainsi qu'à leurs parents.

_____

_____

PARTIE 4

La rédaction

Chapitre 11   La démarche de rédaction

11.1   L'analyse du mandat
11.2   Le choix de l'information
11.3   La structuration de l'information
11.4   La rédaction
11.5   La relecture

Chapitre 12   La cohérence du texte

12.1   La progression de l'information
12.2   Les connecteurs
12.3   La constance et l'absence de contradiction
12.4   La mise en pages et la typographie

La démarche de rédaction

On a plus de chances de se faire comprendre de la personne à qui on s'adresse si on la connait bien. Si on écrit un mot tendre à son compagnon, si on raconte une anecdote à ses amis dans Facebook, on a bien des chances de trouver le bon mot : on est sur la même longueur d'onde. Les choses se compliquent quand on connait peu, mal ou pas du tout le destinataire auquel on s'adresse. Il peut s'agir d'un professeur auquel on remet un premier travail, d'un employeur chez qui on postule, d'un supérieur à qui on doit remettre un rapport, ou encore du « grand public » à qui on destine un dépliant, un communiqué, une publicité.

Un texte compréhensible est un texte dont le destinataire saisit le sens à la première lecture. Pour être **compréhensible**, le texte doit être à la fois **lisible** et **intelligible**. La lisibilité facilite le décodage ; elle relève de la typographie (choix des caractères, contraste des caractères avec la page, interlignage, etc.), du choix des mots et de la structure des phrases. L'intelligibilité, pour sa part, se manifeste dans l'architecture du texte ; elle relève principalement de la sélection et de la structuration de l'information (contenu et découpage visuel) : elle facilite donc la construction du sens.

Qu'on ait un travail scolaire à rendre, une procédure à imposer ou une lettre à composer, on a besoin de suivre une démarche rigoureuse pour structurer sa pensée. Rédiger est une tâche complexe, qui se présente comme un problème à résoudre. En effet, chaque contexte de communication étant particulier (en raison de l'intention de communication, du destinataire ciblé, du genre d'écrit, etc.), il faut trouver des stratégies qui soient propres à la situation, qu'elle soit scolaire, professionnelle ou personnelle.

Cependant, si chaque acte de communication est singulier par définition, la démarche qui le sous-tend est générale. Celle qui vous est proposée ici comporte cinq étapes :

1. l'analyse du mandat ;
2. le choix de l'information ;
3. la structuration de l'information ;
4. la rédaction ;
5. la relecture (ou révision).

Cette démarche s'applique à chaque situation de communication et pour tout type de document. Elle touche tous les scripteurs, travailleurs en poste ou étudiants. Ces derniers pourront s'en servir pendant leurs études ou une fois sur le marché du travail.

11.1 L'analyse du mandat

Toute tâche d'écriture suppose un **mandant** (celui qui donne le mandat), un **mandataire** (le rédacteur ou le responsable de la conception du document) et un **destinataire** (la personne à qui s'adresse le document). En rédaction professionnelle, le mandant et le destinataire sont deux entités différentes ; par exemple, Hydro-Québec (mandant ou client) demande à la boite de communication X (concepteur et mandataire) de réaliser une brochure pour les jeunes familles désirant faire des rénovations dans leur logement (destinataires). En rédaction scolaire, qu'on soit au cégep ou à l'université, le mandant et le destinataire sont parfois la même personne : le professeur. C'est lui qui donne le mandat et c'est lui qui lit (et note !) le travail. Parfois, le professeur donne un mandat aux étudiants en précisant que le destinataire est une tierce personne. Il demande par exemple un résumé et exige qu'on s'exprime comme si le lecteur (destinataire) ne connaissait pas le livre. Dans tous les cas, le rédacteur doit s'assurer qu'il a bien compris ce qu'on exige de lui et qu'il a en main toute l'information nécessaire pour mener à bien son travail. En effet, c'est à lui de choisir les stratégies d'écriture les plus efficaces pour produire l'effet escompté sur le lecteur, dans la limite des contraintes qui lui sont imposées. Le rédacteur, qu'il s'agisse d'un étudiant ou d'un professionnel, fera la preuve de sa compétence s'il sait anticiper les difficultés auxquelles il devra faire face. S'il ne demande pas de précisions sur les consignes du travail à remettre ou sur la tâche dont il devra s'acquitter, c'est à lui qu'incombe la responsabilité de tout malentendu ou retard indu.

L'analyse du mandat constitue une étape vitale qui détermine toute la production écrite. C'est à ce moment que le rédacteur définit les paramètres de la situation de communication qui le guideront tout au long de son travail d'écriture. Plus les réponses aux questions qu'il se pose alors seront précises, plus la démarche sera rigoureuse et le texte, efficace. Pour cerner son mandat, il doit s'interroger sur le public ciblé et le but visé par le texte, sur les limites du sujet imposé, sur le type de document à produire (compte rendu de lecture, rapport de recherche, lettre, dissertation, résumé, etc.) ainsi que sur le temps dont il dispose.

11.1.1 Le destinataire (le public cible)

Tout document bien construit cible son public avec précision. Pour être en mesure de choisir la bonne information à transmettre, le rédacteur doit tenir compte de l'intérêt et des acquis de la personne à qui il s'adresse. Dans quel but le lecteur lit-il ce texte, que veut-il en tirer, que connait-il du sujet, de quelles connaissances a-t-il besoin pour suivre le raisonnement tenu ? Pour être bien saisie, l'information nouvelle doit répondre au besoin du lecteur et se greffer sur les connaissances qu'il possède déjà. En rédaction professionnelle, le principal écueil qui guette le rédacteur peut résider dans sa trop grande connaissance du sujet, ce qui risque de l'empêcher de se mettre dans la peau d'un lecteur non averti. En revanche, si destinataire et mandant se confondent en la personne du professeur, le rédacteur aura moins à s'inquiéter du bagage de ce dernier puisqu'il connait la matière qu'il enseigne. Il s'attend néanmoins à ce que les étudiants fassent la preuve qu'ils l'ont comprise et qu'ils respectent l'ensemble des consignes données pour le travail.

11.1.2 Le but de la communication

Une communication réussie est une communication qui répond aux exigences du mandant et qui produit l'effet voulu sur le destinataire. Le but (ou l'intention de communication) est la pierre angulaire du texte. Doit-on informer le destinataire (pour l'éclairer sur une question, rendre compte d'une expérience, etc.) ? Doit-on plutôt le convaincre de quelque chose (pour l'amener à changer d'opinion, à modifier sa perception ou son comportement) ? Tout texte utilitaire se construit autour d'une de ces deux intentions dominantes : informer (rendre compte, expliquer ou analyser sans donner son point de vue) ou persuader. Il est donc important de bien préciser sa visée. Dans les travaux scolaires, le professeur peut demander un rapport de recherche à ses étudiants : Exige-t-il un rapport d'activité (des faits uniquement), un rapport analytique (des faits expliqués) ou un rapport de recommandations (des faits analysés et menant à des recommandations) ? S'il demande à ses étudiants de résumer un ouvrage, souhaite-t-il un résumé brut, sans commentaires, ou un compte rendu critique ?

11.1.3 Le sujet de la communication (le contenu du document)

Le contenu du document, c'est le sujet sur lequel porte le message et ce qu'on veut ou doit en dire. En rédaction professionnelle, il faut non seulement connaitre son sujet, mais encore déterminer l'angle sous lequel on veut l'aborder et définir l'ampleur qu'on veut lui donner. Connaitre la durée de vie du document est nécessaire : le rédacteur devra tout d'abord distinguer les informations temporaires (dates, couts, noms de personnes, etc.) des informations permanentes (public ciblé, programme visé, etc.). Déterminer l'étendue du sujet, c'est aussi choisir les différents points qu'il faudra présenter dans le document. Pour déterminer jusqu'à quel degré il lui faudra détailler son propos, le rédacteur devra estimer ce que le lecteur sait du sujet et se demander ensuite ce dont il a besoin. Cette étape est essentielle dans la conception de documents s'adressant au grand public.

La question se pose également dans la réalité scolaire. Si un professeur demande un essai de 10 pages sur un sujet, il ne demande pas une thèse de doctorat. S'il demande aux étudiants de justifier leur position (partie argumentative), cela suppose qu'il leur faudra tout d'abord présenter les faits (partie informative). Et même si le professeur ne précise pas que le travail doit commencer par une introduction, il s'attend à ce que cela soit su et fait. Il en va de même pour la bibliographie à la fin du travail. À moins d'avis contraire, une bibliographie ou une liste des références est toujours exigée dans un travail de recherche. Elle est placée immédiatement après la conclusion.

11.1.4 La forme du document

Rédacteur et mandant doivent s'entendre sur le genre, la longueur du document et le média, s'il y a lieu. Il leur faut aussi déterminer le rapport entre le texte et les éléments visuels pour que le rédacteur puisse concevoir le document en tenant compte de la place réservée au texte. Chaque genre d'écrit possède une allure bien à lui : un rapport de recherche ne ressemble pas à un dépliant, pas plus qu'un communiqué de presse ressemble à un procès-verbal. La raison en est que les genres sont soumis à des règles d'écriture et de présentation matérielle admises par une communauté à une période donnée. Ils peuvent naitre et mourir au rythme de l'évolution technologique d'une société : le courriel remplace de plus en plus la note de service, par exemple. Certains genres sont plus stables que d'autres : le canevas de la lettre est stabilisé, tandis que celui d'une page Web est fluctuant. Ce qu'il faut retenir au bout du compte, c'est que la facture visuelle et les règles d'écriture propres à chaque genre permettent au lecteur, sans même qu'il ait pris connaissance du contenu du document, de repérer certains éléments d'information. Les conventions de genre sont déterminantes pour la compréhensibilité d'un texte.

Voici des questions que devrait se poser le rédacteur concernant la forme du document :

- Quel genre de document faut-il produire ?
- Sous forme imprimée ou électronique ?
- Quel est le canevas du genre demandé ?
- Quelles sont ses composantes obligatoires et facultatives ?
- Quelle longueur doit avoir le document ?
- Existe-t-il des documents similaires qui pourraient servir de modèles ?
- Y aura-t-il des éléments visuels ? Si oui, quelle sera leur répartition par rapport au texte ? (Faut-il prévoir des illustrations, des tableaux, des grilles de calculs, etc. ?)

11.1.5 L'établissement de l'échéancier

Avant d'établir son échéancier, le rédacteur professionnel avisé fera valider sa compréhension du mandat et son plan de travail par celui qui lui aura confié le mandat. L'étudiant avisé fera de même, par courriel ou oralement en classe, s'il doute de quoi que ce soit dans l'interprétation des consignes ou lorsque le travail a une certaine étendue. Pour s'assurer de remplir sa tâche d'écriture dans les délais fixés, qu'il s'agisse d'un dépliant de 250 mots ou d'un rapport de 50 pages, le rédacteur prudent établira un échéancier. Il énumèrera, dans un ordre logique et de façon détaillée, les actions à entreprendre (recherches, lectures, rencontres, etc.) en respectant les étapes de la démarche de rédaction. Cette liste d'activités peut se combiner avec le calendrier dans un diagramme de Gantt (*voir la figure 11.1*) : le rédacteur déterminera alors le temps requis pour s'acquitter de chacune de ces activités et, dans le contexte d'un travail d'équipe, précisera qui en est responsable. Cela s'applique autant à la réalité professionnelle qu'à la réalité scolaire. En recourant à un diagramme de Gantt, le rédacteur pourra visualiser toutes les tâches à effectuer et déterminer plus facilement si certaines d'entre elles peuvent être menées de front. Cette étape permet de juger de la logique de mise en ordre des actions à entreprendre et de la rigueur de la planification. Le réalisme du calendrier traduit la capacité du rédacteur d'évaluer le temps qu'il doit allouer à chacune des étapes de réalisation du mandat.

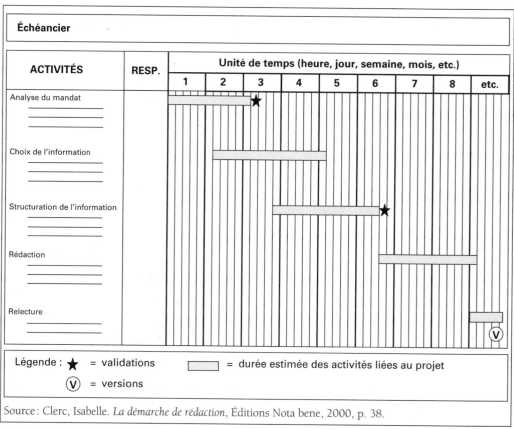

Source : Clerc, Isabelle. *La démarche de rédaction*, Éditions Nota bene, 2000, p. 38.

FIGURE 11.1   **La planification d'une tâche de rédaction (diagramme de Gantt)**

À NOTER

Un texte compréhensible est un texte dont l'information est complète pour le lecteur, dont la structure fait ressortir les idées maitresses avec logique et clarté, et dont les notions complexes sont expliquées au fur et à mesure du raisonnement.

11.2 Le choix de l'information

L'information est le matériau de base de tout texte, qu'il soit professionnel ou scolaire. Avant de rédiger à proprement parler, le rédacteur doit colliger et traiter l'information à transmettre. Selon la commande d'écriture, le rédacteur aura parfois toutes les connaissances nécessaires en puisant tantôt dans un dossier de recherche qu'on lui aura remis, tantôt dans sa mémoire, tout simplement. Cependant, dans la très grande majorité des situations, le rédacteur a besoin de renseignements supplémentaires pour rédiger, voire d'une recherche documentaire longue et complexe. Savoir mener une collecte d'information et être en mesure de bien sélectionner l'information colligée sont des expertises à développer pour tout rédacteur et dans presque tous les contextes.

11.2.1 La collecte

La collecte d'information est affaire de stratégie. Le rédacteur qui doit documenter un sujet qu'il ne maitrise pas ou très peu devra effectuer une recherche ponctuelle, une recherche de base ou encore une recherche approfondie selon les besoins du mandat. Voyons un peu plus en détail chacune de ces stratégies de collecte.

La **recherche ponctuelle** consiste à trouver une information précise en fonction d'un besoin spécifique : trouver la désignation exacte d'une entreprise ou un code postal manquant, valider la date de naissance de l'avant-dernier gouverneur général du Canada et l'orthographe de son prénom, trouver des statistiques sur l'emploi en Gaspésie lors du dernier trimestre, etc. Pour mener à bien ce type de recherche, le rédacteur doit connaitre les sources officielles et les moyens d'y accéder. Par exemple, on validera un code postal canadien avec Postes Canada, des données sur l'emploi au Québec avec l'Institut de la statistique du Québec, le nombre de mandats possibles pour un recteur en consultant les statuts de son université.

En recherche documentaire, l'une des premières questions à se poser est : qui a l'autorité d'émettre l'information que je recherche ? Les réponses potentielles sont nombreuses : gouvernements, organismes officiels, siège social d'une entreprise, agence de relations publiques représentant tel acteur, ouvrage édité d'un auteur (dont on cherche une citation précise), etc. Le défi est alors d'accéder aux canaux de diffusion de ces entités. Ces canaux peuvent être physiques (bureau de service, centre de documentation, centre d'appel) ou électroniques (site Internet, courriel, médias sociaux selon le contexte). Dans les situations où l'information n'est pas émise par une source unique détentrice de l'information, le rédacteur doit adopter la stratégie journalistique de la double validation. Ainsi, pour déterminer si les tomates contiennent de la vitamine B_{12}, il pourrait consulter Santé Canada et le département américain de l'Agriculture.

La **recherche de base** est plus élaborée et a pour objectif d'amener le rédacteur à comprendre un sujet donné. Pour comprendre ce sujet au point de rédiger avec pertinence et intérêt à son propos, il faut très certainement lire plusieurs points de vue. Bien qu'elle puisse constituer un morceau très important de la documentation, une seule source, même récente et très complète, n'est pas suffisante dans ce contexte, car il s'agit d'un point de vue unique. Même un ouvrage collectif présentant le point de vue de plusieurs auteurs doit être considéré comme un point de vue unique dans la mesure où tous s'expriment dans la même situation éditoriale. La recherche de base commence le plus souvent par la lecture de sources facilement et rapidement accessibles, à la portée du rédacteur : entrée de dictionnaires et d'encyclopédies, recherche sommaire sur le Web, ouvrages liés directement ou indirectement au sujet présents dans sa bibliothèque, questions posées à des proches qui s'y connaissent, etc. L'objectif à cette étape est de se « faire une tête » sur le sujet et d'établir un périmètre de recherche et ses limites. Ce premier repérage devrait permettre de cibler des concepts, des auteurs, des éléments intéressants ou importants, etc., autant d'indices susceptibles de guider le rédacteur par la suite.

Pour ne pas se perdre et pour ne pas oublier, le rédacteur doit entretenir un carnet ou un journal de recherche. Il notera à la fois les éléments liés à la logistique de sa recherche (par exemple, recherche sur Google.com avec l'expression *B12 tomate*) et, bien sûr, il consignera les renseignements et les éléments (photocopies, images, fichiers audios et vidéos, etc.) qu'il conservera pour une sélection ultérieure. Pour mener à bien une recherche de base, le rédacteur doit accéder à de l'information de qualité, en quantité et en variété. Les bibliothèques et les centres de documentation spécialisée sont des lieux incontournables pour toute recherche. En particulier, les bibliothèques collégiales et universitaires ont énormément investi dans les ressources électroniques et elles y donnent généralement accès à tous leurs étudiants. Compte tenu de la complexité des outils de recherche, qu'on soit sur place ou en ligne, le rédacteur, étudiant ou professionnel, a tout intérêt à se former à la recherche documentaire auprès de ces bibliothèques. Celles-ci offrent toutes des guides et des services de formation et d'aide à la recherche.

La **recherche approfondie** a pour objectif d'obtenir de l'information difficilement accessible ou plus difficile à synthétiser. Elle se distingue de la recherche de base par l'utilisation de méthodes d'investigation plus spécialisées (par exemple, entrevue avec des experts) ou par la consultation de sources plus complexes (par exemple, ouvrages techniques). Le rédacteur la met en œuvre selon les nécessités du mandat ou du travail scolaire à produire.

À NOTER

Internet et le Web se sont démocratisés à partir des années 1994-1995. Pendant toute la décennie qui va suivre, il est de bon ton de mettre en garde les usagers à propos de la piètre qualité présumée des contenus qu'on y trouve. Les contenus et les discours ont énormément évolué depuis. S'il est et sera toujours indispensable d'évaluer la qualité de toute source avant de l'utiliser – qu'elle provienne du Web ou de la bibliothèque –, la critique systématique du Web comme source d'information n'a plus sa raison d'être. Depuis que la revue *Nature* a démontré en 2005 que la qualité des contenus (anglais) de Wikipédia se rapprochait considérablement de ceux de l'*Encyclopædia Britannica* (même niveau de fiabilité et taux similaire d'erreurs importantes), l'encyclopédie en ligne n'a fait que prendre du galon.

11.2.2 La sélection de l'information

La sélection de l'information consiste à distinguer l'essentiel de l'accessoire dans la documentation recueillie. Grâce à une analyse détaillée de l'information qu'il a en main, le rédacteur pourra déterminer ce qui est nécessaire (juste assez) – et suffisant (pas trop) – pour la compréhension du lecteur dans le cas d'une rédaction professionnelle, et pour prouver sa propre compréhension de la matière dans le cadre d'une rédaction scolaire. À cette étape de la démarche de rédaction, trois opérations s'imposent :

1. lecture et dépouillement de la documentation rassemblée ;

2. retour au mandat de départ pour valider les lectures et les sélections ;

3. surlignement ou extraction de tout passage utile au message à transmettre.

Imaginez un instant que vous quittiez le pays pour six semaines de vacances au Vietnam. Vous êtes devant votre garde-robe et vous vous demandez ce que vous allez bien pouvoir emporter. Tout est devant vous, et vous avez l'embarras du choix. Vous devez sélectionner vos vêtements en fonction du type de voyage choisi (s'agit-il d'une aventure en solo ou d'un voyage organisé ?), de la partie de pays visitée (explorerez-vous le Sud ou le Nord ?), de la période de l'année et du climat anticipé. Les réponses à ces questions vous aideront à sélectionner vos vêtements. Ainsi, pour s'assurer de la pertinence de l'information choisie, la personne qui rédige établira une liste de critères de sélection à partir de l'analyse du mandat : thèmes et sous-thèmes recherchés en fonction de l'angle de traitement, des composantes obligatoires du genre et de la longueur du texte final. Lors de la sélection de l'information, il faut constamment se demander si le destinataire a besoin ou non de l'information en question pour que le texte soit compris aisément et de façon autonome. Par exemple, si un étudiant doit faire la critique d'un film ou d'un livre qu'il choisit, il doit faire en sorte que le professeur suive son analyse sans être obligé de lire le livre ou de voir le film lui-même.

Pour s'aider dans la sélection de l'information, le rédacteur doit avoir en tête les conventions du genre utilisé (règles d'écriture et facture visuelle). S'il rédige une lettre administrative, il sait qu'il devra prévoir une mise en contexte (plus ou moins longue selon le bagage acquis du lecteur), qu'il devra annoncer l'objet de la lettre, le justifier, donner les renseignements pour trouver de l'information supplémentaire, etc. Si un étudiant rédige un rapport de laboratoire, il lui faudra colliger l'information ramassée tout au long de l'expérimentation dans son journal de bord, ainsi que celle qu'il sera allé chercher ailleurs ; cela lui permettra à la fois de rendre compte de son expérimentation et des recherches réalisées pour appuyer les résultats.

À NOTER

Les pièges liés à la sélection de l'information sont le manque d'information (ou de précision informationnelle) et le trop-plein d'information. Le premier exigera du lecteur qu'il aille chercher un complément d'information en dehors du texte ; le second, en noyant le lecteur dans des informations accessoires ou superflues, le dissuadera de poursuivre sa lecture.

11.3 La structuration de l'information

L'étape de structuration se déroule en trois temps : regroupement de l'information, hiérarchisation de l'information et ordonnancement de l'information.

À cette étape, le rédacteur doit mettre de l'ordre dans le matériau amassé ; il doit en quelque sorte « organiser le chaos ». L'objectif est d'obtenir une vision structurée du document pour en vérifier la cohérence avant de rédiger. Le résultat de ce travail est ce qu'on appelle l'architecture du texte. La figure 11.2, à la page suivante, en donne une illustration. Vous remarquerez que l'architecture du texte se dessine principalement lors des étapes d'analyse du mandat et de structuration de l'information.

11.3.1 Le regroupement de l'information

Regrouper l'information, c'est comparer les éléments d'information sélectionnés pour faire des rapprochements et leur trouver un dénominateur commun. Le regroupement de l'information sera bien sûr différent pour chaque texte à écrire, mais la façon de faire obéit généralement aux mêmes règles fondamentales. Il faut en effet regrouper les éléments selon leurs similitudes thématiques (par exemple, dans une épicerie, on placera les bananes et les oranges avec les **fruits**, le poulet et le porc avec les **viandes**, les savons à vaisselle et les sacs à ordures avec les **produits d'entretien**).

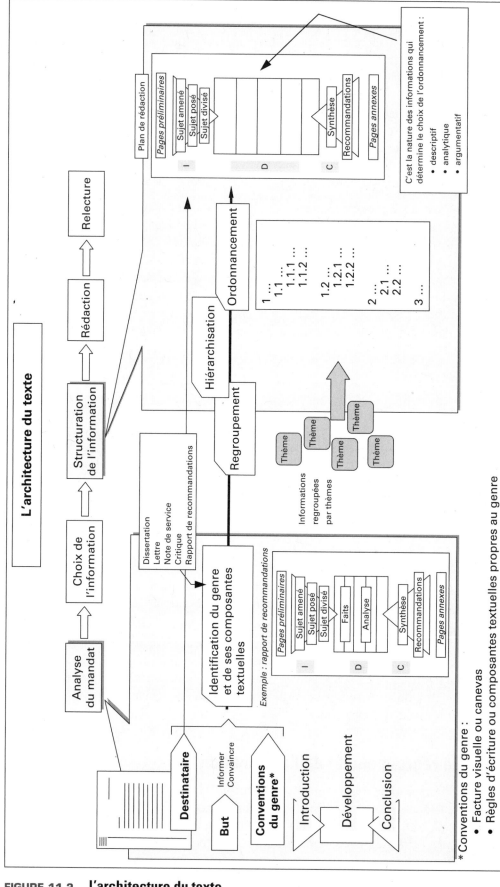

FIGURE 11.2 **L'architecture du texte**

Source : Clerc, Isabelle. *La démarche de rédaction*, Éditions Nota bene, 2000, p. 89.

C'est en regroupant adéquatement l'information qu'on assure une organisation générale efficace du texte. Si le regroupement n'est pas fait de façon rigoureuse, l'organisation du texte en souffrira. La rédaction et, par la suite, la lecture du texte seront beaucoup plus difficiles, l'éparpillement des thèmes créant une impression de dispersion.

À l'étape du regroupement, il faut viser le plus petit nombre de thèmes possible. Quand la liste des thèmes retenus est trop longue, il faut resserrer davantage en subordonnant certains thèmes à d'autres, c'est-à-dire en les hiérarchisant.

11.3.2 La hiérarchisation de l'information

La hiérarchisation de l'information consiste à établir des niveaux à l'intérieur de chaque thème. Comme une poupée russe, un thème général (thème 1) peut en comprendre d'autres plus spécifiques (thème 1.1, thème 1.2, etc.) qui, à leur tour, en comprennent de plus spécifiques (thème 1.1.1, thème 1.1.2, etc.). S'il n'est pas impératif que tous les niveaux aient le même nombre d'éléments, il ne peut exister de subdivision unique. On ne peut établir de subdivision 1.1 sans une subdivision 1.2, ni de subdivision 2.1.1 sans une subdivision 2.1.2. Ce travail de hiérarchisation se fait jusque dans le détail de l'information. Lorsque cette étape est terminée, on peut passer à l'ordonnancement des idées.

À NOTER

Si on éprouve de la difficulté à trouver un intertitre pour une des parties du texte, c'est peut-être parce qu'il s'y trouve plus d'une idée principale. Il faut alors vérifier si les regroupements sont logiques et si l'importance des idées est bien traduite dans la hiérarchie.

11.3.3 L'ordonnancement de l'information

L'ordonnancement d'un texte consiste à placer les éléments d'information les uns après les autres en fonction du but visé, niveau par niveau. On décidera d'abord de l'ordre dans lequel on placera les regroupements de premier niveau. Ensuite, on placera dans un ordre logique les éléments de deuxième niveau. L'ordre de succession des idées (ordonnancement) varie en fonction de la visée du document. Si le texte est argumentatif, les paragraphes se succèderont en fonction de la logique argumentative utilisée : ainsi, dans une argumentation par accumulation, on préférera commencer et terminer par un argument de poids pour capter l'attention au début et la retenir à la fin.

Si la visée du texte est informative, deux types d'ordonnancement sont possibles : l'ordonnancement descriptif, qui décrit un objet, un phénomène, etc., ou l'ordonnancement analytique, qui explique un phénomène. L'ordonnancement descriptif peut suivre un ordre spatial (du nord au sud, de bas en haut, de la surface en profondeur, etc.), chronologique (hier, aujourd'hui, demain ; étape 1, étape 2, étape 3, etc.) ou encore par catégories (facteurs économiques, facteurs politiques, facteurs historiques, etc.). L'ordonnancement analytique établit des relations de comparaison ou de cause à effet entre les éléments qui composent un phénomène ou un problème. On trouvera donc des agencements comparatifs de type « avantages/inconvénients » ou « points forts/points faibles », ou encore « ressemblances/dissemblances ». Dans les relations de cause à effet, l'ordonnancement le plus courant est sans aucun doute la triade « problème(s), cause(s), conséquence(s)/solution(s) ».

On retient rarement le même type d'ordonnancement pour tous les niveaux de hiérarchisation du texte. On pourrait adopter un ordre par catégories au premier niveau et avoir un ordre chronologique ou spatial au deuxième niveau. On peut avoir un ordonnancement descriptif au premier et un ordonnancement analytique au deuxième.

L'ordre de présentation des idées devrait respecter le parcours de lecture le plus habituel. Pour y arriver, il faut tabler sur l'expérience et sur les besoins du public visé. Dans une lettre administrative, par exemple, le lecteur s'attend à trouver un rappel des échanges antérieurs avant l'annonce de l'objet de la lettre. Dans une dissertation scolaire, le professeur s'attend à trouver dans l'introduction un « sujet amené », qui introduit l'objet sur lequel repose le travail, un « sujet posé », qui énonce l'objet du travail, et un « sujet divisé », qui présente le plan suivi dans le travail, ou sa ligne directrice.

Chaque texte a donc une structure propre, établie à la fois en fonction du destinataire et de l'intention de communication. Même brève, une information, si elle est bien structurée, aura plus de chances d'être comprise et retenue. On ne répètera jamais assez combien la clarté d'un texte est déterminée par sa structure, structure de contenu mise en évidence par la facture visuelle.

À NOTER

Un texte dont la structure n'est pas épurée et mise en évidence exigera du lecteur des efforts de compréhension supplémentaires.

EXEMPLE 11.1

Comment s'y prendre pour bien structurer un texte

À titre d'exemple, imaginez un instant que vous êtes un chef d'orchestre. On vous remet une liste d'instruments de musique, présentés en ordre alphabétique : bassons, cithare, clarinettes, contrebasses, cors, cymbales, flutes, gong, grosse caisse, harpe, hautbois, tambours, timbales, triangle, trombones, trompettes, tuba, violons, violoncelles. On vous demande de les classer selon leurs caractéristiques propres et de les disposer en vue d'atteindre le meilleur résultat acoustique possible. Il vous faut réussir les trois grandes opérations : regrouper, hiérarchiser et ordonnancer, et être en mesure de justifier vos choix. Dans quel ordre doit-on placer, par exemple, la cithare, les contrebasses, la harpe, les violons et les violoncelles ? Est-ce que leur emplacement est déterminé par la taille des instruments ou par leur puissance ?

Commençons par le **regroupement**.

Un orchestre comprend trois grandes familles d'instruments (regroupement sous dénominateurs communs), qui sont, en ordre alphabétique : les instruments à cordes (1), les instruments à percussion (2) et les instruments à vent (3).

1. Instruments à cordes : cithare, contrebasses, harpe, violoncelles et violons

2. Instruments à percussion : cymbales, gong, grosse caisse, tambours, timbales, triangle

3. Instruments à vent : bassons, clarinettes, cors, flutes, hautbois, trombones, trompettes et tuba

Passons à la **hiérarchisation**.

Ces trois grands regroupements constituent le 1er niveau de hiérarchisation et peuvent se subdiviser à un niveau inférieur, le 2e niveau de hiérarchisation. Par exemple, dans la famille des instruments à vent, on trouve les bois et les cuivres. Ce 2e niveau comprend une autre subdivision, le 3e niveau de hiérarchisation : les bois regroupent les bassons, les clarinettes, les flutes et les hautbois, tandis que les cuivres réunissent, dans cet exemple, les cors, les trombones, les trompettes et le tuba. Chacun de ces instruments à vent a une sonorité particulière, bien qu'ils appartiennent tous à la même famille. Voici, toujours en ordre alphabétique, la hiérarchisation de ces instruments de musique.

- Instruments à cordes
  - Cordes frottées
    - ♦ Contrebasses
    - ♦ Violoncelles
    - ♦ Violons
  - Cordes pincées
    - ♦ Cithare
    - ♦ Harpe

- Instruments à percussion
  - Peau
    - ♦ Grosse caisse
    - ♦ Tambours
    - ♦ Timbales
  - Métal
    - ♦ Cymbales
    - ♦ Gong
    - ♦ Triangle

- Instruments à vent
  - Bois
    - ♦ Bassons
    - ♦ Clarinettes
    - ♦ Flutes
    - ♦ Hautbois
  - Cuivre
    - ♦ Cors
    - ♦ Trombones
    - ♦ Trompettes
    - ♦ Tuba

Enfin, terminons par l'**ordonnancement** de l'information (ou ordre de succession des éléments).

Dans le cas de l'orchestre, il s'agira de l'ordre d'apparition des instruments depuis le pupitre du chef d'orchestre. Les familles suivront un ordre spatial, en forme d'éventail, qui va de l'avant-scène à l'arrière-scène : d'abord la famille des cordes, qui émet des sons plus légers ; ensuite celle des vents ; et finalement les percussions, qui produisent des sons plus puissants. À l'intérieur de chaque famille, les instruments au son le plus faible sont placés le plus près du chef d'orchestre, tandis que ceux qui résonnent avec force en sont plus éloignés. On songera donc à réordonner au besoin les éléments à l'intérieur de chaque niveau inférieur de la hiérarchie afin de respecter ce critère. Par exemple, le triangle devrait figurer avant les cymbales et le gong.

À ce double ordonnancement de l'avant vers l'arrière s'ajoute une organisation de gauche à droite : de l'instrument au son le plus aigu à l'instrument au son le plus grave (*voir la figure 11.3*). Cet ordonnancement est essentiel pour que tous les instruments se fassent entendre selon leurs capacités acoustiques.

Notons que la composition précise de l'orchestre dépend des œuvres exécutées ; l'orchestre symphonique classique ne comprend pas de cithare.

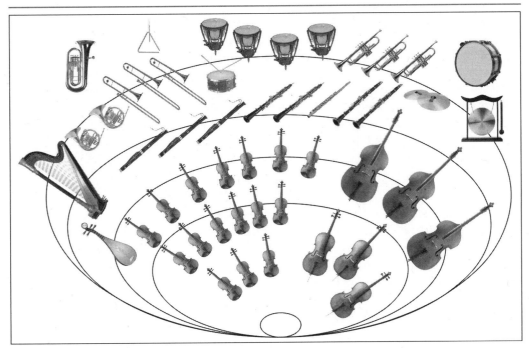

FIGURE 11.3 **La disposition des instruments d'un orchestre symphonique**

Le travail de l'étape de structuration conduit à l'élaboration d'un plan qui sera très important à l'étape de la rédaction.

11.4 La rédaction

Un exigeant travail de formulation reste à faire une fois la structuration de l'information bien établie. Il est alors temps de mettre en mots le plan tracé : il faut trouver les mots justes (*voir les chapitres sur le lexique*) et construire les phrases correctement autour d'une unité d'information en évitant les pièges de la grammaire (*voir les chapitres sur la grammaire de la phrase*). Pour assurer au texte sa cohésion, il faut également savoir lier les phrases entre elles et les agencer à l'intérieur de l'unité thématique que représente le paragraphe. Enfin, il faut organiser les paragraphes entre eux pour assurer une cohérence au texte dans sa progression thématique et logique (*voir le chapitre 12*). L'ensemble du *Français apprivoisé* étant destiné à la rédaction, nous nous attarderons, dans cette section sur la rédaction, uniquement à la structure type du texte scolaire. Il s'agit d'un canevas de base à partir duquel plusieurs variantes sont possibles.

La structure type d'un texte scolaire est une structure à trois composantes : l'introduction, le développement et la conclusion. L'introduction elle-même comprend généralement trois composantes :

1. une mise en contexte ou amorce : c'est le « sujet amené » de la terminologie classique ;
2. la présentation de l'objet (ou « sujet posé »), qui peut prendre la forme d'une problématisation quand le but du texte le justifie ;
3. l'annonce du plan ou de la ligne directrice du texte (ou « sujet divisé »).

Le développement présente autant de parties (regroupements) et de sous-parties (hiérarchisation) qu'il y a de points ou de thèmes à développer. La conclusion comprend habituellement une synthèse et un élargissement (ou « ouverture »). Selon le contexte de communication et le genre du document à produire, certains éléments des composantes obligatoires peuvent être omis, comme l'annonce du plan du texte dans l'introduction et l'élargissement dans la conclusion. Selon la longueur du texte, l'introduction et la conclusion peuvent également tenir en une seule phrase.

La figure 11.4 représente le schéma d'une structure textuelle scolaire type.

11.4.1 L'introduction

Amener le sujet, c'est donner le contexte qui permet de camper le décor et de capter l'attention du lecteur. Faits, chiffres, anecdote, question d'actualité, réflexion, voilà autant de façons d'amener le sujet : l'important est de partir de quelque chose que le destinataire connait et qui est relié au sujet qui sera traité. Cela dit, certains textes n'exigent pas nécessairement d'entrée en matière : pensons à la nouvelle journalistique ou au dépliant, par exemple.

Poser le sujet consiste à présenter clairement l'objet du texte et à annoncer ce qu'on veut en dire. Quels que soient le contexte de communication et le genre du document, poser le sujet est nécessaire dans tout texte. Si le but du texte est d'informer, on annoncera simplement sur quoi il porte, par exemple en posant une question. Dans ce dernier cas, la réponse pourrait n'être donnée que dans la conclusion. Si le but est de convaincre, on « problématisera » la question qui sera traitée, en plus de la présenter. On décrira notamment les enjeux qu'elle soulève. Par exemple, si, dans un texte d'opinion, un étudiant doit prendre position pour ou contre la peine de mort, la gratuité scolaire, la légalisation de la prostitution ou celle des drogues douces, il lui faudra (après avoir donné le contexte de l'intérêt pour cette question dans l'actualité) montrer en quoi la question est complexe, grave et lourde de conséquences pour la société, qu'il choisisse le pour ou le contre.

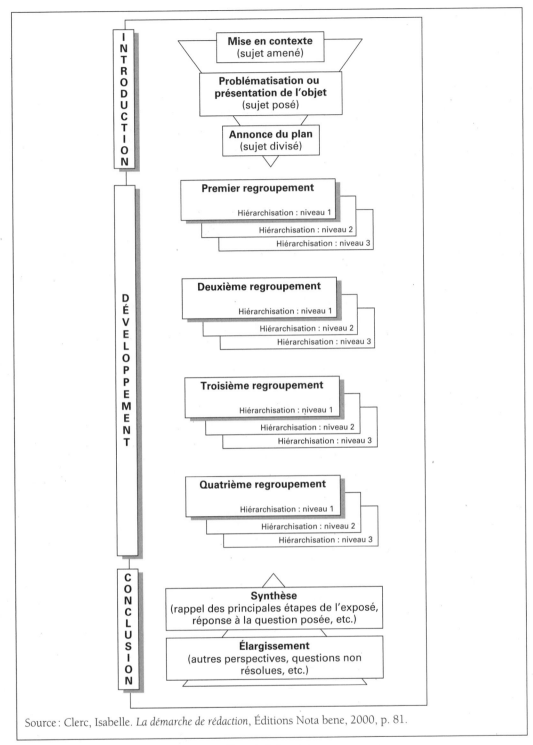

Source : Clerc, Isabelle. *La démarche de rédaction*, Éditions Nota bene, 2000, p. 81.

FIGURE 11.4   Une structure textuelle scolaire type

Diviser le sujet consiste à nommer les aspects ou les points de vue (les thèmes) qui seront abordés dans le texte pour développer le sujet. Il s'agit d'une sorte de table des matières qui fait état des idées principales du développement. Dans certains genres d'écrits, en raison de leur brièveté (par exemple, une lettre ou un dépliant) ou à cause de l'effet que l'auteur cherche à créer chez le destinataire, ce troisième élément de l'introduction n'apparait pas ou se limite à fournir une idée de l'orientation que prendra le texte.

Un conseil : n'écrivez pas l'introduction en premier. Cette partie est plus facile à rédiger une fois le développement terminé.

11.4.2 Le développement

Le développement présente autant de parties et de sous-parties qu'il y a de points à développer. Selon la longueur du texte, la partie de « niveau 1 » (le niveau le plus haut dans la hiérarchie du texte) peut représenter tout un chapitre ou un seul paragraphe. Chaque paragraphe ne comprend qu'une seule idée principale. Autour de cette idée s'articulent une ou des idées secondaires, dont la fonction est d'illustrer, d'expliquer ou encore d'étayer l'énoncé. Des phrases de transition et des mots de liaison permettent de passer harmonieusement d'une idée à l'autre, d'un paragraphe à l'autre en mettant en lumière l'articulation du texte.

11.4.3 La conclusion

En règle générale, la conclusion comporte deux parties : la synthèse et l'élargissement. La synthèse reprend l'essentiel du propos ou de la question traitée. Elle dresse un bilan de ce qui a été dit précédemment. On y retrouve les aspects ou points de vue énoncés dans la troisième partie de l'introduction (sujet divisé). L'élargissement, lui, ouvre de nouvelles perspectives, propose d'autres pistes, donne une orientation nouvelle à la réflexion. Il boucle le texte en établissant un lien avec la première partie de l'introduction (sujet amené). Dans certains types de textes, la conclusion ne présente que la synthèse ; dans d'autres, on ne trouve que l'élargissement (il est facile de comprendre que la synthèse est superflue dans le cas de textes très courts). On dit que la conclusion, comme l'introduction, son pôle inverse, doit occuper environ 10 % du texte.

À titre d'illustration, prenons l'exemple d'un travail scolaire en littérature dans lequel les étudiants doivent faire le portrait d'une personnalité francophone peu connue du grand public. Si un étudiant annonce dans son sujet posé qu'il va parler de Corinna Bille, le lecteur sera sans doute surpris. Si, en revanche, il donne des repères comme « Suisse romande », « XXᵉ siècle », « littérature », « écrivaine », le lecteur situera le propos dans un cadre plus général, qui lui est familier. Ce cadre, c'est le sujet amené : il a pour fonction de situer le sujet, de planter le décor, en fait, de donner des informations, connues du lecteur, qui l'aideront à saisir ce que le scripteur lui révèle de nouveau, son « inconnu » (le sujet posé), en l'occurrence, ici, Corinna Bille. Le sujet divisé, quant à lui, annonce les grandes parties du développement.

EXEMPLE 11.2

Introduction

Sujet amené :

> La Suisse romande a vu naitre plusieurs talents littéraires au XXᵉ siècle.
>
> (On plante le décor avec un *où*, un *quoi* et un *quand*.)

Sujet posé :

> Corinna Bille en est un exemple probant.
>
> (On annonce de quoi il sera question ; pas besoin de problématisation ici.)

Sujet divisé :

> Cette écrivaine est non seulement nouvelliste, mais également romancière et poète.
>
> (Il est facile de deviner que le développement se divisera en trois parties.)

Développement

1er niveau

(Ordre de succession par catégorie)

- Regroupement 1 :

    Corinna Bille, nouvelliste

2e niveau

(Ordre de succession chronologique)

    – Sous-regroupement 1.1 :

        Son œuvre de jeunesse

- Regroupement 2 :

    Corinna Bille, romancière

    – Sous-regroupement 1.2 :

        Son œuvre comme adulte

- Regroupement 3 :

    Corinna Bille, poète

Conclusion

Synthèse (rappel du sujet divisé) :

> *Ce triple talent, Corinna Bille l'a développé avec ardeur. Sa passion de l'écriture ne s'est jamais démentie, de l'aube de sa vie à la fin de ses jours. Son œuvre, publiée dans plusieurs langues, lui a valu de nombreux prix et honneurs qui ont fait connaitre la littérature suisse romande à l'étranger.*

Élargissement (retour sur le sujet amené) :

> *Il est à espérer que la patrie de Corinna Bille continuera de donner voix à d'autres talentueux ambassadeurs et ambassadrices littéraires.*

À NOTER

Quelques conseils

... pour commencer

Dans le sujet amené, évitez de remonter à la nuit des temps ou d'utiliser des clichés éculés comme « Depuis toujours, l'être humain cherche à... » ou « La femme est l'égale de l'homme, tout le monde le sait... ».

Dans le sujet divisé, il faut surtout éviter les tournures stéréotypées, du type : « Dans une première partie, je ferai état... » ou « Je vais d'abord vous parler... », qui décrivent la démarche et non le contenu. Allez droit au but et utilisez une formulation dynamique pour présenter les aspects que vous comptez aborder.

Faites également attention de ne pas résumer votre développement. À quoi bon continuer à lire si tout est dit dans l'introduction ? En général, vous devez aussi éviter de répondre dès l'introduction à la question que vous posez.

... pour terminer

Ne reprenez pas sous une forme affirmative des questions que vous auriez posées dans votre introduction.

N'introduisez pas dans votre conclusion d'idée nouvelle à propos de la question que vous avez traitée.

Prenez soin de renvoyer à l'ensemble de votre développement et non à la dernière partie seulement.

11.5 La relecture

Au fur et à mesure qu'on écrit, on relit et soupèse ce qu'on a déjà écrit, ce qui nous amène à apporter des modifications et nous aide à avancer. Une fois l'écriture terminée, on relit le tout; c'est l'étape ultime de la démarche de rédaction, celle qui fera la différence entre un bon travail et un très bon, voire un excellent travail. Souvent négligée par le rédacteur qui manque de temps, la relecture permet pourtant d'éliminer les erreurs qui se sont glissées en cours de route et de corriger des maladresses. Dans l'idéal, la relecture commande un regard extérieur, celui de quelqu'un qui n'a jamais vu le texte. Il en est ainsi de la révision professionnelle, où plusieurs relectures sont faites, par les auteurs en premier, par les spécialistes de l'édition ensuite. Dans une maison d'édition, un manuscrit peut « subir » jusqu'à six ou sept relectures, de la révision de fond (contenu) jusqu'à la correction d'épreuves (erreurs typographiques) en passant par la révision linguistique (orthographe, syntaxe, lexique)!

En autorévision, la relecture est une étape d'autant plus difficile que notre texte nous est devenu très familier. En effet, à force d'être « collé » sur son propre texte, le rédacteur a de la difficulté à prendre le recul nécessaire pour découvrir d'éventuelles faiblesses. Voilà pourquoi, quand on est étudiant, il faut laisser reposer son texte avant de le réviser et de le rendre au professeur. Une simple nuit suffit parfois à retrouver la distance critique utile pour se relire. Pour réussir cette dernière étape, le rédacteur doit de nouveau confronter le résultat de son travail avec le mandat donné au départ: A-t-il fait ce qu'on lui a demandé? A-t-il répondu aux questions posées? A-t-il cité le nombre d'auteurs exigé? A-t-il suivi précisément toutes les consignes? Pour être efficace, la relecture doit se faire en plusieurs temps, à l'image d'un ognon qu'on épluche, pelure après pelure. En effet, relire le texte en pensant être capable de vérifier à la fois le choix de l'information, la structure d'ensemble et les questions de langue est dangereux. Si on concentre son attention sur la vérification des accords, remarquera-t-on en même temps l'oubli d'un intertitre ou le cumul de plusieurs idées dans le même paragraphe?

À NOTER

On est rarement le meilleur évaluateur de ses propres textes. Le manque de recul et la trop grande familiarité avec le texte réduisent la distance critique nécessaire à une relecture efficace. Si les circonstances ne permettent pas de faire appel à un regard extérieur, il faut impérativement laisser s'écouler du temps entre la fin de la rédaction et la relecture finale. (Même en situation d'examen, on peut essayer de faire le vide dans son esprit pendant quelques secondes avant de relire son texte.)

Pour vous aider dans votre travail de relecture, voici une liste de points à vérifier et de questions à vous poser pour évaluer chaque dimension du texte: informative, structurelle, rédactionnelle et visuelle.

11.5.1 Évaluer l'information

Vérifiez la pertinence de l'information: Le choix de l'information et l'angle de traitement correspondent-ils au mandat donné? L'information correspond-elle à l'intérêt, aux besoins et au bagage du lecteur?

Vérifiez l'exactitude de l'information: Les faits sont-ils exacts? Les dates sont-elles justes? Les noms propres sont-ils bien orthographiés? Les passages empruntés sont-ils parfaitement cités?

11.5.2 Évaluer la structure

Vérifiez le regroupement de l'information : Chaque regroupement contient-il des éléments qui présentent des similitudes thématiques ? Chaque regroupement s'articule-t-il autour d'une idée principale ?

Vérifiez la hiérarchisation de l'information : L'importance relative des idées se traduit-elle dans la hiérarchisation ? Les subdivisions à l'intérieur des regroupements comportent-elles plus d'un embranchement (1.1, 1.2, etc.) ?

Vérifiez l'ordonnancement de l'information : Pour chaque niveau de hiérarchisation, le choix (descriptif, analytique, argumentatif) de l'ordonnancement correspond-il à l'intention de communication ?

11.5.3 Évaluer l'écriture

Vérifiez les qualités communicationnelles du texte : Le ton respecte-t-il l'intention du texte (objectif ou expressif) ? Les transitions entre les phrases et entre les paragraphes sont-elles adéquates et suffisantes ? A-t-on eu recours à des explications ou à des illustrations pour faciliter la compréhension du texte ? Les références culturelles, les expressions et le vocabulaire sont-ils connus du lecteur ? Les longues énumérations sont-elles présentées sous forme de listes à puces ?

Vérifiez le respect du code linguistique et typographique : Les mots sont-ils utilisés dans leur sens précis (mots justes) ? Font-ils l'objet d'une remarque (anglicisme, impropriété ou autres écarts lexicaux) dans les outils d'aide à la rédaction ? Sont-ils correctement orthographiés (orthographe lexicale, morphologie, accords) ? La construction de la phrase (syntaxe) et la ponctuation sont-elles correctes ? Y a-t-il des accents sur les majuscules qui en requièrent ? L'écriture des nombres et des sigles est-elle uniformisée ? L'italique, les guillemets et les caractères gras sont-ils utilisés selon les règles ?

11.5.4 Évaluer la facture visuelle du texte

Vérifiez la mise en pages : Le document est-il construit d'après une grille visuelle qui respecte les conventions du genre ? Le système de titres est-il bien visible ? A-t-on laissé de l'espace libre pour délimiter les zones (marges, espaces entre les paragraphes, etc.) ?

Vérifiez la lisibilité typographique : La police de caractères a-t-elle été choisie en fonction de sa lisibilité sur le support choisi (Times New Roman ou Arial pour l'imprimé, et Georgia ou Verdana à l'écran) ? A-t-on veillé à la grosseur du caractère choisi (en général, 11 ou 12 points pour le texte, et 9 ou 10 points pour les notes de bas de page) ? Le contraste entre le texte et l'arrière-plan est-il optimal (noir sur fond blanc) ? A-t-on pris soin de faire les mises en évidence en utilisant uniquement le gras ?

À NOTER

Écrire est un processus « récursif », c'est-à-dire que les étapes fonctionnent en boucle, permettant des retours en arrière. Par exemple, la recherche d'informations peut mettre en lumière un mandat mal défini ; la structuration de l'information fera voir des trous éventuels dans la documentation ; la rédaction exige de revenir constamment sur ses pas pour mieux avancer… Bref, on aura relu son texte bien des fois avant la relecture finale. Adopter consciemment une démarche récursive aide à assurer la qualité du texte.

CHAPITRE 12

La cohérence du texte

Comme nous l'avons vu dans le chapitre précédent sur la démarche de rédaction, le texte est un objet de communication écrit par quelqu'un pour quelqu'un, sur un sujet déterminé par le mandat de départ, dans une visée donnée et selon les conventions d'un genre particulier. Pour être cohérent, un texte doit en effet répondre à des attentes : il doit être en **adéquation avec la situation de communication et le lecteur** pour lesquels il a été produit : **adéquation de l'information avec le sujet traité**, **adéquation de la structure avec la visée de la communication et avec le genre de texte**, **adéquation du ton avec le point de vue adopté**. Un texte cohérent sur le plan informatif, par exemple, est un texte dont l'information est suffisante (il n'y en a ni trop ni trop peu) pour permettre au lecteur de comprendre précisément ce qu'on veut lui communiquer. De l'adéquation du texte avec son objectif résulte une impression de pertinence, d'unité, d'homogénéité, première condition à la cohérence.

Pour être cohérent, le texte doit également respecter certains principes d'**enchainement** : **équilibre entre répétition et progression de l'information** de phrase en phrase, de paragraphe en paragraphe ; **relations de sens entre les énoncés qui soient claires** dans le contexte immédiat et permettent d'entrevoir où va le texte ; **absence de contradiction dans l'information**, **constance** dans les choix terminologiques, orthographiques, dans la visée, le point de vue et le ton, **parallélisme** dans le traitement de segments énumérés…

Le présent chapitre porte sur ces principes d'enchainement, qui sont inscrits dans la langue même et sont source d'erreurs ou de faiblesses fréquentes. Quelques commentaires sur la façon dont la mise en pages et la typographie contribuent à la cohérence des documents ferment le chapitre.

12.1 La progression de l'information

La progression textuelle demande que chaque phrase apporte de l'information nouvelle. Sur le plan informatif, une phrase se divise ainsi en deux constituants : le **thème** (ce dont on parle), qui est généralement déjà connu, et le **propos** (ce qu'on en dit), qui correspond à l'information nouvelle. Les deux phrases de l'enchainement suivant se découpent comme suit sur le plan de l'organisation de l'information.

Thème	Propos	Thème	Propos

Lucie est contente. Elle a obtenu le premier prix.

Le thème de la deuxième phrase est connu, puisqu'il est repris de la phrase précédente ; le propos est nouveau, encore qu'étroitement lié au propos de la première phrase, qu'il explicite en donnant la raison pour laquelle Lucie est contente. Si la continuité du texte oblige à reprendre de phrase en phrase des éléments, la progression, elle, oblige à introduire constamment de nouveaux propos. Il s'agit là d'une contrainte qu'on respecte le plus souvent sans y penser, du moins sur une courte séquence de texte. Quand on répète de façon évidente, c'est intentionnellement.

> Lucie est contente. Elle est tellement contente ! Elle n'en revient pas.
> Elle est tellement, tellement contente !

Dans la dynamique de continuité et de progression, ce qui cause en fait le plus de difficulté, c'est de choisir la meilleure façon de **renouveler le thème**. Les difficultés que pose cette dynamique font l'objet de la présente section.

12.1.1 Les types de progression thématique

De façon naturelle, on tend à écrire sans (trop) se répéter, du moins pas dans des segments rapprochés. Quand on lit, on sait aussi, « naturellement », que chaque phrase apporte du nouveau tout en étant liée à ce qui précède : on se sert d'ailleurs de cette compétence de lecture pour lire plus rapidement, pour chercher un changement de thème quand on trouve que le texte fait du « surplace » ou pour revenir en arrière au bon endroit quand notre esprit a vagué ailleurs pendant qu'on lisait.

Une connaissance technique des mécanismes de la progression thématique peut favoriser une lecture et une écriture plus efficaces. Ainsi, quand on écrit et qu'on peine à donner forme à des idées, à construire une séquence de texte, on peut s'appuyer sur le fait que les modalités d'enchainement thématique sont limitées pour trouver le point de départ de la nouvelle phrase. De même, à la lecture, la connaissance des mécanismes de progression aidera à comprendre les relations entre les phrases lorsque le propos est difficile à suivre, que ce soit parce que le sujet nous est peu familier ou que l'écriture manque de limpidité. Voici donc les différentes façons de faire progresser l'information de phrase en phrase.

On peut progresser à partir du **thème**.

> <u>Lucie</u> est contente. **Elle** a obtenu le premier prix.

On peut aussi progresser à partir du **propos**.

> Lucie a remporté <u>le premier prix</u>. **Celui-ci** lui permettra de se consacrer entièrement à son art pendant toute une année.

> Lucie <u>a remporté le premier prix</u>. **Cela** lui permettra de se consacrer entièrement à son art pendant toute une année.

Bien souvent, on ne reprend qu'une partie du thème ou du propos. On « dérive » un **nouveau thème**.

> Élu à l'Académie française en 2014, Dany Laferrière a prodùit <u>une œuvre prolifique, où il est souvent question d'Haïti</u>. ***L'énigme du retour**, paru en 2009, lui avait valu plusieurs prix, dont le Prix Médicis et le Prix des libraires du Québec.

Le découpage peut s'étendre sur plusieurs phrases : à partir d'un thème général, ou « **hyperthème** », on dérive plusieurs **sous-thèmes**. L'hyperthème se trouve fréquemment dans la première phrase du paragraphe.

> Lauréat du Prix littéraire du Gouverneur général du Canada en 1999, Herménégilde Chiasson se définit comme <u>un artiste multidisciplinaire</u>. **Le poète** a publié une quinzaine de recueils de poésie. **Comme cinéaste**, Herménégilde Chiasson a réalisé une douzaine de films (dont plusieurs primés). **Homme de théâtre**, il a écrit de nombreuses pièces, notamment pour les jeunes publics. C'est aussi **un artiste visuel** qui a participé à plus de cent expositions, dont une vingtaine en solo.

Dans les textes, on combine les différentes façons de progresser. Certains types de textes se prêtent cependant bien à un type de progression ou à un autre sur des enchainements plus ou moins longs. Ainsi, la **narration** emprunte facilement la **répétition** d'un pronom en position thématique sur plusieurs phrases.

> Ce matin-là, <u>Marie</u> se leva d'excellente humeur. **Elle** avait obtenu le premier prix! **Elle** allait pouvoir passer ses journées entières dans son studio! **Elle** n'irait plus huit heures par jour répondre aux récriminations de tous les clients insatisfaits de la qualité des services!

La **description** procède presque naturellement par **dérivation**, c'est-à-dire par reprise partielle, d'un élément qui joue souvent le rôle d'hyperthème.

> Elle franchit sans hésiter le seuil de <u>ce monde mystérieux</u>. **Des robots lilliputiens** s'activaient à des tâches énigmatiques. **Des Martiens à lunettes vertes** parlaient tous en même temps. **Trois informaticiens, café à la main,** se grattaient la tête devant un serveur grimaçant.

Certaines chansons, le plus souvent enfantines, s'appuient entièrement sur la répétition du propos de la phrase précédente.

> Dans le cœur il y a <u>l'amour</u>
>
> **L'amour** est dans <u>le cœur</u>
>
> **Le cœur** est dans <u>l'oiseau</u>
>
> **L'oiseau** est dans <u>le n'œuf</u>
>
> **Le n'œuf** est dans <u>le nid</u>
>
> (Extrait de la chanson *L'arbre est dans ses feuilles*)

Sauf par effet ludique, ce genre de progression n'est pas viable très longtemps.

Dans une phrase, l'élément repris du texte antérieur peut occuper toutes les fonctions. Pour être thématique, cependant, une reprise doit occuper le début de la phrase, c'est-à-dire être soit sujet (ou partie du sujet), soit complément de phrase en tête de phrase.

Sujet :

> Tout le monde criait, des pétards explosaient, des sirènes hurlaient. **L'effroyable vacarme** n'empêchait pas Jules d'écouter paisiblement la musique de son baladeur numérique.

Partie du sujet (complément du nom antéposé devant le nom noyau du groupe sujet) :

> Tout le monde criait, des pétards explosaient, des sirènes hurlaient. **Indifférent à ce vacarme**, Jules continuait à écouter paisiblement la musique de son baladeur numérique.

Complément de phrase en tête de phrase :

> Tout le monde criait, des pétards explosaient, des sirènes hurlaient. **Malgré le vacarme**, Jules continuait à écouter paisiblement la musique de son baladeur numérique.

À l'écrit comme à l'oral, on s'arrête rarement à penser au type de progression qui convient, ce qui ne veut pas dire que la progression soit sans contraintes ou que tout se vaille. Le manque d'enchaînement et les enchaînements maladroits arrêtent la lecture, ou à tout le moins la rendent difficile.

> Tout le monde criait. Il y avait des pétards qui explosaient. Jules entendait des sirènes hurler. C'était un vrai vacarme. Jules restait indifférent. Son baladeur numérique le protégeait du vacarme.

Les maladresses dans cette dernière variante sont nombreuses. Pourquoi ajouter le présentatif *il y a*, alors que la deuxième phrase présente un élément de description qui s'additionne naturellement à l'idée de la première phrase et que des structures syntaxiques plus similaires donneraient mieux à voir les deux phrases comme des éléments de description conjoints? Même chose pour la troisième phrase: la subordination du hurlement des sirènes à *Jules entendait* empêche de voir les trois éléments de description comme parties constitutives d'un tout: le vacarme. Le présentatif *C'était* est également superflu et maladroit: il a pour effet de repousser *un vrai vacarme* en position de propos, alors qu'on peut en faire un thème résumant les trois éléments de description qui précèdent. Et si on place le vacarme en thème, on peut tout de suite, dans cette même phrase, dire son effet sur Jules. Le morcèlement inutile et les répétitions gauches qui caractérisent le passage ci-dessus en rendent la lecture peu agréable… et donc moins efficace.

À côté des maladresses, il existe aussi de véritables fautes dans la progression. C'est souvent le cas dans le **choix du pronom de reprise** et dans le **choix du déterminant dans les reprises nominales**. Et, même lorsqu'il n'y a pas faute, on peut souvent améliorer la cohérence textuelle en travaillant la progression thématique. Les exercices qui suivent visent à vous amener à prêter attention au rôle de la progression dans la cohésion du texte.

Exercice 12.1

Mettez en lumière le fonctionnement de la progression dans les passages suivants en identifiant les reprises qui sont en position thématique et ce qu'elles reprennent. Indiquez également si la reprise se fait à partir du thème ou du propos de la phrase précédente.

■ Le thème central de l'œuvre de Gabrielle Roy est la peine et la solitude humaines, que rachètent l'amour de la création et l'espérance d'un monde de réconciliation entre tous les êtres humains. **Plusieurs de ses romans** portent sur son Manitoba natal, mais **l'œuvre de Roy** n'y est pas entièrement consacrée. **Elle** traite de nombreux sujets, comme la vie ouvrière, la solitude, le monde de l'artiste, la diversité des cultures, la nature, l'enfance.

Plusieurs de ses romans: reprise dérivée de *l'œuvre de Gabrielle Roy*

(partie du thème de la phrase précédente)

l'œuvre de Roy: reprise de *l'œuvre de Gabrielle Roy*

(en thème, deux phrases syntaxiques plus haut)

Elle: reprise de *l'œuvre de Roy* (thème de la phrase précédente)

1 Il n'y a pas si longtemps, la tendance était de créer des biosphères, dans un but de préservation. Le but était louable, mais l'approche présentait énormément de limites. Les pressions économiques et politiques sont telles que ces réserves finissent par être exploitées.

2 L'histoire de l'Iran se reflète dans la mosaïque ethnique qui le compose. Les Perses, qui forment près de la moitié de la population, sont le groupe dominant dans le nord et le centre du pays; ils habitent surtout les villes. Le second groupe ethnique est celui des Azéris, dans le nord-ouest du pays; ce sont surtout des agriculteurs, des pasteurs et des commerçants. Les montagnes du Zagros, à l'ouest, sont peuplées par des Kurdes, des Lurs et des Bakhtiyaris, qui, traditionnellement, étaient des pasteurs nomades. Dans le sud-ouest vivent de nombreux Arabes, qui travaillent notamment dans l'industrie pétrolière. Le sud-est est habité par des Baloutches, ethnie de tradition pastorale nomade.

_____

_____

_____

_____

_____

_____

_____

_____

Exercice 12.2

Déterminez quel est l'hyperthème (le thème général) des passages suivants. (Aidez-vous au besoin d'un atlas ou d'Internet pour localiser les lieux mentionnés dans la première question.)

1 Chichén Itzá est le plus extraordinaire des sites mayas: nous y avons passé trois jours! Mérida nous attend demain. Puis Progreso, où nous finirons par une semaine de farniente au bord de la mer. Nous pensons à vous.

Papa et maman

_____

2 Les chambres sont spacieuses, le petit déjeuner est plantureux et l'accueil, chaleureux. L'hôtel des Trois Cloches, tout près de la cathédrale, est le meilleur camp de base pour explorer la vieille ville.

_____

Exercice 12.3

Expliquez en quoi la progression est douteuse ou mauvaise dans les expressions en gras des passages suivants et corrigez-la.

1 En consultant mon curriculum vitæ, vous constaterez que je suis un candidat consciencieux et dynamique, qui possède le niveau de rigueur et de clarté indispensable pour fournir un enseignement de qualité. Plus précisément, **mes responsabilités en tant que professeur dans le secteur technologique** m'ont permis de découvrir à quel point l'enseignement présente un caractère à la fois stimulant et valorisant.

_____

_____

_____

_____

_____

_____

2 Les garçons au comportement actif ne semblent pas toujours avoir leur place dans les écoles mixtes. L'école séparée devrait-elle être envisagée ? **En offrant plus de temps d'activité physique, les garçons** seraient en mesure de se concentrer davantage en classe.

_____

_____

_____

_____

_____

12.1.2 Les types de reprises de l'information

La continuité du texte est assurée avant tout par les **reprises d'information** d'une phrase à l'autre. L'extrait suivant en présente plusieurs types.

> On ne dira jamais assez la souffrance, le désarroi et la rancœur causés par le bruit. Pourtant, **le bruit** est bien l'une des dernières calamités que l'on essaie d'enrayer, et **les souffre-douleur du bruit** passent pour des faiblards et des geignards incapables de faire face à la musique du monde moderne. Mais **le vacarme assourdissant des autoroutes et des boulevards, le vrombissement turboréacté des avions, le tapage lancinant des boîtes de nuit et des bars, l'assommoir journalier du métro, le viol de l'intimité par la télévision et le système de son du voisin, le saccage du silence perpétré par des motocyclettes réveillant une ville endormie à trois heures du matin** comptent parmi les plaies de la vie moderne qui empoisonnent l'existence à petite dose, vous déboussolent et vous assaillent sans rémission jusqu'à ce que, de guerre lasse, vous cédiez à leur emprise funeste. Non, **le bruit** est un mal si géant, si monstrueux que se taire à son sujet est s'en rendre complice. Il introduit la chicane dans les ménages, stresse le travailleur, dépassionne les amants, énerve l'enfant, étourdit l'adolescent et accable le vieillard. Il écourte le sommeil, parasite les bons moments de la vie, déconcentre l'étudiant et le créateur. **Le bruit** agit comme cette ancienne torture chinoise qui consiste à arracher à la victime cent bouchées de chair. Il siphonne, par petites succions mortifères, votre sève intérieure, jusqu'au total écervellement. **Le bruit,** comme la cigarette, abrège les jours.
>
> (Marc Chevrier, « Lamentations d'un martyr du bruit »)

Le rapport entre une reprise et son antécédent (ce qui est repris) peut être décrit **grammaticalement** : ainsi, la substitution d'un nom par un pronom est une pronominalisation. On peut aussi le décrire **sémantiquement** : le rapport entre un GN de reprise et son antécédent peut en effet être synonymique, périphrastique, etc.

Le classement grammatical des reprises

Sur le plan **grammatical**, on peut distinguer trois grandes catégories de reprises : les reprises par pronominalisation ; les reprises nominales, qui peuvent mettre en œuvre diverses transformations par rapport à l'antécédent ; et les reprises adverbiales.

a) Reprises par **pronominalisation** d'un GN, d'un GPrép ou d'une ou de plusieurs P

<u>le bruit</u> → **il**

<u>À la campagne</u>, ce n'est guère mieux. Le bruit **y** est tout aussi omniprésent.

<u>Le silence est mort</u>. **Cela** dérange de plus en plus de gens.

b) Reprises **nominales**

- Reprise par simple **répétition d'un GN** (ou d'un pronom)

<u>le bruit</u> → **le bruit**

<u>Elle</u> aime travailler en écoutant de la musique. **Elle** se concentre mieux ainsi.

(Il n'y a pas ici de pronominalisation, mais simple répétition d'un pronom.)

- Reprise d'un GN **avec modification**

 – changement de déterminant : <u>un bruit</u> → **ce bruit**

 – changement de nombre et changement de type de déterminant : <u>le bruit</u> → **certains bruits**

 – ajout d'une expansion : <u>le bruit</u> → **le bruit nocturne**

 – changement de l'expansion : <u>le bruit de la ville</u> → **le bruit nocturne**

 – troncation de l'expansion : <u>le bruit nocturne</u> → **le bruit**

 – changement de noyau : <u>le bruit</u> → **les assauts du bruit**

 – renvoi au nom repris par un déterminant possessif : <u>le bruit</u> → **ses effets**

- Reprise d'un GV, d'un GAdj, d'un GAdv ou d'une P par **nominalisation**

Le bruit <u>assaille nos oreilles</u>. **Cette agression** dérange de plus en plus de gens.

Le bruit est devenu <u>omniprésent</u>. **Cette omniprésence** dérange de plus en plus de gens.

Le bruit est <u>partout</u>. **Cette omniprésence** dérange de plus en plus de gens.

<u>Le bruit est partout</u>. **Cette omniprésence du bruit** dérange de plus en plus de gens.

c) Reprises **adverbiales** (au moyen de *ici*, *là*, *ainsi*, *alors*, etc.) d'un groupe, d'une phrase ou d'une série de phrases

Rien ne sert d'aller <u>à la campagne</u>. Même **là**, le bruit est omniprésent. Pour en être conscient, il faut tout d'abord <u>muscler sa sensibilité, avoir le courage du silence et savoir dire non aux paillettes brulantes du bruit</u>. **Alors**, la vraie musique, celle qui est écoutée dans sa pleine mesure, qui arrive à point et qu'on a eu le temps de désirer, n'en sonnera que meilleure.

Le classement sémantique des reprises

Sur le plan **du sens**, on peut aussi distinguer divers rapports entre l'antécédent et la reprise. Une première distinction oppose les reprises **totales** des reprises **partielles**.

a) Reprises totales

> le bruit → **le bruit**
>
> le bruit → **il**

b) Reprises partielles

> les bruits → **certains d'entre eux**
>
> le bruit → **les assauts du bruit**

Il est intéressant de noter que la plupart des reprises ne sont pas totales. La construction du sens au fil du texte rend nécessaire un renouvèlement constant du thème. Ainsi, à l'exception des simples répétitions ou pronominalisations totales, les reprises comportent toujours un apport. Les synonymes mêmes ne se recouvrent presque jamais de façon totale, comme il a été vu dans le chapitre 8 sur l'emploi du mot juste. On peut classer comme suit les relations qu'introduisent les reprises.

- Une **reprise synonymique** introduit un angle nouveau.

  > les souffre-douleur du bruit → **les martyrs du bruit** (Valeur superlative)

- Une **reprise générique** effectue un classement, objectif ou subjectif.

  > les sons → **le bruit**

- Une **reprise périphrastique** (par un groupe de mots synonyme d'un seul mot) apporte un commentaire, une explication, une image.

  > le bruit → **la musique du monde moderne**

- Une **reprise associative** fait dériver le thème, en développe un aspect.

  > le bruit → **les assauts du bruit**

- Une **reprise** synthétique reprend un segment de texte plus ou moins loin (une phrase, un paragraphe, plusieurs paragraphes) et donne un nouveau point de départ.

  > *Le bruit est devenu non seulement une nuisance, mais encore une menace grave pour la santé. Les effets sur la santé de l'exposition au bruit constituent en fait un problème de santé publique de plus en plus important.* Face à **cet état de choses…**

Ce double classement, grammatical et sémantique, est nécessaire pour cerner les erreurs et les maladresses en matière de reprises. Certaines témoignent d'une faible maitrise de la langue soutenue, mais gênent peu la communication ; d'autres ont des effets plus profonds sur la construction du sens dans le texte et nuisent davantage à la communication. La partie suivante propose un tour d'horizon des erreurs et des maladresses qu'on rencontre le plus souvent dans les reprises.

12.1.3 Les erreurs et les maladresses dans les reprises de l'information

Dans le contexte de la cohérence, on utilise souvent deux termes pour parler de ce qui est repris : *antécédent* et *référent*. Le mot *antécédent* désigne le segment de texte qui est repris. Le mot *référent*, lorsqu'on l'oppose à *antécédent*, désigne ce à quoi renvoie la reprise du point de vue du sens : une reprise peut en effet renvoyer à l'antécédent de façon totale ou partielle ; elle peut par ailleurs renvoyer à une réalité qui n'est pas explicitement nommée dans le texte. La notion de référent est donc nécessaire, notamment pour comprendre les défauts de reprise sans antécédent.

Le genre ou le nombre incorrect dans les reprises pronominales et nominales

Une reprise pronominale doit être de même genre et de même nombre que son antécédent.

> <u>La plupart des familles rurales</u> élèvent des animaux et cultivent du maïs, du riz et des haricots pour leur subsistance ou pour le marché local. Nombre d'entre ^x**eux** (→ **elles**) doivent également travailler dans les plantations.

Le mot *familles* étant féminin, le pronom de reprise doit évidemment l'être aussi. La faute la plus courante en ce qui concerne le genre du pronom de reprise est de reprendre le nom *personnes* par le pronom *ils* ; extrêmement courant à l'oral, cet emploi est à bannir à l'écrit.

> <u>Vingt-mille personnes</u> ont participé à la manifestation : ^x**ils** (→ **elles**) sont resté(e)s devant le consulat pendant des heures malgré le froid intense.

Comme la reprise pronominale, la reprise nominale est généralement aussi du même nombre que son antécédent (à l'exception de la reprise associative, qui ne sera pas nécessairement au même nombre, puisque le thème est différent). Or, les erreurs sont fréquentes.

> <u>Les devoirs à la maison</u> sont nécessaires pour consolider les apprentissages de la journée. Grâce ^x**au devoir** (→ **aux devoirs**), l'enfant peut en effet s'exercer et revoir au besoin les notions qui n'ont pas été correctement acquises.

À NOTER

Le déterminant possessif dans les reprises associatives

Dans les reprises associatives comprenant un **déterminant possessif** (*mon*, *ton*, *son*, etc.), il faut particulièrement faire attention à la personne de ce déterminant.

Si l'antécédent est singulier, le déterminant possessif compris dans la reprise sera de la 3e personne du singulier. Si l'antécédent est pluriel, le déterminant possessif compris dans la reprise sera de la 3e personne du pluriel.

Antécédent singulier	Antécédent pluriel
un enfant → **son** chapeau	les enfants → **leur** chapeau / **leurs** chapeaux
le devoir → **ses** bienfaits	les devoirs → **leurs** bienfaits

Les erreurs de nombre dans une reprise avec déterminant possessif sont assez courantes, notamment parce qu'on peut utiliser un GN singulier dans un sens générique désignant l'espèce, la catégorie.

> <u>Le tigre</u> est un animal féroce. ^x**Leurs griffes** (→ **Ses griffes**) peuvent déchirer...
>
> <u>La chaise Bionics Confort</u> est révolutionnaire ! ^x**Leurs pieds** (→ **Ses pieds**) en alliage d'aluminium et de titane vous permettent de...

Les erreurs se rencontrent aussi fréquemment quand l'antécédent est un nom collectif.

> <u>La classe</u> s'est concertée pour discuter du travail avec le professeur. ^x**Leur principale crainte** concerne...

Comme il est difficile d'attribuer la crainte à une entité abstraite comme la classe, on changera plutôt la reprise.

> <u>La classe</u> s'est concertée pour discuter du travail avec le professeur.
> **La principale crainte des élèves** concerne…

Même pour une entité abstraite, on peut souvent garder une reprise avec déterminant possessif.

> le gouvernement → ses projets (et non ^Xleurs projets)
>
> le journal *Le Devoir* → ses journalistes (et non ^Xleurs journalistes)

Exercice 12.4

Corrigez les erreurs de genre ou de nombre dans les reprises contenues dans les passages suivants.

1 Aujourd'hui, l'automobile est devenue indispensable. On ne saurait plus se passer de ces véhicules.

_____

2 Il y a des personnes qui travaillent trop. Ils n'ont pas l'occasion d'apprécier leurs biens.

_____

3 La Chine et l'Inde ont violemment rejeté les contraintes de nature à entraver leur développement, face à des pays qui ont cyniquement accumulé dans l'atmosphère la bombe à retardement du changement climatique. Mais ces nations, qui montent en puissance économiquement, ne pourront pas toujours se désolidariser des enjeux de la survie planétaire. On se réjouira toutefois qu'ils ne soient pas tombés dans le piège qui leur était grossièrement tendu, à cette étape, par les États-Unis.

_____

4 *Macadam Tribus*, c'était une émission drôle et intelligente. Visitez leur site Web à www.radio-canada.ca/refuge.

_____

5 Santé Canada est en phase de recrutement. Ils cherchent notamment des scientifiques et des techniciens.

_____

L'ambigüité référentielle du pronom de reprise

Dans un passage narratif ou descriptif, on peut créer un effet de surprise en ne présentant le référent qu'après la reprise. C'est le cas pour ce début de refrain.

> Ah! **la voici, la voici, la voilà**, <u>celle que j'aime, celle que j'aime</u>…

En général, cependant, il faut que le pronom soit décodable dès qu'on le lit, ou du moins qu'il n'y ait pas d'ambigüité possible, ce qui n'est pas le cas dans le passage suivant.

> Cet atelier a pour but de provoquer une remise en question des conceptions et des connaissances héritées de leur propre expérience en tant que <u>cadres</u>. Ces conceptions seront soumises à la discussion afin de ˣ**les** rendre réceptifs aux préoccupations des employés de leur service.

Lorsque le lecteur arrive au pronom *les*, il est porté à croire que le pronom renvoie à *Ces conceptions*. Ce n'est qu'en lisant le mot *réceptifs* qu'il comprend que le pronom renvoie à *cadres*. On pourra lever l'ambigüité en répétant le GN *les cadres*.

> Cet atelier a pour but de provoquer une remise en question des conceptions et des connaissances héritées de leur propre expérience en tant que <u>cadres</u>. Ces conceptions seront soumises à la discussion afin de rendre les cadres réceptifs aux préoccupations des employés de leur service.

On peut relever deux autres maladresses dans ce passage : le déterminant *leur* dans *leur propre expérience* apparait avant qu'on sache à quoi il réfère et par ailleurs la progression thématique stagne un peu : il y a en effet une répétition peu utile entre *une remise en question des conceptions* et *Ces conceptions seront soumises à la discussion*. On peut reformuler en une seule phrase.

> Cet atelier a pour but de provoquer chez les <u>cadres</u> une remise en question des conceptions et des connaissances héritées de leur propre expérience afin de **les** rendre plus réceptifs aux préoccupations des employés de leur service.

Le retrait de la répétition et l'intégration en une seule phrase resserrent le lien de sens entre *a pour but de provoquer* et *afin de rendre*, levant ainsi l'ambigüité référentielle du pronom *les* et du déterminant *leur*.

Voici trois situations d'ambigüité relativement faciles à éviter.

Plusieurs antécédents possibles pour un pronom

Ce genre d'ambigüité se produit notamment lorsqu'on a, en thème et en propos, deux GN qui sont du même genre et du même nombre.

> Les professeurs ont parlé avec les étudiants. ˣ**Ils** ne feront pas la grève.

Qui ne fera pas la grève ? Les professeurs ou les étudiants ? Si ce sont les étudiants, on peut reprendre par un démonstratif qui pointe vers le GN de la phrase précédente qui est le plus près.

> Les professeurs ont parlé avec <u>les étudiants</u>. **Ceux-ci** ne feront pas la grève.

On peut aussi reprendre par un pronom relatif qui subordonnera la deuxième phrase à la première.

> Les professeurs ont parlé avec <u>les étudiants</u>, **qui** ne feront pas la grève.

Si ce sont les professeurs qui ont décidé de ne pas faire la grève, il faudrait une reprise nominale, mais elle est difficile : on ne peut guère mettre de synonyme ou de périphrase, ni répéter simplement. Comme c'est bien une répétition qu'il faut malgré tout, le mieux est de faire l'ellipse du deuxième sujet, celui qui est répété, et de coordonner les deux GV.

> Les professeurs ont parlé avec les étudiants et ont annoncé/décidé (selon le sens qu'on veut) qu'ils ne feraient pas la grève.

La locution *ce dernier* est utilisée d'une façon très similaire à *celui-ci*. Elle reprend simplement le dernier élément, même en l'absence d'ambigüité grammaticale, en insistant sur le fait que c'est bien ce dernier élément qui est repris.

> On se réjouira que ces nations ne soient pas tombées dans le piège qui leur était grossièrement tendu, à cette étape, par <u>les États-Unis</u>. **Ces derniers** s'étaient en effet promis de repartir de Kyoto sans engagement contraignant pour leur économie.

Dans ce dernier exemple, on pourrait vouloir reprendre *les États-Unis* par « ils », puisqu'il n'y aurait pas d'ambiguïté grammaticale, mais les pronoms *il(s)* et *elle(s)* renvoient prioritairement au sujet de la phrase précédente, sauf quand la phrase est courte. Ainsi, la phrase suivante ne pose pas de problème.

> La concierge a rencontré <u>le propriétaire de l'immeuble</u>. Il l'a félicitée pour son travail.

Mais si la phrase précédente est longue et complexe (ou si son sujet l'est), on préférera *celui-ci/celle-ci* ou *ce dernier/cette dernière*, pour que le lecteur sache immédiatement ce qui est repris.

> Madame Thibodeau, la nouvelle concierge de l'immeuble qui a été embauchée il y trois mois, a finalement rencontré <u>son patron</u>. **Celui-ci/Ce dernier** l'a félicitée pour son travail.

Le changement d'antécédent ou de référent pour un même pronom répété

Il s'agit d'un cas particulier du cas précédent. En effet, lorsqu'on répète deux fois (ou plus) de suite le même pronom, il devrait chaque fois avoir le même référent. Ce n'est pas le cas dans l'exemple suivant.

> Lorsque l'étoile aura atteint la phase de géante rouge et que toute l'énergie de son noyau sera épuisée, <u>l'attraction gravitationnelle</u> ne sera plus contrée par l'effet d'expansion de la chaleur. **Elle** provoquera alors la contraction de l'étoile. Pendant la contraction, ^x**elle** gagnera en densité.

Que reprend le deuxième *elle*? Répète-t-il le premier *Elle* (l'attraction gravitationnelle) ou renvoie-t-il à autre chose? La lecture de la suite de la phrase oblige à lui donner comme antécédent *l'étoile*, mais le référent devrait être clair dès qu'on lit le pronom *elle*. On changera donc pour une reprise nominale.

> Pendant la contraction, **l'étoile** gagnera en densité.
>
> (Ou, en joignant les deux phrases : *L'étoile se contractera et gagnera alors en densité.*)

Voici un autre exemple.

> La diversité ethnique rend difficile toute généralisation à propos des familles iraniennes. La structure familiale dépend aussi de la religion et de la classe sociale. <u>On</u> peut cependant avancer qu'en général, <u>les Iraniens</u> accordent plus d'importance à l'unité et à l'honneur de la famille qu'à la satisfaction personnelle. Beaucoup préfèrent d'ailleurs vivre à proximité d'autres membres de la famille. C'est une société essentiellement patriarcale, et le chef de famille est habituellement l'homme le plus âgé. ^x**On** apprend très tôt aux enfants à être disciplinés et à respecter leurs ainés.

Les deux *On* ont des référents différents. Le premier ne reprend rien dans le texte : c'est un *on* d'analyse, qui renvoie en quelque sorte à l'auteur. Le second est une reprise associative du groupe *les Iraniens*. Or, les deux *On* sont trop près l'un de l'autre dans le texte pour ne pas avoir le même référent. Il faut donc remplacer l'un des deux *on* par autre chose et reformuler la phrase.

> Les enfants apprennent très tôt à être disciplinés et à respecter leurs ainés.

L'enchainement de pronoms personnels différents

Étant donné qu'un pronom de reprise doit normalement trouver son antécédent dans la phrase précédente, l'enchainement de deux pronoms personnels différents en position thématique pose souvent problème.

> La traduction de Monod est celle que j'ai préférée. Elle est en effet très fidèle au texte anglais. ˣ Il a notamment su garder le même ton que le texte de départ.
>
> → **Monod** a notamment su garder le même ton que le texte de départ.

En réalité, la faute est ici double, la reprise d'une partie seulement du sujet par un pronom personnel en position thématique étant en soi à éviter. (*Voir la section « La reprise difficile d'un complément dans un GN par un pronom personnel en position thématique » un peu plus loin dans ce chapitre.*)

L'absence d'antécédent « récupérable »

Les reprises pronominales doivent presque toujours avoir leur antécédent dans le contexte immédiat. Dans l'exemple qui suit, l'antécédent du pronom de reprise en gras est vraiment trop loin dans le texte.

> Lorsque l'étoile aura atteint la phase de géante rouge et que toute l'énergie de son noyau sera épuisée, l'attraction gravitationnelle ne sera plus contrée par l'effet d'expansion de la chaleur. Elle provoquera alors la contraction de l'étoile. Pendant la contraction, l'étoile gagnera en densité. Les atomes d'hydrogène fusionneront pour former de l'hélium et ensuite, les atomes d'hélium fusionneront pour former du fer. ˣ **Elle** deviendra ensuite très chaude puisque l'énergie cinétique de la chute vers le noyau sera transformée en chaleur.

L'antécédent du pronom *Elle*, le GN *l'étoile*, se trouve deux phrases plus haut dans le texte et, même si la phrase intercalée ne contient aucun nom féminin singulier qui puisse être l'antécédent de *Elle*, la distance empêche la reprise pronominale. Les pronoms de reprise doivent en effet se substituer à quelque chose qui est très présent dans l'esprit ; or, la progression thématique de phrase en phrase a pour effet que ce qui est le plus présent, c'est ce qui est dans la phrase précédente. Pour corriger la reprise de l'exemple ci-dessus, on peut simplement répéter le nom.

> Pendant la contraction, l'étoile gagnera en densité. Les atomes d'hydrogène fusionneront pour former de l'hélium et ensuite, les atomes d'hélium fusionneront pour former du fer. **L'étoile** deviendra ensuite très chaude puisque l'énergie cinétique de la chute vers le noyau sera transformée en chaleur.

Exercice 12.5

Corrigez les erreurs relevant d'une ambigüité référentielle ou d'une absence d'antécédent dans les reprises en gras.

1 La directrice des stages a rencontré la directrice de l'école pour lui demander d'accepter le plus de stagiaires possible. **Elle** a répondu qu'elle ferait son possible.

2 À la fin des cours, les instruments doivent être rangés afin d'éviter qu'ils ne soient endommagés. Les espaces de rangement doivent ensuite être fermés à clé par les professeurs. En partant, **ils** remettent la clé au concierge et signent le registre.

La reprise difficile d'un complément dans un GN par un pronom personnel en position thématique

L'antécédent d'un pronom personnel doit être clair. Dès qu'il y a ambigüité quant à l'antécédent, on reprend par un pronom démonstratif ou par un autre moyen, comme il a été vu dans le point précédent. Même lorsqu'il n'y a pas d'ambigüité, la reprise par un pronom personnel n'est pas toujours possible. C'est souvent le cas lorsqu'on veut reprendre un complément dans le groupe sujet, ou encore un complément dans un groupe complément de verbe ou de phrase.

Avec une reprise par un pronom personnel, on s'attend en effet à ce que tout le groupe soit repris.

> L'œuvre de Conrad a été abondamment traduite. **Elle** a même été publiée dans la collection La Pléiade.

C'est pourquoi une reprise comme la suivante peut être déstabilisante pour le lecteur.

> La traduction de Monod est excellente. ˣIl a notamment su garder le même niveau de langue que le texte de départ.

Pourquoi ne pas garder le même thème et continuer à parler de la traduction ?

> La traduction de Monod est la meilleure des quatre. **Elle** reproduit notamment le même niveau de langue que le texte de départ.

Dans le cas d'une progression à thème dérivé, on préfèrera généralement une reprise nominale (surtout si la phrase précédente a un peu de complexité).

> La traduction de Monod est meilleure que les trois autres. **Monod** a notamment su garder le même niveau de langue que le texte de départ.

La progression à thème dérivé est un découpage, au moyen d'une reprise partielle (on ne reprend qu'une partie de l'antécédent) ou d'une reprise associative (on découpe par ajout à l'antécédent ou par association pure). Les choix de reprises dans la progression à thème dérivé sont multiples. Dans le cas qui nous intéresse ici, plutôt que de passer de la traduction au traducteur, la progression pourrait plutôt se faire de la traduction à un **aspect** de la traduction.

> La traduction de Monod est la meilleure des trois. **Le niveau de langue** est notamment le même que celui du texte de départ. (Dérivation de tout à partie)

Exercice 12.6

Corrigez les reprises pronominales dans les passages suivants.

1 La profession des enseignants a besoin d'être revalorisée. En effet, ils ne sont pas reconnus à leur juste valeur.

_____

_____

2 En partant, déposez la clé de votre chambre à la réception. Elle doit être libérée avant midi.

_____

_____

3 La fillette a appris les mots désignant la robe du cheval. S'il est brun, on dira qu'il est alezan ou bai ; si son pelage est brun et parsemé de poils blancs, on dira qu'il est aubère ou rubican.

_____

_____

L'absence totale d'antécédent pour la reprise pronominale

Comme il a été vu plus haut, un GN singulier ne peut être repris que par un pronom singulier, et un GN pluriel ne peut l'être que par un pronom pluriel.

> <u>Les athlètes canadiens</u> se sont bien entraînés et **ils** sont prêts à relever le défi.

> L'équipe canadienne s'est bien entraînée et **elle** est prête à relever le défi.

On ne peut combiner les deux.

> ^X<u>L'équipe canadienne</u> est prête à relever le défi, car **ils** se sont bien entraînés.

À l'oral familier, on a souvent tendance à reprendre un nom collectif ou un nom de lieu singulier par un pronom pluriel.

> Nous avons téléphoné trois fois au service à la clientèle pour nous plaindre. Chaque fois, ^X**ils** nous ont dit d'attendre encore un peu.

Le groupe *service à la clientèle* ne peut être repris par un pronom pluriel à l'écrit (de surcroit, un service à la clientèle ne peut rien dire : ce sont les personnes qui y travaillent qui parlent). Plutôt qu'un pronom de reprise (*ils*), il faut utiliser le pronom *on* ou tourner la phrase autrement.

> Nous avons téléphoné trois fois au service à la clientèle pour nous plaindre. Chaque fois, **on** nous a dit d'attendre encore un peu.

> Nous avons téléphoné trois fois au service à la clientèle pour nous plaindre. Chaque fois, **nous** nous sommes fait dire d'attendre encore un peu.

En fait, sauf si on veut créer un effet de surprise, un pronom de reprise doit obligatoirement avoir un antécédent.

> Elle comprend bien le comportement adolescent, y compris les excuses employées par ^X**ceux-ci**, et sait leur montrer comment tirer profit de leurs différences culturelles dans le système scolaire.

Il n'y a pas de nom *adolescents* dans le contexte, mais seulement l'adjectif *adolescent*. Un pronom de reprise ne peut en principe reprendre un adjectif. Même si le référent de *ceux-ci* se récupère sans difficulté, il est plus soigné, sur le plan grammatical, d'avoir un réel antécédent à la reprise. On se rend compte ensuite qu'on n'a plus besoin d'un pronom démonstratif, qui pointe un antécédent parmi plusieurs, mais qu'un simple pronom personnel suffit.

> Elle comprend bien le comportement <u>des adolescents</u>, y compris les excuses qu'**ils** emploient, et sait leur montrer comment tirer profit de leurs différences culturelles dans le système scolaire.

Exercice 12.7

Corrigez les erreurs relevant d'une absence d'antécédent pour la reprise dans les passages suivants.

1 Avant de prendre la route, appelez le service de météo. S'ils annoncent de la poudrerie, évitez l'autoroute.

2 Les nouveaux employés ne peuvent pas toujours prendre de vacances estivales. Cette saison est en effet très chargée pour nous et les derniers arrivés dans l'entreprise devront même accepter de faire des heures supplémentaires.

3 L'homme est finalement rattrapé par les deux policiers et mis en état d'arrestation. C'est en vérifiant le contenu de celle-ci qu'ils trouvent, dans le coffre arrière, un cadavre encore tout chaud.

4 Le gouvernement de l'Ontario de l'époque avait été critiqué pour sa décision. Le budget de la province avait en effet été présenté dans le hall d'une compagnie figurant au nombre de leurs donateurs.

L'abus de *cela*

Employé comme reprise, le pronom démonstratif *cela* (ou *ça* à l'oral ou à l'écrit familier) a généralement une valeur synthétique, c'est-à-dire qu'il reprend un groupe verbal, une phrase, une série de phrases, un paragraphe ou une section de texte plus grande.

> Le gouvernement <u>a encore réduit notre budget et l'aide qu'il nous apportait sous forme de services gratuits</u>. **Cela** nous obligera probablement à fermer nos portes.

> <u>Les suppléments nutritionnels ont un rôle à jouer dans le traitement des plaies de lit superficielles et surtout des plaies en profondeur</u>. Mais **cela** ne signifie pas qu'on puisse les considérer comme mesures préventives.

Le pronom *cela* est bien employé dans les deux exemples précédents, encore qu'on pourrait reprendre par *ces réductions* dans le premier cas. Dans l'exemple suivant, qui est un condensé d'une intervention orale à la Chambre des communes, on enchaine plusieurs *cela*, dont aucun ne serait très heureux s'il s'agissait d'un texte écrit.

> Un conflit de travail qui perdure a des conséquences énormes pour une famille. Il y a beaucoup de femmes seules vivant avec des enfants parmi les grévistes et celles-ci doivent souvent s'endetter pour survivre. Il est inacceptable que **cela** se produise de nos jours. **Cela** entraine des couts inutiles dans le domaine de la santé. En effet, les gens deviennent nerveux, malades. Il faut aussi tenir compte de tous les couts que **cela** génère quand on s'endette : c'est l'économie qui écope.

(Adapté de *Hansard*, n° 93, 1er mai 2003.)

Dans un texte rédigé, le premier *cela* et le verbe qui suit pourraient être remplacés par une tournure idiomatique et un adverbe de reprise.

> … que les choses se passent **ainsi** de nos jours.

Le deuxième peut être remplacé par une reprise nominale explicite.

> **Les conflits de travail qui s'éternisent** entrainent des couts dont on n'a pas besoin dans le domaine de la santé.

Enfin, dans le dernier cas, on peut tout simplement éliminer la reprise en remplaçant la subordonnée circonstancielle par un groupe nominal.

> Il faut aussi tenir compte de tous les couts que génère **l'endettement**.

Lorsque *cela* introduit une conséquence, on peut souvent le remplacer par *ce qui*.

> Le gouvernement <u>a réduit notre budget et l'aide qu'il nous apportait sous forme de services gratuits</u>. **Cela** nous pose un problème énorme.

> → Le gouvernement <u>a réduit notre budget et l'aide qu'il nous apportait sous forme de services gratuits</u>, **ce qui** nous pose un problème énorme.

Essayez de retrouver la reprise utilisée à l'origine dans les passages suivants au lieu de la reprise *cela*.

1 Il n'y a pas si longtemps, la tendance était de créer des biosphères, dans un but de préservation. **Cela** était louable, mais l'approche présentait énormément de limites.

2 Quant à moi, j'estime que le paysage sonore est une dimension aussi importante de l'écologie que le paysage visuel ou la préservation des écosystèmes. Pour être conscient de **cela**, il faut tout d'abord muscler sa sensibilité, avoir le courage du silence et savoir dire non aux paillettes brulantes du bruit. **En faisant cela**, la vraie musique, celle qui est écoutée dans sa pleine mesure, qui arrive à point et qu'on a eu le temps de désirer, n'en sonnera que meilleure.

Remplacez *cela* par des reprises plus explicites.

1 La clé du succès pour disposer de plus de temps est sans doute de déterminer ce qui compte le plus pour vous. Est-ce la réussite professionnelle, le temps que vous consacrez à votre famille ou à une activité sportive ? Si vous établissez **cela** au départ, vous serez mieux en mesure de choisir le nombre d'heures que vous souhaitez consacrer au travail.

2 Je pense que j'ai toutes les compétences requises pour ce travail et je serais ravie de vous rencontrer afin que nous puissions discuter de **cela**.

3 « Le bio, c'est bien beau, mais on n'a pas les moyens de se payer ça. » Qui n'a pas déjà entendu ce discours ou ne l'a pas lui-même prononcé ? Pourquoi est-ce comme **cela** ?

Les erreurs et maladresses lexicales dans les reprises nominales

Les reprises nominales sont aussi source d'erreurs et de maladresses. Très souvent, ce sont des maladresses d'ordre lexical : choisir un synonyme ou un terme synthétique ou générique approprié demande en effet une bonne maitrise du vocabulaire. La créativité est également en cause : trouver une bonne périphrase ou des reprises associatives évocatrices exige un effort. L'extrait du texte sur le bruit présenté plus haut renfermait des reprises témoignant d'une recherche consciente de termes expressifs : *vacarme, tapage, viol de l'intimité, saccage du silence* décrivent avec éloquence ce que pense l'auteur du bruit.

La formulation des reprises met en œuvre la force de la pensée et la créativité. Elle témoigne en toute clarté de la maitrise rédactionnelle du scripteur. Il vaut donc la peine d'y accorder son entière attention. Le chapitre 8 sur l'enrichissement lexical (« L'emploi du mot juste ») vous a donné les outils pour travailler dans ce sens.

Exercice 12.10

Remplacez les reprises nominales en gras par des reprises moins répétitives sur le plan des mots mêmes ou du sens.

1 Apprendre dans le bruit, est-ce possible ? **Le bruit** causé par les enfants dans les classes primaires et **le bruit** extérieur sont tels qu'ils peuvent nuire au processus d'apprentissage des jeunes élèves des écoles primaires.

_____

_____

2 Le chercheur a effectué des relevés de bruit dans des écoles primaires. **Le niveau de bruit** y variait de 40 à 70 dB (décibels).

_____

3 Depuis le début du xxe siècle, l'économie de l'Iran repose essentiellement sur la production de pétrole et de gaz naturel, que contrôle l'État. **L'économie** est donc très dépendante des fluctuations de prix du baril de pétrole au niveau mondial.

_____

_____

4 Le Concours provincial de français de l'Ontario vise à encourager les jeunes à poursuivre des études universitaires en français. Il a vu le jour en 1938, à l'initiative de Robert Gauthier, qui était alors directeur de l'enseignement en français pour la province. Le Concours s'adresse aux élèves de 12e année des écoles secondaires francophones de l'Ontario et offre aux participants la chance de remporter des bourses et des prix fort intéressants. Cette année, **le Concours** se tiendra à l'Université Laurentienne, à Sudbury.

_____

_____

12.1.4 Les reprises de l'information et l'organisation du paragraphe

Avant de passer à l'emploi des connecteurs et des organisateurs textuels dans la construction de la cohérence du texte, il convient de bien voir que les reprises peuvent elles-mêmes **structurer** un paragraphe ou un enchainement plus grand. C'est le cas dans le paragraphe suivant, où la reprise *Son manque de cartésianisme*, combinée avec le connecteur d'addition *aussi*, met en lumière l'articulation du paragraphe en une double justification.

En observant le comportement de la France, on peut constater que ce pays est tout sauf cartésien. En effet, la France modifie sa politique étrangère selon qu'il s'agit de questions d'ordre mondial ou européen : elle est multilatéraliste pour les questions ne la touchant pas de trop près ou lorsque cela fait son affaire, mais suit l'exemple de George Bush et devient unilatéraliste au sein de l'Union européenne. **Son manque de cartésianisme** se manifeste **aussi** par l'attitude des Français face à la mondialisation : ils ont fait un héros du chantre de l'antimondialisation José Bové, tout en étant majoritairement convaincus que la mondialisation profite grandement à la France. (Résumé d'un billet radiophonique présenté par Alain Frachon, journaliste au quotidien *Le Monde*, invité à l'émission *Les Matinales* de la chaine culturelle de Radio-Canada, le 9 septembre 2003.)

Exercice 12.11

Essayez de trouver une reprise synthétique fortement expressive pour clore ce passage sur le bruit ou de deviner quelle était la reprise utilisée par l'auteur.

Notre siècle en a été témoin : chaque progrès technique s'accompagne **d'un bruit nouveau**. Notre amour du progrès nous a fait admettre le train, la voiture et l'avion, **grands bailleurs de bruit qui ont pénétré nos villes et les soumettent à un siège sans répit. À ces bruits colossaux**, le progrès technique a ajouté **des bruits insidieux, qui se sont insinués dans les maisons** : le roulement de la sécheuse, le gargouillement du lave-linge et du lave-vaisselle, le ronronnement du réfrigérateur, le grondement du microonde, les voix et la musique vociférées par la télévision et les hautparleurs.

C'est la _____ du monde.

(Marc Chevrier, « Lamentations d'un martyr du bruit »)

(Indice pour retrouver la reprise utilisée par l'auteur : nom d'action dérivé d'un verbe signifiant « crier », souvent avec colère. Ce nom s'emploie le plus souvent au pluriel.)

Exercice 12.12

Exercice de synthèse sur la progression thématique et les reprises

Dans le passage qui suit, la progression thématique est correcte, mais manque un peu de vivacité. Cherchez les points faibles et dynamisez la progression en modifiant certaines reprises. Pensez aussi à exploiter les transformations syntaxiques (déplacements, mises en relief, passivation, subordination, etc.) pour resserrer et animer la progression.

Les sauterelles ont de longues pattes sauteuses. Ces insectes peuvent faire des bonds énormes et échapper ainsi à leurs ennemis. Beaucoup de sauterelles émettent une stridulation qui est produite par le frottement de leurs ailes antérieures. Dans leurs pattes antérieures, elles ont une petite fente avec des nerfs qui sont très sensibles. Elles peuvent ainsi capter des sons. Elles ont donc des « oreilles » dans les pattes antérieures. Les femelles ont à l'arrière du corps un long oviducte qu'elles enfoncent dans le sable pour pondre leurs œufs. La plupart des sauterelles mangent de l'herbe. Les cultivateurs savent qu'un nuage de sauterelles qui s'abat sur une récolte peut causer d'importants dégâts.

(Adapté de *Mon premier livre des animaux*)

_____

_____

_____

_____

_____

_____

_____

_____

_____

_____

12.2 Les connecteurs

Comme les reprises, les **connecteurs** (aussi appelés _marqueurs de relation_) sont un instrument essentiel de la cohérence du texte. Ils expriment, ou à tout le moins, ils explicitent les rapports entre les phrases (rôle de connecteur proprement dit) et les parties de texte (rôle d'organisateur textuel).

> Les sommes que nous engageons sont importantes, **car** nous devons réagir, face à l'ampleur de la crise, de façon responsable.

Mais ils contribuent également à la progression du texte.

> Trois tâches nous attendent. **D'abord**… **Ensuite**… **Enfin**…

De même qu'à sa cohésion.

> Nous avons vu **plus haut** que… Nous examinerons **maintenant**…

Souvent, les scripteurs malhabiles utilisent peu de connecteurs, ou alors ils en utilisent trop, souvent de façon approximative. Le mot _car_, par exemple, ne peut tout expliquer, ni l'expression _de plus_ tout additionner. Parfois, l'absence d'un connecteur reflète un « trou » dans le fil du discours : en cherchant à colmater la brèche au moyen d'un connecteur, on met le doigt sur une ellipse de raisonnement. Il faudra peut-être alors reformuler le passage, ajouter une idée intermédiaire et non uniquement ajouter un connecteur.

Pour bien utiliser les connecteurs, il est avant tout nécessaire de les reconnaitre, dans leurs manifestations syntaxiques et dans leurs valeurs sémantiques.

Les connecteurs peuvent être des conjonctions (_mais, car, or, parce que, quand_), des adverbes (_puis, d'abord, aujourd'hui_), des groupes prépositionnels (_malgré cet état de choses, en premier lieu, au début_), des locutions diverses (_quoi qu'il en soit_) et des phrases de transition (_Passons au point suivant_).

Sur le plan sémantique, on peut distinguer trois grands types de connecteurs :

• Les connecteurs **temporels**

> **Au début**, René Robert Cavelier de La Salle s'installa à Ville-Marie. **Pendant un temps**, il dut vivre dans la seigneurie qui lui avait été octroyée, mais il reçut **finalement** l'autorisation de se lancer dans l'exploration des terres situées à l'ouest de la colonie.

Les connecteurs temporels sont particulièrement utiles dans une narration.

- Les connecteurs **spatiaux**

> Encore une rédaction sur le chalet de ses rêves! Cela ne trainerait pas... Ce serait un grand chalet en bois au bord d'un lac solitaire. **Tout le long de la façade avant** courrait une grande galerie barricadée contre les moustiques. **Derrière**, il y aurait les bécosses. **Au bord de l'eau**, un bon ponton et, **au milieu des rochers**, un emplacement pour faire des feux. **Tout le tour du lac**, il y aurait d'autres chalets et plein d'amis avec lesquels s'amuser.

Les connecteurs spatiaux sont fréquemment utilisés dans les descriptions physiques qui suivent une progression à thèmes dérivés.

- Les connecteurs dits **logiques** ou **argumentatifs**

Ces connecteurs marquent diverses relations entre les phrases et les parties d'un texte, dont les principales sont :

- addition, énumération et complémentation ;
- cause, conséquence et but ;
- explication et justification ;
- exemplification ;
- confirmation et reformulation ;
- opposition et concession ;
- comparaison ;
- hypothèse et condition ;
- conclusion et évaluation.

Ces articulations du raisonnement sont essentielles à l'exposition d'idées : mieux on maitrise leur utilisation, meilleurs sont nos raisonnements écrits.

Nous ne traiterons ici que des connecteurs logiques. Nous aborderons d'abord quelques difficultés liées au sens de la relation établie par ces connecteurs. Nous proposerons ensuite des moyens de corriger les erreurs et les maladresses les plus courantes. Enfin, nous explorerons la diversité des connecteurs logiques et les nuances de sens qu'ils peuvent exprimer.

12.2.1 La reconnaissance des relations exprimées par les connecteurs

Il n'est pas toujours aisé de bien cerner la relation établie par un connecteur. Si certains ont un sens fort simple (par exemple, *en outre* introduit hors de tout doute un élément additionné), d'autres ont un sens plus complexe. Ainsi, le connecteur *d'ailleurs* établit le plus souvent un lien d'addition, avec une idée de confirmation ; il introduit en quelque sorte un argument **excédentaire**, qui souvent pourrait être retiré.

> Dans le contexte économique actuel, notre nouveau procédé n'est pas rentable. **D'ailleurs**, tous nos efforts pour le commercialiser ont échoué.
>
> (Le contexte économique actuel est une raison suffisante ; les échecs essuyés malgré les efforts de commercialisation ne font que le confirmer.)
>
> C'est un enfant unique. Il est **d'ailleurs** insupportablement gâté.
>
> (Le *d'ailleurs* de la deuxième phrase amène à interpréter la première phrase comme signifiant qu'être enfant unique est une source de problèmes et de défauts.)

Il ne faut pas oublier non plus que certains connecteurs sont polysémiques. Par exemple, la conjonction *si* exprime aussi bien l'opposition que la condition et l'hypothèse, ou encore la conséquence ou le moyen dans une structure corrélative avec une cause ou un but.

Si l'ordinateur permet d'accomplir plus de travail, il est également source de beaucoup de perte de temps. (Opposition)

(On peut aussi utiliser *Même si*, qui a cependant une valeur plus concessive.)

Si je pouvais prendre des vacances, j'irais faire une longue randonnée pédestre.

(Hypothèse)

Si on obtient une subvention, on vous embauchera. (Condition)

Si le projet a bien réussi, c'est (parce) que nous avons eu l'appui de toute la communauté. (Conséquence qui découle d'une cause)

Si je chante, c'est pour qu'on m'entende. (Moyen pour atteindre un but)

(Tiré de la chanson « Ordinaire », composée par Robert Charlebois, Mouffe et Pierre Nadeau.)

Exercice 12.13

Expliquez quelle est la relation établie par les connecteurs en gras dans l'extrait suivant et indiquez quels segments de texte sont ainsi reliés. Aidez-vous des définitions de votre dictionnaire ainsi que des tableaux « Conjonction de coordination », « Conjonction de subordination » et « Connecteur » qu'on trouve dans le *Multidictionnaire de la langue française (Multi)*.

■ **Jadis,** les historiens se demandaient pourquoi Napoléon a envahi l'Égypte. **Maintenant,** ils se demandent quel caleçon il portait. (Richard Martineau, « Le junk food de l'histoire », *L'actualité*, 1ᵉʳ juin 1999.)

Chronologie servant à opposer deux conceptions de l'histoire.

La lisibilité du graphique

La première règle de lisibilité du graphique, c'est qu'on doit bien voir à quoi il renvoie. Le lecteur ne doit pas être obligé de chercher dans le texte à quoi se rapporte le graphique. **En effet** ❶, un des premiers buts du graphique est de favoriser une prise de conscience plus rapide d'un phénomène que ne le permet le texte. **Pour** ❷ cela, il ne doit pas être égaré loin de ce qu'il illustre. La deuxième règle de lisibilité, c'est que le graphique doit être sémantiquement clair. Le lecteur ne doit pas être obligé de suivre un parcours sinueux dans le graphique pour comprendre ce qu'il signifie. **Au contraire** ❸, le graphique doit se lire et se comprendre facilement. **Enfin** ❹, un graphique doit être sémantiquement utile. Il sera encore plus utile **s'** ❺ il ne se limite pas à illustrer les propos, **mais** ❻ **s'** ❼ il permet également d'approfondir, de démontrer et de convaincre. **En fait** ❽, le graphique et le texte sont deux aspects complémentaires de la communication écrite, **et** ❾ le graphique ne doit pas contrarier le sens du texte, **mais** ❿ le renforcer par effet de synergie en permettant une lecture soit plus analytique, soit plus synthétique que le texte. (Josiane Kwan Tat, synthèse de lectures)

❶ _____

❷ _____

❸ _____

❹ _____

❺ _____

❻ _____

❼ _____

12.2.2 Quelques maladresses et erreurs courantes

Parmi les erreurs et les maladresses les plus répandues en matière de connecteurs, certaines sont très faciles à corriger : c'est le cas notamment des confusions entre deux formes morphologiquement proches ainsi que des erreurs dans la position du connecteur dans la phrase. D'autres erreurs touchent fondamentalement au sens et sont plus difficiles à corriger. S'ajoutent à ces erreurs de sens les défauts « logiques » : la valeur du connecteur n'est pas à proprement parler en cause (le scripteur la connait sans doute bien), mais certains éléments du contexte font que son emploi n'est pas tout à fait pertinent.

La confusion entre deux formes proches

De plus/en plus

À l'oral, on se sert beaucoup de *en plus* en tête de phrase. À l'écrit soutenu, *de plus* est de mise ; *en plus* s'utilise à l'intérieur de la phrase (à moins qu'il s'agisse de la locution prépositive *en plus de*, qui, elle, peut s'employer en tête de phrase).

> **De plus**, la pratique d'un sport est bonne pour la santé psychique.

> **En plus** d'être le meilleur moyen de se maintenir en forme, le sport est bon pour la santé psychique.

> Avec l'achat d'un équipement complet, vous obtenez **en plus** gratuitement le service d'entretien pour toute la saison.

En dernier lieu/en dernier/dernièrement

Comme organisateur textuel, on emploie *en dernier lieu*.

> **En dernier lieu**, la pratique d'un sport peut avoir une dimension spirituelle.

En dernier n'a qu'un sens spatial ou temporel : *Placez-vous **en dernier**. Je ferai cela **en dernier**.* Notez aussi que *dernièrement* signifie seulement « il n'y a pas longtemps », « récemment » : *Le prix du pétrole a baissé **dernièrement**.*

Finalement/enfin

Comme connecteur, *finalement* a une valeur de conclusion, de terme d'une analyse ou d'une situation.

> **Finalement**, ils se sont mariés.

Le connecteur *enfin*, lui, a une valeur additive ; il introduit le dernier élément d'une énumération.

> **Enfin**, la pratique d'un sport peut avoir une dimension spirituelle.

Dans la langue courante, on utilise souvent *finalement* dans le sens de *enfin*, mais cet emploi est critiqué.

Par conséquent/en conséquence

Les deux formes ont essentiellement le même sens, mais *par conséquent* est plus courant. Il ne faut pas faire d'hybride en combinant les deux (^X*par conséquence*).

Corrigez les erreurs touchant aux connecteurs en gras dans les passages suivants.

1 **En dernier**, travailler tout en étudiant permet de développer toutes sortes de compétences pratiques. (*Dernier terme d'une énumération.*)

_____

2 Nous considérons que la relation élève-élève et élève-enseignant doit être fondée sur le respect mutuel. **En plus**, nous croyons au caractère essentiel du dialogue et de la communication entre tous les partenaires.

_____

3 Les lacs et les cours d'eau sont à la base de secteurs d'activité dominants du développement de la municipalité régionale de comté (MRC), à savoir la villégiature et le récréotourisme. Cette hydrographie soutient aussi une faune riche et abondante. Elle approvisionne **finalement** en eau potable nombre de résidents du territoire et même d'au-delà du territoire administratif de la MRC.

_____

4 Plusieurs usines de construction automobile ont fermé leurs portes dans la région et, **par conséquence**, le prix des maisons a chuté.

_____

Les erreurs dans la position du connecteur dans la phrase

Diverses contraintes syntaxiques peuvent s'appliquer à des connecteurs particuliers. Certains, par exemple, changent de sens en changeant de place. D'autres ne peuvent simplement pas se mettre en tête de phrase, place pourtant naturelle du connecteur interphrastique.

Aussi

En tête de phrase, à l'écrit, *aussi* est censé introduire une conséquence (et non une addition). Il s'emploie avec ou sans inversion du pronom sujet. Avec une inversion ou une reprise du sujet, *aussi* n'est pas suivi d'une virgule ; sans inversion ou reprise (construction moins soutenue, mais non fautive), il demande une virgule.

> On prévoit que la tempête se poursuivra jusqu'à demain soir. **Aussi** l'université restera-t-elle fermée jusqu'à lundi. / **Aussi,** l'université restera fermée jusqu'à lundi.

Avec un pronom sujet, l'inversion est la forme la plus courante (notez qu'il n'y a pas de point d'interrogation, malgré le pronom inversé, puisqu'il ne s'agit pas d'une interrogative).

> Aussi fermerons-nous à midi.

Comme connecteur d'addition, *aussi* doit être intégré à l'intérieur de la phrase.

> Le sport a **aussi** une dimension spirituelle. (Sens de « également »)

Également

Ce connecteur ne s'emploie pas en tête de phrase en français soutenu. L'employer en tête de phrase est considéré comme une faute.

> Le sport a **également** une dimension spirituelle.

En tête de phrase, on utilisera plutôt *de plus, en outre* ou *de surcroit*, ou encore *par ailleurs* si le changement thématique est suffisant.

Exercice 12.15

Dans lequel des passages suivants *aussi* est-il mal employé ? Justifiez votre réponse.

a) Les spécialistes du centre de recherche ont constaté qu'un pneu insuffisamment gon- flé avait joué un rôle déterminant dans l'accident. **Aussi**, parmi leurs recommanda- tions, les scientifiques ont insisté sur la nécessité pour les camionneurs de surveiller constamment la pression de leurs pneus.

b) Les spécialistes du centre de recherche ont constaté qu'un pneu insuffisamment gonflé avait joué un rôle déterminant. **Aussi**, parmi leurs recommandations, ont-ils souligné la nécessité pour les camionneurs de surveiller constamment la pression de leurs pneus.

c) Parmi leurs recommandations, les spécialistes ont souligné la nécessité pour les camionneurs de surveiller constamment la pression de leurs pneus. **Aussi**, ils ont fait remarquer que la vérification devait s'effectuer avec un manomètre et non en donnant des coups de pied dans les pneus.

d) Parmi leurs recommandations, les spécialistes ont souligné la nécessité pour les camionneurs de surveiller constamment la pression de leurs pneus. Ils ont **aussi** fait remarquer que la vérification devait s'effectuer avec un manomètre et non en donnant des coups de pied dans les pneus.

Exercice 12.16

Corrigez les connecteurs en gras dans les passages suivants.

1 Le modèle présente une meilleure tenue de route et un meilleur rapport performance/ économie. **Également**, le nouveau modèle offre une vraie modularité qui plaira à ceux qui se servent de leur véhicule à la fois pour la famille et pour le travail.

2 Au nombre des améliorations techniques figurent des coussins latéraux et des barres de renforcement dans les portières. **Aussi**, la mécanique a intégré plusieurs nouvelles technologies permettant de mieux combiner performance mécanique et économie d'utilisation.

Les imprécisions et les confusions de sens

Certains connecteurs peuvent nous sembler parfaitement synonymes, alors qu'ils ne le sont pas. D'autres ayant des sens complètement différents peuvent être confondus l'un pour l'autre. En voici quelques cas.

Car/parce que

Car introduit une explication, *parce que*, plutôt une simple cause. La cause étant un mode d'explication fondamental, on a tendance à utiliser *car* pour introduire la moindre cause. Les exemples suivants montrent qu'il est facile d'abuser du connecteur *car*.

Les devoirs sont nécessaires à l'école primaire, **car** ils permettent aux élèves de s'exercer.

Les devoirs sont aussi utiles pour les enseignants, **car** ils leur permettent de vérifier les apprentissages de leurs élèves.

Même les parents tirent profit des devoirs, **car** ils peuvent suivre, grâce à eux, les progrès de leurs enfants.

Une raison objective (une cause) appelle davantage *parce que*; une raison subjective (une explication) appelle *car*. Ainsi, le grammairien Joseph Hanse distinguait: *Le chat miaule **parce qu'**il a faim* (cause) et *Le chat a faim, **car** il miaule* (énoncé de ce qui permet de penser que le chat a faim). En d'autres termes, plus une raison est factuelle, moins on utilisera *car*. Pour beaucoup de gens, la raison donnée dans le premier des trois exemples ci-dessus semblera un fait incontestable et serait mieux introduite par *parce que*. Les deuxième et troisième exemples se rapprochent davantage de l'explication. Pour mieux connaitre la variété des connecteurs permettant d'exprimer l'explication, voir la section « La diversité des connecteurs et les nuances de sens » plus loin dans ce chapitre.

Exercice 12.17

Complétez les phrases ci-dessous avec *parce que* ou *car*.

1 Nous avons pris un autre chat _____ notre vieille chatte s'ennuyait toute seule.

2 Il s'est acheté une bonne voiture _____ il fait beaucoup de route.

3 Il hésite à prendre sa retraite, _____ il aime beaucoup la politique.

4 Pierre n'est pas allé à son cours _____ il est malade.

5 Il doit être malade, _____ il n'est pas venu à son cours.

6 Nous vous remercions encore, _____ c'est vous qui rendez possible cet évènement.

Parce que/puisque

La différence entre *parce que* et *puisque* est très nette, même si on les confond parfois: *parce que* introduit la cause d'un fait énoncé dans la phrase enchâssante; *puisque* introduit un argument fondant la justesse de ce qui est énoncé dans la phrase enchâssante.

Il est rentré chez lui **parce que** sa fille est malade.

Puisque votre fille est malade, travaillez donc chez vous aujourd'hui.

Pour expliquer la différence de sens entre les deux conjonctions, on dit parfois que *puisque* introduit une justification présentée comme incontestable.

Puisqu'il est à Paris, tu ne peux pas l'avoir rencontré à Winnipeg ce matin!

Exercice 12.18

Complétez les passages suivants avec *parce que* ou *puisque*.

1 L'horloge atomique la plus stable et la plus exacte (elle est exacte par définition, _____ la seconde est définie par rapport à son fonctionnement) est actuellement l'horloge atomique à jet de césium.

2 _____ les atomes sont en nombre infini dans le vide infini, explique Épicure, et _____ le hasard, à travers le temps infini, produit nécessairement tout le possible, il est absurde de penser que notre monde est le seul, absurde d'imaginer qu'il est au centre de l'Univers ou que les dieux lui prêtent une attention particulière.

3 La physique essaie de comprendre l'essence de certains concepts de base, tels le mouvement, les forces, l'énergie, la matière, la chaleur, le son et la lumière. _____ ces phénomènes se retrouvent partout dans l'Univers, les physiciens étudient une myriade de choses différentes. Ils étudient, par exemple, les trous noirs, les atomes, les moteurs, les ascenseurs et le vol des balles de base-ball, _____ toutes ces choses obéissent aux lois de la physique.

4 Les théories qui sous-tendent la description des espèces changent _____ la science évolue, et donc aussi le concept des espèces et leur nom.

En effet/en fait

Comme connecteur, *en effet* introduit des précisions supplémentaires, qui viennent confirmer, justifier ce qui vient d'être dit ; *en fait* (comme *en réalité*) introduit une clarification, parfois dans une relation d'opposition.

> Les résultats d'une enquête nationale menée par la Faculté de kinésiologie de l'Université du Nouveau-Brunswick révèlent que le nombre de cas d'obésité chez les enfants canadiens de 7 à 13 ans a plus que doublé sur une période de 15 ans. **En effet**, le nombre d'enfants obèses de 7 à 13 ans est passé de 5 à 13,5 % chez les garçons et de 5 à 11,8 % chez les filles entre 1981 et 1996.

> L'embonpoint et à fortiori l'obésité n'existent pas dans la nature. On ne les trouve ni dans les sociétés primitives ni dans le règne animal (exception faite pour les animaux domestiques, et pour cause). Ce sont **en fait** des phénomènes de civilisation.

Exercice 12.19

Complétez les passages suivants avec *en effet* ou *en fait*.

1 Le gouvernement fédéral s'est donné une politique d'équité en matière d'emploi il y a déjà bien longtemps, _____ il y a au moins 20 ans. Cette politique a été adoptée parce qu'elle était nécessaire. _____, certains groupes au Canada se voyaient refuser l'accès à des emplois pour des raisons qui n'avaient rien à voir avec leurs compétences ou leurs capacités.

2 Parmi les recherches envisagées en Antarctique, la plus difficile à imaginer touche sans doute l'astrophysique. Des astrophysiciens pensent _____ très sérieusement à établir un observatoire international au pays des pingouins !

3 « L'éducation ne laisse personne indifférent. La population souhaite que les enfants aient accès à une éducation de qualité. Une société, un pays, une nation qui croit dans son avenir doit miser sur l'éducation. _____, l'éducation, ce n'est pas une dépense, c'est un investissement dans l'avenir », a déclaré le ministre, qui s'adressait aux principaux acteurs du milieu scolaire de la région.

Les défauts logiques

Les défauts logiques ne relèvent pas d'une confusion de sens entre deux connecteurs. Ce sont plutôt des erreurs relevant d'un manque de clarté ou d'adéquation dans la relation établie. Ils touchent particulièrement la relation additive et la relation causale.

Les relations de sens non justifiées

On établit parfois entre deux idées une relation qui n'est pas fondée. C'est souvent le cas pour l'addition. Or, s'il n'y a pas addition, on ne peut pas utiliser un connecteur ou un organisateur d'addition.

> **D'abord**, la pratique d'un sport est essentielle pour être en forme. [...] ^X **Ensuite**, il faudrait imposer que le sport occupe plus de place dans les écoles.

D'abord introduit une **raison** pour laquelle le sport est bon. *Ensuite* introduit une **conséquence**. On écrira plutôt :

> **Aussi** devrait-on imposer que le sport occupe plus de place dans les écoles.

Les erreurs de combinaison entre connecteurs

Ce genre d'erreur touche en particulier l'addition. Dans les enchainements d'organisateurs d'addition, il ne faut pas, en règle générale, mélanger les séries. On ne combinera pas *d'abord* et *en deuxième lieu* ou *En premier lieu* et *deuxièmement*.

> La pratique du sport a plusieurs vertus. **D'abord**, le sport est essentiel pour... ^X **En deuxième lieu**, il permet de... **Enfin**, il ne faut pas oublier sa dimension spirituelle.

On écrira plutôt :

> La pratique du sport a plusieurs vertus. **D'abord**, le sport est essentiel pour... **Ensuite**, il permet de... **Enfin**, il ne faut pas oublier sa dimension spirituelle.

> **En premier lieu**, le sport... **En deuxième lieu**, il... **En dernier lieu/Enfin**, il...

L'explication circulaire

Une explication causale doit dire davantage que le fait expliqué ; en d'autres termes, elle ne peut se limiter à être l'image inversée du fait expliqué. L'énoncé suivant présente un tel effet de miroir, et on ne devrait donc pas utiliser *car*.

> ^X La décision du juge est excessive, **car** l'accusé ne méritait pas 30 ans de prison.

L'explication est ici davantage de l'ordre de la confirmation, de la reformulation (*voir les catégories d'explication dans la section « La diversité des connecteurs et les nuances de sens » plus loin dans ce chapitre*). On utilisera plutôt *en effet* ou un deux-points, dont l'une des valeurs est justement d'introduire une explication. On peut aussi lier les deux phrases dans une relation de gradation en ajoutant un adverbe d'intensité dans la seconde.

> La décision du juge est excessive. L'accusé ne méritait **en effet** pas 30 jours de prison.

> La décision du juge est excessive : l'accusé ne méritait (**vraiment**) pas 30 jours de prison.

Le « sandwich but/cause » et le « sandwich causal »

Cause et but sont souvent très proches : *Lili a vite fait ses devoirs **parce qu'elle voulait aller jouer dehors*** (cause) / *Lili a vite fait ses devoirs **pour pouvoir aller jouer dehors*** (but). Cette proximité de sens entre la cause et le but fait qu'il est souvent incorrect d'encadrer un fait par une cause et un but. Nous avons métaphoriquement désigné cette construction de « sandwich but/cause » ou de « sandwich causal » parce que le fait central est pris en sandwich entre un but et une cause ou une justification, ou entre deux causes ou deux justifications, qui se concurrencent.

La plupart des gens hésiteraient sans doute à écrire :

> ˣ**Pour avoir du succès**, il faut travailler, **parce que c'est nécessaire pour réussir.**

Et personne n'écrirait :

> ˣ**Comme ma grand-mère est morte**, je n'ai pas fait mon devoir **parce que je me suis cassé une jambe.**

Cependant, pour plusieurs, la redondance entre le but et la justification dans l'exemple suivant pourrait passer inaperçue. Elle n'en est pas moins à éviter.

> ˣ**Dans le but d'éviter ces écarts entre les jeunes** (but), certaines écoles ont opté pour le port de l'uniforme, **car les avantages de celui-ci sont nombreux** (justification).

Il faut choisir entre le but ou la justification, et écrire :

> **Dans le but d'éviter ces écarts entre les jeunes**, certaines écoles ont opté pour le port de l'uniforme. / Certaines écoles ont opté pour le port de l'uniforme **dans le but d'éviter ces écarts entre les jeunes**. (But)
>
> Certaines écoles ont opté pour le port de l'uniforme **en raison des nombreux avantages qu'il présente.** (Justification)

Dans le dernier exemple, *éviter les écarts entre les jeunes* devient une des raisons invoquées, qu'on expliquera dans la suite du texte.

La poule ou l'œuf

On enchaine parfois des faits dans une relation argumentative par automatisme plus que par choix conscient. Ainsi en est-il de la relation cause-conséquence, où l'on confond parfois l'« œuf » et la « poule ». Dans le passage suivant, la relation consécutive devrait être inversée.

> Ce logiciel a permis à l'université de fonctionner pendant près de 15 ans. Néanmoins, il était devenu à la fois obsolète sur le plan de la technique informatique et inadapté sur le plan règlementaire. Au surplus, il n'était pas convivial et ˣ**par conséquent peu transparent.**

C'est le manque de transparence, c'est-à-dire de clarté, qui rend le logiciel peu convivial et non l'inverse. On devrait donc plutôt écrire :

> Au surplus, il n'était pas transparent et, **par conséquent, était peu convivial.**

Exercice 12.20

Expliquez quel est le défaut logique dans les passages ci-dessous et corrigez-le en faisant les modifications qui s'imposent.

1 D'abord, cumuler travail et études développe le sens de l'organisation. [...]
En deuxième lieu, un travail à temps partiel permet d'acquérir une expérience essentielle pour pouvoir obtenir un emploi à plein temps.

2   Tout d'abord, cumuler travail et études développe le sens de l'organisation. [...] Ensuite, un travail à temps partiel permet d'acquérir une expérience essentielle pour pouvoir obtenir un emploi à plein temps. [...] Enfin, travailler est une nécessité, et non un choix, pour la plupart des étudiants.

3   Je ne suis pas grand, car je suis le plus petit de la classe.

4   Ces expressions ne sont utilisées qu'au Québec, puisqu'elles n'existent pas en France ni en Belgique.

5   Comme il se sentait malade, il est allé voir son médecin pour savoir ce qu'il avait.

12.2.3 La diversité des connecteurs et les nuances de sens

Comprendre la valeur propre à chaque connecteur, savoir utiliser chacun selon sa valeur propre est au cœur de l'écriture et de la lecture. À partir des principales relations sémantiques, explorons maintenant la diversité des connecteurs et les nuances de sens qu'ils expriment.

L'addition et l'énumération

L'addition est un mode de connexion et d'organisation textuelle de base. Lorsque des développements textuels sont du même ordre, on les joint dans une relation d'addition. Outre les connecteurs proprement additifs : *et, de plus, aussi,* etc., on utilise beaucoup de connecteurs dont le sens premier est temporel pour additionner : *d'abord, ensuite, enfin ; en premier lieu, en deuxième lieu, en dernier lieu…* Nous avons vu dans la section précédente qu'il ne fallait pas mélanger les séries ni employer de connecteurs d'addition lorsqu'il n'y a pas de relation additive. L'exercice qui suit vise à faire ressortir les valeurs propres à quelques connecteurs additifs moins courants, mais fort utiles.

Complétez les passages ci-dessous avec l'un des quatre connecteurs d'addition suivants ; utilisez chaque fois un connecteur différent. Déterminez la valeur particulière que chacun apporte à l'addition en consultant vos dictionnaires.

de même, de surcroit, en outre, par ailleurs

1 Dans la mythologie grecque, l'olivier symbolise la force, la longévité et la sagesse. _____, depuis des temps immémoriaux, le rameau d'olivier est symbole de paix.

Valeur : _____

2 L'huile d'olive a de prodigieuses propriétés. Elle fait baisser le taux de cholestérol, aide à prévenir la sclérose artérielle et réduit les risques de problèmes cardiovasculaires. _____, elle favorise le maintien d'un bon niveau de densité osseuse chez la femme adulte et contribue à protéger le cerveau du vieillissement.

Valeur : _____

3 Aujourd'hui, on ne parle plus de régime sans sel, mais de régime à teneur réduite en sel. _____, il ne s'agit pas tant d'interdire les graisses que d'équilibrer la consommation des « bons » et des « mauvais » gras.

Valeur : _____

4 En vieillissant, on risque davantage de souffrir d'hypertension, surtout si d'autres membres de la famille en sont déjà affectés. _____, notre mode de vie peut également entrainer une augmentation de la pression artérielle.

Valeur : _____

La cause et l'explication

Si la cause constitue la première forme d'explication (*Pourquoi est-ce que la lune n'est pas toujours ronde ? Pourquoi est-ce que la mer monte et descend ?* demandent les enfants), il en existe plusieurs autres. À côté de la cause fondée sur les faits, il y a la raison, fondée sur la connaissance ou le jugement ; la justification, plus argumentative (*voir la différence entre* parce que *et* puisque *dans la section précédente*) ; l'exemple et l'illustration, qui concrétisent ; la clarification, qui élucide en reformulant (ou en simplifiant) ; la confirmation, qui souvent nuance en introduisant un nouvel argument. Bref, le champ de l'explication est vaste comme le monde.

Panoplie de connecteurs de cause et d'explication

a) Raison, justification

> car, en effet, de fait

b) Exemple, illustration

> ainsi, par exemple, notamment

c) Clarification et reformulation

en d'autres termes (visée simplificatrice)

en fait (valeur souvent oppositive)

en réalité (valeur souvent oppositive)

en somme, bref, en bref (valeur récapitulative)

en vérité (valeur souvent concessive)

d) Confirmation, argument supplémentaire

certes (valeur concessive)

d'ailleurs, du reste (souvent par un autre aspect des choses)

de fait (confirmation par une preuve tangible)

effectivement (valeur souvent concessive)

en effet (valeur parfois illustrative)

en fait (confirmation avec clarification, ajout)

Exercice 12.22

Clarifiez, au moyen d'un connecteur, la relation d'explication entre les deux phrases. Améliorez aussi la reprise dans la seconde phrase (*elle*).

Le personnage d'Odette Toulemonde, joué au cinéma par Catherine Frot, est complètement loufoque. Elle s'envole quand elle est très heureuse.

_____

_____

_____

Exercice 12.23

Ajoutez les connecteurs appropriés et indiquez dans les parenthèses le mode d'explication qu'ils introduisent. Tenez bien compte de la syntaxe et de la ponctuation imposées.

■ La hausse est minime. *De fait (confirmation, preuve)*, il n'y avait eu aucune hausse depuis cinq ans.

1 Les cellules de notre organisme doivent continuellement s'adapter, _____ (_____) notre environnement est en constante évolution.

2 Notre environnement, toujours changeant, exige des cellules de notre organisme un effort continuel d'adaptation. Une brusque élévation de la température ambiante, _____ (_____), amène nos cellules à réagir.

3 Il faut éviter que le manque partiel de résultats et de données absolument précises soit pris comme prétexte à l'inaction. _____ (_____), un certain degré d'incertitude scientifique est normal devant des systèmes complexes caractérisés par une dynamique non linéaire et un comportement chaotique.

4 Le nouveau premier ministre devra tenir compte d'une situation financière plus serrée que prévu. _____ (_____), selon l'ancien vérificateur général, le déficit sera plus grand que jamais.

5 L'Institut Fraser prévoyait un déficit du même ordre que l'année dernière. _____ (_____), il sera de 20 % plus élevé que l'année dernière.

6 Dès avant les élections, il est apparu que le déficit serait plus important que ne le prévoyait l'Institut Fraser. _____ (_____), trois jours après les élections, l'ancien vérificateur général confirmait les sombres prédictions.

7 Certaines personnes considèrent que le maintien d'un déficit est acceptable. _____ (_____), cela permet de ne pas sabrer les programmes sociaux, mais, à moyen et à long terme, l'incidence économique est entièrement négative.

8 De moins en moins de gens croient en la vertu des déficits. _____ (_____), qui y a jamais cru ?

9 L'aspirine combat la fièvre, les céphalées, les douleurs musculaires, les inflammations, la goutte, la polyarthrite, et elle est utile dans le traitement des maladies à thrombose ; _____ (_____), c'est un médicament universel.

10 Dans l'étude d'une œuvre cinématographique, il peut être tentant d'utiliser les méthodes que l'on applique aux textes littéraires : après tout, le film n'est-il pas un récit parmi d'autres, avec une trame narrative, des personnages, des thèmes ? _____ (_____), on se contente parfois de cette façon de faire.

L'opposition

L'opposition couvre un large champ : la comparaison adversative qui met en évidence une différence et peut être exprimée par une simple juxtaposition (*L'une fume, l'autre pas*) ou par un connecteur (*L'un est sucré, **alors que** l'autre est salé*) ; l'alternative (*La bourse ou la vie*) ; la concession (*C'est bon, mais je n'aime pas cela*).

La relation concessive est de deux types. Le fait concédé peut s'opposer à une compensation : *Cette maison coute cher* (fait concédé), ***mais** elle est entièrement rénovée* (compensation) ; ou à une restriction : *Cette maison est entièrement rénovée* (fait concédé), ***mais** elle coute un peu cher* (restriction). Si *mais* introduit l'une comme l'autre, beaucoup d'autres connecteurs ne permettent qu'une des deux valeurs. C'est le cas de *en revanche*, qui implique obligatoirement une idée de compensation : *Cette maison est un peu petite. **En revanche**, elle est bien située* (compensation). L'ordre inverse ne permet pas d'utiliser *en revanche* : *Cette maison est bien située* ; [X]***en revanche**, elle est un peu petite*. On utilisera plutôt *par contre* : *Cette maison est bien située* ; ***par contre**, elle est un peu petite* (restriction).

Connecteurs d'opposition

alors que, tandis que

au contraire

autant… autant (comparaison)

cependant, toutefois, néanmoins

certes (concession) (Souvent combiné avec *mais* ou *mais aussi* : *Certes, il travaille, mais pas assez.*)

d'autre part (en combinaison avec *d'une part* qui précède, du moins en français soutenu)

d'un autre côté

d'un côté... de l'autre

encore que

en revanche (compensation)

il n'en reste pas moins que

mais

même si (concession, souvent avec valeur hypothétique)

or (objection, circonstance adverse)

ou, ou bien

par contre

pourtant, et pourtant

quoique (souvent avec une idée de concession), bien que (idée de concession)

si (comparaison-opposition ; concession)

tantôt... tantôt (alternative)

À NOTER

En subordonnée, la concession appelle souvent un verbe au subjonctif (*Bien qu'il soit... Quoiqu'il faille... / Encore qu'on voie parfois...*). Voir vos outils (*Petit Robert*, *Antidote*, *Multi*, etc.) pour l'emploi du mode.

Exercice 12.24

Complétez les passages suivants en ajoutant les connecteurs appropriés.

1 Nous croyions qu'il allait faire beau toute la journée. _____, une demi-heure après notre départ, il se mit à pleuvoir.

2 Nous étions 12 enfants, _____ la maison était grande.

3 _____, la maison était grande, mais nous étions 12 enfants.

4 L'industrie avicole doit miser sur le développement de méthodes de production qui diminuent l'utilisation des antibiotiques et des hormones de croissance sans réduire la production ni la rentabilité des entreprises. Le défi est _____ de taille, _____ pas nécessairement insurmontable.

5 _____, il y a les vitamines et les omégas-3. _____, les BPC et le mercure. Faut-il manger du poisson quand même ?

6 Depuis 20 ans, les problèmes de l'environnement se placent à l'avant-scène internationale. Et _____, l'environnement n'a cessé de se détériorer à l'échelle planétaire.

7 _____ les problèmes de l'environnement sont interdépendants à la fois dans le temps et dans l'espace, les recherches et les actions se singularisent plutôt par leur isolement et par une certaine présomption.

8 Les solutions existent, _____ elles se heurtent aux barrières des résistances psychologiques et structurelles.

9 On constate souvent une divergence entre priorités nationales et priorités internationales en matière d'environnement. _____, de par leur nature, les problèmes de l'environnement sont nécessairement très dépendants les uns des autres à l'échelle internationale.

10 Il serait regrettable que notre instinct de survie ne se réveille que face à une catastrophe écologique. _____ il est bien connu qu'une catastrophe a un effet beaucoup plus mobilisateur qu'une suite de perturbations moins importantes.

La condition et l'hypothèse

La condition, et souvent l'hypothèse, s'apparente à la cause en ce qu'elle entre en relation avec une conséquence : *Si nous remplissons le contrat dans les délais prévus* (condition), *nous aurons une prime* (conséquence). Dans cette relation consécutive avec *si*, la combinaison temporelle détermine le degré de virtualité. Dans la phrase *Si nous remplissions le contrat à temps, nous aurions une prime*, la possibilité que l'échéance soit respectée n'est pas posée comme aussi réelle. Si on affirme que la condition n'a pas été remplie, le verbe de la subordonnée se met au plus-que-parfait et le verbe principal au conditionnel passé : *Si nous avions rempli le contrat à temps, nous aurions eu une prime.* (Le *Petit Robert* donne plusieurs exemples pour la concordance avec *si*.)

En plus de *si*, qui est le plus employé des connecteurs de condition et d'hypothèse, on peut utiliser plusieurs autres connecteurs de condition et d'hypothèse, avec chacun une valeur et une concordance temporelle particulière.

Exercice 12.25

Complétez les phrases ci-dessous avec l'un des connecteurs suivants.

> au cas où, dans l'éventualité où
>
> aussitôt que, dès lors que (valeur temporelle)
>
> dans la mesure où (idée de proportion, de mesure)
>
> si

1 _____ la partie patronale avait accédé à nos demandes, nous aurions mis fin à la grève.

2 _____ la partie patronale accédait à nos demandes, nous mettrions fin à la grève.

3 _____ la partie patronale accède à nos demandes, nous mettrons fin à la grève.

4 _____ la partie patronale accèdera à nos demandes, nous mettrons fin à la grève.

5 _____ la partie patronale n'accèderait pas à nos demandes, nous ne mettrions pas fin à la grève.

6 _____ les demandes du syndicat seront raisonnables, nous ne demandons qu'à en discuter.

La conséquence

L'expression de la conséquence est inséparable de l'expression de la cause (ou encore de la condition ou de l'hypothèse) : *En raison de la tempête de neige* (cause), *l'université fermera à midi* (conséquence). / *Environnement Canada annonce encore 30 centimètres de neige* (cause). *Aussi l'université ferme-t-elle pour le reste de la journée* (conséquence). Maitriser l'une, c'est presque maitriser l'autre. Chacun des connecteurs de conséquence s'inscrit cependant différemment dans le contexte syntaxique. L'exercice qui suit propose un petit tour de la question, tout en mettant en lumière les valeurs particulières de certains connecteurs.

Exercice `12.26`

Complétez les passages avec l'un des connecteurs de conséquence suivants.

> ainsi (s'emploie cependant davantage pour introduire une explication ou un exemple)
>
> aussi (en tête de phrase, avec inversion facultative du pronom sujet et du verbe ; suivi d'une virgule s'il n'y a pas d'inversion)
>
> c'est pourquoi, voilà pourquoi (rappelle la cause, mais introduit une conséquence ; n'est pas suivi d'une virgule)
>
> dès lors (avec valeur temporelle)
>
> donc
>
> et
>
> par conséquent, en conséquence (moins courant que par conséquent)

1 La partie patronale a accédé à toutes nos demandes. _____, nous sommes prêts à mettre fin à la grève.

2 La partie patronale a accédé à toutes nos demandes. _____ sommes-nous prêts à mettre fin à la grève.

3 La partie patronale a accédé à toutes nos demandes. Nous sommes _____ prêts à mettre fin à la grève.

4 La partie patronale a accédé à toutes nos demandes. _____ (,) nous avons mis fin à la grève.

5 La partie patronale a accédé à toutes nos demandes. _____, il était normal que nous mettions fin à la grève.

6 Une entente est survenue hier soir _____ le travail a repris ce matin.

La clôture argumentative et la conclusion

Y a-t-il des mots propres à la conclusion, si ce n'est l'expression *en conclusion* (ou *pour terminer*, *pour conclure*, davantage utilisées à l'oral) ? En fait, dans la plupart des textes, on conclut plusieurs fois ; on clôt généralement un point avant de passer à un autre. La simplification ou la récapitulation suit l'explication complexe, une concession finale pourra adoucir une critique, les conséquences suivent les causes, l'évaluation suit l'exposé, et la synthèse, le développement. Pour choisir les bons mots de clôture ou de conclusion, ce qu'il faut donc, c'est bien déterminer la relation qu'on veut établir. On évitera ainsi de recourir trop systématiquement à *donc* chaque fois qu'on termine un raisonnement ou à *en conclusion* dès qu'il s'agit de conclure un texte.

Complétez les phrases ci-dessous avec l'un des connecteurs suivants.

> bref
>
> en définitive
>
> en somme
>
> finalement
>
> tout compte fait

1 En mettant l'accent sur l'aide aux devoirs, le nouveau ministre de l'Éducation ne fait que reprendre les initiatives déployées par son prédécesseur, qui voulait systématiser le tutorat et l'aide individuelle. _____, rien de révolutionnaire de ce côté.

2 De nos jours, la fonction formatrice du sport n'est plus évidente, au vu de certaines dérives du sport moderne. On peut, en effet, se demander si les sports et les Jeux olympiques sont encore à la dimension de l'homme, si celui-ci y trouve encore une place où il peut se développer harmonieusement ou s'il n'est pas devenu l'otage d'enjeux qui lui échappent. _____, le sport est-il encore au service de l'homme, ou n'est-ce pas plutôt maintenant l'homme qui est au service du sport et des intérêts politiques et économiques qu'il véhicule?

3 Vous en avez marre des rondeurs de votre ventre? Une pratique régulière de l'aviron vous permettra de faire disparaitre vos disgracieux bourrelets. Sport complet, notamment sur le plan musculaire, l'aviron fait travailler à la fois jambes, cuisses, abdominaux, dos, nuque, épaules, bras… _____, le sport de rêve pour mettre votre corps en valeur.

4 Les membres de la Table ronde ont eu fort à faire pour délimiter le champ de leurs travaux et le contenu de ce document. Leurs discussions ont mené à diverses pistes d'exploration de la gestion du risque dans le secteur public et nous leur sommes reconnaissants de leur travail. _____ nous avons décidé de nous concentrer sur l'immense défi culturel consistant à fonder des organisations qui, dans un climat d'incertitude, prennent des décisions saines dans l'intérêt public.

5 Il a fallu plusieurs mois pour résoudre la crise. Les différentes parties concernées n'arrivaient pas à s'entendre sur la procédure à suivre, et certains ont accusé le président de tergiverser. Mais, _____, ses réactions mesurées ont permis de ne pas envenimer encore plus la situation.

12.3 La constance et l'absence de contradiction

Nous avons vu jusqu'à présent comment reprises et connecteurs tissent les idées pour former du texte. Loin d'être des mécaniques automatisables, l'emploi des reprises et celui des connecteurs requièrent une attention constante : pour garder le fil, il faut constamment voir « la forêt » et non les arbres. C'est encore plus vrai à propos des critères de non-contradiction et de constance. Voici quelques écueils à éviter.

12.3.1 Le manque de constance orthographique

Sauf si on a de sérieuses difficultés d'orthographe, on épèle généralement un même mot de la même façon dans le cours d'un texte. Ce sont plutôt les petits détails d'abréviation, d'emploi des majuscules, de traits d'union qui sont cause d'incohérence. Par exemple, il est permis d'écrire *Mme* ou *Mme* (cette seconde forme étant préférable), mais pas les deux dans le même texte. Une fois qu'on aura déterminé si on doit écrire le *Jour de l'An*, le *Jour de l'an* ou le *jour de l'An* (c'est cette dernière graphie qui est la bonne), il faut s'y tenir. À ces choix orthographiques s'ajoutent les changements apportés par l'orthographe rectifiée : les anciennes graphies *cèderont*-elles ou ne *céderont*-elles pas leur place ? Les accents circonflexes *disparaitront*-ils, puis *réapparaîtront*-ils subrepticement de-ci de-là dans un texte censé utiliser l'orthographe rectifiée ? Saura-t-on écrire le même mot composé avec ou sans trait d'union tout au long d'un texte ? Pour secondaire qu'elle soit, cette dimension de la cohérence saute souvent aux yeux quand elle n'est pas respectée.

Autre question de cohérence orthographique : peut-on opter pour certaines rectifications et en rejeter d'autres ? À l'intérieur d'une catégorie de rectifications (conjugaisons, traits d'union, pluriel des noms composés, etc.), on acceptera sans doute toutes les modifications plutôt que de n'en retenir que certaines. Mais certains ouvrages, certaines maisons d'édition progressent lentement. Si les rectifications dans les conjugaisons, par exemple, sont devenues d'usage courant, ce n'est pas autant le cas pour la graphie rectifiée de noms d'usage courant comme *ognon* (*oignon*), où la graphie traditionnelle perdure. Il n'y aurait d'ailleurs pas d'incohérence textuelle à écrire que la couleur de l'**oignon** rouge **disparait** presque à la cuisson.

12.3.2 Le manque de constance terminologique

Autant la richesse et la diversité lexicales sont importantes dans l'écriture, autant l'est la constance terminologique dans les textes utilitaires. Une vis cruciforme ne doit pas devenir une vis à tête étoilée ou une vis Phillips à mi-chemin dans des instructions d'assemblage.

Les noms d'organismes et d'institutions, les titres de fonction, les noms de programmes et, de façon générale, les dénominations propres doivent aussi rester constants, sauf pour les troncations habituelles du complément dans les dénominations complexes, troncations qui ne laissent aucun doute quant à la synonymie du nom complet et du nom tronqué. Ainsi, on reprendra facilement *Parlement du Canada* en n'utilisant que le générique *Parlement* ou *Chambre des communes* par *Chambre*. Mais quand on écrit sur un sujet complexe à partir d'informations et d'analyses tirées de plusieurs sources, il arrive qu'on oublie d'harmoniser ses choix terminologiques.

12.3.3 Les contradictions à l'intérieur du texte

Les contradictions dans les textes peuvent aussi toucher au contenu. Le récit est ainsi souvent un terreau pour la contradiction. Dans un roman à l'eau de rose écrit à la chaine, on verra, par exemple, l'héroïne plonger ses yeux dans le regard noir de l'objet de son amour pour ensuite rêver à ses yeux bleus comme une mer d'été. Dans les livres d'enfant, ce sont parfois les illustrations qui contredisent le texte : la blonde héroïne vêtue d'une robe verte sera représentée avec des cheveux couleur de jais et vêtue d'une robe rouge.

Plus un texte est long, plus les risques de contradiction sont grands. Un texte écrit à plusieurs « mains » est aussi plus susceptible de présenter des contradictions qu'un texte écrit par une seule personne. Souvent, la contradiction est simplement due à des variantes dans la formulation d'une même idée. Mais, que ce soit par vice de forme ou par imprécision, une étude ne peut conclure à la fois à la « totale faisabilité » d'un projet et à sa « faisabilité à condition de… ». Pour éviter les contradictions, on doit être particulièrement vigilant lorsqu'il y a répétition ou reprise sous un nouvel angle d'une question déjà abordée.

12.3.4 Les contradictions par rapport à d'autres textes et par rapport au monde

Une contradiction ne se situe pas toujours à l'intérieur du texte. Par exemple, un énoncé en contradiction avec ce qui a été dit dans un autre texte (surtout si le texte émane de la même source) pose un problème de cohérence du discours ; une affirmation en contradiction avec un fait connu crée aussi un effet d'incohérence. De la même façon, ce que le lecteur perçoit comme invraisemblable peut lui sembler moins cohérent que ce qui correspond à sa vision de la réalité.

Dans les textes pragmatiques – travaux d'étudiants, études, documents administratifs, etc. –, ce sont parfois les prémisses (points de départ d'un raisonnement) qui ne sont pas partagées par le lecteur. Dans les travaux scolaires en particulier, l'amorce du texte est souvent un point sensible. Une assertion s'opposant nettement à la connaissance du monde qu'a le lecteur ne semblera pas vraisemblable. Prenons la phrase suivante :

> *Les populations occidentales mangent de façon plus saine qu'auparavant.*

Vraiment ? Ne nous rebat-on pas les oreilles des problèmes d'obésité, de surconsommation de sel et de sucre ? Comment pourrions-nous alors manger de façon plus saine qu'auparavant ? Ce que la phrase vise peut-être à dire, c'est que l'abondance et la variété de nourriture dont on dispose dans les pays riches nous prémunissent contre la sous-alimentation ou la carence systématique de certaines vitamines, ce que personne ne contestera. Mais le lecteur est d'emblée déstabilisé et sceptique à l'égard de ce qui suit dans le texte.

Bien des contradictions, du moins celles qui relèvent de la rédaction, sont dues à des formulations trop elliptiques. Or, le lecteur ne lit pas dans le cerveau de la personne qui écrit. Ce qu'on veut dire doit donc être formulé explicitement. Le degré d'explicitation souhaité sera fonction des destinataires visés et de la représentation qu'on se fait de ses connaissances antérieures sur le sujet.

12.3.5 Le manque de constance ou de transparence dans la visée, le point de vue et la modalisation

Un texte a une **visée** : il vise à informer, à faire comprendre, à distraire, à convaincre, à émouvoir. Pour y parvenir, il emprunte divers moyens, il combine diverses formes : la présentation d'un cas concret peut susciter l'adhésion plus rapidement qu'une longue argumentation ; la description est essentielle à l'explication et à l'argumentation. Il faut néanmoins que le lecteur comprenne le but de chaque séquence. Ainsi, dans un texte d'opinion sur l'utilité des devoirs à l'école primaire, on peut décrire ce que sont les devoirs, mais à condition de subordonner clairement cette description à la justification de leur utilité (ou de leur inutilité).

Un texte est en outre soumis à un **point de vue**. Dans le roman, la nouvelle, la façon dont le narrateur s'inscrit dans le texte fait partie intégrante du récit. Dans les textes pragmatiques aussi, l'auteur peut être plus ou moins présent ou s'effacer : *je, selon moi* impliquent l'auteur ; le pronom *on* et les constructions impersonnelles le distancient. La relation au destinataire fait également partie du point de vue : l'auteur peut s'adresser à son lecteur ou faire comme s'il n'existait pas. Un texte incitatif interpellera volontiers le lecteur : *Vous avez des enfants ? Alors, vous savez que…* Enfin, l'auteur a un certain point de vue par rapport à ses propos : il peut traiter son sujet de façon neutre, passionnée, ironique, etc. Tout ce qui exprime le point de vue relève de la **modalisation** : pronoms marquant la présence de l'auteur ou du destinataire ; vocabulaire connoté (exprimant des jugements, des valeurs culturelles, des sentiments) ; auxiliaires exprimant la possibilité, le doute, etc. ; conditionnel exprimant l'incertitude ; choix entre l'indicatif et le subjonctif lorsque les deux sont possibles ; phrases interrogatives ; phrases exclamatives ; structures impersonnelles. Pour assurer la constance du point de vue, il ne faut pas qu'il y ait de contradiction dans la modalisation.

Ainsi, un texte d'opinion présentant un *je* en introduction reprendra sans doute ce *je* en conclusion. Si on incorpore l'opinion du lecteur, on doit en tenir compte par la suite. Si on s'indigne avec véhémence, on ne peut ensuite passer à un ton parfaitement objectif. Le discours rapporté pose des difficultés particulières de gestion de la modalisation, puisque cohabitent alors dans le texte la modalisation de l'auteur et celle de l'auteur du discours second. Considérons les exemples suivants :

> *Pierre considère que la mesure est excellente et il a voté pour sa généralisation à tout le service.*

> *Pierre a voté pour la généralisation de cette excellente mesure.*

Dans le second exemple, c'est l'auteur, et non Pierre, qui trouve la mesure excellente. Si l'on veut attribuer le jugement à Pierre sans faire deux phrases autonomes, il faudrait plutôt écrire :

> *Pierre a voté pour la généralisation de cette mesure, qu'il trouve excellente.*

12.3.6 Le manque de parallélisme

Dans la section 3.6.4 du chapitre sur la syntaxe, vous avez vu qu'on ne coordonne en principe que des éléments appartenant à la même classe grammaticale et relevant, sur le plan du sens, du même ensemble. Il en va de même dans une énumération par juxtaposition : on doit maintenir un bon parallélisme entre les éléments sur le plan du sens comme sur le plan de la forme. Dans un curriculum vitæ, par exemple, on ne juxtaposera pas une tâche et une fonction dans la description d'un poste occupé.

> **Tenir** l'inventaire des boissons alcooliques
> ^X**Responsable** de l'ambiance : musique, éclairage, etc.

Pas plus qu'on ne juxtaposera un groupe verbal et un groupe nominal.

> ^X**Servir** aux tables, **gestion** de la caisse

On écrira plutôt :

> **Tenir** l'inventaire des boissons alcooliques
> **Assurer** une bonne ambiance : musique, éclairage, etc.
> **Servir** aux tables, **gérer** la caisse

12.3.7 Le manque de constance dans le temps des verbes

Les narrations se prêtent particulièrement à des incohérences temporelles. Si l'on engage une narration au passé simple, on ne peut passer au présent historique ou au passé composé, sauf si une rupture le permet. Le passage suivant est donc fautif.

> Cavelier de La Salle **revint** en Nouvelle-France en 1678, accompagné d'une trentaine d'hommes. Il ^X**navigue** sur les Grands Lacs, ^X**explore** la rivière Illinois et ^X**construit** des forts. En 1682, il ^X**descend** le Mississippi, ^X**dépasse** l'embouchure de la rivière Arkansas où s'était arrêtée l'expédition de Jolliet et de Marquette, et ^X**atteint** l'embouchure du fleuve. Le 9 avril, vêtu d'un manteau écarlate, il **prit** possession du territoire découvert au nom de Louis XIV et le **nomma** « Louisiane » en son honneur.

À CONSULTER

Pour les valeurs propres à chaque temps, vous pouvez consulter les nombreux articles de la *Banque de dépannage linguistique* (*BDL*) sur les temps grammaticaux ou les différents tableaux du *Multi* sur les temps.

Expliquez et corrigez les manques de constance dans les extraits qui suivent.

1 Lire le chapitre 3.

Faire les exercices donnés en classe.

N'oubliez pas de rendre votre compte rendu de lecture.

_____

_____

_____

2 Laver, éplucher et couper les légumes en dés.

Les faire revenir dans une poêle avec un peu d'ail.

Ajouter de la sauce soja et quelques gouttes d'huile de sésame.

Ajouter du riz (déjà cuit).

Dégustez.

_____

_____

_____

_____

_____

3 **Compétences acquises**

- Bilingue (français-anglais).
- Capacité de diriger le personnel.
- Excellente compréhension du service hôtelier en général et du rôle de chacun.
- Peut travailler sur la plupart des systèmes informatiques.
- Favorise le travail d'équipe plutôt que l'individualisme.

_____

_____

_____

_____

_____

4 **Conseils postopératoires**

Les patients peuvent boire dès le lendemain matin de l'opération et manger légèrement à midi. Généralement, l'intervention est peu douloureuse en postopératoire et répond bien aux antalgiques simples qui vous seront prescrits lors de votre sortie de l'hôpital. Après le départ de l'établissement, vers le 2e ou le 3ème jour, le patient est revu en consultation. La durée d'arrêt des activités professionnelles est à discuter en consultation préopératoire. La prise en charge diététique postchirurgicale est indispensable.

5 Cavelier de La Salle est né en 1643 à Rouen, en Normandie, et grandit chez les Jésuites. À l'âge de 24 ans, il quitta les Jésuites et partit pour Montréal. Il entreprit sa première expédition en 1669, accompagné de Dollier de Casson.

Le voyage se passant mal, La Salle quitte son compagnon et repart vers Montréal après seulement trois mois d'expédition. Mais, en réalité, il continua à voyager pendant deux ans. Certains prétendent que La Salle a découvert la rivière Ohio et le Mississippi durant ces deux années, mais il n'en existe aucune preuve.

6 Nous sommes heureux d'être l'hôte de cet excitant tournoi, qui permet aux meilleurs équipes de hockey de la région de s'affronter. Que le meilleur gagne ! Mais, avant d'ouvrir officiellement le tournoi, il serait important de rappeler que les mises en échec ne sont pas permises.

Les contradictions et le manque de constance donnent au lecteur l'impression de se faire mener en bateau. Or, c'est rarement le but qu'on poursuit lorsqu'on écrit. Seule la vigilance permet d'éviter ce genre d'incohérence.

12.4 La mise en pages et la typographie

On ne saurait clore un chapitre sur la cohérence sans dire un mot de la cohérence visuelle. L'œil n'est-il pas le canal par lequel on appréhende le texte? La mise en pages doit faire ressortir la hiérarchisation des informations et, pour ce faire, elle doit être cohérente, comme tous les choix typographiques. Parmi les principes et les règles de mise en pages et de typographie, on retiendra en particulier les suivants.

- **Constance dans la présentation matérielle du paragraphe**

  Si l'on fait des renfoncements (alinéas) au début des paragraphes, on doit en faire partout. L'interligne devrait également être toujours le même. En règle générale, lorsqu'on fait un interligne entre les paragraphes, on ne fait pas de renfoncement à leur début.

- **Constance dans l'emploi des signes et des marques typographiques**

  Lorsqu'on utilise des marques typographiques, on leur assigne une ou plusieurs valeurs. L'italique sera, par exemple, utilisé pour les mots étrangers, les termes à définir, les exemples; le gras, pour les éléments qu'on veut mettre en relief; les guillemets, pour le discours direct, les définitions, etc. Ces valeurs doivent rester constantes tout au long du texte. Les journaux et les magazines se servent parfois de l'italique pour marquer les citations en combinaison avec les guillemets, mais cet usage est strictement réservé à la presse.

- **Clarté et pertinence de la numérotation des sections**

  Si l'on structure un texte au moyen de marques alphanumériques, le mode de numérotation doit non seulement être constant, mais la division en sections, pertinente.

- **Appartenance des intertitres à la partie qu'ils introduisent**

  Un intertitre devrait, en principe, être plus près du texte qu'il introduit que du texte qui le précède. Il ne doit pas « flotter » entre les deux.

- **Constance dans la présentation de listes au moyen de puces**

  Mettra-t-on des majuscules ou non? Mettra-t-on des points à la fin ou non? Quels que soient les choix, ils doivent être constants.

Exercice 12.29

Relevez les incohérences de mise en pages et de typographie dans le texte qui suit. Relevez aussi les différences (le manque de cohérence) entre le développement du point 1.1 et celui du point 1.2.

Le pronom « on »

1. Valeurs du pronom *on*

1.1 Valeurs indéterminées

Le *Petit Robert* (PR) distingue quatre valeurs indéterminées de *on*: 1) les hommes en général, c'est-à-dire les êtres humains, l'être pensant; 2) les gens, à l'exception du *je*; 3) un plus ou moins grand nombre de personnes; 4) quelqu'un (une personne). En d'autres termes, le pronom *on* peut représenter de l'ensemble de l'humanité à une seule personne, avec tout l'entredeux ; il exclut le locuteur (*je*) dans les emplois 2) et 4) ; dans l'emploi 3), il peut inclure ou exclure *je*.

Beaucoup d'ouvrages distinguent seulement 2 ou 3 emplois indéterminés de *on*, en faisant divers regroupements. Ce qu'il faut voir, c'est le continuum de la valeur quantitative du *on* indéterminé (de l'infini à 1), avec la possibilité d'inclure ou d'exclure le *je* dans les valeurs intermédiaires (et l'exclusion du *je* dans la valeur singulière). Cette reconnaissance est nécessaire pour garder la coréférence (le fait de renvoyer à la même chose) lorsqu'on « enfile » plusieurs *on* de suite dans un texte.

1.2 Les valeurs déterminées

Dans ses emplois déterminés, *on* est tout aussi polysémique : il peut représenter à peu près tout le monde : 1re, 2e et 3e personnes, au singulier ou au pluriel. Passons chaque personne en revue.

1re personne

La distinction qu'établit le PR entre deux *on* à valeur de *nous* (un relevant d'un niveau de langue standard et l'autre d'un niveau de langue familier) est assez subtile : le *on* non familier correspond à une dépersonnalisation partielle, une distanciation : « *Au ministère, on pense que...* » (le locuteur fait partie du ministère, mais veut rendre l'opinion en cause plus impersonnelle, plus administrative). Seul le *on* familier à valeur de « nous » est courant : *Lili et moi, on est allées à la plage*. Le *on* de modestie n'est pas non plus courant ; au singulier, on lui préfère *nous* (ou on abandonne carrément cette formulation de modestie et on emploie le *je*, qui est de plus en plus accepté dans les thèses universitaires, par exemple).

2e personne (emploi familier)

L'emploi du *on* à valeur de *tu* ou de *vous* se fait aussi moins courant. C'est un emploi qu'on peut qualifier de stylistique. À une enfant à qui on vient de faire un cadeau, on peut dire : *Alors, on est contente ?* (on = tu = l'enfant en cause, qui dans ce cas-ci serait une fille, puisque l'adjectif est au féminin).

3e personne

Cet emploi se fait également rare. À un enfant qui rentre d'un rendez-vous chez le dentiste, on peut dire : *Alors, on ne t'a pas fait mal ?* (on = ils = le dentiste, l'hygiéniste).

1.3 [...]

_____

_____

_____

_____

_____

_____

_____

À NOTER

Il ne faut pas croire que le travail de mise en pages est anodin. Un texte visuellement ordonné permet à celui qui l'écrit de mieux structurer son information et de mieux se réviser. Il permet à celui qui lit de mieux saisir les relations entre les parties du texte et donc de mieux le comprendre. Grâce à la mise en pages, un texte devient véritablement un objet de communication.

Bibliographie

Principaux ouvrages et outils présentés dans le manuel

Antidote 8 [logiciel] (2012). Montréal, Québec : Druide.

Bureau de la traduction (2015). *Termium Plus*. Repéré à www.btb.termiumplus.gc.ca

Centre collégial de développement de matériel didactique (2011). *Amélioration du français*. Repéré à www.ccdmd.qc.ca/catalogue/amelioration-du-francais

Contant, C. (2009). *Grand vadémécum de l'orthographe moderne recommandée*. Montréal, Québec : Éditions De Champlain S.F.

de Villers, M.-É. (2009). *Multidictionnaire de la langue française* (5e éd.). Montréal, Québec : Éditions Québec Amérique. [Existe aussi en édition numérique et en application.]

Gouvernement du Canada (2015). *Portail linguistique du Canada*. Repéré à www.noslangues-ourlanguages.gc.ca

Le Petit Larousse illustré 2015 (2014). Paris, France : Larousse. [Voir aussi le *Dictionnaire de français Larousse* en accès libre en ligne. Repéré à www.larousse.fr/dictionnaires/francais-monolingue]

Le Petit Robert de la langue française 2015 (2014). Paris, France : Dictionnaires Le Robert. [Existe aussi en édition numérique.]

Le Robert Correcteur [logiciel] (2014). Paris, France : Dictionnaires Le Robert.

Le Trésor de la langue française informatisé (s.d.). ATILF et Université de Lorraine. Repéré à http://atilf.atilf.fr

Office québécois de la langue française (2015). *Banque de dépannage linguistique*. Repéré à www.oqlf.gouv.qc.ca/ressources/bdl.html

Office québécois de la langue française (s.d.). *Le grand dictionnaire terminologique*. Repéré à www.granddictionnaire.com

Usito (2014). Sherbrooke, Québec : Éditions Delisme. Repéré à www.usito.com [Par abonnement seulement]

Références générales

Beauchesne, J., Beauchesne, K. et Beauchesne, C. (2009). *Le grand dictionnaire des cooccurrences*. Montréal, Québec : Guérin. [La 1re édition est incluse dans *Termium Plus*.]

Bertrand, G. (s.d.). *Le français au micro*. Repéré à http://ici.radio-canada.ca/radio/francaisaumicro/

Bescherelle : L'art de conjuguer (2012). Montréal, Québec : Éditions Hurtubise. [Conjugueur complet sur le site de Bescherelle : www.bescherelle.com/conjugueur.php]

Bureau de la traduction (1996). *Le guide du rédacteur* (2e éd.). Repéré à www.btb.termiumplus.gc.ca/tpv2guides/guides/redac/index-fra.html?lang=fra

Cajolet-Laganière, H., Collinge, P. et Laganière, G. (1997). *Rédaction technique, administrative et scientifique* (3e éd.). Sherbrooke, Québec : Éditions Laganière.

Cardinal, P. (2010). *Le vocabulAide : Influences de l'anglais – vraies et prétendues – et usages en transition*. Ottawa, Ontario : Les Presses de l'Université d'Ottawa. [Existe en format numérique.]

Centre d'aide à la rédaction des travaux universitaires (2013). *Outils de rédaction*. Ottawa, Ontario : Les Presses de l'Université d'Ottawa. [L'ensemble des ressources en rédaction du Centre d'aide à la rédaction des travaux universitaires de l'Université d'Ottawa est accessible en ligne : http://sass.uottawa.ca/fr/redaction/ressources]

Chartrand, S.-G., Aubin, D., Blain, R. et Simard, C. (1999). *Grammaire pédagogique du français d'aujourd'hui*. Montréal, Québec : Chenelière Éducation.

Clerc, I. (2000). *La démarche de rédaction*. Montréal, Québec : Éditions Nota bene.

Colignon, J.-P. (2011). *Un point c'est tout ! La ponctuation efficace*. Paris, France : Victoires Éditions.

Collectif (pour le Secrétariat du Conseil du trésor, l'Office québécois de la langue française et le Secrétariat à la politique linguistique) (2006). *De la lettre à la page Web : savoir communiquer avec le grand public*. Québec, Québec : Les Publications du Québec.

Contant, C. et Muller, R. (2009). *Connaitre et maitriser la nouvelle orthographe : guide pratique et exercices* (2e éd.). Montréal, Québec : Éditions De Champlain S.F.

Drillon, J. (1991). *Traité de la ponctuation française*. Paris, France : Gallimard.

Enquêtes linguistiques (« Histoires de mots » et « Points de langue ») (s.d.). Repéré à www.druide. com/enquetes-linguistiques

Forest, C. et Boudreault, D. (1998). *Le Colpron : le dictionnaire des anglicismes* (4e éd.). Montréal, Québec : Beauchemin.

Forest, J. (2011). *Le grand glossaire des anglicismes du Québec* (éd. rev. et augm.). Montréal, Québec : Tryptique. [Existe aussi en format numérique.]

Gouvernement du Canada (1993). *Pour un style clair et simple*, réimpression. Ottawa, Ontario : Groupe Communication Canada. [En version numérisée sur le site Publications du gouvernement du Canada : http://publications.gc.ca/site/fra/19773/publication.html]

Grevisse, M. et Goosse, A. (2011). *Le bon usage, grammaire française* (15e éd.). Bruxelles, Belgique : de Boeck ; Paris, France : Duculot. [Existe en format numérique par abonnement.]

Guénette, L., Lépine, F. et Roy, R.-L. (2004). *Guide d'autocorrection du français écrit. Le français tout compris* (2e éd.). Saint-Laurent, Québec : Éditions du Renouveau Pédagogique Inc.

Guilloton, N. et Cajolet-Laganière, H. (2014). *Le français au bureau* (7e éd.). Québec, Québec : Les Publications du Québec.

Hanse, J. et Blampain, D. (2012). *Dictionnaire des difficultés du français* (6e éd.). Bruxelles, Belgique : De Boeck ; Louvain-la-Neuve, France : Duculot. [Existe en version APP.]

Laporte, M. et Rochon, G. (2007). *Nouvelle grammaire pratique*. Anjou, Québec : CEC.

Lesot, A. (2013). *Bescherelle : Le vocabulaire pour tous*. Paris, France : Hatier.

Maisonneuve, H. (2013). *Vadémécum de la nouvelle grammaire* (version 3). Montréal, Québec : Centre collégial de développement de matériel didactique.

Malo, M. (1996). *Guide de la communication écrite au cégep, à l'université et en entreprise*. Montréal, Québec : Québec Amérique.

Marquis, A. (1998). *Le style en friche ou L'art de retravailler ses textes : 75 fiches illustrant des erreurs et des maladresses stylistiques : exemples, exercices et corrigés*. Montréal, Québec : Triptyque.

Meney, L. (2003). *Dictionnaire québécois français. Mieux se comprendre entre francophones* (2e éd.). Montréal, Québec : Guérin.

Ramat, A. et Benoît, A.-M. (2012). *Le Ramat de la typographie* (10e éd.). Montréal, Québec : Éditions Ramat. [2014 pour l'édition numérique]

Riegel, M., Pellat, J.-C. et Rioul, R. (2014). *Grammaire méthodique du français* (5e éd.). Paris, France : Presses Universitaires de France.

Tatillon, C. (1997). *Écrire le paragraphe*. Toronto, Ontario : Éditions du Gref.

Wilmet, M. (2010). *Grammaire critique du français* (5e éd. entièrement rev.). Bruxelles, Belgique : De Boeck-Duculot.

Autres références

Sur le site *Amélioration du français* du Centre collégial de développement de matériel didactique :

« Index des ressources »

Sur le site de la *Banque de dépannage linguistique* de l'Office québécois de la langue française :

« Bibliographie sur la rédaction administrative »

« Bibliographie sur la rédaction technique et scientifique »

« Webographie sur la rédaction administrative »

Index

A

À, 99-100, 106

Abréviation, 169-170

Accent
> circonflexe, 21
> de type e/é/è, 21
> grave, 21

Accord, 180
> de l'adjectif
>> attribut du complément direct, 223
>> attribut du sujet, 222
>> complément du nom ou du pronom, 224-228
> de *même*, 232-233
> de *quel que*, 234
> de *quelque*, 234
> de *quelque... que*, 235
> de *tel*, 236
> de *tel que*, 236
> de *tel quel*, 236
> de *tout*, 229-231
> dans le GN, 223-229
> dans le GV, 181-223
> du déterminant, 228-229
> du participe passé, 199-221
> du verbe avec le sujet, 181-197

Acronyme, 256

Addition, 73-74, 341

Adjectif, 39
> classifiant, 39, 55, 73
> de couleur, *voir* désignant une couleur
> désignant une couleur, 225
> formation du féminin de l', 172
> formation du pluriel de l', 173
> issu d'un participe présent, 227-228
> issu d'une forme verbale, 57
> qualifiant, 39, 55, 73
> se rapportant à un même nom, 224-225
> se rapportant à plus d'un nom, 224

Adverbe, 41
> complément
>> de phrase, 65
>> de verbe, 65
> de manière, 268
> modalisateur, 112
> modificateur, 64-65
> position de l', 122
> organisateur textuel, 65, 112

Ambigüité, 111, 321-324

Amélioration du français (site Web), 13-14, 23

Amorce, *voir* Sujet amené

Anacoluthe, 104-106

Anglicisme, 242
> de prononciation, 242, 280
> de sens, *voir* sémantique
> lexical, 242, 279, 281
>> hybride, 281
>> intégral, 281
> orthographique, 242, 280
> sémantique, 242, 279, 283
> syntaxique, *voir* Calque syntaxique

Anglo-américain (langue), 242

Annonce du plan, *voir* Sujet divisé

Antécédent, 76, 177, 319-320, 322-324
> animé, 93-94
> double renvoi à l', 96
> inanimé, 93-94

Antidote, 15-19
> correcteur d', 16-18, 23, *voir aussi* Correcteur
> dictionnaire
>> des antonymes d', 9, 18-19
>> des champs lexicaux d', 19
>> des citations d', 19
>> des cooccurrences d', 9, 288
>> des définitions d', 18
>> des familles d', 19
>> des synonymes d', 8-9
>> historique d', 19
>> *Visuel nano* d', 19
> guide linguistique d', 19

Antonymie, 264

Apposition, 67, 189

Argot, 277

Argument excédentaire, 332

Au niveau de, 102

Aussi, 335

Avec, 101

B

Banque de dépannage linguistique, 12, 23

Banque terminologique, *voir* Dictionnaire terminologique

Barbarisme, 290-291

Base, 135, 138-139, 243-244

BDL, *voir Banque de dépannage linguistique*

Bibliographie, 297

Bon usage, 271

Bureau de la traduction du Canada, 13

But, connecteur de, 339-340

C

Calque
> d'expression, 283
> de structure, 242
> sémantique, 279
> syntaxique, 279

Car, 336-337

Cause, 339-340, 342-343

CCDMD, *voir* Centre collégial de développement de matériel didactique

CD, *voir* Complément direct

Ce, 192-193

Ce dernier, 322-323

Ceci, 113-114

Cela, 113-114
> abus de, 327

Celui-ci, 114, 323

Celui-là, 114

Centre collégial de développement de matériel didactique, 13-14

Champ lexical, 19

Chroniques de langue, 13

CI, *voir* Complément indirect

Classe de mots, 34-42, 179
> invariable, 40-42, 179
>> adverbe, 41
>> conjonction, 42
>> préposition, 40-41

variable, 35-40, 179
    adjectif, 39
    déterminant, 36-37
    nom, 35
    pronom, 40
    verbe, 37-38
    voir aussi Mot(s)
Clôture argumentative, 347
Cohérence
    du texte, 312
    orthographique, 349
Communication
    but de la, 296-297
    intention de la, *voir* but de la
    sujet de la, 297
Comparaison, 118
Complément(s)
    circonstanciel, 67
    coordination de, 98
    d'agent, 67
    d'objet, 67
    de l'adjectif, 95
    de phrase, 26, 104-105, 110-111
    direct (CD), 110, 116
        placé avant le verbe, 201-202
    du nom, 56, 95, 105
    du pronom, 125
    du verbe, 98, 115-117
    indirect (CI), 95, 110, 116
    obligatoire, 115-116
Composition, 242-243, 253
    savante, 243, 253
Concession, 344-345
Concision, 267-270
Conclusion, 306, 308-309, 347
Condition, connecteur de, 346
Conditionnel
    passé, 346
    présent, 149-150
Conjonction, 42
    de coordination, 42, 97, *voir aussi*
        Coordonnant
    de subordination, 42, *voir aussi*
        Subordonnant
Conjugaison
    à la forme interrogative, 159-160
    des verbes, 140-158
Connecteur(s), 331
    argumentatif, *voir* logique
    confusion de sens et, 336-337

confusion entre deux formes
        proches de, 334
    d'addition et d'énumération, 341
    d'opposition, 344-345
    de but, 339-340
    de cause et d'explication, 342-343
    de condition et d'hypothèse, 346
    de conséquence, 339, 347
    défaut logique de, 339-340
    diversité des, 341-347
    erreur de combinaison entre, 339
    erreur et maladresse de, 334-340
    explication circulaire et, 339
    imprécision et, 336-337
    logique, 332
    nuance de sens et, 341-347
    polysémique, 332-333
    position dans la phrase du, 335-336
    poule ou l'œuf et, 340
    relation de sens non justifiée
        et, 339
    relation exprimée par le, 332-333
    sandwich but/cause et, 339-340
    sandwich causal et, 339-340
    spatial, 332
    temporel, 331-332
Conséquence, connecteur de, 339, 347
Consonne, redoublement de la ___
        dans le verbe, 21
Constance
    dans le temps des verbes, 351
    manque de, 350-351
    orthographique, 348-349
    terminologique, 349
Contraction, 41, 192-193
Contradiction
    à l'intérieur du texte, 349
    par rapport à d'autres textes, 350
    par rapport au monde, 350
Cooccurrence
    erronée, *voir* Incompatibilité
        sémantique
    synonyme et, 260
Coordination, 75, 106-109
    conjonction de, 42, 97
    incohérence dans la, 108
Coordonnant, 42, 75, 106, *voir aussi*
    Conjonction de coordination
Correcteur, 20, *voir aussi* Antidote,
    correcteur d' ; Robert
    Correcteur
Correction de texte, 14-15

CP, *voir* Complément de phrase
Créativité, 329
Crochet, 132

D

De, 60, 95-96, 98-100, 106
De plus, 334
Demi, 226
Déplacement, 71-72, 125, 184, 202
Dérivation, 242-246, 313-314
Dernièrement, 334
Des, 175
Description, 314
Destinataire, 295-296
Détachement,125
Déterminant, 174
    contracté, 175
    dans les reprises nominales, 315
    indéfini partitif, 175
    numéral, 176, 228-229
    partitif, 175
    possessif, 174, 320-321
Deux-points, 129-130
Développement, 308
Diagramme de Gantt, 298
Dictionnaire
    de combinaisons de mots, *voir*
        de cooccurrences
    de cooccurrences, 9
    de difficultés, 10-14
    de synonymes, 8-9
    encyclopédique, 3
    de langue, 3-4
    terminologique, 10
    usuel, 3-10
        électronique, 6
        nouvelle édition d'un, 5-6
Dictionnaire de français (Larousse), *voir*
    Larousse en ligne
Dictionnaire des combinaisons de mots, 9
Document
    contenu du, *voir* Communication,
        sujet de la
    forme du, 297
Donneur d'accord, 179-180
Dont, 78-79, 95-96
Double
    renvoi à l'antécédent, 96
    validation, 299

Du, 175
Dû à, 103
Duquel, 96

E

Échéancier, 298
Écriture, évaluation de l', 311
Effacement, 71, 125-126, 183, 202
Effet
    de miroir, 339
    de surprise, 321, 326
    ludique, 314
Également, 335-336
Élargissement, 306, 308
Ellipse, 126
Emprunt, 279-281
    contemporain, 241-242
    critiqué, *voir* Anglicisme
    du passé, 241
En, 106-107, 204
En conséquence, 334
En dernier, 334
En dernier lieu, 334
En effet, 338
En fait, 338
En plus, 334
Encadrement, 73, 182, 184, 202
Enchaînement
    de pronoms personnels différents,
        323-324
    principe d', 312
Encyclopédie (Larousse), *voir* Larousse
    en ligne
Enfin, 334
Énumération, 341
Épithète, 56, 67
Est-ce que, 28, 30, 86, 88, 95
Est-ce qui, 88
Et cætera, 123
Étymologie, 244
Euphémisme, 262
Expansion, 41-43, 45
Explication, connecteur d', 342-343

F

Face à, 102
Facture visuelle, 297
    évaluation de la, 311
Famille

de mots, 19, 22, 243-244, *voir*
    aussi Mot(s)
de sens, 244
étymologique, *voir* de mots
Faux amis, *voir* Anglicisme sémantique
Faux-sens, 282
Féminin
    des adjectifs, 172
    des noms d'êtres animés, 162
Féminisation
    des professions, 163-164
    des titres, 163-164
Finalement, 334
Fonction syntaxique, 69-70, 92-93
Fraction, 193-195
Français (langue)
    évolution du, 240-242
    fonds primitif du, 240
    international, 272
    normé, *voir* standard
    origine du, 240
    standard, 272-273
Futur simple, 149-150

G

GAdj, *voir* Groupe de mots, adjectival
GAdv, *voir* Groupe de mots, adverbial
Gantt, diagramme de, 298
GDT, *voir* Grand dictionnaire
    terminologique
Genre du nom, 161-162
Gérondif, 50
GInf, *voir* Groupe de mots, infinitif
GN, *voir* Groupe nominal
GPart, *voir* Groupe de mots, participe
GPrép, *voir* Groupe de mots,
    prépositionnel
Grand dictionnaire terminologique, 10
Grand Druide des cooccurrences, 9
*Grand Druide des synonymes et des
    antonymes*, 8-9
Grec (langue), 241
Groupe de mots, 42-43
    adjectival (GAdj), 54-58
        expansion dans le, 55
        fonction du, 56-58
        noyau du, 54-55
    adverbial (GAdv), 63-66
        expansion dans le, 64
        fonction du, 64-66
        noyau du, 63

fonction syntaxique du, 68-70
infinitif (GInf), 49-50
nominal, *voir* Groupe nominal
participe (GPart), 50
prépositionnel (GPrép), 59-63
    expansion dans le, 60
    fonction du, 61-63
    noyau du, 59-60
verbal (GV), 49-54
    expansion dans le, 51-53
    fonction du, 54
    noyau du, 49-50
voir aussi Mot(s)
Groupe nominal (GN), 44-48
    expansion dans le, 45-46
    fonction du, 46-48
    noyau du, 44-45
    répétition d'un, 318
    sujet
        contenant un nom collectif,
            193-194, 197
        contenant un pourcentage,
            194-195
        contenant une expression de
            quantité, 195-196
        contenant une fraction,
            194-195
        formé de plusieurs groupes,
            189-191, 197
Guide de rédaction, 10-14
Guide du rédacteur, 13, 23
Guillemets, 130-131
GV, *voir* Groupe de mots, verbal

H

H
    aspiré, 230
    muet, 230
Homonyme, 284
Hyperonyme, 9
Hyperthème, 313-314
Hyponyme, 9
Hypothèse, 346

I

Idiotisme, 283
Il, en tant que pronom sujet
        impersonnel, 188
Il y a, 205
Imparfait
    de l'indicatif, 146-147
    du subjonctif, 138, 153-154

Impératif, 186
    passé, 138
    présent, 138, 155-156
Impropriété, 281-287
Incompatibilité sémantique, 288
Indicatif, 137
    futur simple, 149-150
    imparfait, 146-147
    passé simple, 147-148
    présent, 142-145
Infinitif, 28, 215
    passé, 136
    présent, 136
Inflation verbale, 242
Information
    choix de l', 299-301
    collecte de l', 299-300
    évaluation de l', 310
    hiérarchisation de l', 303
    manque d', 301
    ordonnancement de l', 303-304
        analytique, 303
        descriptif, 303
    regroupement de l', 301, 303
    sélection de l', 300-301
    structuration de l', 301-306
    trop-plein d', 301
Insertion, 85, 125
Intelligibilité, 295
Internet, 300
Interrogation
    directe, 86-88
    indirecte, 88
    partielle, 29-30
    totale, 28-29
Intonation, 29
Introduction, 306-309
Inversion du sujet, 159, 183-184
    complexe, 28-30
    simple, 28-30

J

Janotisme, 111
Justification, connecteur de, 337, 340, 342
Juxtaposition, 75, 189

L

L', en tant que pronom personnel, 203
La, 177
Langue

classique, 241
française, voir Français
qualité de la, 271-272
romane, 240
vivante, 241
Larousse en ligne, 3-4
Latin (langue), 240
    classique, 241
    écrit, 241
    emprunt au, 241
    populaire, voir vulgaire
    savant, voir classique
    vulgaire, 240-241
Le peu, 208
Leur, 177
Lexique, 239
    primitif, 240
Lisibilité, 295, 311
Liste des références, voir Bibliographie
LL, voir Larousse en ligne
Locution
    adverbiale, voir Adverbe
    prépositive, voir Préposition(s)
Lui, 177

M

Majuscule, 168
Mandant, 295-296
Mandat, analyse du, 295-298, 310
Mandataire, 295-296
Manipulation syntaxique, 70-74
Manque de transparence, 350-351
Marque
    d'usage, 272
    grammaticale, 179
Marqueur
    de négation, 89
    de relation, voir Connecteur(s)
    de restriction, 89
Même
    en tant qu'adjectif, 232-233
    en tant qu'adverbe, 232-233
    en tant que pronom, 233
Microsoft Office
    correcteur de, 23
    dictionnaire de synonymes de, 9
    voir aussi Word
Mise
    en contexte, voir Sujet amené
    en pages, 354
    en relief, 31

Modalisation, 350-351
Mode
    impersonnel, 136
    personnel, 5
Morphologie, 134
Mot(s)
    charnière, voir Adverbe
        organisateur textuel
    composé, 21, 243
    d'origine germanique, 240
    écran, 182-183
    extension référentielle d'un, 7
    forgé, 290-291
    formation des, 242-246
    groupe de, 111
    interrogatif, 86
        emploi en début de phrase
          d'un, 29-30
    nouveau, voir Néologisme
    ordre des, 110-113
    passepartout, 265
    voir aussi Classe de mots ; Famille
        de mots ; Groupe de mots
Mot-valise, 255
Multi, voir Multidictionnaire de la langue
    française
Multidictionnaire de la langue française,
    10-12, 22-23

N

Narration, 313, 351
Ne
    employé seul, 91
    explétif, 91-92
    omission de, 90-91
Néologisme
    lexical, 242
    sémantique, 242
Ni, 91, 190
Niveau de langue
    familier, 277
    littéraire, 277
    péjoratif, 277
    populaire, 277
    soutenu, 277
    synonyme et, 263
    technique, 277
    vulgaire, 277
Nom, 35, 160
    collectif, 193-194
    composé, 22, 167-168
    erreur dans la détermination du
        nombre d'un, 166-167

étranger, 22
formation du féminin du, 162-164
formation du pluriel du, 164-165
genre du, 161-162

Norme
descriptive, 271
linguistique, 271
prescriptive, 271

Nouvelle orthographe, *voir*
Orthographe rectifiée

Noyau, 42-43
sémantique commun, 257

Nuance
de sens et synonyme, 257-258
sémantique, 245

Numéral, 21

O

Office québécois de la langue
française, 10, 20
On, 136, 188-189, 200, 222, 323
Opposition, 344-345
OQLF, *voir* Office québécois
de la langue française

Ordre
de succession des idées,
voir Information,
ordonnancement de l'
des mots, 110-113

Orthographe rectifiée, 12, 14, 140-
142, 349
outil d'aide à la rédaction et,
20-23

Ou
exclusif, 190
inclusif, 190

Où, 79
Outil d'aide à la rédaction, 20-23
Ouverture, *voir* Élargissement

P

Par conséquent, 334
Parallélisme, manque de, 351
Parce que, 336-337
Parenthèse, 131-132
Paronyme, 285
Participe, 137
passé, 137
d'un verbe pronominal,
210-218, 221

employé avec l'auxiliaire *avoir*,
201-208, 220
employé avec l'auxiliaire être, 200,
220
formation du, 199
suivi d'un verbe à l'infinitif, 206-207
présent, 137, 227-228

Particule négative, 89
Pas, 90
Passé simple, 147-148
Périphrase, 270
Personne grammaticale, 135-136
Petit Larousse illustré, 3-6
Petit Robert, 3-7, 9, 22-23, 280, 288
électronique, 7, 280

Phrase, 25-27
complexe, 75
constituant de la, 25-26
construction particulière de, 30-31
de base, 27
enchâssante, 76, 85
enchâssée, *voir* Subordonnée
forme de, 31-33
active, 32
empathique, 31
impersonnelle, 32
négative, 31
neutre, 31
passive, 32
personnelle, 32
positive, 31
graphique, 121
incidente, 11
incise, 11
interrogative, 86-89
matrice, 76
négative, 89-92
principale, *voir* enchâssante
représentation d'une, 26-27
syntaxique, 121
type de, 27-30, 33
déclaratif, 27
exclamatif, 30
impératif, 28
injonctif, *voir* impératif
interjectif, *voir* exclamatif
interrogatif, 28-30

PL, voir Petit Larousse illustré
Pléonasme, 90, 287

Pluriel
de l'adjectif, 173
du nom composé, 22
du nom étranger, 22
Point, 121-122

abréviatif, 122
d'exclamation, 123
d'interrogation, 86, 88, 122
de suspension, 123
de vue, 350-351
final, 122

Point-virgule, 129

Ponctuation
à l'intérieur de la phrase
graphique, 124-133
à la fin de la phrase graphique,
121-123
signe de, 121

Portail linguistique du Canada, 13
Pour, 99
Pourcentage, 193-195
Pourquoi, 86-87
PR, voir Petit Robert
Prédicat, 25-26, 54
Préfixe, 243-245
de négation, 245

Préposition, 40-41, 98
choix de la, 100-101
complexe, 98
erreur dans l'emploi de, 98-103
omission de la, 98
répétition de, 106-107
rôle de la, 97-98

Présent
de l'indicatif, 142-145
impératif, 138, 155-156
participe, 137, 227-228
subjonctif, 138, 151-152

Présentatif, 31
Présentation de l'objet, *voir* Sujet posé
Problématisation, *voir* Sujet posé
Procédé emphatique, *voir*
Encadrement

Progression
à thème dérivé, 325
de l'information, 312-330
faute dans la, 315
maladresse dans la, 314-315
textuelle, *voir* de l'information
thématique, 313-315

Pronom, 40, 86
antécédent pour un, 322-323
de reprise, 40, 92, 177, 315, 320
ambigüité référentielle du,
321-324
démonstratif, 113-115
nominal, 40, 177
personnel, 135

qui reprend le sujet, 88
relatif
    choix du, 93-94
    dans la subordonnée relative, 76-79
    erreur dans l'emploi du, 95-96
    fonction du, 93-94
    forme du, 93-94
    rôle du, 92-93
répétition d'un, 313-314, 318
Pronominalisation, 72, 201
Propos, 312-313
Public cible, *voir* Destinataire
Puisque, 337

Q

Que, 78, 87, 177
Quel que, 234
Quelque
    en tant qu'adverbe, 234
    en tant que déterminant, 234
Quelque... que, 235
Qui, 77-78, 177, 191, 197

R

Racine, *voir* Base
Radical, *voir* Base
Raison, 339
RC, *voir* Robert Correcteur
Receveur d'accord, 179-180
Recherche documentaire
    approfondie, 300
    de base, 299-300
    ponctuelle, 299
Rectification de l'orthographe, *voir*
    Orthographe rectifiée
Rédaction, 306-309
    démarche de, 295-311
    récursive, 311
Redondance, 287
Référent, 319-320
Registre
    de langue, *voir* Niveau de langue
    scientifique, 277
    technique, 277
Règle d'accord, 180
Relecture, 310-311
Remplacement, 72-73, 181-182, 184, 202
Répétition

d'un groupe nominal, 318
d'un pronom, 313-314, 318
du propos, 314
Reprise(s)
    adverbiale, 318
    associative, 319-321
    classement grammatical des, 318
    classement sémantique des, 319
    d'un groupe nominal avec
        modification, 318
    de l'information, 317
        erreur et maladresse dans la, 320-329
        organisation du paragraphe et, 329-330
        type de, 317-319
    inutile, 119-120
    nominale, 318, 320
        erreur et maladresse lexicale dans la, 328-329
    par nominalisation, *voir* nominale
    par pronominalisation, *voir* pronominale
    partielle, 319
    périphrastique, 319
    pronominale, 318, 320
        absence d'antécédent pour la, 326
        d'un complément dans un GN, 324-325
    synonymique, 319
    totale, 319
Révision, *voir* Relecture
Robert Correcteur, 9, 20, *voir aussi* Correcteur

S

Semi, 226
Sens, 245
    anglicisme de, *voir* Anglicisme sémantique
    contraire, *voir* Antonymie
Sigle, 256
Solécisme, 291
    d'influence anglaise, *voir* Calque syntaxique
Sous-thème, 313
Structure textuelle, *voir* Texte, structure d'un
Subjonctif, 137
    imparfait, 138, 153-154
    passé, 138
    plus-que-parfait, 138, 153

présent, 138, 151-152
Subordination, 76-84
    conjonction de, 42
Subordonnant, 42, 76, 92, *voir aussi* Conjonction de subordination
Subordonnée, 76
    adjective, 268
    circonstancielle, 81-82
    complétive, 79-81
        complément direct, 79-80
        complément indirect, 80-81
        erreur liée à la, 117
        suppression de la, 269
    corrélative, 83-84
    interrogative, 87-88
    relative, 76-79, 268
        déterminative, 128
Suffixe, 245-246
Suite à, 102-103
Sujet, 25
    amené, 304, 306, 308-309
    divisé, 304, 306-309
    grammatical, 188
    identification du, 181-184
    inversé, *voir* Inversion du sujet
    personne grammaticale du, 184-186
    posé, 304, 306, 308
    réel, 188
    sémantique, *voir* réel
Superlatif, 119
Sur, 102
Synonyme, 257-258
    cooccurrence et, 260
    de sens péjoratif, 261-262
    degré d'intensité et, 261
    euphémisme et, 262
    niveau de langue et, 263
    nuance de sens et, 257-258
    registre de langue et, *voir* niveau de langue et
Synthèse, 306, 308

T

T euphonique, 160
Tel, 236
Tel que, 236
Tel quel, 236
Télescopage, *voir* Mot-valise
Temps
    composé, 157-158
    du verbe, 136-138
Terme, 10

Terminologie, 10
Termium Plus, 10, 13, 288
Texte
    architecture du, 301-302
    cohérent, *voir* Cohérence du texte
    compréhensible, 295, 298, 304
    structure d'un, 304, 306-309
        évaluation de la, 311
Thème, 312-313
    nouveau, 313
    renouvellement du, 313
Tiret, 132-133
Titre, 122
Tout
    adverbe, 230-231
    déterminant, 229-230
    devant *autre*, 231
    pronom, 231
Trait
    d'union, 21, 159
    différenciateur, 257
    grammatical, 179
Traitement de texte, 14-15
Transparence, manque de, 350-351
Tréma, 21
Très, 267
Trésor de la langue française, 8
Troncation, 256
Typographie, 354

Unité de mesure, 170-171
Usage
    bon, 271
    général, 273
    marque d', 272
    régional, 273
Usito, 3-5, 8, 280

Valeur
    aspectuelle, 136
    synthétique, 327
    temporelle, 136
Variation, 271-272
    dans l'espace, 272-273
    sociale, 276-277
    sociostylistique, *voir* sociale
    temporelle, 275-276
Verbe, 37-38, 134-140
    attributif, 37, 47
    forme composée du, 187
    impersonnel, 205
        essentiellement, 205
        occasionnellement, 205
    intransitif, 37
    irrégulier, 138

    pronominal, 210
        à valeur passive, 214-215
        essentiellement, 211
        occasionnellement, 211-213
    régulier, 138
    transitif, 37-38
Virgule
    coordonnante, 124
    double, 124-125
    éléments pouvant être coordonnés
        par une, 124-126
    simple, 124
    subordonnante, 124-125
Visée, 350
Vocabulaire
    actif, 239
    passif, 239
Vous, 200, 222

Web, *voir* Internet
Word, 9, 23
    ajout dans le dictionnaire de, 14
    choix de la langue dans, 9
    correction automatique des fautes
        répétitives dans, 14
    dictionnaire de synonymes de, 9
    suivi de modification dans, 14-15
    voir aussi Microsoft Office